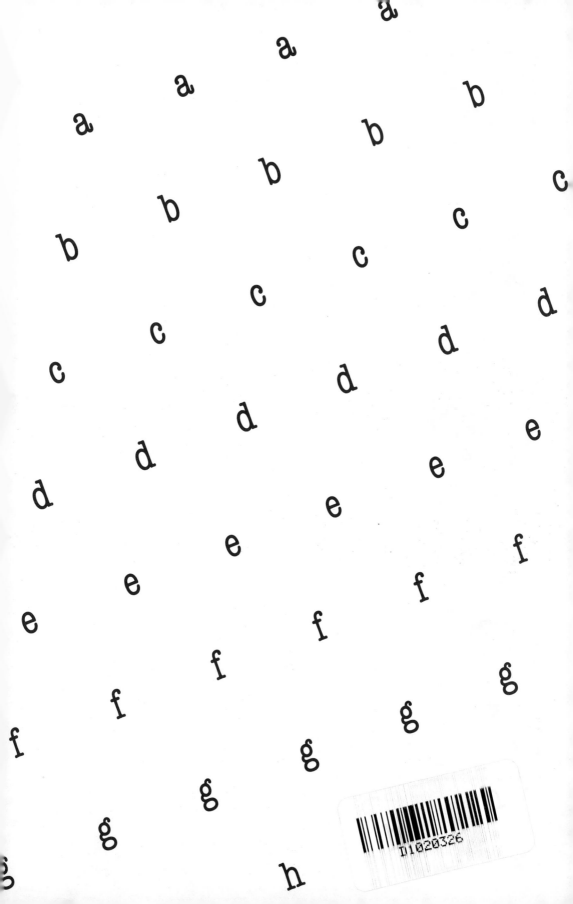

a

a

a

a

b

b

b

c

b

b

c

c

c

d

c

c

d

d

c

d

e

d

d

e

d

e

f

d

e

e

f

f

e

f

g

e

f

g

f

f

g

g

g

g

h

ALBERT HAMON

GRAMMAIRE PRATIQUE

USUELS
HACHETTE

Dans la même collection :
Calcul pratique Arithmétique et géométrie Lucien Chambadal

Conception typographique et mise en page de Claude Verne

© HACHETTE, 1983

ISBN 2.01.008781.X

PRÉFACE

« *Don Leopold Auguste* – C'est l'amour de la grammaire, Monsieur, qui m'a comme ravi et transporté ! Mais peut-on aimer trop la grammaire ? dit Quintilien.
Don Fernand – Quintilien dit ça ?
Don Leopold Auguste – Chère grammaire, belle grammaire, délicieuse grammaire, fille, épouse, mère, maîtresse et gagne-pain des professeurs ! Tous les jours je te trouve des charmes nouveaux ! Il n'y a rien dont je ne sois capable pour toi ! »

Paul Claudel, Le Soulier de satin.

Pastichant Montesquieu et son célèbre : « Ah ! ah ! monsieur est Persan ! C'est une chose bien extraordinaire ! Comment peut-on être Persan ! », l'on pourrait fort bien s'écrier : « Ah ! ah ! monsieur est grammairien ! Comment peut-on être grammairien ! ».

Pauvre grammairien, *en effet ! Le grammairien est un* esclave : *un esclave de la langue, qu'il se doit de servir, corps et âme; un esclave de ses élèves (jeunes ou moins jeunes, connus ou inconnus), à qui il doit communiquer sa passion dévorante. Qui dit grammairien, dit pédagogue. Pédagogue ! mot intéressant, issu du grec, formé de péd- (« enfant »; cf pédiatre) et de ago (« je conduis ») : c'est, étymologiquement, l'esclave de* confiance *(encore un esclave !), qui « conduit l'enfant » de son maître à l'école; puis, s'enhardissant, franchit le seuil, écoute, s'instruit si bien qu'il devient... le maître ! Et quand, de plus, il se fait grammairien, il vaut de l'or : Pline l'Ancien nous l'affirme, qui mentionne un « esclave grammairien » vendu pour 700 000 sesterces, le plus haut prix dont il ait entendu parler... Autres temps, autres mœurs : le grammairien, aujourd'hui, reste un esclave, mais dévalué, voire méprisé...*

Quant à la grammaire, *elle n'a pas meilleure presse, avec ses règles impitoyables, ses exceptions sournoises, ses participes passés incontrôlables, ses chausse-trapes (admirons l'orthographe de ce pluriel (voir § 151) de toute(s) sorte(s). A la limite, ne pourrait-on s'en désintéresser totalement ? L'illettré s'en passe bien, lui, dont les nuits sont exemptes de cauchemars grammaticaux; pourquoi Monsieur Tout-le-Monde n'agirait-il pas de même, en ce siècle de la vitesse, où l'on n'a pas de temps à perdre avec les chinoiseries de la grammaire ? Mais la Grammaire (avec une majuscule) est une grande dame : on peut la malmener, chercher à l'abaisser; on ne peut s'empêcher d'éprouver envers elle un sentiment de respect, de crainte presque religieuse. Étymologiquement, on a bien raison : « graphein », en grec, veut dire « graver », avant de signifier « écrire »; la grammaire, c'est, d'abord, « la chose gravée » : l'écriture a une origine* hiéroglyphique, *c'est-à-dire* sacrée. *Au Moyen Age, peu nombreux étaient ceux qui savaient lire, a fortiori écrire : c'étaient gens redoutables, volontiers taxés de sorcellerie. Sait-*

on que le mot « grimoire » *(livre des magiciens et des sorciers) est le même mot que « grammaire »* (écrit souvent avec un seul m)*? En anglais, à l'époque de la Renaissance, « gramarye » signifiait bel et bien « magie »; puis, le mot se déformant (le r devenant l), les Anglais ont forgé le mot « glamour », qui veut dire : « charme magique, enchantement, éclat prestigieux »; c'est le mot qui sert à désigner la « fascination » des envoûtantes « stars », hollywoodiennes et autres... Envoûtante, ensorcelante Grammaire !...*

On peut vivre sans grammaire, sans grammairien, mais moins bien !... La langue parlée, sans doute, escamote les difficultés; mais le téléphone ne suffit pas toujours, il faut parfois prendre la plume, le stylo à bille ou la machine à écrire... et les problèmes resurgissent; le grammairien aussi, qui, bon Samaritain, se dévoue, vole à votre secours, et vous guide dans le labyrinthe de la langue.

Curieux « Français-Moyen », qui ignore la géographie (mais voyage de plus en plus), ignore la grammaire (mais se passionne pour la correction ou l'incorrection de tel mot, de telle tournure). Illettré et puriste ! qui aime les mots croisés, les jeux de mots de toute sorte (calembours, à-peu-près, contrepèteries, rébus, etc.), les « bonnes histoires », les « perles » en tout genre, s'insurge contre le « franglais », le laxisme de la presse écrite ou parlée, les ignorances orthographiques et syntaxiques des élèves actuels, évoque avec nostalgie le sévère et rigoureux « instituteur de la Troisième République » qui vous formait des citoyens grammaticalement et orthographiquement « increvables »... Curieux Français (et Français curieux), qui s'intéresse à l'origine des mots, à l'étymologie : d'où vient tel mot? que signifie tel nom de personne (anthroponymie), ou de lieu (toponymie)?

Oui, le grand public aime sa langue, même s'il la maltraite parfois (ou trop souvent !). Pour résoudre tel ou tel problème, il rechigne à consulter la grammaire rébarbative de sa scolarité passée (ledit manuel n'existe sans doute plus dans la bibliothèque familiale !); il lui manque un ouvrage pratique de référence (le dictionnaire, souvent, n'y suffit pas). Chacun, à tout instant, éprouve le besoin de refaire « ses gammes » (comme le virtuose), de retrouver une règle précise, de résoudre tel problème d'accord, de conjugaison, de syntaxe. C'est ce livre de référence, ce guide pratique à l'usage du grand public, que nous tentons de présenter aujourd'hui.

Ce n'est pas un cours complet d'orthographe : de tels ouvrages existent.
Ce n'est pas un traité de conjugaison : de tels ouvrages existent.
Ce n'est pas un ouvrage subtil et détaillé d'analyse, d'analyse grammaticale et d'analyse logique : de tels ouvrages existent, à l'usage des élèves, des étudiants, qui en ont besoin pour jongler avec les langues étrangères, surtout les langues à déclinaisons, mortes ou vivantes.
Mais c'est un peu tout cela à la fois, un ensemble aussi clair et précis que possible, un ouvrage de référence, et aussi un compagnon de route quotidien, qu'on feuillette sans répulsion, peut-être même avec plaisir...
Grammaire traditionnelle, « normative » (qui donne des normes, des règles), et non grammaire spécialisée (descriptive, historique, comparée). Grammaire qui ne tient pas compte de la révolution « linguistique » : laissons la linguistique aux savants, aux chercheurs, à l'enseignement supérieur. Une place pour chaque chose, et chaque chose à sa place !...
« La grammaire, a dit Marouzeau, enseigne comment il faut parler et écrire, et elle appelle faute tout ce qui n'est pas conforme aux règles édictées ou aux exceptions admises ». Des règles, sans doute, mais il en faut; des exceptions aussi, hélas ! et trop nombreuses ! Ce qui fait dire au « cancre de service » que « la grammaire est un recueil d'exceptions »... N'exagérons rien !

Notre plan est tout simple, sachant que les quatre rubriques fondamentales de la grammaire sont : la phonétique, le vocabulaire, la morphologie et la syntaxe.

● *Nous avons réduit la* Phonétique *(« étude des sons et des articulations d'une langue ») au minimum indispensable, et la plaçons humblement dans les « Préliminaires ».*

● *La rubrique* Vocabulaire *est plus développée : nous savons par expérience que son étude peut passionner l'amateur, tant sur le plan de l'étymologie que sur le plan de la* sémantique.

● *Quant aux deux parties fondamentales de la grammaire,* -la Morphologie *et la* Syntaxe, *nous avons tâché d'en retenir l'essentiel, pour aider le lecteur à maîtriser son expression* orale *et surtout* écrite *: les formes des divers mots (surtout des mots variables, et principalement du terrible* verbe !*), les règles de* syntaxe *et d'*orthographe grammaticale; *pour déboucher sur quelques conseils de* rédaction *(« Exprimons-nous correctement » § 718 sq.) (1).*

● *En « Appendices », diverses* synthèses *concernant l'orthographe d'usage, l'orthographe grammaticale, l'analyse des* tableaux de conjugaison, *et un* Index *aussi détaillé que possible.*

Tel est l'ouvrage (sans prétentions) que nous proposons à l'attention du lecteur éventuel; puisse-t-il l'amener à considérer la grammaire d'un œil intéressé, et sympathique ! La grammaire n'est pas cette vieille, et hideuse, et rébarbative sorcière *qu'on veut bien dire trop souvent, la « gran-maire » comme on prononçait au temps de Molière (voir § 746); c'est au contraire une belle créature, capricieuse peut-être, mais toujours jeune et vivante, une pulpeuse, magique et envoûtante « maîtresse », comme le dit si bien ce personnage de Claudel que nous citons en « épigraphe » (et non en « exergue »(2) : sens différent !).*

Et, n'en déplaise au (brave) « cancre de service », la langue, la très belle langue française (que le monde entier nous envie encore, paraît-il), mérite bien un effort, un petit effort, un tout petit effort.

A. Hamon

---

1. Tout au long de notre exposé, nous attirons l'attention sur les *équivoques* possibles et sur les *confusions à éviter;* voir Index : *« confondre (ne pas) », « distinguons », « équivoque ».*
2. C'est volontairement que nous nous abstenons d'éclairer le *sens* de tel ou tel mot : nous voulons piquer la *curiosité* du lecteur. Si nous l'amenons ainsi à consulter (le plus souvent possible) un *dictionnaire*, nous estimons que nous aurons « gagné » : le dictionnaire (petit ou grand) doit être, pour chacun, un compagnon fidèle, et quotidien.

Abréviations et signes

§ : paragraphe
act. : actif, voix active
adj. : adjectif
adv. : adverbe
av. J.-C. : avant Jésus-Christ
App. : Appendices
c. : complément
c.-à-d. : c'est-à-dire
c. c. : complément circonstanciel
circ. : circonstanciel(le)
c. o. : complément d'objet
c. o. d. : complément d'objet direct
c. o. i. : complément d'objet indirect
comp. : composé(s)
compar. : comparatif
condit. : condition(nel)
cf. (latin) : confer (= comparez)
conj. : conjonction
conjug. : conjugaison
etc. (latin) : et cetera (voir Index)
ex. : exemple
f. : féminin
f. : forme
fut. : futur
f. a. : futur antérieur
gr. : groupe
id. (latin) : idem (= la même chose)
impft : imparfait
impér. : impératif
indic. : indicatif
interr. : interrogatif
intr. : intransitif
lat. : latin

m. (masc.) : masculin
n. : nom
n. : note
n.c. : nom commun
N.B. (latin) : nota bene (= notez bien)
ns : nous
p. p. : participe passé
p. pr. : participe présent
p. p. p. : participe passé passif
passim (latin) : (= çà et là)
pl. (plur.) : pluriel
pple : principale
p. q. p. : plus-que-parfait
Préf. : préface
préf. : préfixe
prép. : préposition
prés. : présent
pr. pers. : pronom personnel
pron. : pronom
pron. : prononcer
prop. : proposition
P.S. (latin) : post-scriptum (= écrit après)
rad. : radical
réfl. : réfléchi
s. : siècle
s. : singulier
sq. (latin) : et suivant(s)
subj. : subjonctif
sub. : subordonné(e)
suff. : suffixe
superl. : superlatif
tr. : transitif
vs : vous

* Pour l'emploi de l'astérisque, voir p. 20.

A

LA PHONÉTIQUE DU FRANÇAIS

Du son au mot
Du mot à la langue

Du son au mot

LETTRES ET SONS

Les lettres de l'alphabet

1. La langue, la belle, la riche langue française, n'utilise que 26 signes, 26 *lettres,* qui constituent son *alphabet.* Ces lettres se rangent dans un ordre rigoureux, *l'ordre alphabétique,* utilisé dans la présentation des lexiques et des dictionnaires :

a, b, c, d, e, f, g, h, i, j, k, l, m, n,
o, p, q, r, s, t, u, v, w, x, y, z.

L'alphabet français est calqué sur l'alphabet latin; mais le mot « alphabet » est formé à partir des 2 premières lettres grecques : alpha (a) et bêta (b); quant aux mots « abécédaire » (livre élémentaire de lecture) et « ABC » (petit livre contenant l'alphabet, et, au sens figuré, premiers éléments d'un art, d'une science), ils s'expliquent d'eux-mêmes.

2. Les lettres se présentent au regard, à la vue :

● soit en *écriture dite cursive,* comme on le fait généralement à la main, où toutes les lettres d'un même mot sont liées entre elles;

● soit en *caractères d'imprimerie,* où les lettres sont séparées les unes des autres (et qu'on imite parfois à l'école, dans l'écriture dite « *script* »); ces caractères se présentent en :

romain (droit) ou *italique* (penché), maigre ou **gras.**

Alphabet, *Alphabet,* Alphabet, **Alphabet.**

3. On distingue les *majuscules* et les *minuscules;* en caractères d'imprimerie, les majuscules sont dites *capitales.* Les majuscules s'emploient surtout en tête d'une phrase, d'un vers, d'un nom propre; les minuscules, partout ailleurs. Pour les subtilités d'emploi des majuscules, voir Appendices, § 733-734; l'emploi ou non de majuscules permet, par exemple, de distinguer :

le ***Français*** est difficile (il s'agit de l'***homme,***
gastronomiquement, ou psychologiquement parlant) et

le ***français*** est difficile (il s'agit de la ***langue***).

4. Des 26 lettres de l'alphabet, 6 sont appelées *voyelles :* a, e, i, o, u, y. les 20 autres sont des *consonnes.*

La voyelle (du latin « *vocalis* » : doué de la voix [*vox*], sonore) représente un *son plein* et peut se prononcer isolément; la consonne, comme son nom l'indique (con- = latin « *cum* » = avec : con-sonne), ne peut « sonner » qu'en compagnie d'une voyelle :

> **b** ne peut se prononcer que flanqué d'un é : **bé** ;
> **f** se prononce **ef** (ou **effe**), **m** se prononce **em** (ou **emme**), etc.

N.B. Officiellement, les lettres ont un genre : *masculin* ou *féminin* (voir § 147).

---

5. Les 26 lettres de l'alphabet se combinent de multiples façons pour émettre des *sons* très variés. L'étude des sons s'appelle la *phonétique.* Sans entrer dans le détail de cette science, disons qu'on distingue :

■ les ***sons-voyelles,*** représentés :

• soit par les *lettres-voyelles* pures (avec ou sans accent, brèves ou longues); ce sont les *voyelles orales simples :*

> *rame, menu, rite, colis, repu, cygne,*
> *mât, été, père, bête, île, cône, flûte,*
> *patte, pâte; vite, gîte; cote (d'alerte), cotte (de mailles), côte.*

• soit par des groupes de *lettres-voyelles* (orales composées) :

> *eau, fléau, corbeau; genou, où, goût; feu, nœud, jeûne.*

• soit par des *voyelles nasales* (voyelle + n ou m) :

> *ancre, encre, rampe, temple, paon, faon, Jean, Caen (son « an »).*
> *brin, vin, pain, daim, rein, timbre, syncope, (son « in »)*
> *brun, à jeun, chacun, parfum, (son « un »)*
> *fonte, tombe jongle, jungle, lumbago (son « on »).*

■ les ***sons-consonnes,*** représentés :

• soit par des *lettres-consonnes* (simples ou doubles) :

> *balai, ballet; plafond, affront; rater, flatter.*

• soit par des *groupes de lettres-consonnes :*

> *chat, agneau, photographe, conscience.*

• soit par des *groupes consonne + voyelle :*

> *pigeon, mangeons; bague, guider; quatre, raquette.*

■ les ***semi-voyelles*** i, u, ou (à ne pas *confondre* avec les *sons-voyelles* **i, u, ou**) qui, précédant une autre voyelle, forment corps avec elle et jouent pratiquement un rôle de consonne; c'est pourquoi on les appelle aussi *semi-consonnes :*

> *pied, rien; tuile, lui; fouet, oui.*

6. Quatre groupes d'*organes* interviennent dans l'émission de tous ces sons :

- les *poumons,* qui jouent un rôle de soufflet,
- les *cordes vocales,* qui vibrent ou non au passage de l'air,
- le *voile du palais,* qui s'abaisse ou se relève,
- la *langue* et les *lèvres,* qui prennent des positions différentes.

C'est ainsi qu'on peut établir un classement dans les lettres et les sons.

Si la **voyelle,** *orale* ou *nasale,* n'est aucunement arrêtée en chemin entre les poumons et l'extérieur, la **consonne,** elle, est arrêtée, plus ou moins longuement, en *un* ou *deux* points du trajet.

On distingue les consonnes :

- *labiales* (l'arrêt se situe au niveau des lèvres) :

    p (pas) – **b** (bas) – **f** (fat) – **v** (vent) – **m** (mou)

- *dentales* (l'arrêt se situe au niveau des dents) :

    t (ton) – **d** (don) – **s** (son) – **z** (zut) – **n** (non) – **l** (lait)

- *palatales* (l'arrêt se situe au niveau du palais) :

    c (car, cor, cure) – **g** (gars, gond, aigu) – **ch** (char, choc, chien)
    j (jonc, jeune, joue) – **r** (rat, rond, rue) – **gn** (agneau, digne, ignare)

7. *Remarques*

■ Quand les cordes vocales vibrent, on a des *sonores;* quand elles ne vibrent pas, on a des *sourdes :*

  b, v, d, z, g, j, sont des *sonores;* **p, f, t, s, c, ch,** sont des *sourdes.*

■ On peut constater que :

  m est à la fois *labiale* et *nasale,* **n** à la fois *dentale* et *nasale,*
  gn à la fois *palatale* et nasale, **f** et **v** *labiales* et *dentales.*

■ A noter aussi que :

  l (dentale) et **r** (palatale) sont dites *liquides,* parce que leur prononciation est coulante;
  s (dentale) est dite *sifflante;* **j** et **ch** sont dites *chuintantes.*

N.B. Les grands poètes savent obtenir des effets intéressants de l'agencement, de la musique des sons (allitérations, harmonie imitative, sons clairs et *gais,* sons sourds et *tristes*); tout le monde connaît le vers « sifflant » de Racine :

Pour qui sont ces serpents qui sifflent sur vos têtes

ou celui, atrocement rugueux, de Victor Hugo (sonorités en « r ») :

Et les mourants mêlaient à ce rire leur râle.

---

8. La phonétique du français n'est pas impeccable; elle semble même parfois aberrante. Graphie et prononciation divergent souvent, d'où certains problèmes d'orthographe; c'est ainsi que :

■ Un même son peut être représenté par des lettres différentes :

- **é** *ouvert* (son è) : *mère, maire, tête, secret, reine, j'allais, j'irais;*
- **é** *fermé* (son é) : *été, aller, allez, j'allai, j'irai.*
- **k** : *car, kaki, quel, chœur.*
- **ch** : *chat, shah, schiste,* etc.

■ Des sons différents peuvent être représentés par les mêmes lettres :

- **u** : *rhume, volume* (u); *rhum, album* (o).
- **c** : 3 prononciations : « **k** » dans *car, cor, corps;* « **s** » sourd dans *ceci, cela;* « **g** » : dans *second, secondaire.*
- **g** : 2 prononciations : « **g** » dans *gare, goret;* « **j** » dans *gêne, gibet.*

N.B. Attention aux mots *gageure, mangeure, rongeure, vergeure,* qui doivent se prononcer « **gajure, *manjure, *ronjure, *verjure* » ! (la faute est fréquente !)

- **x** : 4 prononciations : « **gz** » dans *examen, exercice;* « **k** » devant un c dans *excès, excellent;* « **z** » dans *sixième, deuxième;* « **s** » dans *six, coccyx.*
- **ch** : 2 prononciations : « **ch** » dans *trachée, bouchée,* mais « **k** » dans *trachéite, psychose.*
- **gn** : 2 prononciations : *ignoble, peigne;* mais *igné* (i-gné) *ignifuge* (ig-ni-fu-ge).
- **t** : 2 prononciations : « **t** » dans *partie;* mais « **s** » sourd dans *partiel.*
- **w** : 2 prononciations : « **v** » dans *wagon, Wagner;* « **ou** » dans *whisky.*
- **en** : plusieurs prononciations : ex. : *encore, ennemi, examen, cérumen,* etc.

■ Certaines lettres, finales ou non, *ne se prononcent pas :*

- **p** dans *dompter, dompteur; sculpter, sculpteur; baptême, baptiser; exempter; promptement; sept...*
- **m** dans *automne, condamner...*
- *cou(p); por(c); ran(g); fusi(l); vin(gt); doi(gt); pou(ls)...*

N.B. ■ Il en est de même pour l'*e muet* (voir Appendices, § 750).
■ Il en est de même pour la consonne « **h** », qu'elle soit :

- **muette** : homme *(l'homme),* herbe *(l'herbe);*
- **aspirée** : héros *(le héros),* haine *(la haine)* (Appendices, § 752).

■ Pour certains problèmes de **prononciation,** voir Appendices, § 745.
■ Attention aux **consonnes doubles** (Appendices, § 740 sq.).

■ La consonne **c** prend une *cédille* devant **a, o, u,** pour rendre le son « **s** » *sourd :*

un *forçat,* une *rançon,* un *reçu*

Exception : *douceâtre* (souvenir d'une graphie ancienne).

■ La consonne **g** est suivie d'un **e** devant **a** et **o,** pour rendre le son **j** :

Nous *mangeons* du *pigeon.* Il *exigea* une *orangeade.*

■ La consonne **l,** simple ou double, pose quelques problèmes :

- on dit : un *fil,* des *fils* (de soie), mais un *fils,* des *fils* (aimés).
- on dit : *ville, tranquille, mille* (son « il »), mais *fille, quille, grille* (son « mouillé »).
- l final est *muet* dans : *fusil, gentil, outil...* (Appendices, § 747).

■ Une voyelle est souvent surmontée d'un ***accent*** *(aigu, grave, circonflexe);* il faut le respecter, même quand il n'entraîne pas de changement de son : cela permet, par exemple, de distinguer :

a et *à* – **la** et *là* – **ça** et *çà* – **ou** et *où* – **pécheur** et *pêcheur* – **sur** et *sûr* – **roder** et *rôder...*

(pour le détail, voir Appendices, § 737-739).

■ Les voyelles **e, i, u,** sont surmontées d'un *tréma* (mot grec signifiant *point sur un dé,* exactement *trou),* quand on veut les détacher de la voyelle qui précède :

aiguë, ambiguë, ciguë; païen, aïeul, naïade, stoïque, haïr;
Saül, capharnaüm

Cela permet de distinguer, par exemple :

maïs et *mais;* aigüe et *aigue* (aigue-marine); Saül et *saule.*

Dans certains noms propres, le tréma sur un **e** signifie que cette lettre ne se prononce pas :

Madame de Staël (prononcer *Stal*).
Saint-Saëns (prononcer *Sanss*).

■ Le son *semi-voyelle* (ou *semi-consonne*) + *voyelle,* prononcé d'une seule émission de voix, s'appelle une ***diphtongue :***

- **i** (écrit i, y, il, ill) : *pied, yeux, émail, bille.*
- **u** (écrit u) : *cuir, huile, fuir.*
- **ou** (écrit ou, o, u) : *oui, rouet* – *oie, joie* – *square.*

9. *Remarque*

A côté de l'alphabet normal, quelque peu défaillant (pensons, par exemple, aux sons « ch » et « gn » qui n'ont pas de signe spécial dans notre alphabet), les *phonéticiens* ont créé un « alphabet phonétique »; le lecteur curieux peut le consulter, Appendices, § 759-760 :

- **ch** [ʃ] : ex. choix [ʃwa];
- **gn** [ɲ] : ex. peigne [pɛɲ].

SYLLABES ET MOTS

■■■■■■ **La syllabe**

10. L'oreille groupe les sons en syllabes. La **syllabe** (du grec « sulla-
bè » = réunion) se présente sous l'aspect d'une ou plusieurs lettres,
plus exactement sous l'aspect d'un *son-voyelle* (pur ou nasal) ou d'un
son-voyelle accompagné de sons-consonnes ou de *semi-voyelles* (ou
semi-consonnes).
Soit le vers suivant de *Mallarmé* :

> *Mais, ô mon cœur, entends le chant des matelots.*

Ce vers, cette phrase, se prononce, s'articule en 12 syllabes :

> *Mais,/ô/mon/cœur,/en/tends/le/chant/des/ma/te/lots/.*

Lettres, sons, syllabes s'allient, se groupent en de multiples combi-
naisons pour former les très nombreux mots (plus de 100 000) de la
riche langue française. Le vers, la phrase ci-dessus, contient neuf
mots, plus ou moins longs, le plus court (ô) ayant une seule lettre, une
seule syllabe, le plus long (matelots) ayant huit lettres et trois syllabes.

11. *Remarques*

■ En poésie, on prononce parfois *deux sons* là où la prose n'en prononce qu'un (voir ci-dessus : *diphtongue*); cela s'appelle une **diérèse**
(d'un mot grec signifiant : division, séparation).

● Soit le mot *hortensia*, normalement prononcé *hor/ten/sia* (trois syllabes); dans le vers suivant de *Nerval*, il en a quatre *(hor/ten/si/a)* :

> Le pâl(e) *hor/ten/si/a* s'unit au myrte vert.

● Soit le mot *pieux* normalement prononcé en une seule syllabe; dans
le vers suivant de *Henri de Régnier*, il en compte deux *(pi/eux)* :

> Loin de mes bras *pi/eux* et de ma bouche triste.

■ Inversement, là où normalement il y a deux syllabes distinctes, la
poésie peut, mais c'est plus rare, les fusionner en une seule syllabe;
cela s'appelle une **synérèse** (d'un mot grec signifiant : rapprochement).

● Soit le mot *duel,* formé de deux syllabes distinctes *(du/el)*; dans le
vers suivant de *Victor Hugo* :

> C'est/le/*duel*/ef/fra/yant/de/deux/spec/tres/d'ai/rain

le mot doit se prononcer d'une seule émission de voix, en une seule
syllabe; sinon le vers aurait 13 syllabes et serait boiteux. Diérèse et
synérèse font partie de ce que l'on appelle joliment les *licences
poétiques.*

N.B. Le vers de douze syllabes se nomme « **alexandrin** » parce qu'il a été utilisé
pour la première fois, au XIIᵉ siècle, dans une œuvre intitulée « **Le roman**

d'Alexandre »; auparavant, le grand vers français était le *décasyllabe,* voir par exemple « la Chanson de Roland » :

> Roland est preux et Olivier est sage.

▬▬▬ Le mot

12. Le ***mot*** (du bas latin *mottum* signifiant *son émis,* et même *grognement,* véritable onomatopée) est donc formé d'un son ou d'un groupe de sons ayant un sens complet, et évoquant *un être, une chose,* ou *une idée.*

Les mots de la langue française peuvent être :

● soit très courts réduits à une seule syllabe, un seul son, une seule lettre : ce sont les *monosyllabes* :

> *grand, long; oui, où, ou; en, un, an; à, a, ô, y.*

cf. le vers célèbre de *Racine,* fait de monosyllabes :

> *Le jour n'est pas plus pur que le fond de mon cœur.*

● soit plus longs (plusieurs syllabes); ce sont les *polysyllabes :* le plus souvent formés de deux, trois, quatre syllabes :

> *petit, maternel, admiratif.*

● soit, plus rarement, très longs :

> *anticonstitutionnellement* (vingt-cinq lettres, neuf syllabes).

Ce mot est, officiellement, considéré comme le mot le plus long de notre langue. Mais il est concurrencé par des mots nouveaux créés par la science moderne, comme :

> *électro-encéphalogramme* (vingt-deux lettres, neuf syllabes),
> *oto-rhino-laryngologiste* (vingt-deux lettres, dix syllabes),
> *électroradiologiste* (dix-neuf lettres, huit syllabes),...

sans parler du célèbre :

> *hippocampéléphantocamélos* (vingt-cinq lettres, dix syllabes)

d'*Edmond Rostand,* dans la fameuse *tirade des nez* de son « Cyrano de Bergerac », et dont voici quelques vers, parmi les plus connus :

> Agressif : « *Moi, monsieur, si j'avais un tel nez,*
> *Il faudrait sur-le-champ que je me l'amputasse !* »
>
> Amical : « *Mais il doit tremper dans votre tasse !*
> *Pour boire, faites-vous fabriquer un hanap !* »...
>
> Tendre : « *Faites-lui faire un petit parasol*
> *De peur que sa couleur au soleil ne se fane !* »
>
> Pédant : « *L'animal seul, monsieur, qu'Aristophane*
> *Appelle Hippocampéléphantocamélos*
> *Dut avoir sous le front tant de chair sur tant d'os !* »...
>
> Dramatique : « *C'est la mer Rouge quand il saigne !* »
>
> Admiratif : « *Pour un parfumeur, quelle enseigne !* »...

Du mot à la langue

LES MOTS ET LA GRAMMAIRE

13. Grammaticalement, les très nombreux mots de la langue française se répartissent en neuf *espèces* ou *catégories* différentes, de formes et de rôles variés, soit :

- Cinq espèces de mots *variables :*
  le nom, l'article, l'adjectif, le pronom et le verbe.

- Quatre espèces de mots *invariables :*
  l'adverbe, la préposition, la conjonction et l'interjection.

14. La grammaire les étudie d'un double point de vue :

- celui des *formes :* c'est le domaine de la **morphologie** (§ 129 sq.)

- celui des *emplois :* c'est le domaine de la **syntaxe** (§ 503 sq.)

DU MOT À LA PHRASE

15. Dans la langue, parlée ou écrite, on peut exprimer une idée complète :

- soit par *un seul mot :*
  Entrez ! – Silence ! – Merci – Pourquoi?
  « Qui? – Moi. – Vous ! – Oui – Bizarre ! » (dialogue).

- soit par *un seul groupe de mots :*
  Allez-vous-en ! – Au secours ! – Quel vilain temps ! – Le beau clair de lune !

- soit, plus souvent, par un ensemble de mots et de groupes de mots plus complexe, que l'on appelle une *phrase :*
  Compère le renard se mit un jour en frais,
  Et retint à dîner commère la cigogne. *(La Fontaine)*

16. La *phrase* est un ensemble de mots dont le sens général forme un tout. Elle peut être formée d'une seule proposition (généralement indépendante) :
  Homme libre, toujours tu chériras la mer. *(Baudelaire)*

Mais plus souvent elle en contient plusieurs (indépendantes, principales, subordonnées); en principe, dans une phrase, il y a autant de propositions que de verbes (pour le détail, voir Syntaxe, § 594 et suivants) :

> Elle **se sauve;** / et là-dessus
> **Passe** un certain croquant / qui **marchait** les pieds nus.
> *(La Fontaine)*

Cette phrase contient trois verbes, donc trois propositions.

LANGUE PARLÉE, LANGUE ÉCRITE

17. La *langue parlée,* fondée sur la communication *orale,* accorde une importance majeure à l'*intonation;* c'est l'intonation seule, en effet, qui permet à votre interlocuteur de distinguer le sens exact des 4 petites phrases suivantes, faites des mêmes mots :

> Paul sera là demain (simple affirmation).
> Paul sera là demain? (interrogation).
> Paul sera là demain ! (exclamation, de dépit).
> Paul sera là demain ! (exclamation, de joie).

18. Tout être parlant, donc, pour se faire comprendre, doit accentuer, doit rythmer sa phrase, de telle ou telle façon; distinguons, par exemple :

> *Je t'ai dit cela hier* (affirmation, plus ou moins nette, plus ou moins sèche, selon le contexte du dialogue en cours).
>
> *Je t'ai dit cela hier !* (exclamation indignée : sous-entendu : comment oses-tu affirmer une telle chose !)

Cela s'appelle l'*accent de la phrase.*

N.B. Notons, à ce propos, que chaque province française a son accent propre : il est assez facile de savoir si l'on a affaire à un Lillois ou à un Auvergnat, à un Breton ou à un Marseillais (sans parler des Belges, des Suisses, ou des Canadiens francophones !). Les *accents régionaux* peuvent intéresser le phonéticien.

---

19. La *langue écrite,* pour se faire comprendre du lecteur, et ne disposant plus de la voix, de l'intonation, doit utiliser des signes conventionnels, appelés *signes de ponctuation,* qui lui permettent, par exemple, de distinguer les deux phrases suivantes, formées des mêmes mots, exactement dans le même ordre, et pourtant si différentes de sens :

> Paul dit : « *Pierre est un sot* ».
> « *Paul,* dit Pierre, *est un sot* ».

LES SIGNES DE PONCTUATION

20. La **ponctuation** est le vêtement indispensable de la *langue écrite*. On doit la respecter, tout comme l'accentuation (avec les accents : aigu, grave, circonflexe; le tréma; les points sur les i et j minuscules). La ponctuation, a dit Albert Dauzat, est « une politesse à l'égard du lecteur »; c'est elle qui nous permet de bien comprendre, de bien lire, de bien dire à voix haute un texte écrit. Tout le monde connaît les deux fables parallèles de La Fontaine (Livre VII, 4 et 5), le Héron – La Fille. La Fille, aussi difficile que le Héron, méprise les beaux partis, les « partis d'importance » qui se présentent d'abord à elle, en vue du mariage; écoutons-la :

> « Quoi? moi ! quoi? ces gens-là ! L'on radote, je pense.
> A moi les proposer ! Hélas ! Ils font pitié :
> Voyez un peu la belle espèce ! »

Seul l'habillement, *la ponctuation*, de ces trois vers nous permet de les bien dire (avec l'*intonation* voulue, s'agissant d'une sotte fille un peu trop fière).

21. Les signes de ponctuation utilisés en français sont :

■ le **point** (.), le signe essentiel; il termine la phrase :

> Sa barbe était d'argent comme un ruisseau d'avril. *(Hugo)*

■ le **point d'interrogation** (?), qui remplace le point à la fin d'une phrase interrogative :

> Es-tu si las de vivre? – As-tu peur de mourir? *(Corneille)*

■ le **point d'exclamation** (!), qui remplace le point à la fin d'une phrase exclamative :

> Revenez, revenez, ô mes tristes pensées !
> Je veux rêver et non pleurer ! *(Lamartine)*

N.B. ■ La phrase *exclamative* est souvent très courte, *elliptique :*

> O rage ! ô désespoir ! ô vieillesse ennemie ! *(Corneille)*

■ La phrase *impérative* se termine par un point, non par un point d'exclamation :

> Montre-toi digne fils d'un père tel que moi. *(Corneille)*

■ les **points de suspension** (au nombre de trois) (...), qui marquent soit un arrêt de la parole (hésitation, silence lourd de sens, mot grossier tronqué par pudeur), soit une interruption (parole coupée par un interlocuteur), soit une abréviation de citation, soit un nom propre réduit à son initiale :

> « Et pour répondre en hâte à son grand caractère,
> Il verrait...
> – Je le sais, vous servez bien le roi. » *(Corneille)*

> Messieurs et chers administrés... Messieurs et chers admi...
> Messieurs et chers... *(Daudet)* – C'était en novembre 189...

La P... respecteuse *(Sartre)* – Untel est le roi des *c... –
Sonnet à Mme F... *(Baudelaire)*

■ la **virgule** (,), qui sépare, à l'intérieur d'une phrase, deux mots, deux groupes de mots ou deux propositions :

> Il marche dans la plaine immense,
> Va, vient, lance la graine au loin,
> Rouvre sa main, et recommence... *(Hugo)*

N.B. Pour les détails concernant l'emploi de la *virgule,* voir § 755-756.

■ le **point-virgule** (;), qui marque un arrêt plus important que la virgule et sépare deux propositions :

> Le flux les apporta; le reflux les remporte. *(Corneille)*

■ les **deux points** (:), qui annoncent une énumération ou une explication, ou qui précèdent des guillemets :

> Tout me fait songer : l'air, les prés, les monts, les bois. *(Hugo)*

■ les **guillemets** (« »), qui, précédés de deux points, encadrent les paroles rapportées d'une ou plusieurs personnes (on « ouvre » et on « ferme » les guillemets) :

> Jupin en a bientôt la cervelle rompue :
> « Donnez-nous, dit ce peuple, un roi qui se remue. » *(La Fontaine)*.

On emploie aussi les guillemets (non précédés des deux points) pour mettre en valeur un mot, une expression :

> Pensez donc ! il s'agissait d'être lycéen, de faire « des études » ...
> *(Verlaine)*

■ les **parenthèses** ( ), qui isolent un mot, un groupe, une proposition, une phrase :

> Un lièvre en son gîte songeait
> (Car que faire en un gîte, à moins que l'on ne songe?)
> *(La Fontaine)*

■ le **tiret** –, qui peut jouer le même rôle que les parenthèses, ou qui annonce dans un dialogue, un changement d'interlocuteur :

> « M'y voici donc? – Point du tout. – M'y voilà?
> – Vous n'en approchez point. » *(La Fontaine)*

N.B. Il ne faut pas confondre le *tiret* avec le *trait d'union.* Voir Appendices, § 735-736.

■ les **crochets** [ ] qui suppléent aux parenthèses, lorsque celles-ci sont déjà utilisées, qui encadrent les lettres ou les mots écrits en *signes phonétiques* (voir Appendices, § 759-760) :

> *un* [œ̃]; *chou* [ʃu]; *grammaire* [gramɛr]...

■ l'**astérisque** (*), = « petite étoile », qui indique un renvoi, ou qui abrège un nom propre qu'on ne veut pas révéler entièrement, ou qui précède un mot qui n'existe pas sous la forme représentée :

> Il la rencontra chez Mme de R* (ou R***).
>
> *Désuet* se prononce *dé-ssuet, et non *dé-zuet.

N.B.   Le mot *astérisque* est du genre *masculin* (un astérisque, § 143)

---

22. *Remarques*

■ Le signe de ponctuation utilisé dans les abréviations courantes et dans les sigles est le **point** :

> **m. s.** (ou masc. sing.) = masculin singulier.
> **f. pl.** (ou fém. plur.) = féminin pluriel.
> **etc.** = et cetera (ne jamais utiliser les points de suspension).
> **R.F.A. – U.R.S.S. – O.N.U.** (Organisation des Nations Unies).
> **S.N.C.F. – R.A.T.P.** (voir Vocabulaire, § 90, 94)

■ Certains poètes modernes ne ponctuent jamais leurs poèmes :

> Sous le pont Mirabeau coule la Seine
> Et nos amours
> Faut-il qu'il m'en souvienne
> La joie venait toujours après la peine
> Vienne la nuit sonne l'heure
> Les jours s'en vont je demeure
> > *(Apollinaire).*

Mais le commun des mortels, lui, est obligé de ponctuer correctement ! Deux poids, deux mesures ! pas de justice en ce bas monde !...

LIAISONS, ÉLISIONS

Liaisons

23. Quand on parle ou quand on lit à voix haute, on constate que la *liaison* entre deux mots tantôt se fait, tantôt ne se fait pas :

> *deux frères* (pas de liaison); *deux amis* (liaison).

24. La *consonne finale* d'un mot :

■ *ne se prononce pas* devant un mot commençant par une consonne ou un *h aspiré* :

> très grand – trop bas – pousser les hauts cris.

■ *peut se prononcer* devant un mot commençant par une voyelle ou un *h muet* :

> très aimable – trop horrible – un grand homme – un grand ami.

N.B. En *liaison,* les consonnes finales **-d, -g, -f, -s** sont prononcées respectivement **-t, -c, -v, -z** :

> un grand ami – un sang impur – neuf heures – ses ennemis.

et le **-n** final, nasal, perd volontiers sa nasalité *(dénasalisation)* :

> *un bon ami* (*bo-nami); *le bon usage* (*bo-nuzaj); *bon an mal an* (*bo-nan)

---

25. Devant voyelle ou h muet, la liaison est tantôt *obligatoire,* tantôt *interdite,* tantôt simplement *facultative.*

■ Elle est ***obligatoire*** dans un groupe uni par la grammaire et par le sens :

> *les amis, les hommes.* (article et nom)
>
> *chers amis, son horloge.* (adjectif et nom)
>
> *vous admirez, elles hésitent.* (pronom et verbe)
>
> *il est habile, nous sommes utiles.* (verbe être et attribut)
>
> *ils ont osé, vous avez hérité.* (auxiliaire et participe)
>
> *trop aimable, très unis...* (adverbe et mot qu'il modifie)

■ Elle est ***interdite*** :

● après la conjonction *et* :

> *las e(t) affaibli, rusé e(t) habile.*

● après un nom singulier terminé par une consonne muette :

> *un lou(p) inquiétant, une brebis égarée.*

● entre deux mots faisant partie de deux groupes différents :

> *allon(s), ordonna-t-il.*

● devant oui, onze, onzième :

> des *oui* catégoriques, mes *onze* cousins, les deux *onzièmes.*

■ Elle est ***facultative*** entre le nom et l'adjectif (ou un complément), entre le verbe et un complément, entre le sujet et le verbe :

> des amis (z) intimes   ou   des amis / intimes
>
> personnes (z) en danger ou   personnes / en danger
>
> il partit (t) aussitôt   ou   il partit / aussitôt
>
> songer (r) à l'avenir   ou   songer / à l'avenir
>
> ses parents (z) ont souri ou ses parents / ont souri...

N.B. Une liaison, faite ou non, permet de distinguer, par exemple :

> *un savant* (*t) *aveugle; un savant / aveugle;*

dans le 1er cas c'est l'*aveugle* qui est savant, dans le 2e le *savant* qui est aveugle.

---

26. Dans la langue *soutenue* (quand on est acteur de théâtre, quand on dit un poème, quand on prononce un discours), on doit surveiller de près sa diction et faire correctement les liaisons qui s'imposent. Mais les liaisons doivent rester discrètes : trop appuyées, elles manquent d'élégance. La langue courante, familière, est moins scrupuleuse et prend souvent des libertés avec les règles et l'usage ; il convient d'éviter un trop grand laisser-aller. Et surtout, qu'il s'agisse de la langue courante ou de la langue soutenue, il faut fuir les *cuirs,* les fautes de liaison (les *liaisons dangereuses,* pour pasticher Choderlos de Laclos, les liaisons *mal-t-à-propos, comme on dit vulgairement, par moquerie), qui guettent, hélas, tout locuteur. Exemple : l'emploi de *pas* et *point* :

> *Ce n'est point *z-à moi (ce n'est pas *t-à moi)* de jouer...

Ces horreurs, ces cuirs, s'appellent aussi **pataquès,** mot bizarre qui, étymologiquement, peut bien venir de la transcription phonétique d'une liaison fautive (*« pas-t-à-qu'est-ce »?). Exemple de pataquès :

> L'hépatite virale, qui devient **l'épatate virile !* (*les patates...?)

N.B. L'argot estudiantin est friand de ce type de liaisons :
> *Les Quat'z'Arts* (peinture, sculpture, gravure, architecture).
> *le Bal des Quat'z'Arts.*
> *Les Gars d'z'Arts* (les étudiants des Arts et Métiers)...

▰▰▰ Élisions

27. Dans la langue, *parlée ou écrite,* les voyelles **a, e, i** ne se prononcent, ni ne s'écrivent, en fin de mot, devant un mot commençant par une voyelle ou un **h** muet : cela s'appelle une **élision,** représentée dans l'écriture par une apostrophe. L'élision se fait :

- dans les *articles* **le** et **la** :
> homme, l'homme; ardeur, l'ardeur.

- dans les *pronoms personnels* **je, me, te, se, le, la** :
> J'hésite, tu m'aimes, je t'imite, il s'habille, je l'ouvre.

- dans le *pronom démonstratif* **ce** :
> C'est bien – C'était l'année dernière.

- dans le *pronom relatif* ou *interrogatif* **que** :
> L'homme qu'elle fréquente est aimable.
> Qu'apprends-tu à l'école? – Qu'a-t-elle fait de mon canif?

- dans les *prépositions* **de** et **jusque** :
> un cri d'horreur, un bol d'air; jusqu'au soir, jusqu'alors, jusqu'ici.

- dans *l'adverbe de négation* **ne** :
> On n'entend rien. Il n'attend rien de bon de toi

- dans **si** (tantôt *conjonction de subordination,* tantôt *adverbe interrogatif*), devant **il** ou **ils** :
> S'il vient (s'ils viennent), je serai content.
> Dis-moi s'il aime (s'ils aiment) le poisson.

- dans la *conjonction* de subordination **que** :

> Je veux qu'on soit sincère – On sent qu'il a menti.

- dans les 3 conjonctions composées *lorsque, puisque, quoique,* seulement devant **il, ils, elle, elles, en, on, un, une** :

> lorsqu'il (elle) entre – puisqu'on part – quoiqu'il pleuve.

mais *pas d'élision* (même si **e** ne se prononce pas) dans :

> lorsque André entre – puisque Irène part – quoique Ernest souffre

28. Attention aux 3 mots *presque, quelque, entre :*

- *presque* ne s'élide que dans *presqu'île.*

- *quelque* ne s'élide que devant **un** et **une** : *quelqu'un(e).*

mais *pas d'élision,* par exemple, dans :

> Consultons donc *quelque* avocat – S'il surgit *quelque* incident...

- *entre* ne s'élide que dans certains mots composés :

> s'*entr'aimer,* s'*entr'égorger,* s'*entr'appeler,* (s')*entr'apercevoir.*

mais on écrit : *s'entradmirer, s'entraider, entrouvrir* (élision + soudure).
mais on écrit : *s'entre-déchirer, s'entre-dévorer* (pas d'élision, trait d'union)
mais on écrit : *entrebâiller, s'entrebattre* (pas d'élision + soudure).

L'anarchie étant totale, prière de consulter un dictionnaire.

29. Dans la *langue parlée* on constate une tendance fâcheuse à l'abus d'élisions de toute sorte :

> l' matin, c' matin – à c't'heure – le ch'val, l' cheval – *paske (parce que), *piske (puisque) – M'sieu, M'dam', M'zel' (Monsieur, Madame, Mademoiselle) – *faut c'qu'i'faut (il faut ce qu'il faut) – *j'sais pas, *j'chais pas, *chais pas (je ne sais pas) – « T'as d' beaux yeux, tu sais » (Jean Gabin à Michèle Morgan, dans *Quai des brumes*)...

Certains grands écrivains en ont usé, et abusé, comme Verlaine :

> Je m' suis marié le cinq ou l' six
> D'Avril ou d' Mai d' l'anné' dergnière (sic),
> Je devins veuf le neuf ou l' dix
> D' Juin ou d' Juillet, j' m'en souviens guère...

Mais à nous, humbles mortels, grammairiens ou non, de telles *négligences* sont interdites.

30. Pour clore ces **Préliminaires,** disons qu'il n'y a pas *une* langue française, mais *plusieurs.* Il existe pour tous les Français une sorte de *langue commune,* et puis il y a diverses *langues techniques,* parfois incompréhensibles pour les non initiés (pensons à la langue des médecins ou à celle des juristes, à celle de tel ou tel métier manuel), et les *divers français dialectaux,* si savoureux souvent !

On peut même dire que chacun d'entre nous, chaque francophone, possède plusieurs langues :

- une langue *soignée,* quand on s'applique à bien parler, à bien écrire.
- une langue *familière,* quand on parle ou écrit à des parents, à des amis.
- une langue *argotique,* naguère encore presque exclusivement masculine (souvenirs de vie scolaire, ou militaire), aujourd'hui florissante chez les femmes (rançon de l'égalité des sexes).

Il convient de savoir s'adapter aux circonstances, de ne pas mélanger les genres. Le ton juste, tout est là : pas de fausse note !

Quand, par exemple, vous pensez au mot *lettre* (celle qu'on écrit, qu'on adresse à quelqu'un), vous pouvez dire, selon les circonstances, selon votre destinataire ou votre interlocuteur :

> *une lettre, une missive, une épître, une épistole, un message, un mot, deux mots, quelques lignes, un billet, un pli, un courrier, un poulet, une babillarde, une bafouille...*

PREMIÈRE PARTIE

B

LE VOCABULAIRE DU FRANÇAIS

L'origine des mots
Le sens des mots

31. Après quelques notions de *phonétique,* et avant de détailler les deux volets essentiels de la grammaire, à savoir la *morphologie* et la *syntaxe* (voir ci-dessus § 14, et ci-après, § 129 et suivants, § 503 et suivants), il convient d'évoquer le passionnant problème du **vocabulaire.**

Le vocabulaire français, c'est-à-dire l'ensemble des mots qui composent la langue française, est très riche (plus de 100 000 mots); il s'enrichit même constamment (voir § 123 et 312). Son étude présente un intérêt double; on peut en effet considérer chaque mot :

d'après son origine : c'est le domaine de l'*étymologie* (du grec « étumos » = *vrai* + « logos » = *traité;* donc « qui fait connaître le vrai sens des mots »), et de la *formation des mots.*

d'après son sens : c'est le domaine de la *sémantique* (du grec « sê-mantikê » « qui indique, qui signifie », de « sêma » : *signe;* cf. séma-phore), et de l'*histoire des mots.*

32. L'étude du vocabulaire est inséparable de l'**histoire de la langue.** Le lecteur intéressé par la question peut consulter les paragraphes 725-731.

L'origine des mots : étymologie

33. Le français est, essentiellement, une langue *latine* (on dit aussi : *romane*), comme l'italien, le roumain, le provençal, l'espagnol et le portugais. C'est du latin, du latin vulgaire, déformé au cours des siècles par les gosiers de nos ancêtres divers (Gaulois, puis Francs, Normands, et autres); c'est ce « jargon », ce « baragouin » des légionnaires de toutes races, de toutes langues, et des indigènes celtes, qui est devenu le gallo-roman, le roman, et, finalement cette belle, cette très belle langue française ! Ce latin vulgaire, ce bas-latin, ce « charabia », n'avait rien de commun avec le latin classique et pur d'un César, d'un Cicéron.

34. Le vocabulaire du français n'est pas uniquement latin d'origine, tant s'en faut; comme toute langue vivante, le français a vécu et vit d'emprunts variés que nous allons évoquer. Notre vocabulaire, fait de pièces et de morceaux, ressemble fort à un costume d'Arlequin bariolé.

LES EMPRUNTS

Le gaulois

35. Le français langue latine, c'est vite dit; les choses ne sont pas si simples, et c'est faire trop bon marché du *gaulois*, parlé sur notre « hexagone », et ailleurs, pendant de nombreux siècles avant l'arrivée de César (et même après !). Grâce aux efforts des *celtistes*, français et étrangers, notre connaissance du gaulois commence à s'enrichir; et bien souvent ce qu'on appelle un mot bas-latin est bel et bien gaulois (sans parler des *patois* si savoureux, qui contiennent sûrement plus de celtique que de latin). La civilisation gauloise, loin d'être barbare, était brillante, et les *druides* (mot gaulois signifiant étymologiquement « très savant » : *dru* = très + **uid*, racine évoquant le savoir, comme en sanscrit, en grec ou en latin) étaient fort cultivés mais refusaient d'écrire ! Quoi qu'il en soit, le vocabulaire français contient plus de mots gaulois qu'on ne le dit généralement.

36. Sont d'origine gauloise :

- De nombreux *noms* (surtout de la langue paysanne) comme :
  alouette, bec, soc, charrue, chemin, lieue, arpent, balai, talus, raie, sillon, javelle, chêne, if, bouleau, boue, char, cheval, braie, chemise, cloche, bogue, bran, tonneau, berceau, bruyère, mine (de houille, reblochon, auvent, encombre, caillou..., et même ambassade !

■ Quelques *adjectifs* comme :

> *dru* (cf. le 1er élément de *druide*, § 35), *maint*.

■ Des *verbes* comme :

> *bercer, briser, changer, craindre, glaner, gober, jaillir, renfrogner...*

■ De très nombreux *noms* de la *toponymie* (noms de lieux); la toponymie française est en effet profondément celtique, gauloise :

> *Châteaudun, Verdun, Issoudun, Melun, Autun,*
> *Lyon (Lugdunum)...* contiennent le gaulois *dunon* (latinisé en *dunum*) : colline, puis forteresse.
> *Argenteuil, Nanteuil, Arcueil, Auteuil, Verneuil, Mareuil, Valeuil...* contiennent le gaulois *ialos* = clairière
> *Bièvres* vient du gaulois *beber* = castor
> *Brive* vient du gaulois *briva* = pont
> *Condé* vient du gaulois *condate* = confluent. Etc.

■ Certaines *habitudes de prononciation :* en particulier le son-voyelle **u** (alors que toutes les autres langues dites latines le prononcent « ou », comme jadis le latin); ce son **u** est très celtique :

> Le mot latin « **murmur** » (prononcer : *« mourrmourr ») exprime un bruit, un fracas terrible. Les gosiers gaulois en ont fait « **murmure** », de sens pratiquement contraire !

■ Des *habitudes grammaticales :* comme la curieuse coutume celtique de compter par vingtaines (numération dite *vicésimale*), qui a laissé des traces en français : *quatre-vingts;* les *six-vingts* de Molière dans *l'Avare* (= 120); l'hôpital des *Quinze-Vingts* fondé par Saint Louis (15×20 : 15 fois 20 lits = 300 lits; souvent écrit « les XV/XX »).

37. Le mot **gallicisme** que nous rencontrerons souvent au cours de ce livre désigne une tournure, une construction propres à la langue française, pardon, gauloise ! (du latin *gallicus* = gaulois); pour des détails, voir § 710-713, et Index.

Le grec

38. Le grec a fourni au français de très nombreux mots :

■ des mots en rapport avec l'introduction du christianisme (par l'intermédiaire du latin) :

> *ange, diable, prophète, apôtre, église, baptême, paradis, moine, évêque...*

■ des mots adoptés à l'époque de la Renaissance, puis à l'époque moderne (avec le progrès constant des sciences et des techniques) :

> *bibliothèque, grammaire, épithète, dialogue, panégyrique, géographie, géométrie, arithmétique, archéologie, biologie, athée, enthousiasme, télégramme, téléphone, atome, hygiène, psychiatre, amnésie, anesthésie...*

■ des suffixes et des préfixes très précis (et précieux), cf. § 73 et 80.

▰▰▰ L'hébreu

39. L'hébreu (la langue hébraïque), en rapport avec le christianisme, nous a donné :

> *sabbat* (et, par conséquent, *samedi* !), *cabale, amen, alléluia, rabbin, séraphin, chérubin...*

▰▰▰ Le germanique

40. La pénétration germanique en Gaule, commencée pacifiquement dès le IIIe siècle, s'amplifie avec les Grandes Invasions (VIe-Xe siècles) : Wisigoths, Burgondes, et surtout Normands et Francs (qui donneront leur nom à leur nouvelle patrie, la « France »), vont influencer fortement le vocabulaire... « français ».

● Sont *germaniques :*

> *guerre, jardin, hache, haie, guère, trop, fief, maréchal, sénéchal, hameau, gerbe, cresson, lapin, faucon, fauteuil, banc, ban, bannière, bourg, blanc, bleu, blond, gris, brun, gai, hardi, haïr, canif, trappe, frais, garder...*

● Sont *germaniques,* aussi, de très nombreux noms de lieux (toponymes) et de personnes (anthroponymes) :

> *Roubaix, Forbach, Elbeuf, Honfleur, Bolbec...*
> *Arnaud, Thibaud, Guibert, Gérard, Garnier, Roland...*

▰▰▰ L'Orient

41. C'est aux Croisades que nous devons l'afflux en France de mots orientaux (arabes ou byzantins), soit directement, soit par l'intermédiaire de puissantes cités commerçantes comme Venise ou Gênes, ou encore de l'Espagne qui connut l'occupation arabe.

● Sont *arabes :*

> *zéro, chiffre, algèbre, alcool, sirop, élixir, café, zénith, mosquée, jupe, babouche, coton, matelas, épinard, orange, émir, sultan, amiral, truchement, alchimie, magasin, girafe, gazelle.*

N.B. Depuis la prise d'Alger, en 1830, d'autres mots arabes ont été adoptés, comme :

> *gourbi, smala, razzia, goum, zouave, nouba, casbah, safari, méchoui, toubib, harki... Couscous* vient du berbère.

● Sont *byzantins* ou *turcs :*

> *divan, turban, tulipe* (= plante-turban), *sorbet, vizir, bey, dey, khédive, caviar, carapater, caravansérail, chibouque, kiosque, bachi-bouzouk* (= mauvaise tête)...

▰▰▰ L'exotisme

42. Dès le XVe siècle, les grands voyages, les Grandes Découvertes nous ont apporté, directement ou indirectement, beaucoup de mots exotiques. Nous viennent, par exemple :

- d'**Asie** (Extrême-Orient, Inde, Perse) :

  bambou, bonze, thé, kaolin, jonque, mandarin, pagode, jungle, pyjama, kimono, azur, bazar, caravane, cachou, kaki, fakir...

- d'**Amérique** :

  ananas, chocolat, cacao, tapioca, caoutchouc, condor, hamac, jaguar, toboggan...

- d'**Afrique** :

  baobab, zèbre, kola, bamboula...

N.B. On peut encore citer : *igloo* (esquimau), *kangourou, boomerang* (australien)...

▨▨▨ L'Europe

43. Mais c'est surtout aux *langues européennes modernes* que le français a fait le plus d'emprunts, et particulièrement :
- aux langues *germaniques :* anglais, allemand, néerlandais, et langues scandinaves (norvégien, suédois, danois);
- aux langues *latines :* italien, espagnol, portugais;
- aux langues *slaves :* russe, polonais, tchèque, bulgare...

Langues germaniques

L'anglais

44. Les emprunts à l'anglais ont commencé très tôt : certains mots comme *nord, sud, est, ouest,* datent du XIe siècle; mais c'est surtout depuis le XVIIIe siècle (importance du commerce, puis déferlement de l'anglomanie) que les mots anglais ont envahi notre vocabulaire. Sont anglais entre autres :

  paquebot, steamer, stock, dock, cabine, chèque, rail, wagon, tramway, tunnel, ballast, sport, match, record, tennis, football, touriste, boy-scout, redingote, pull-over, sweater, pudding, rhum, grog, snob, week-end, meeting, budget, bifteck, haddock...

45. *Remarques*

▪ Certains mots *dits anglais* sont d'origine *celtique* (irlandais, écossais, gallois) :

  whisky (= eau, abréviation de « eau-de-vie »), *gag* sont irlandais;
  slogan, clan, plaid, kilt, raid sont écossais.
  flannel (et français *flanelle*), *gringalet* sont gallois, comme sans doute *penguin* (et français *pingouin*) de *pen* = tête, face, plastron + *gwyn* = blanc.

■ Certains de ces mots anglais sont en réalité d'anciens mots français empruntés par l'anglais dès le Moyen Âge, et revenus chez nous déformés et souvent avec un sens différent : ils ont traversé deux fois la Manche; ce sont des *mots voyageurs :*

> *tennis* vient de l'impératif français *tenez.*
> *budget* vient de *bougette* (petit sac; cf la *bogue* de la châtaigne).
> *interview* vient de *entrevue; tunnel* vient de *tonnelle.*
> *flirt, flirter,* viennent peut-être de *fleurette, conter fleurette.*
> *rail* vient de *reille* (barre); *ticket,* de *estiquet* (masc. d'*étiquette*).
> *jockey,* de *Jacquet; humour,* de humeur; *bacon* vient du vieux français (venu lui-même du francique)...

L'allemand

46. Les emprunts à l'allemand ont eu lieu essentiellement au XVIe siècle (Réforme, guerres de Religion), au XVIIe (guerre de Trente Ans), aux XIXe et XXe (guerres de 1870, de 1914, de 1939). Sont allemands :

> *képi, bivouac, havresac, dolman, halte, arquebuse, sabre, bière, bock, trinquer, vasistas, espiègle, loustic, chenapan, blockhaus, quartz, feldspath, gneiss, cobalt, ersatz, gestapo, nazi, stalag...*

Le néerlandais

47. Sont empruntés au néerlandais :

> *bouquin, mannequin, brodequin, craquelin, digue, tribord, bâbord, quille, fret, matelot, houblon, colza, boulevard, blocus...; dune* (mais d'origine gauloise)...

Les langues scandinaves

48. Sont empruntés aux langues scandinaves :

> *étrave, hune, tillac, cingler, troll, marsouin, homard, ski, slalom, malström (ou maëlstrom, ou maelström)...; iceberg* (par l'intermédiaire de l'anglais); sans oublier le mot savant « *kjoekkenmoedding »,* bien connu des archéologues, et qui signifie, prosaïquement, *« débris de cuisine »* (les poubelles de nos lointains ancêtres, en quelque sorte !)

Langues latines

L'italien

49. Les emprunts à l'italien, langue latine par excellence, sont très nombreux; ils se situent surtout au XVIe siècle (Renaissance, guerres d'Italie), aux XVIIe et XVIIIe (musique, littérature, art de vie). Sont italiens :

> *colonel, caporal, soldat, gondole, frégate, galère, boussole, pilote, fantassin, arcade, baldaquin, balcon, banque, opéra, ariette, sonate, solfège, violoncelle, mandoline, piano, crescendo, pizzicato, madrigal, sonnet, carnaval, confetti, ballet, pantalon, caleçon, poltron, bouffon, brave, jovial, banqueroute, faillite, aquarelle, gouache, fresque, pittoresque, in petto, alarme, alerte, caresser, balourd, bambin, bamboche, batifoler, bagne, dilettante, renégat...*

L'espagnol

50. Les emprunts à l'espagnol datent surtout des guerres de Religion, de l'expansion coloniale espagnole, ou du début du XVIIe siècle où le goût pour l'Espagne fut très fort (cf. « le Cid », de *Corneille*). Sont espagnols :

> *camarade, caparaçon, canot, aviso, chaloupe, adjudant, guitare, toréador, matamore, mantille, infant(e), duègne, romance, saynète, alcôve, algarade, espadrille, cédille, moustique, alezan, brasero, hâbleur, fanfaron, bizarre, tomate, vanille, tabac, paella, cigare...*

Le portugais

51. Les emprunts au portugais sont surtout exotiques d'origine (les Portugais ayant été de grands voyageurs). Sont portugais :

> *abricot, acajou, pagode, pintade, couguar, baroque, caste, autodafé...*

Langues slaves

52. Les emprunts aux langues slaves, plus éloignées de nous, sont évidemment moins nombreux. Sont empruntés :

- au **russe** :

> *vodka* (= petite eau), *tsar* (csar), *moujik, bolchevisme, knout, boyard, steppe, troïka, isba, balalaïka, mazout...*

- au **polonais** :

> *sable* (marte zibeline), *calèche, souquenille, baba* (gâteau), *polka, mazurka...*

- au **tchèque** : *robot.*

- au **bulgare** : *yaourt* (ou *yogourt*), *bougre* (déformation de Bulgare !)

N.B. *cravate* est une déformation... de Croate ! (*Croatie*, région de Yougoslavie).

---

53. *Remarque d'ensemble*

Beaucoup de ces emprunts à telle ou telle langue sont souvent eux-mêmes des emprunts. Par exemple :

> *tabac*, emprunt à l'espagnol, lui-même emprunté à une langue d'Haïti.
> *pagode*, emprunt au portugais, lui-même emprunté à une langue de l'Inde.
> *arsenal*, emprunt à l'italien, lui-même emprunté à l'arabe.
> *toboggan*, emprunt à l'anglais, lui-même emprunté à l'algonquin, par l'intermédiaire du Canada...
> le *goulash* (ou *goulache*), emprunt à l'allemand, lui-même emprunté au hongrois (ne pas confondre avec : le *goulag* !)

54. Outre les emprunts aux langues étrangères (lointaines ou voisines), le français a, bien évidemment, puisé dans les langues et dialectes encore parlés aujourd'hui sur le territoire national. Sont empruntés, par exemple :

- à l'**alsacien** : *choucroute*

- au **wallon** : *faille, houille, grisou, usine, estaminet...*

- au **picard** : *caillou, essieu, fabliau, vergue...*

- au **normand** : *écaille, crevette, pieuvre, varech, bocage...*

- au **gascon** : *cadet, drôle, goujat, barrique, cèpe, mascaret...*

- au **breton** (langue celtique, proche du gaulois) :

  > *bijou, biniou, cohue, goéland, goémon, raz, menhir, dolmen, cromlech, mine* (aspect du visage), *boitte* ou *boette* (appât pour le poisson), *darne* (tranche de gros poisson), *baragouin* (de *bara* = pain + *gwin* = vin; ou plutôt de *bara* = pain + *gwenn* = blanc)...

- au **provençal** :

  > *cap, chavirer, auberge, cadeau, cadenas, caserne, fat, aubade, farandole, falbala, ballade, troubadour, cabas, nougat, panade, aïoli, muscade, brancard, baliverne, galéjade, dorade, mas, cabane...*

55. *Remarque*

Enfin, il ne faut pas oublier les emprunts faits aux langues spéciales de diverses professions, aux divers jargons, aux divers argots, qui ont fleuri depuis le Moyen Âge jusqu'à nos jours, et qui donnent du pittoresque à la langue. Sont *argotiques*, par exemple :

> *cambriole, pinard, maquiller, mioche, moutard...*

Argotique même (qui l'eût cru !) le mot *tête*, qui a supplanté *chef* (sauf dans *couvre-chef*), et qui, au départ, a signifié *vase de terre cuite*, puis *pot*, puis *crâne;* aussi argotique et vulgaire donc que nos plus modernes *fiole, poire, trombine* et autres *cafetière...*

■■■■■ **Le latin**

56. Si importants que soient tous les emprunts que nous venons d'évoquer, il reste que le fond du vocabulaire français est *latin*. Mais il convient de distinguer :

■ les *emprunts très anciens*, emprunts au latin quotidien, au latin vulgaire :

> *père, mère, fils, fille, frère, sœur, jour, nuit, île, joie, peur; faire, dire, aller, écrire; je, tu, il, on, qui; et, comme, quand...*

■ les *emprunts savants,* mots forgés par les lettrés du Moyen Âge et de la Renaissance, calqués sur le latin classique, celui des grands écrivains :

> *doctrine, vérité, perfection, justice, domicile, absurde, prudent, facile; administrer, célébrer...*

57. Un seul et même mot *latin* a pu ainsi donner deux mots français, qu'on appelle des **doublets :** l'un est de formation *populaire* (généralement très déformé et raccourci), l'autre de formation *savante* (plus proche du mot latin, quoique plus tardif). Leur sens, malgré une origine commune, est souvent assez (et même très) différent. En voici quelques exemples (le 1er nommé : doublet *populaire,* le 2e : doublet *savant*) :

- **Adjectifs :**

> *frêle, fragile; chétif, captif; entier, intègre; naïf, natif; aigre, âcre; loyal, légal; raide, rigide; droit, direct...*

- **Noms :**

> *serment, sacrement; forge, fabrique; usine, officine; avoué, avocat; soupçon, suspicion; sûreté, sécurité; essaim, examen; poison, potion; chenille, canicule; évier, aquarium; noise, nausée; cancre, cancer; rançon, rédemption; sanglier, singulier; grimoire, grammaire; chance, cadence; heur, augure; béton, bitume; cercueil, sarcophage; voyer, vicaire; échafaud, catafalque; dîner, déjeuner; pesée, pensée...*

N.B. Sait-on que *pavillon* et *papillon* sont un seul et même mot, que *épicier* et *évêque* (s'ils ne sont pas des doublets) sont proches parents (racine double *spek-, *skep-)?

- **Verbes :**

> *écouter, ausculter; sevrer, séparer; mâcher, mastiquer; nager, naviguer; cailler, coaguler; sourdre, surgir; combler, cumuler; douer, doter; coucher, colloquer; tremper, tempérer; soucier, solliciter; dessiner, désigner; bayer, béer...*

N.B. Prière de consulter son dictionnaire !

---

58. L'emprise du latin est telle que notre vocabulaire actuel (même quand on n'est pas « latiniste ») est plein de mots latins restés tels quels, non seulement dans le domaine religieux, judiciaire, scolaire et universitaire, politique, scientifique, administratif, mais même sportif et quotidien. Citons pêle-mêle :

> *credo, de profundis, requiem, te deum, urbi et orbi.*
> *alibi, de cujus, quorum, mutatis mutandis.*
> *accessit, ex-aequo, nota bene, passim, pensum, satisfecit, sic, palmarès.*

memorandum, referendum, modus vivendi, statu quo, ultimatum.
abdomen, sternum, duodenum, occiput, delirium tremens.
interim, exeat, duplicata, numerus clausus, curriculum vitae.
junior(s), senior(s), omnium, stadium.
ad hoc, alter ego, extra, gratis, idem, ipso facto, lapsus,
quiproquo, agenda, memento, omnibus, prorata,
persona grata, lavabo, nec plus ultra, sine qua non...

sans oublier le domaine de l'imprimerie :

erratum, addenda, corrigenda, post-scriptum, ibidem, index,
alinéa, in extenso, ne varietur, imprimatur, deleatur, in-octavo...

ni les nombreux préfixes et suffixes latins (§ 77 et 71).

59. Nous venons d'esquisser le tableau des emprunts variés de notre vocabulaire. Chacun des mots signalés a un sens étymologique précis; le lecteur curieux, l'amateur d'étymologie se doit de posséder, et de consulter fréquemment, un *bon dictionnaire étymologique :* il en existe. Sauf quelques ignorances absolues, sauf quelques incertitudes (où l'on hésite entre deux ou plusieurs hypothèses), on connaît aujourd'hui l'origine de la plupart des mots français; pour beaucoup, on peut même préciser leur apparition, donner en quelque sorte leur date de naissance. La recherche du *sens étymologique* des mots est un domaine passionnant.

● Un **scrupule,** c'est, étymologiquement, un *petit caillou pointu* (qui vous blesse, vous incommode, s'il se glisse dans votre chaussure); de la chaussure il « se glisse » sournoisement dans votre conscience (où il vous gêne tout autant). Le « ruisseau scrupuleux » de *Valéry* retrouve le sens étymologique; il est si pur qu'on voit les « scrupules », les petits cailloux, au fond de son lit !

● Un **vers,** c'est, étymologiquement, un *sillon* (latin *versus,* de *verto :* je tourne) : souvenir d'une époque où l'on écrivait de gauche à droite, puis de droite à gauche, comme la charrue qui fait l'aller et retour en traçant ses sillons (écriture dite *« boustrophédon » :* du grec *bous* = bœuf + *trepho* = je tourne; même image paysanne)

LES CRÉATIONS FRANÇAISES

60. Si le vocabulaire français est fait essentiellement d'emprunts divers (à la limite on pourrait dire qu'il n'y a pas un seul mot vraiment français !), notre langue a su utiliser ses propres ressources, et s'enrichir considérablement. Ces créations typiquement françaises sont dues :

   ● à la *dérivation et à la composition.*
   ● à des *groupements de mots.*
   ● à des *changements de catégorie grammaticale.*

DÉRIVATION ET COMPOSITION

61. Un mot français est formé d'un ou plusieurs éléments. Il peut être :

- *simple,* c'est-à-dire formé du seul radical :

  front, bord, vol,

- *dérivé,* c'est-à-dire formé du radical + un suffixe :

  front-ière, *bord*-ure, *vol*-ière,

- *composé,* c'est-à-dire formé d'un préfixe + le radical :

  af-*front,* re-*bord,* en-*vol,*

Souvent il est à la fois *composé* et *dérivé* (préfixe + radical + suffixe) :

con-*front*-ation, dé-*bord*-ement, sur-*vol*-er.

Dérivation *(suffixes)*

62. Pour former des *dérivés,* le français possède de nombreux *suffixes,* de formation populaire ou de formation savante : suffixes de noms, d'adjectifs, de verbes, d'adverbes, mots latins ou grecs jouant rôle de suffixes. Le suffixe ajoute un sens nouveau à celui du radical, qui par ailleurs peut voir sa forme altérée :

moule, moul-ure (chute du e final du radical).
bras, bras-s-ée (redoublement de la consonne finale du radical).
main, men-otte (altération du radical).
bijou, bijou-t-ier (addition d'une consonne).

• *Suffixes de noms*

63. Les principaux suffixes de noms sont : -age, -aison, -ation, -eur, -ateur, -ature, -etée, -ement, -té, -eté, -ité, -ie, -isme, -ite, -erie, -ade, -ance, -ose, -ier, -ière, -oir, -oire, -erie, -aille, -ace, -ette, -eron, -illon.

lav-**age**, sal-**aison**, aliment-**ation**, coiff-**eur**, fond-**ateur**, sign-**ature**, pell-**etée**, batt-**ement**, bon-**té**, ferm-**eté**, human-**ité**, fol-**ie**, civ-**isme**, méning-**ite**, ling-**erie**, galop-**ade**, croy-**ance**, furoncul-**ose**, épic-**ier**, soup-**ière**, parl-**oir**, baign-**oire**, lav-**erie**, ferr-**aille**, popul-**ace**, cuv-**ette**, puc-**eron**, port-**illon**...

64. Ces principaux suffixes de noms donnent aux mots obtenus divers sens : action, instrument de l'action, lieu de l'action, agent de l'action, origine, contenu, sens péjoratif, diminutif, etc. :

une cuv**ette** est une petite cuve (diminutif);
un parl**oir** est le local, l'endroit où l'on parle;
une soup**ière** est un récipient qui contient la soupe...

65. Un même suffixe peut avoir des sens différents :

ex. : **-ier**, *serrur-ier* (nom d'agent), *cendr-ier* (récipient).

• Suffixes d'adjectifs

66. Les principaux suffixes d'adjectifs sont : -able, -ible, -uble, -ain, -aire, -al, -ard, -âtre, -el, -eux, -eur, -esque, -if, -ique, -iste, -ois, -aud, -et, -elet, -in, -ot, -u, -é, etc. :

> aim-**able**, aud-**ible**, sol-**uble**, proch-**ain**, simil-**aire**, fin-**al**, vant-**ard**, bleu-**âtre**, mort-**el**, paress-**eux**, flatt-**eur**, livr-**esque**, malad-**if**, poét-**ique**, social-**iste**, brest-**ois**, lourd-**aud**, propr-**et**, aigr-**elet**, argent-**in**, pâl-**ot**, barb-**u**, ail-**é**...

67. Ces principaux suffixes d'adjectifs donnent aux mots obtenus divers sens : possibilité, origine, qualité, sens péjoratif, diminutif, etc. :

> aud-**ible** : qu'on peut entendre; barb-**u** : pourvu de barbe;
> pâl-**ot** : un peu (trop) pâle (diminutif et péjoratif)...

• Suffixes de verbes

68. Les principaux *suffixes de verbes* sont : -er, -asser, -ailler, -eter, -eler, -iller, -iner, -ir, -cir, -ifier, -iser, -ocher, -icher, -onner, -oter, -oyer :

> aim-**er**, rêv-**asser**, cri-**ailler**, vol-**eter**, morc-**eler**, mord-**iller**, trott-**iner**, pâl-**ir**, obscur-**cir**, vitr-**ifier**, martyr-**iser**, flân-**ocher**, pleur(n)-**icher**, mâch-**onner**, touss-**oter**, guerr-**oyer**...

69. Ces principaux suffixes de verbes donnent aux verbes obtenus divers sens : ils marquent l'action, l'action de faire, de mettre dans un état; ils donnent diverses nuances : péjorative, diminutive, fréquentative... :

> obscur-**cir** : faire devenir, rendre obscur.
> touss-**oter** : tousser fréquemment et faiblement...

• Suffixes d'adverbes

70. Le seul suffixe d'adverbe est **-ment**, qui s'ajoute, en principe, à l'adjectif féminin (pour l'explication de ce « *faux* » *suffixe*, voir Morphologie, § 440); jadis on utilisa aussi le suffixe **-ons** (ou **-on**) :

> cruelle-**ment**, heureuse-**ment**, vive-**ment**, gloutonne-**ment**...
> à tât-**ons**, à recul-**ons**, à croupet-**ons**, à califourch-**on**...

• Mots latins

71. Le français utilise des mots latins comme suffixes; en voici les principaux : -cide, -cole, -culteur, -culture, -fère, -fique, -forme, -fuge, -pare, -pède, -vore, etc. :

> régi-**cide**, vini-**cole**, api-**culteur**, horti-**culture**, mammi-**fère**, malé-**fique**, uni-**forme**, centri-**fuge**, ovi-**pare**, bi-**pède**, omni-**vore**...

72. Ces mots latins employés comme suffixes donnent aux mots obtenus des sens très précis :

> régi-**cide**, fratri-**cide** : qui tue (ou action de tuer) un roi, un frère;
> ovi-**pare**, vivi-**pare** : qui produit des œufs, des êtres vivants...

- ***Mots grecs***

73. Le français utilise enfin des mots grecs comme suffixes. En voici les principaux : -algie, -archie, -céphale, -cratie, -graphie, -logie, -mancie, -mane, -nomie, -pathie, -phagie, -phile, -phobe, -phonie, -scopie, -thérapie, etc. :

nost-**algie**, mon-**archie**, brachy-**céphale**, plouto-**cratie**, photo-**graphie**, chrono-**logie**, carto-**mancie**, mélo-**mane**, astro-**nomie**, télé-**pathie**, aéro-**phagie**, anglo-**phile**, xéno-**phobe**, radio-**phonie**, radio-**scopie**, hydro-**thérapie**...

74. Ces mots grecs employés comme suffixes donnent aux mots obtenus des sens très précis :

nost-**algie** : maladie du retour (le *mal du pays;* penser à l'Odyssée qui est l'histoire du *nostos* = retour, d'Ulysse).
mélo-**mane** : fou de musique (cf. *manie* = folie, *maniaque*).
xéno-**phile**, xéno-**phobe** : qui *aime*, qui *hait* les étrangers...

Composition *(préfixes)*

75. Pour former des **composés**, le français possède de nombreux *préfixes*, de formation populaire ou de formation savante, d'origine latine ou d'origine grecque, et qui, pour la plupart, servent à former indifféremment des noms, des adjectifs, des verbes, des adverbes :

in-conscience (nom), **in**-consolable (adjectif), **in**-clure (verbe), **in**-finiment (adverbe).

76. Un même préfixe peut voir sa forme *altérée* selon la lettre initiale du radical qui suit :

com-patir, **con**-verser, **col**-laborer, **cor**-roborer, **co**-habiter.

- ***Origine latine***

77. Les principaux *préfixes* d'origine latine (populaire ou savante) sont : ab- (a-, abs-); ad- (ac-, af-, ag-, al-, an-, ap-, ar-, as-, at-, a-); anté-, anti-; bien-, béné-; bis-, bi-, be-; circon-, circum-; com- (con-, col-, cor-, co-); contre-, contra-; dé-; dis- (dif-, di-, dés-, dé-); en-, em-; ex- (es-, ef-, é-); extra-; in- (= dans) (im-, il-, ir-, en-, em-); in- (négatif) (im-, il-, ir-); entre-, inter-; intra-, intro-; malé-, mal-, mau-; mé-, més-; ob- (oc-, of-, op-); per-, par-; re- (ré-, ra-, r-); sub- (suc-, sug-, sup-, sus-, sous-, sou-); super-, sour-, sur-; supra-; trans- (tra-, tres-, tré-); tri- (tris-, tré-); outre-; ultra-; etc. :

ab-négation (**a**-movible, **abs**-traction);
ad-mettre, (**ac**-courir, **af**-fermir, **ag**-graver, **al**-longer, **an**-nuler; **ap**-porter, **ar**-ranger, **as**-surer, **at**-tarder, **a**-border);
anté-cédent, **anti**-chambre; **bien**-venue, **béné**-diction;
bis-cuit, **bi**-place, **be**-sace; **circon**-spect, **circum**-duction;
com-poser (**con**-corde, **col**-lecte, **cor**-roborer, **co**-régent, **co**-exister); **contre**-faire, **contra**-vention;
dé-monter, **dé**-faire;
dis-perser (**dif**-fusion, **di**-gression, **dés**-espoir, **dé**-plaire);
en-lever, **em**-porter; **ex**-pulser (**es**-soufflé, **ef**-feuiller, **é**-cosser);
extra-ordinaire, **extra**-vagant;

in-clure (**im**-porter, **il**-luminer, **ir**-riguer, **en**-granger, **em**-pocher);
in-apte (**im**-prudent, **il**-logique, **ir**-réel);
entre-mêler, **inter**-venir; **intra**-veineux, **intro**-duction;
malé-diction, **mal**-propre, **mau**-dire; **mé**-connu, **més**-estimé;
ob-tenir (**oc**-cident, **of**-frande, **op**-pression); **per**-foré, **par**-fait;
re-voir (**ré**-former, **ra**-patrier, **r**-avoir);
sub-juguer (**suc**-céder, **sug**-gérer, **sup**-poser, **sus**-pendre,
sous-jacent, **sou**-lever);
super-poser, **sour**-cil, **sur**-vol; **supra**-national;
trans-atlantique (**tra**-duction, **tres**-sauter, **tré**-passer);
tri-colore (**tris**-aïeul, **tré**-pied); **outre**-passer, **ultra**-son...

78. Ces divers préfixes d'origine latine donnent aux mots obtenus divers
sens : éloignement (ab-), rapprochement (ad-), accompagnement
(com-), dans, sur (in-), négation (in-, mé-), sous (sub-), etc. :

ab-jurer; **ad**-jurer; **com**-battre; **in**-ondé : mis en onde, en eau;
in-achevé : non achevé; **sub**-ordonner...

79. Attention !

■ Un même préfixe d'origine latine peut avoir des origines et des
sens différents :

● **a**- peut venir de **ab**- (éloignement) ou de **ad**- (rapprochement);

● **en**- peut venir de **inde** (de là) ou de **in** (dans, sur)... :

a-movible : qui peut être *mû* (ôté, éloigné) d'un endroit.
a-border : c'est approcher du *bord*, atteindre le bord.
en-lever, c'est *lever* (ôter, tirer) *de là;*
en-granger, c'est mettre *dans* une grange...

■ Un même mot peut avoir deux préfixes :

in-é-branlable; **in-ex**-orable; **in-a**-movible; **in-con**-scient...

■ Il ne faut pas confondre :

mal-propre (non propre, sale) et **im**-propre (qui ne convient pas);
(cf. les deux noms *malpropreté* et *impropriété*).

■ Il faut dire :

im-poli, **im**-politesse; et non *****mal**-poli, *****mal**-politesse (inter-
dits !); **mal poli** (en 2 mots) s'oppose à *bien poli* (ex. : un verre,
un marbre).

● *Origine grecque*

80. Les principaux *préfixes* d'origine grecque sont :
a- (an-); ana-; amphi-; anti- (anté-, ant-); apo-; archi- (arch-); cata-;
dia-; dys-; épi-; eu-; hémi-; hyper-; hypo-; méta-; para-; péri-; syn-
(sym-), etc. :

a-théisme (**an**-archie); **ana**-chronique; **amphi**-théâtre;
anti-brouillard (**anté**-christ, **ant**-onyme); **apo**-gée;
archi-tecte (**arch**-evêque); **cata**-strophe; **dia**-logue; **dys**-lexie;
épi-derme; **eu**-phonie; **hémi**-stiche; **hyper**-métrope; **hypo**-crite;
méta-morphose; **para**-site; **péri**-scope; **syn**-taxe (**sym**-phonie)...

81. Ces divers préfixes d'origine grecque donnent aux mots obtenus divers *sens* : négation, privation (a-), renversement (ana-), en cercle (amphi-), opposition (anti-), éloignement (apo-), sur (épi-), bien (eu-), au-dessus de, à l'excès (hyper-), au-dessous de (hypo-), difficulté (dys-), avec (syn-, sym-), etc. :

> **a**-thée : *sans* dieu; **apo**-gée : *loin de* la terre.
> **ana**-chronique : *qui ne respecte pas* la chronologie.
> **sym**-pathie : fait de souffrir *avec* quelqu'un...

82. Attention !

■ Un même préfixe d'origine grecque peut avoir des sens différents :

● **méta-** : au-delà de, ou idée de changement;
● **para-** : à côté de, ou contre :

> **para**-typhoïde : maladie *voisine* de la typhoïde;
> **para**-doxe : opinion (gr. *doxa*) *contraire* à l'opinion commune...

■ Certains préfixes peuvent être d'origine différente :

● **a-** (grec), à ne pas confondre avec **a-** (latin) provenant de **ab-** ou de **ad-** (voir ci-dessus, § 79) :

> **a**-phone = sans voix (grec **a-** : privation);
> **a**-version (latin **ab-** : éloignement).
> **a**-mener (latin **ad-** : rapprochement).

● **anti- (anté-, ant-)** (grec : opposition), à ne pas confondre avec **anté-, anti-** (latin : antériorité) :

> **anti**-pathie, **anté**-christ, **ant**-agoniste (grec);
> **anté**-cédent, **anti**-dater (latin).

● *Mots latins*

83. Le français utilise aussi des mots latins comme préfixes : déci-, centi-, milli-, curvi-, équi-, multi-, omni-, uni-, etc. :

> **déci**-litre, **centi**-mètre, **milli**-gramme, **curvi**-ligne,
> **équi**-distance, **multi**-forme,
> **omni**-potent, **uni**-personnel...

84. Le sens de ces mots-préfixes latins est très clair : dixième, centième, millième, courbe, égal, nombreux, tout, unité... :

> **omni**-potent, **omni**-vore, **omni**-scient : qui peut, mange, sait tout.
> **curvi**-ligne : figure formée de lignes courbes;
> **curvi**-mètre : appareil qui mesure la longueur des lignes courbes tracées sur le papier.

● *Mots grecs*

85. Le français utilise enfin des mots grecs comme préfixes : déca-, hecto-, kilo-, auto-, aéro-, anthropo-, baro-, bio-, caco-, chrono-, cosmo-, démo-, géo-, hélio-, hémo- (hémato-), hippo-, hydro-, litho-, méga- (mégalo-), micro-, mis- (miso-), mono-, néo-, ortho-, pan- (panto-), philo-, pseudo (pseud-), télé-, théo-, thermo-, topo- (top-), zoo-, etc. :

déca-litre, **hecto**-mètre, **kilo**-gramme, **auto**-didacte, **aéro**-phagie, **anthropo**-logie, **baro**-mètre, **bio**-graphie, **caco**-phonie, **chrono**-mètre, **cosmo**-graphie, **démo**-cratie, **géo**-métrie, **hélio**-gravure, **hémo**-rragie, **hémato**-logie, **hippo**-potame, **hydro**-thérapie, **litho**-graphie, **méga**-lithe, **mégalo**-mane, **micro**-scope, **mis**-anthrope, **miso**-gyne, **mono**-théisme, **néo**-logisme, **ortho**-doxie, **pan**-oplie, **panto**-graphe, **philo**-sophie, **pseudo**-graphie, **pseud**-onyme, **télé**-pathie, **théo**-logie, **thermo**-mètre, **topo**-graphie, **top**-onyme, **zoo**-logie...

86. Ces divers mots-préfixes grecs ont des sens très précis : dix, cent, mille, soi-même (tout seul), air, homme, pesanteur, vie, mauvais, temps, monde, peuple, terre, soleil, sang, cheval, eau, pierre, grand, petit, haine, seul (unique), nouveau, correct (droit), tout (entier), ami, faux, au loin, dieu, chaleur, lieu, animal...

mis-anthrope, **miso**-gyne : qui *hait* les hommes, les femmes; **pan**-oplie : *toutes* les armes (armure complète de l'hoplite grec, puis du chevalier); **pan**-orama : où l'on voit *tout* à la ronde...

■■■■ Curiosités dans les créations

Les hybrides

87. Certains mots de la langue française sont de création étymologiquement curieuse. Ils sont formés d'un premier élément emprunté au *grec* et d'un second élément emprunté au *latin* (ou inversement); on les appelle des **hybrides** :
- si *auto-drome* est normal (les 2 éléments viennent du grec)
  auto-mobile est un hybride (1er élément grec, 2ème latin;
- si *hyper-bole* est normal (les 2 éléments viennent du grec),
  hyper-tendu est un hybride (1er élément grec, 2ème latin);
- si *hippo-drome* est normal (les 2 éléments viennent du grec)
  vélo-drome est un hybride (1er élément latin, 2ème grec);
- si *télé-scope* est normal (les 2 éléments viennent du grec),
  télé-vision est un hybride (1er élément grec, 2ème latin)...

88. La recherche des hybrides (il faut pour cela se munir d'un bon dictionnaire étymologique) peut être amusante, captivante même. Elle affecte aussi bien des créations anciennes, des toponymes, des anthroponymes que des créations récentes. Sont hybrides, par exemple :

Jésus-Christ (1er élément hébreu, 2ème grec);
Charlemagne (1er élément germanique, 2ème latin);
Chateaubriand (1er élément latin, 2ème celtique);
Autun (de *Augusto-dunum* : 1er élément latin, 2ème gaulois);
fringale (déformation de *faim-valle* : 1er élément français, 2ème breton : *gwall* = mauvais; cf. ancien français *male* faim);
téléspeakerine (1er élément grec, 2ème anglais, 3ème allemand); **polyvalent** : 1er élément grec, 2ème latin);
cauchemar (1er élément roman, 2ème élément germanique)...

Les noms d'habitants

89. La dérivation se montre parfois capricieuse, du moins en apparence, dans la formation des noms d'habitants de certaines villes : seule l'*étymologie* les éclaire. Voici quelques exemples :

> les habitants d'*Aix* sont des *Aixois* (ou des *Aquisextains*);
> ceux de *Besançon*, des *Bisontins;* ceux de *Pau*, des *Palois;*
> ceux de *Béziers*, des *Biterrois;* ceux d'*Evreux*, des *Ebroïciens;*
> ceux de *Monaco*, des *Monégasques;*
> ceux de *Saint-Étienne*, des *Stéphanois;*
> ceux de *Bourg-la-Reine*, des *Burgo-Réginiens*, ou *Réginaborgiens...*

Les abréviations

90. Toute langue parlée étant portée à la *paresse*, le français a toujours eu tendance à raccourcir les mots. Nous l'avons vu dans les *doublets* (§ 57); nous l'observons dans la langue de tous les jours, que l'on supprime la fin, ou le début des mots :

■ Suppression de la *fin des mots;* cela s'appelle l'**apocope** :

> *cinématographe,* réduit à cinéma et ciné; *vélo*(cipède); *télé*(vision); *métro*(politain); *pneu*(matique); *photo*(graphie); *stylo*(graphe); *dactylo*(graphe); *taxi*(mètre); *sana*(torium); *réac*(tionnaire)...
>
> cf. des *prénoms* comme : *Alex*(andre), *Phil*(ippe), *Jo*(seph)...

sans parler des innombrables créations *argotiques* comme :

> *sympa*(thique), *formid*(able), *fan*(atique), *fana*(tique),
> *sensass*, (sensationnel), *perm*(ission), *labo*(ratoire),
> *transat*(lantique), *prof*(esseur), *math*(ématique),
> *philo*(sophie), *pub*(licité)...;
> le *Boul*(evard Saint-) *Mich*(el), le *Vél*(odrome) *d'Hiv*(er)...

ni de l'abus moderne des mots réduits aux *initiales,* appelés **sigles** :

> S.N.C.F., C.G.T., P.T.T. (P. et T.), R.A.T.P., O.N.U., etc.

■ Suppression du *début des mots;* cela s'appelle l'**aphérèse :**

> le capitaine devient le *pitaine;* les Américains, les *Ricains;*
> la piste municipale, la *Cipale;*
> l'autobus, le *bus* (à noter que *autobus* est lui-même la réduction de 2 mots : *auto*(mobile) + (omni)*bus* : apocope du 1er élément, aphérèse du 2ème...

Procédé fréquent dans la formation (ou déformation) des noms et prénoms :

> Nicolas devient *Colas;* Hippolyte, *Polyte;* Thomasson, *Masson;*

ainsi que dans les dates historiques célèbres :

> 1789 devient **89**; 1870, **70**; la guerre de 1914-1918, la guerre de **14-18**, en **14-18**, en **14**; 1940, **40**; il est né en **15** (1915).

GROUPEMENT DE MOTS

91. Outre la *dérivation* et la *composition* qui forment des mots à l'aide de suffixes et de préfixes, le français se crée aussi des mots de sens nouveau par groupement de mots déjà existants. Ces mots groupés se présentent ou bien *unis* par des traits d'union, ou bien *soudés*, ou bien *séparés* :

un *pied-à-terre*, un *gentilhomme*, une *pomme de terre*...

92. Cette création par groupement de mots donne naissance :

- à des *noms composés :*

  pomme de terre, chou-fleur, eau-de-vie, arrière-saison, rendez-vous, basse-cour, abat-jour, pourboire...

- à des *adjectifs composés :*

  sourd-muet, jaune citron, nouveau-né, malséant...

- à des *pronoms composés :*

  moi-même, les nôtres, celle-ci, cela, auquel, quelqu'un...

- à des *verbes composés* (ou locutions verbales, voir § 329) :

  prendre garde, avoir beau, tenir tête, faire savoir...

- à des *prépositions composées* (ou locutions prépositives) :

  près de, loin de, le long de, grâce à, eu égard à...

- à des *adverbes composés* (ou locutions adverbiales) :

  ici-bas, sur-le-champ, à tue-tête, d'arrache-pied, peut-être...

- à des *conjonctions composées* (ou locutions conjonctives) :

- de coordination :

  au contraire, par conséquent, c'est-à-dire, néanmoins, c'est pourquoi...;

- de subordination :

  après que, parce que, de peur que, à condition que, sous prétexte que, à mesure que...

- à des *interjections composées* (ou locutions interjectives) :

  eh bien ! par exemple ! juste ciel ! bon sang ! allons donc ! ma parole !...

CHANGEMENT DE CATÉGORIE GRAMMATICALE

93. Nous avons vu, dans les Préliminaires § 13, que le français possède neuf espèces ou catégories de mots :

- Cinq mots *variables :* nom, article, adjectif, pronom et verbe.

• Quatre mots *invariables* : adverbe, préposition, conjonction, interjection. Mais on remarque vite que notre langue, très souple, malmène souvent ce classement rigide, et fait changer de catégorie, d'espèce grammaticale à bien des mots, provoquant ainsi de nouvelles créations dans le vocabulaire :

> **tiens !** (*verbe* devenu interjection);
> chanter **faux** (*adjectif* devenu adverbe)...

94. Peuvent ainsi devenir **noms communs** :

• un *nom propre* (de personne ou de lieu) :

> *un hercule, un sandwich, un cerbère, une mansarde...*
> *un brie, un camembert, un bourgogne, un champagne...*

• un *adjectif qualificatif* (singulier ou pluriel) :

> *le beau, le vrai, le haut, le bas, la droite, la gauche...*
> *les bons, les méchants, les grands, les petits, les vieux...*

• un *adjectif au superlatif relatif* (§ 247) :

> la raison *du plus fort;* que *le plus coupable* périsse !...

• un *adjectif numéral* (cardinal ou ordinal) :

> un *deux* en dictée, un *huit* en questions
> les *Quarante* (l'Académie française);
> le *seizième* (arrondissement de Paris)...

• un *pronom :* le *moi* est haïssable; le *tout;* un *rien...*

• un *verbe* (à un mode personnel ou impersonnel) :

> un *tiens* vaut mieux que deux *tu l'auras;*
> le *boire,* le *manger;*
> un *étudiant,* un *commerçant;* un *blessé,* une *dictée...*

• un *mot invariable :*

> le *pour* et le *contre;* l'*avant* et l'*arrière;* les *si* et les *mais;*
> un *ouf* de soulagement; des *hourras* de joie...

• divers *groupes de mots* (de formations variées) :

> *un fort en thème, les hors-la-loi; un à-peu-près; un après-midi;*
> *le sang-froid; le quant-à-soi; un plus-que-parfait...*

• et même de véritables *mots-phrases :*

> *le qu'en-dira-t-on; un sauve-qui-peut; un m'as-tu-vu;*
> *un sot-l'y-laisse; un laissez-passer; un je-ne-sais-quoi;*
> *un ne-m'oubliez-pas; un suivez-moi-jeune-homme...*

• des *créations enfantines;* des *onomatopées :*

> *papa, nounou, bonbon; tic-tac, glouglou, ronron...*

• des *mots tronqués :* des groupes réduits à des initiales (cf. § 90) :

> *une auto, un vélo, la télé; un S.O.S., les U.S.A., l'U.R.S.S.;*
> *un nazi* (mot allemand écourté de *na*[zional-so]*zi*[alist])...

95. Peuvent ainsi devenir **adjectifs qualificatifs** :

- un *nom commun :*

   une robe *rose*; un ruban *or* et *argent*; un veston *laine* et *coton*;
   un air *bête*; un enfant *prodige...*

- un *participe* (présent ou passé) :

   un visage *souriant*; une mine *éveillée...*

- un *adverbe :*

   une fille *bien*; le temps *jadis*; la *presque* totalité...

96. Peuvent ainsi devenir **pronoms** :

- un *nom : personne; chose* (dans : *quelque chose, autre chose)...*

- un *adverbe : en, y* (personnels); *dont, où* (relatifs).

97. Peuvent ainsi devenir **mots invariables** :

- un *nom :*

   par hasard, à tort, à dessein (locutions adverbiales).
   peste ! ciel ! diable ! silence ! paix ! (interjections).
   à cause de, à l'aide de, en raison de (locutions prépositives).
   de façon que, du moment que, à condition que (loc.conjonctives).

- un *adjectif qualificatif :*

   parler *bas*, chanter *faux*, sentir *bon* (adverbes).
   hardi ! bon ! (interjections); *sauf, plein* (prépositions)...

- un *verbe* (au mode participe) :

   durant, suivant, pendant, vu, excepté (prépositions).

- un *verbe* (au subjonctif ou à l'impératif) :

   soit... soit (conjonctions); *soit* (adverbe).
   tiens ! allons ! allez ! voyons ! (interjections).

N.B. Les mots invariables peuvent, entre eux, changer de catégorie :
- une *préposition* peut s'employer absolument, comme *adverbe :*
   marche **devant** moi (préposition); marche **devant** (adverbe).
   derrière la maison (préposition); reste **derrière** (adverbe).
- un *adverbe* suivi d'un complément peut être senti comme une *préposition* ou une *locution prépositive :*
   reste **dessous** (adverbe); **dessous** la table (préposition)
   il est **loin** (adverbe); **loin de** l'école (locution prépositive).
- un *adverbe* peut s'employer comme *conjonction :*
   ne mens pas **ainsi** (adverbe); **ainsi** tu as menti ! (conjonction)
   je n'en peux **mais** (adverbe); frappe **mais** écoute (conjonction).

Onomatopées

98. Comme toute langue, le français s'est plu à créer des mots nouveaux par imitation de sons, de bruits : ce sont les onomatopées, qui ont donné surtout des interjections (voir § 500), mais aussi des noms, des verbes, des dérivés (mots sans étymologie, évidemment) :

> *vlan ! boum ! plouf !*
> *cocorico, miaou, meuh, bê, coin-coin,*
> *le glouglou* (glouglouter), *crac* (craquer, craquement),
> *vrombir* (vrombissement), *le froufrou* (froufrouter),
> *un ronron* (ronronner, ronronnement),
> *coasser, croasser, miauler, bêler, roucouler...*

Les mots de *création enfantine* relèvent du même principe :

> *papa, nounou, tonton; dodo, dada, toutou, teuf-teuf...*

Déformations

99. Il convient de noter aussi les mots obtenus par des déformations diverses, involontaires ou voulues, et portant soit sur des mots d'origine étrangère, soit sur des mots ou locutions déjà français.

Déformations dans les emprunts à l'étranger

100. Si certains mots étrangers ont été empruntés sans déformation ni d'orthographe ni de prononciation, comme par exemple :

> *pudding, football, week-end, boy-scout...*

beaucoup ont été profondément *altérés,* consciemment ou non; ainsi :
- l'anglais *beefsteak* (de *beef :* bœuf + *steak :* tranche; tranche de bœuf) est devenu **bifteck;** *roast-beef* est devenu **rosbif.**
- l'allemand *Eulenspiegel* (nom propre d'un personnage de roman) est devenu l'adjectif **espiègle.**
- l'arabe « *hachchâchî* » (fumeur ou buveur de « hachisch », plante ou boisson qui fanatisait) est devenu **assassin** !...

101. Certaines déformations sont, à la réflexion, cocasses ou stupides :
- l'anglais *country-dance* (danse du pays, danse campagnarde) est devenu **contredanse** !
- l'allemand *Sauerkraut* (ou mieux l'alsacien « sûrkrût (krût : herbe + sûr : aigre; « herbe ou chou aigre ») est devenu **choucroute** (en quelque sorte « chouchou » !)
- l'allemand *Vielliebchen* (très chéri) est devenu **philippine** !...

N.B. Consolons-nous en songeant que d'autres langues ont aussi leurs emprunts, leurs déformations stupides. Par exemple :

l'italien *girasole* (traduit sagement, et exactement en français par **tourne-sol** : qui se tourne vers le soleil) a été emprunté tel quel par l'anglais, mais, mal prononcé, est devenu **jerusalem !** (sic) (*Jerusalem* artichoke)...

Déformations de mots ou locutions déjà français

102. Une langue est avant tout orale; des erreurs peuvent se glisser dans la transmission de bouche à oreille, erreurs qui se retrouvent ensuite dans l'écriture. C'est ainsi que bien des fautes ont été en quelque sorte officialisées... et ne sont plus des fautes ! Citons, par exemple :

■ *Quelques mésaventures de l'article*

103. L'article fait si bien corps avec le nom qu'on ne sait plus où finit l'un, où commence l'autre; d'où un certain nombre de fausses coupes, d'erreurs qui n'en sont plus :

l'aboutique (cf. apothicaire) est devenue la *boutique.*
l'agriotte (cf. aigre) est devenu la *griotte* (cerise « aigre »).
l'ierre est devenu *lierre,* puis *le lierre* (article doublé).
l'oriot est devenu *loriot,* puis *le loriot* (article doublé).
l'uette est devenue *luette,* puis *la luette* (article doublé) : étymologiquement, uette, de **uvitta,* diminutif de latin *uva :* grain de raisin; elle en a bien la forme.
un ombril devient un *nombril;* la laise devient l'*alaise...*

Même mésaventure dans certains *noms propres* comme :

l'Apouille (Apulia) devenue la *Pouille.*
l'Aguyenne (Aquitania), la *Guyenne;* l'Orient, *Lorient...*

■ *Quelques mésaventures de l'adjectif possessif*

104. Les adjectifs féminins ma, ta, sa, se sont longtemps *élidés* devant voyelle ou h muet :

● m'amie, t'amie, s'amie sont devenues *ma mie, ta mie, sa mie :* songeons à la célèbre chanson « Quand j'ai **m'amie** *(ma mie !)* auprès de moi »...

● curieux aussi le mot **tante,** qui vient de t'ante (= ta ante, cf. anglais « aunt »). Dans *ta tante,* il y a au départ *pléonasme,* puisqu'on emploie 2 fois l'adjectif possessif de la 2e personne. Quant à *ma tante, sa tante, notre tante...,* ils sont stupides !

■ *Quelques mésaventures de la préposition*

105. Erreurs encore dans la rencontre-choc de la préposition et du nom :

être *en age* (en eau) est devenu être **en nage !**
être *à guet,* devient être **aux aguets;**
à l'entour, devient **alentour, aux alentours;**
à bandon, devient **abandon, à l'abandon.**
d'huppe devient *duppe,* puis **dupe** (huppe : un oiseau).

la *poule d'Inde* devient *la d'Inde,* puis la **dinde.**
la ville *d'Ax* devient la ville *Dax* et la ville **de Dax** (2 prépositions)
aller *en Oirmoutier* est devenu *en Noirmoutier*
et **à Noirmoutier.**

■ *Quelques étymologies populaires*

106. On appelle étymologies populaires des déformations populaires, souvent cocasses et savoureuses de mots ou d'expressions mal compris,
mal entendus :

> le **cérumen** devient la *cire humaine;* la **taie** d'oreiller, la *tête*
> d'oreiller; les pommes des **Mores** (les tomates), les pommes
> *d'amour;* tomber dans **les pâmes** (en pâmoison), devient tomber
> dans *les pommes;* tomber dans **le lacs** (= lacet, piège), tomber
> dans *le lac;* ne rêver que **plaids** (plaidoiries) et bosses (coups), ne
> rêver que *plaies* et bosses; il y a belle **heure,** belle **heurette**
> (diminutif; = beau temps) a donné il y a *belle lurette;* la liqueur
> **opiacée** devient joliment, la liqueur *à pioncer !*

■ *Quelques déformations volontaires, par euphémisme*

107. Dans les jurons et blasphèmes, on se tient pour quitte (ou presque) en
déformant les mots (le péché mortel s'atténue en véniel, en quelque
sorte) :

> *mordieu, morbleu, morguienne* (mort de Dieu); *pardi, parbleu* (par
> Dieu); *palsambleu* (par le sang de Dieu); *tudieu* (vertu de Dieu);
> *jarnidieu, jarni* (je renie Dieu); *ventre Saint-Gris* (par le ventre et
> le sang du Christ); *ventrebleu* (ventre Dieu, ventre de Dieu); *dame*
> (Notre-Dame); *diantre* (diable)...

■ *Quelques oublis du sens étymologique*

108. Signalons enfin les mots ou expressions curieux dus à l'oubli du sens
étymologique :

> ● Quand on dit *un bifteck de cheval,* on oublie que dans bifteck il y
> a « bif » (beef) : bœuf; « une tranche de bœuf de cheval » !...
>
> ● Quand on savoure une *salade de fruits* (bien sucrée), on oublie
> que dans salade il y a « sal » : sel, tout comme dans saupoudrer (sau,
> sal = sel). *Saupoudrer de sel* est un pléonasme, *saupoudrer de
> sucre* une stupidité ! (autre stupidité : saupoudrer est souvent pro-
> noncé *soupoudrer !).
>
> ● *Du vin aigre* devient (avec perte de la nasalisation) *du vinaigre.
> Du vinaigre de vin* est un pléonasme, *du vinaigre de cidre* une
> stupidité !
>
> ● Stupide encore, *coquette,* faux féminin; un homme a le droit
> d'être *coquet* (diminutif de *coq :* petit coq), une femme peut être à
> la rigueur... « poulette », certainement pas *coquette.* C'est, étymolo-
> giquement, interdit, mais qu'y faire?...

109. L'étymologie, nous l'avons dit au § 59, est un domaine passionnant.
Mais attention ! Le terrain est glissant : il faut se montrer prudent, se
méfier des apparences. « Le principal ennemi de l'étymologie, disait le

linguiste Marouzeau, c'est *l'évidence* », et il ajoutait : « L'étymologie ne se devine pas ».

Méfions-nous donc des **évidences.** En effet :

- **berceau** n'a rien à voir avec *bercail;* **échec** avec *échouer;* **émoi** avec *émouvoir;* **émerger** *(submerger)* avec *mer;* **fauteur** avec *fautif;* **forcené** avec *force;* **isoler** avec *désoler;* **paturon** avec *patte;* **saynète** avec *scène;* **souffreteux** avec *souffrir;* **avachi** avec *vache;* **sidéré** avec *assis;* **jovial** avec *joyeux;* **auvent** avec *vent;* **landier** avec *lande;* **miniature** avec *diminuer...*

- un jour **ouvrable** n'a rien à voir avec *ouvrir* (boutique), mais avec *ouvrer* (travailler), cf. ouvrage, ouvrier, ouvroir...

- un **sommier** est étymologiquement une bête de somme (= charge), qui porte le poids du (des) corps, et non l'endroit où l'on fait... un somme.

- un **pédicure** soigne les *pieds*, mais un *orthopédiste* (comme un *pédiatre)* s'occupe d'*enfants* (on redresse plus facilement une malformation chez l'enfant, aux os souples, que chez l'adulte)...

N.B.   Consulter un bon dictionnaire, étymologique si possible.

---

110.   Méfions-nous aussi :

- ***Des homophones.*** Les homophones sont des homonymes (homo- = semblable + onoma = nom) de prononciation (phone = son) identique, mais d'orthographe différente. Il faut bien distinguer :

    acquit (cf. acquitter), acquis (acquérir); *acétique,* ascétique; *l'alêne,* l'haleine, la laine (du matelassier); *bayer,* bailler, bâiller; *bonace,* bonasse; *censé,* sensé; *cession,* session; *chat,* chas, chah (shah, schah); *chômer,* chaumer; *coup de pied,* cou-de-pied; *croup,* croupe; *étique,* éthique; *faîte,* fête; *gang,* gangue; *gène* (m.), gêne (f.); *héraut,* héros; *jet,* geai, jais, j'ai; *lacer,* lasser; *paraissait,* paressait; *pinçon,* pinson; *plein,* plain; *plus tôt,* plutôt; *prémices,* prémisses; *repaire,* repère; *satire,* satyre; *serment,* serrement; *sain,* sein, saint, seing, cin(q), ceint; *sceau,* seau, sot; *tribu,* tribut; *ver,* verre, vers, vert, vair (cf. la pantoufle de *vair* de Cendrillon, devenue par contre-sens *de verre* dans le film de Walt Disney !)...

D'où de nombreux jeux de mots, comme :

- Un *serment de cœur,* et un serr(e)ment de cœur.

- Je te salue, *geai* d'eau d'un noir de *jais (Prévert).*

- *Des seins* ceints à *dessein d'essaims de dessins sains* (ou *saints,* selon les convictions !), pour désigner les soutiens-gorge bariolés qui fleurissent, ou qu'on ôte ! !, sur nos plages estivales...

- ***Des homographes.*** Les homographes sont des homonymes de prononciation et d'orthographe identiques, mais d'origine et de sens différents. Il faut bien distinguer, par exemple :

    la bière *(boisson)* et la bière *(cercueil);* le bouquet *(de fleurs)* et le bouquet *(crevette); le* coche et *la* coche; le cousin *(parent)* et le cousin *(moustique);* le bouquin *(livre)* et le bouquin *(animal);* le duel *(belliqueux)* et le duel *(grammatical); le* moule et *la* moule; *le* souris (sourire) et *la* souris; la police *(municipale)* et la police *(d'assurances)*; louer *(un exploit)* et louer *(un appartement)*; la poêle *(à frire)*, le poêle *(à mazout)* et *(les cordons du)* poêle; la somme *d'argent, la bête* de somme (cf. sommier) et *un bon* somme; elle peignait (verbe *peigner*) et elle peignait (verbe *peindre*)...

N.B. Consulter son dictionnaire, étymologique si possible.

● ***Des paronymes.*** Les paronymes sont des mots assez voisins de prononciation, mais très différents de sens. Il faut bien distinguer :

> *mine* et mime (cf. pantomime); *piété* et pitié;
> *aérophage* et aréopage, *rémunérer* et énumérer,
> *éminent* et imminent, *patricien* et praticien;
> *rixe* et risque, *précepteur* et percepteur, *sujétion* et suggestion,
> *dolman* et dolmen, *infecter* et infester, *inculper* et inculquer,
> *agonir* et agoniser, *rebattre* et rabattre, *égayer* et égailler,
> *acception* et acceptation, *rechaper* et réchapper,
> *recouvrer* et recouvrir, *vénusté* et vétusté,
> *berme* et berne, *réaléser* et réaliser...

111. Attention! Homophones, homographes et surtout paronymes sont causes de fréquentes confusions; d'où les fameuses *perles* qu'on rencontre dans la bouche ou sous la plume du cancre (de service). Il est des perles classiques, connues de tous :

> *La cirrhose du foie,* qui devient *le sirop,* *la cireuse* (à cause du teint cireux?), *les six roses* du foie.
> *Dans les bras de Morphée,* qui devient dans les bras de *l'orfèvre.*
> *Regagner ses pénates,* qui devient rentrer dans ses *pénards.*
> *Pousser des cris d'orfraie,* qui devient des cris *d'orfèvre.*
> *Un pis aller,* qui devient un *pis à lait.*
> *Une peau de chamois* qui devient *une peau de Chinois*
> *(cf.* § 26 le pataquès sur l'*hépatite virale)*

Il existe des recueils de *perles;* s'y reporter, joyeusement ! Les humoristes, de leur côté, puisent dans ce trésor pour leurs jeux de mots : le Français en est très friand. (Voir § 110, 127 et Index).

112. On appelle *famille étymologique* l'ensemble des mots qui gravitent autour d'un même radical. Le mot *pied,* par exemple, avec ses emprunts soit au latin soit au grec (*ped-, *pod-), se retrouve dans des mots aussi variés et (en apparence) aussi éloignés que :

> *piéton, pion, piège, peton, péage, empêcher, appuyer, bipède, podagre, polype (et pieuvre, et poulpe), pourpier, trapèze...*

Le sens des mots : sémantique

113. Tout mot est un être vivant. Hugo l'a fort bien dit, qui s'y connaissait : « Car le mot, qu'on le sache, est un être vivant ».
Depuis son origine, s'il a généralement changé de forme, d'aspect (ex. : *sacramentum* est devenu *serment; oculum* est devenu *œil...*) il a aussi, bien souvent changé de sens, ou pris deux ou plusieurs sens différents. L'étude du sens (ou des sens) du mot est le domaine de la **sémantique.**

114. Un mot peut avoir conservé le sens qu'il avait à sa naissance, à sa création, quelle que soit son origine; on dit qu'il a encore son *sens étymologique.* Par exemple : agriculteur, étrave, anchois...

115. Plus souvent un même mot a aujourd'hui plusieurs sens. On distingue alors le **sens propre** et le (ou les) **sens figuré**(s) :

■ Le *sens propre* se dit aussi *sens premier;* il ne faut pas le confondre avec le sens étymologique, bien souvent oublié.

> • *Le sens premier de « muscle »* est : organe formé de fibres et assurant les mouvements des animaux (et des humains). On ignore bien souvent son sens étymologique, pourtant pittoresque : *petite souris* (qui court sous la peau, comme une vraie souris sous un drap, par exemple) (du latin *musculus*).
> • *Le sens premier de « écureuil »* est : mammifère rongeur arboricole. Mais le mot, étymologiquement, vient du latin qui l'a emprunté au grec, avec deux éléments : *skia* = ombre + *oura* = queue : celui qui *fait de l'ombre avec sa queue !* (qui a toujours son parasol à portée... de la main, si l'on ose dire).

■ A côté du sens propre, ou premier, un mot a bien souvent un ou plusieurs *sens dérivés* :

> *Il a du muscle* = il a de la force, de la vigueur;
> *C'est un véritable écureuil* = il (elle) est très agile, insaisissable...

116. Soit le mot **pied.** Dans la langue actuelle, il peut avoir :

• son sens *propre : le pied de l'homme (ou de l'animal).*
• divers sens *figurés :*
> *le pied de la table (de l'arbre, de la colline...).*
> *un mur de six pieds, un vers de douze pieds, un pied de nez.*
> *lâcher pied, être sur pied, sécher sur pied, mettre sur pied...*

117. Les changements de sens, les glissements d'un sens premier à un sens dérivé *(les évolutions sémantiques),* se font de plusieurs façons :

• par passage du *sens concret* au *sens abstrait :*
> la **tête** d'un parti; la **queue** de la classe.

● par passage du *sens abstrait* au *sens concret :*

> la **vieillesse** (= les vieillards), la **jeunesse** (= les jeunes)

● par passage du *contenant* au *contenu :*

> boire un **verre**, une **tasse**, une **bouteille** (de lait, d'eau...)

● par passage du *lieu de fabrication* à la *chose fabriquée :*

> préférer le **brie** au **roquefort**; prendre un **cognac**,
> un **armagnac**; acheter un **sèvres**...

● par passage du *tout* à la *partie :*

> cirer (balayer) le **salon** (= le *parquet*, le plancher du salon)

● par passage de la *partie* au *tout :*

> voir cent **voiles** à l'horizon (cent *bateaux* à voile).

● par passage de l'*insigne* à la *chose signifiée :*

> vivre dans la **robe** (la magistrature); choisir l'**épée**, les **armes** (la
> carrière militaire) (cf. l'expression familière : « le sabre et le goupil-
> lon » pour évoquer la force militaire et la religion); les gens de
> **plume**, de **lettres** (les écrivains).

● par passage de l'*espèce* au *genre :*

> le temps des **cerises** (le temps de nombreux fruits).

● par passage du *genre* à l'*espèce :*

> les **mortels** (les hommes, les humains seulement, et non tous les
> êtres vivants, pourtant « mortels » eux aussi).

● par l'emploi de la *métaphore* (ou image) :

> c'est un **renard** (il est rusé comme un renard).
> c'est une **vipère** (il est méchant, médisant).
> remuer les **cendres** du passé (souvenir).

N.B. Le mot latin *cancer* signifie *crabe*. On en a tiré les doublets *cancre* (celui qui renâcle, qui marche de travers) et *cancer* (mal qui ronge intérieurement), voir § 57.

● par *restriction de sens :*

> ● la **viande**, c'est d'abord tout ce qui sert à vivre (lait, fruits..., le
> lait maternel est la première « viande » du bébé; « les poires sont
> viande très salubre », disait *Rabelais*). Ce n'est plus aujourd'hui
> que la « chair » de certains animaux.
>
> ● **pondre**, c'est d'abord poser, déposer (n'importe quoi); puis, uni-
> quement, poser, déposer... un œuf.
>
> ● **tuer** c'est d'abord protéger ! (latin *tutari*, cf. *tuteur*), puis : trop
> bien protéger, donc étouffer, éteindre, ... supprimer !

- par *extension de sens* (voir § 118 : *polysémie*) :

  - le **panier** a d'abord été réservé au *pain*.
  - le **boucher** n'a d'abord vendu que du *bouc*.
  - le **bureau** n'a d'abord été qu'un petit morceau de *bure;* puis le meuble sur lequel on a posé ladite étoffe, puis la pièce où se trouve ce meuble, puis les personnes qui siègent autour...
  - la **toilette,** c'est d'abord un diminutif de *toile;* puis le linge dont on s'essuie après ablutions; puis toutes les opérations qui accompagnent le fait de se laver; puis l'habillement (de la femme) qui termine les ablutions; puis le costume (féminin) soigné qu'on revêt après une *toilette* également soignée (toilette de soirée, de bal; en grande toilette); l'endroit où l'on fait sa toilette; enfin (au pluriel) l'endroit retiré (le *petit coin,* concurrencé par *lavabo,* et les affreux W.C.; au Grand Siècle, on disait joliment *garde-robe*).

- par *renforcement de sens :*

  méchant n'a d'abord signifié que *malchanceux (més-chéant).*
  mauvais n'a d'abord signifié que *malheureux (malifatius :* qui a mauvais sort), cf. **truand** (d'origine celtique = *petit malheureux*).

- par *affaiblissement de sens :*

  étonner a d'abord signifié *frapper du tonnerre* (tonner)*;*
  meurtrir, c'est d'abord *commettre un meurtre;*
  une **gêne,** c'est d'abord une *torture;*
  une **manie,** c'est d'abord une *folie* (cf. maniaque)...

118. On parle de **polysémie** (= nombreux sens) dans le cas de mots qui prennent de nombreux sens à partir du sens premier. Si l'on consulte un bon dictionnaire, par exemple le fameux Littré, on constate que :

  le verbe **aller** a 39 acceptions différentes,
  le verbe **mettre** en a 49, **prendre** 80 et **faire** 82 !

119. On appelle **synonymes** des mots qui ont à peu près le même sens. Ils sont parfois très voisins de sens, mais il y a toujours une légère nuance qui les différencie. Et l'on a pu dire qu'il n'existe pas vraiment de synonymes; d'où la nécessité, surtout pour le bon écrivain, et même pour chacun d'entre nous, de toujours rechercher le mot juste. Écoutons le conseil de *La Bruyère :* «Entre toutes les différentes expressions qui peuvent rendre une seule de nos pensées, il n'y en a qu'une qui soit la bonne ».

N.B. Il existe des dictionnaires des *synonymes.* Lire (§ 732) la lettre de *Voltaire.*

---

120. Parmi les synonymes, on peut ranger les **périphrases :** la périphrase dit en plusieurs mots ce qu'on pourrait dire en un seul :

  l'*astre du jour* (le soleil); le *roi des animaux* (le lion);
  la *messagère du printemps* (l'hirondelle); la *ville lumière* (Paris)...

Les « Précieux » du XVIIe siècle en ont usé, et abusé. Il convient d'être discret en ce domaine.

121. Pour bien cerner le sens exact d'un mot à sens multiples, il est bon d'en rechercher l'**antonyme** (souvent donné par le dictionnaire).

L'adjectif *bon,* par exemple (aux multiples synonymes), possède de nombreux antonymes qui sont d'ailleurs les divers synonymes de l'adjectif *mauvais* :

> *méchant, malfaisant, nuisible, nocif, pernicieux, maléfique, défectueux, faible, nul...*

122. De même qu'on peut grouper les mots par *familles étymologiques* (voir § 112), de même on peut les grouper par *familles sémantiques.* On appelle famille sémantique l'ensemble des mots qui gravitent, pour le sens, autour d'un mot important.

> soit le mot **mer.** S'y rattachent, *sémantiquement* : non seulement ses divers *synonymes : eau, onde, océan, lac, baie, anse, golfe...,* mais aussi tous les mots qui évoquent l'*eau* et la *navigation* :
>
> *marée, vague, courant, ressac, flux, reflux, écume, embruns, tempête, ouragan, tornade, cyclone, raz-de-marée...;*
> *côte, sable, galet, plage, rocher, récif, île, îlot, îlet, presqu'île, péninsule, cap, pointe, promontoire, passe, chenal...;*
> *bateau, navire, barque, canot, galère, goélette, trois-mâts, yacht, voilier, paquebot, cargo, pétrolier, chalutier, croiseur, cuirassé, porte-avions, torpilleur, sous-marin...;*
> *port, rade, bassin, quai, jetée, phare, amer, appareillage, croisière, mouillage, ancre, rame, godille, aviron, voile, mât, moteur...;*
> *lever l'ancre, louvoyer, chavirer, s'échouer, faire naufrage...;*
> *capitaine, commandant, marin, matelot, mousse, moussaillon...*

CONCLUSIONS SUR LE VOCABULAIRE

123. Le vocabulaire est un domaine mouvant, parce que *vivant.* Tous les jours il se crée des mots nouveaux : progrès de la science et de la technique, créations dues à la mode, à la publicité, ou aux argots divers. Ce sont les **néologismes.** Il en est de bons, et durables; il en est de moins bons, qui ne font que passer :

- l'homme a mis le pied sur la lune, d'où *alunir;* (voir § 312)
- de mazout on tire *mazouter,* de vamp, *vamper* !...
- les vacances, de plus en plus prisées, créent *les vacanciers,* et même les *juillettistes* et les *aoûtiens* (avec diérèse : *a-ou-syens,* comme dans « la mi-a-ou » (cf. « miaou ») à côté de la *mi-ou);*
- la planche à voile, très à la mode, donne *véliplanchiste,* et faire de la voile, trop long à dire, devient *plancher* (sic);
- le *pétrolier* transporte, avec ou sans marée noire, du pétrole, le *pinardier,* du vin, de bonne, ou moins bonne qualité...

124. On fabrique même des mots nouveaux à partir de mots tronqués, de vrais *culs-de-jatte* (voir § 90 et 94) :

- **ciné** donne *cinéaste, ciné-club, cinéphile, cinéroman...*
- **bus** donne *minibus, aérobus, airbus...*

● le stupide **rama** (barbarisme pour -*orama*, voir pan-*orama)* donne les affreux *télérama, cinérama, diaporama, autorama...*

Et même à partir de *sigles :*

> sur la C.G.T. on a formé *cégétiste;* sur le S.M.I.C., *smicard;* sur l'E.N.A., *énarque;* sur le C.A.P.E.S., Certificat d'aptitude pédagogique à l'enseignement secondaire, *capésien* ou *capessien,* avec le jeu de mots évident sur la dynastie des *Capétiens...*

125. Inversement, à partir de groupes de mots trop longs à prononcer, on a fabriqué, et on fabrique, de nombreux mots en prélevant quelques lettres ou syllabes desdits groupes :

> ● le **laser** est tiré de l'anglais **l**[ight] **a**[mplification] [by] **s**[timulation] **e**[mission] [of] **r**[adiations], qui signifie, à peu près, « amplificateur quantique de radiations ». C'est tout de même plus court, plus pratique, et plus agréable à l'oreille !
> ● le **sonar** vient aussi de l'anglais : **so**[und] **na**[vigation] [and] **r**[anging] : appareil de détection sous-marine par les ultrasons.

Même procédé de formation (voir son dictionnaire) pour :

> **radar, radome** ou **radôme...** et les sinistres : **gestapo, nazi...**

126. S'opposant aux néologismes, les **archaïsmes** tentent parfois certains auteurs, certains amateurs de vieux langage, qui disent :

> **ire** au lieu de *colère;* **onc** (onque, oncques) au lieu de *jamais;* **ouïr** au lieu d'*entendre;* **roide** au lieu de *raide;* **d'aucuns** au lieu de *certains;* **s'ébaudir** (et même s'esbaudir) au lieu de se *réjouir;* faire **assavoir,** au lieu de *faire savoir;* si **j'eusse su,** au lieu de si *j'avais su;* après **moult** hésitations, pour *après maintes (après beaucoup d')*hésitations...

● C'est dans la même optique archaïsante qu'on peut s'intéresser aux *locutions françaises,* dont il existe de bons recueils. Certaines de ces locutions sont claires, mais beaucoup restent obscures, et les interprétations divergent. Que veulent dire, par exemple :

> *dès potron-minet, croquer le marmot, battre son plein, à tire larigot, avoir maille à partir, valoir son pesant d'or?...*
> Sans parler du célèbre : *avoir la puce à l'oreille* (très érotique).

● Proverbes et dictons fleurent bon, aussi, l'archaïsme :

> *Poignez vilain, il vous oindra; oignez vilain, il vous poindra.*
> *Fais ce que dois, advienne que pourra...*

127. Et puis le vocabulaire se prête à toutes sortes de jeux :

■ *jeux de mots tout simples* (cf. § 110) :

> ● *Vous mendierez des nouvelles* (= vous m'en direz des nouvelles).
> ● Nom : *Garcin,* prénom : *Lazare* (= gare Saint-Lazare).
> ● *Un Bonaparte manchot* (= un bon appartement chaud).
> ● *Au Lion d'Or* (nom d'hôtel) (= au lit on dort)...
> ● *L'athée sali et l'abbé aussi* (= la Thessalie *et* la Béotie)
> Sans oublier la trouvaille d'*Alfred Jarry,* à partir d'une forme

verbale : « Quand le roi *eut bu*, la Pologne fut ivre »

Eut bu (passé antérieur), prononcé *ubu, est devenu Ubu, le *roi Ubu*, le *père Ubu*; il a même donné, rançon de la gloire, l'adjectif *ubuesque*, synonyme de grotesque, absurde, loufoque.

■ *jeux de mots plus complexes*, plus recherchés, plus tarabiscotés :

● les **proverbes** et **sentences** déformés par moquerie :

> – Partir c'est mourir un peu → *Mourir c'est partir un peu* (ou *beaucoup*).
> – Il est trop poli pour être honnête → *Il est trop honnête pour être poli* (ou, pour les misogynes : *Elle est trop au lit pour être honnête*).
> – L'homme est un roseau pensant → *La femme est un roseau dépensant* (encore ces misogynes !)
> – L'ennui naquit un jour de l'uniformité → *L'ennui naquit un jour de l'Université* (ah ! ces contestataires !)...

● les **anagrammes** (mots formés par la transposition des lettres d'un autre mot) :

> *signe, singe; paveur, vapeur; chariot, haricot; variole, violera; tsar, star; désirée, diérèse; Laurent, naturel; Salvador Dali, Avida Dollars; Pierre de Ronsard, Rose de Pindare; Révolution française, Un veto corse la finira...*

Qui ne s'est amusé à rechercher l'anagramme de son propre nom? C'est la source de bien des *pseudonymes* :

> Arouet l(e) J(eune) = Voltaire (u = v; j = i)

● les **palindromes** (mots, vers, phrases qu'on peut lire dans les deux sens : de gauche à droite et de droite à gauche) :

> *non, ici, Noyon, Laval, Sées... – Esope reste ici et se repose*

● les **anacycliques** (mots qui, lus de gauche à droite ou de droite à gauche, fournissent deux mots différents) :

> *Léon, Noël; Zeus, Suez; Roma (Rome), amor (amour); O.K. et K.O.*

● les **rimes très riches,** qui tournent au calembour :

> *On voit à l'hôpital maint prodigue alité*
> *Qui pleure amèrement sa prodigalité. (Hugo).*

et vont jusqu'aux vers *holorimes, pantorimes*, rimant entièrement :

> *Gal, amant de la reine, alla, tour magnanime,*
> *Galamment de l'Arène à la Tour Magne à Nîmes.*

128. Vocabulaire et **dictionnaire** : deux mots inséparables. Quand on aime les mots avec gourmandise, on ne peut vivre sans dictionnaire (au singulier, ou mieux au pluriel). Il existe de nombreux dictionnaires, généraux ou spécialisés; aucun n'est parfait : « Les dictionnaires, même les plus complets, ne contiennent qu'une faible partie du trésor de la langue » *(Brunot-Bruneau)*. Mais le dictionnaire, même infirme, reste un compagnon de route indispensable; et quiconque aime le *vocabulaire* et consulte souvent son *dictionnaire* ne peut être insensible aux « séductions »... de la **Grammaire**. ●

DEUXIÈME PARTIE

C

LA MORPHOLOGIE DU FRANÇAIS

Les mots variables
Les mots invariables

129. Nous avons vu, Préliminaires § 13, que les innombrables mots de la langue française se répartissent en neuf espèces, en neuf catégories grammaticales différentes, qu'il faut bien distinguer :

- cinq espèces *variables :* nom, article, adjectif, pronom et verbe.
- quatre espèces *invariables :* adverbe, préposition, conjonction, interjection.

Nous avons vu aussi, Vocabulaire § 91, que chaque espèce, sauf l'article, peut se présenter sous l'aspect d'un mot *simple* ou *composé.* Un mot composé peut s'appeler une *locution.*

C'est ainsi qu'on peut parler de :

- ***locutions substantives*** (le nom s'appelle aussi *substantif*) :

  pomme de terre; salle à manger; hors-la-loi; boute-en-train...

- ***locutions adjectives, pronominales, verbales :***

  nouveau-né; n'importe qui; prendre soin...

- ***locutions adverbiales, prépositives, conjonctives, interjectives :***

  d'ores et déjà; à cause de; afin que; mille sabords !...

130. Outre la Phonétique et le Vocabulaire déjà étudiés, les mots (ou locutions) intéressent les deux domaines essentiels de la grammaire :

- la **morphologie,** qui étudie les *formes :* notre 2ème partie.
- la **syntaxe,** qui étudie les rôles, les *fonctions :* notre 3ème partie.

Les mots variables

LE NOM, ou substantif

131. Le **nom,** ou *substantif,* est après le verbe (qui est le mot-roi) le mot le plus important de la phrase. C'est un mot *variable,* qui désigne une personne, un animal ou une chose. On distingue, avant tout :

■ le *nom commun,* qui désigne les personnes, les animaux ou les choses en général, c'est-à-dire des êtres ou des choses d'une même « espèce » :

> berger, chien, paysage; femme, chatte, ville.

■ le *nom propre,* qui désigne les personnes, les animaux ou les choses en particulier, en les distinguant des autres êtres ou choses de même espèce; il commence par une lettre majuscule :

> Julien, Médor, Provence; Françoise, Minette, Paris.

132. On distingue aussi, dans la définition du nom :

■ le *nom concret,* qui désigne les êtres et les choses accessibles à nos sens (vue, ouïe, odorat, toucher, goût) :

> pêcheur, poisson, bateau.

■ le *nom abstrait,* qui désigne les choses (les idées) accessibles seulement à notre esprit, à notre pensée :

> liberté, égalité, fraternité.

133. Rappelons que le nom peut être formé d'*un seul mot* (nom ou substantif) ou d'*un groupe de mots* (locution substantive) :

> garçon, garçon de café, chien, chien-loup; salle, salle à manger.
> Jean, Jean-Paul; Paris, Bourg-la-Reine; France, États-Unis...

N.B. Les *locutions substantives,* ou noms composés, prennent souvent des *traits d'union.* Voir Appendices, § 735-736.

---

134. Mot variable, le nom, ou substantif, varie :

■ en *genre,* selon qu'il est au *masculin* ou au *féminin* :

> parent, parente; chat, chatte.

■ en *nombre,* selon qu'il est au *singulier* ou au *pluriel* :

> parent, parents; chatte, chattes.

LE GENRE DES NOMS

▰▰▰ Noms de personnes ou d'animaux

135. Le genre masculin s'emploie pour les êtres *mâles*, le genre féminin pour les êtres *femelles* :

> un garçon, une fille; un coq, une poule.

136. On forme généralement le féminin des noms de personnes ou d'animaux en ajoutant un **-e** au nom masculin :

> parent, *parente*; marchand, *marchande*; ours, *ourse*.

N.B. Quand le masculin se termine par un son *nasal*, on constate que le féminin perd la nasalisation, se *dénasalise* :

> gamin, *gamine*; châtelain, *châtelaine*; sultan, *sultane*...

EXCEPTIONS (§ 137 à 141)

137. *Parfois l'e final du féminin* est précédé d'une modification plus ou moins importante de la fin du nom masculin :

■ *doublement* de la consonne finale :

> paysan, *paysanne*; lion, *lionne*; chat, *chatte*...

■ *changement* de la consonne finale :

> veuf, *veuve*; époux, *épouse*; loup, *louve*; daim, *daine*...

■ *modification* de la fin du nom masculin :

> boucher, *bouchère*; berger, *bergère*; mercier, *mercière*...
> coiffeur, *coiffeuse*; vendeur, *vendeuse*; pêcheur, *pêcheuse*...
> demandeur, *demanderesse*; vengeur, *vengeresse*;
> pécheur, *pécheresse*...
> prince, *princesse*; tigre, *tigresse*; âne, *ânesse*...
> acteur, *actrice*; aviateur, *aviatrice*; instituteur, *institutrice*...
> jumeau, *jumelle*; agneau, *agnelle*; chameau, *chamelle*...

■ *changements* plus curieux :

> ● dieu, *déesse*; roi, *reine*; empereur, *impératrice*; tsar, *tsarine*;
> ambassadeur, *ambassadrice*; duc, *duchesse*; abbé, *abbesse*;
> docteur, *doctoresse*; bailli, *baillive*; héros, *héroïne*;
> speaker, *speakerine*; favori, *favorite*; bedeau, *bedaude*;
> serviteur, *servante*; avant-coureur, *avant-courrière*; neveu, *nièce*;
> compagnon, *compagne*; gars, *garce* (pas péjoratif au départ !);
> vieillard, *vieille* ou *vieille femme* (plutôt que *vieillarde*)...
> ● poulain, *pouliche*; mulet, *mule*; poney, *ponette*; dindon, *dinde*;
> canard, *cane*; sphinx, *sphinge*; lévrier, *levrette*;
> perroquet, *perruche*; cochon, *coche*...

N.B. Certains masculins ont deux féminins :
notaire : *notairesse, notaresse;* patron : *patronne, patronnesse.*
chanteur : *chanteuse, cantatrice;* merle : *merlette, merlesse;*
singe : *singesse, guenon...*

138. *Parfois le féminin* est tout différent du masculin :

* homme, *femme;* mari, *femme;* père, *mère;* parrain, *marraine;*
frère, *sœur;* oncle, *tante;* gendre, *bru;* garçon, *fille...*
* mâle, *femelle;* coq, *poule;* bouc, *chèvre;* veau, *génisse;* jars, *oie;*
lièvre, *hase;* cerf, *biche;* sanglier, *laie...*

N.B. ■ Pour les **animaux,** il existe parfois 3 noms :
mouton (espèce) : bélier (mâle), brebis (femelle);
bœuf : taureau, vache;
porc : verrat, truie; cheval : étalon, jument...
■ La *souris* n'est pas la femelle du *rat;* ni la *chouette,* celle du *hibou.*
■ Certains petits animaux portent un nom spécial :
chiot (chienne), *faon* (biche), *marcassin* (laie)...

139. *Parfois le féminin* est marqué par une périphrase :

■ *dans certaines professions :*
une femme écrivain, une femme professeur, une femme médecin...

Noter les appellations de plus en plus fréquentes :
Madame le Ministre *X; Madame le Conservateur *Y;
Madame le docteur *Z; le professeur Marie Dupont...

N.B. *Ne pas confondre :*
Madame le Maire et Madame la Mairesse (épouse du maire).
Madame le Préfet et Madame la Préfète (épouse du préfet)...

■ *chez certains animaux* qui n'ont pas de féminin :
un pinson femelle; un héron femelle...

Quand le nom est au féminin, le masculin utilise aussi la *périphrase :*
une girafe mâle; une souris mâle...

140. *Parfois le féminin* ne se distingue pas du masculin :
un (ou *une*) *touriste, concierge, enfant, élève, artiste...*

N.B. ■ On dit : *une gosse* ou une gosseline, *une sauvage* ou une sauvagesse,
■ On dit (au *figuré !*) : *un chameau de belle-mère,* et non une chamelle... (cf. § 581)

141. *Parfois on emploie curieusement :*

- un *féminin* pour désigner un *homme :*

  une sentinelle, une recrue, une ordonnance, une baderne...

- un *masculin* pour désigner une *femme :*

  un laideron, un tendron, un bas-bleu, un mannequin, un trottin...

Noms de choses

142. Les **noms de choses** sont soit du *masculin*, soit du *féminin* (le *neutre*, fréquent en latin, n'existe plus dans les noms français) :

un banc, une table; une fourchette, un couteau...

143. Seuls l'usage et la pratique permettent de distinguer le *genre* des noms de choses. En cas de doute, il faut consulter un dictionnaire.

- Sont du *genre masculin*, par exemple :

  alvéole, ambre, anathème, antre, astérisque, apogée, arcane, automne, camée, coryphée, emblème, épilogue, haltère, hémisphère, insigne, ivoire, lange, légume (sauf au figuré : « une grosse légume » !), myrte, obélisque, pétale, poulpe, tentacule, viscère...

- Sont du *genre féminin*, par exemple :

  abside, acmé, acné, acoustique, alcôve, amnistie, anagramme, antichambre, apothéose, atmosphère, autoroute, avant-scène, azalée, ébène, écharde, épigramme, équivoque, orbite, patère, primeur, réglisse, urticaire...

144. Méfions-nous des mots que le français, profitant du flottement de genre, a *dédoublés*, donnant un sens différent au masculin et au féminin :

le (la) critique, le (la) crêpe, le (la) manœuvre, le (la) pendule, le (la) mémoire, le (la) finale, un (une) œuvre, un (une) office, un (une) couple, le (la) gîte, le (la) geste...

N.B. Ne pas confondre ces *couples* (où il s'agit, étymologiquement, du même mot) avec les *homophones* (mots d'origines différentes : voir § 110) :

le (la) poêle, le (la) mousse, le (la) vase, le (la) solde...

---

145. Attention aux *noms de villes*. L'usage hésite : on les traite souvent comme des féminins, surtout quand ils contiennent l'article féminin :

La Rochelle, La Ferté, Alger-la-Blanche, Mantes-la-Jolie...

mais le masculin concurrence souvent le féminin :

Rome est belle, Paris est beau, ce Venise, cette Venise !...

On peut tourner la difficulté en utilisant le mot *ville :*

> Rome (Londres, Paris, Lille...) est *une belle ville.*

On évite ainsi de choisir entre « *beau* » (masc.) et « *belle* » (fém.).

N.B. Avec **tout** (voir § 873), c'est le *masculin* qui l'emporte :
> *Tout Venise, tout Londres, tout Cologne est en fête. Le Tout-Paris.*

---

146. Attention aux *noms de bateaux.* Ils donnent lieu à controverse. Les marins, respectant les sexes, disent sans hésiter :

> *la Jeanne-d'Arc* (et même *la Jeanne*), *le Richelieu.*

Mais quand le bateau porte un nom de pays ou de province, afin d'éviter une équivoque, ils adoptent le *masculin*, le mot *navire* étant sous-entendu, voir § 161 N.B. :

> *Visiter le France,* non la France, et même : *France,* sans l'article.

147. *Remarques*

■ Le nom *après-midi*, longtemps hésitant, est désormais masculin :

> *un bel après-midi, tout cet après-midi.*

■ « Comté » et « duché », sont devenus masculins, « vicomté » est resté féminin :

> *un duché, un comté* (mais : la Franche-Comté); *une vicomté.*

■ Les lettres de l'alphabet ont en principe un genre : sont du *féminin* celles qui, prononcées, se terminent par un e muet : f, h, l, m, n, r, s, x. Sont du *masculin* toutes les autres. Cette règle n'est plus guère respectée, et le masculin triomphe le plus souvent (on dit plutôt *un f, un s,* que une f, une s...).

LE NOMBRE DES NOMS

148. D'une façon générale, on forme le *pluriel des noms* en ajoutant **-s** au nom singulier :

> *un chien, des chiens; une niche, des niches.*

> **EXCEPTIONS** (§ 149 à 155)

149. Certains noms prennent un, ou une, **-x,** et non un(e) **-s**; ce sont :

■ les noms en **-eau**, en **-au**, sauf landau, sarrau; les noms en **-eu**, sauf bleu, pneu :

> *un veau,* des veau**x**; *un préau,* des préau**x**; *un feu,* des feu**x**
>
> mais :   *des landau**s**, des sarrau**s**, des bleu**s**, des pneu**s**.*

■ sept noms en **-ou** : bijou, caillou, chou, genou, hibou, joujou, pou :

bijou**x**, caillou**x**, chou**x**, genou**x**, hibou**x**, joujou**x**, pou**x**.

■ les noms en **-al** qui font **-aux**, sauf : bal, cal, carnaval, chacal, festival, pal, récital, régal :

un cheval, des chev**aux**; *un bocal,* des boc**aux**

mais : des *bal**s**, cal**s**, carnaval**s**, chacal**s**, festival**s**, pal**s**, récital**s**, régal**s**.*

■ neuf noms en **-ail**, qui font **-aux** : bail, corail, émail, fermail, soupirail, travail, vantail, ventail, vitrail; plus un nouveau mot, du milieu du 20ème siècle *(gemmail)* :

b**aux**, cor**aux**, ém**aux**, ferm**aux**, soupir**aux**, trav**aux**, vant**aux**, vent**aux**, vitr**aux**, gemm**aux**.

150. Les **noms singuliers** en -s, -x, -z ne changent pas au pluriel :

repas, repos, puits; noix, prix, perdrix; nez, gaz.

151. *Se méfier* des **noms composés**, ou locutions substantives :

■ *s'ils s'écrivent en un seul mot,* seul le dernier élément prend la marque du pluriel :

des bonbons, des bonheurs, des portefeuilles, des baisemains...

sauf dans : *mesdames, mesdemoiselles, messieurs, messeigneurs, nosseigneurs, bonshommes, gentilshommes.*

■ *s'ils s'écrivent en plusieurs mots,* seuls les éléments noms et adjectifs prennent (si le sens le permet) la marque du pluriel :

des basses-cours, des choux-fleurs, des chefs-lieux,
des demi-heures, des tragi-comédies, des chefs-d'œuvre,
des timbres-poste, des couvre-lits, des gratte-ciel,
des tire-bouchons, des terre-pleins, des sauf-conduits,
des chausse-trapes, des sous-main, des garde-manger,
des garde-boue, des laissez-passer, des grands-pères...

N.B. ■ On note certaines hésitations. On rencontre en effet :
des après-midi, des après-midis; des chênes-liège, des chênes-lièges;
des clins d'œil, des clins d'yeux; des grand-mères, des grands-mères...

■ garde appui et soutien sont des *noms,* et non des verbes, dans :
*des garde**s**-malades, des appui**s**-tête, des soutien**s**-gorge.*

■ En cas de doute, consulter son dictionnaire.

---

152. *Se méfier* du pluriel des noms d'**origine étrangère** :

■ Certains, francisés, prennent simplement un **-s** :

référendums, duos, examens, alibis, pianos, albums, agendas, apartés, concertos, pensums...

■ Certains respectent la forme étrangère :

gentlemen, garden-parties, desiderata, soprani, condottieri...

N.B. Certains pluriels (italiens) en **-i** sont passés au singulier (au lieu de **-o**) :
un confetti, un lazzi, un mercanti, un macaroni...

■ Certains hésitent, et ont pratiquement deux pluriels :

> *maximums* et *maxima; matchs, matches; sandwichs, sandwiches;*
> *sanatoriums, sanatoria; lieds, lieder; concertos, concerti...*

■ Certains, enfin, restent invariables :

> *des credo, des Te Deum, des interim, des exeat,*
> *des post-scriptum, des nota bene, des veto, des statu quo,*
> *des in-quarto...*

153. *Se méfier* du pluriel des **noms propres** :

■ *Ils prennent la marque du pluriel s'ils désignent :*

● des noms de familles royales, princières ou illustres :

> *les Césars, les Horaces et les Curiaces, les Bourbons, les Condés...*

● des personnes prises comme types :

> *les Mécènes font les Virgiles; les Homères et les Hugos, les*
> *Platons et les Pascals, les Cicérons et les Bossuets sont rares !*

● les œuvres d'un écrivain, d'un artiste, avec ellipse du nom commun :

> *Il possède quelques Renoirs, deux Gauguins, un Picasso (toiles).*
> *J'ai lu tous les Balzacs, tous les Hugos, tous les Zolas (livres)...*

■ *Ils restent au singulier :*

● dans les noms de familles ordinaires :

> *les Oberlé, les Thibault, les Pasquier...*

surtout quand ils possèdent un article singulier, soudé ou non :

> *les Lebrun, les La Fontaine, les Lamartine, les Dupont...*

● dans les noms de familles étrangères :

> *les Borgia, les Habsbourg, les Romanof...*

● quand, précédés d'un « **les** » *emphatique*, ils désignent une seule personne :

> *les Montesquieu, les Voltaire, les Diderot, les Rousseau ont*
> *illustré le siècle « philosophique », le siècle « des lumières ».*

154. *Curiosités*

■ *Certains noms* ne s'emploient qu'au pluriel :

> *frais, arrhes, dépens, acquêts, mânes, pénates, ambages,*
> *accordailles, fiançailles, épousailles, funérailles, obsèques,*
> *ténèbres, mœurs...*

■ *Certains noms* changent de sens en passant au pluriel :

> *une lunette, des lunettes; un ciseau, des ciseaux...*

■ *Trois noms :* **amour, délice** et **orgue,** changent de genre en passant au pluriel; *masculins* au singulier, ils sont *féminins* au pluriel :

> *un fol amour, de folles amours; un pur délice, de pures délices; un vieil orgue de Barbarie, les grandes orgues de la cathédrale.*

■ *Certains noms* ont deux pluriels :

• soit **de même sens :**

> ails, aulx *(ail)*; vals, vaux *(val)*; idéals, idéaux *(idéal).*

• soit **de sens différent :**

> • **aïeul :** *aïeux* (ancêtres) et *aïeuls* (grands-parents) (cf. les 2 composés : *bisaïeuls* et *trisaïeuls*).

> • **ciel :** les *cieux* (pluriel normal), les *ciels* (d'une région, d'un peintre : de Bretagne, de Corot...; cf. des *ciels de lit*).

> • **œil :** *yeux* (pluriel normal), *œils* (dans le langage technique, où œil désigne un orifice : les *œils de marteaux, de voiles, de caractères d'imprimerie;* cf. *œils-de-bœuf, œils-de-perdrix*)

> • **travail :** *travaux* (pluriel normal), *travails* (s'il s'agit de l'appareil où l'on place chevaux ou bœufs pour les ferrer).

N.B. L'adjectif **choral** (pluriel *choraux*), employé comme nom, fait **chorals :**
Les chorals pour orgue de Bach sont célèbres.

■ **Attention** au nom **Pâques :**

• au *singulier :* – *sans* -**s,** il est *féminin :* la Pâque juive.
— *avec* -**s,** il est *masculin :* à Pâques prochain.

• au *pluriel,* il est *féminin :* Joyeuses Pâques ! Pâques fleuries.

N.B. **Noël** est masculin : un beau Noël, Joyeux Noël. Si on dit « la Noël », c'est par *ellipse* du nom « fête » (la fête de Noël), cf. la Saint-Jean, la Saint-Médard...

■ **Attention** au nom **gens,** si capricieux :

• C'est le *pluriel* du nom *féminin* **gent** (espèce, race) :
la gent trotte-menu; la gent marécageuse (La Fontaine).

Féminin donc au départ, mais ayant pris le sens de *hommes,* il est devenu masculin, sauf quand il est immédiatement précédé d'un adjectif dont le féminin diffère du masculin. On dira donc :

> *les **vieilles** gens, les **bonnes** gens, **quelles** gens ! (féminins)*

mais : ***tous** les gens **sensés, quels braves** gens ! (masculins)*

et : *Il y a **certaines** gens qui sont bien **sots** (Littré)...*

- Dans les *locutions :* **gens** de lettres, de robe, d'épée, d'Église, de loi, de guerre..., il est toujours *masculin,* et l'on écrira :

  de **nombreux** gens de lettres; d'**éloquents** gens de robe; de **courageux** gens de guerre...

- Il en est de même lorsqu'il a le sens de *domestiques :*

  Tous ses gens lui sont dévoués.

■ Le nom **bétail** n'a pas de pluriel. Le nom **bestiaux** n'a pas de singulier. En cas de besoin, on utilise le nom *bête(s) :*

  le bétail, les bêtes; des bestiaux, une bête.

155. *Remarques*

■ **Attention** à la prononciation de certains pluriels, à finale muette :

  des os, des bœufs, des œufs, des ours, des cerfs.

■ On hésite parfois entre *singulier* et *pluriel :*

- on peut dire :

  salle de bain (ou de bains) – *confiture de groseille* (ou de groseilles) – *pot de confiture* (ou de confitures) – *costume sur mesure* (ou mesures) – *toute sorte de* (toutes sortes de) – *de toute sorte* (de toutes sortes) – *un bagage* (ou des bagages; au figuré, on met le singulier : *un solide bagage intellectuel;* singulier aussi dans *plier bagage) – une lettre de remerciement* (ou remerciements) – *de condoléance* (ou condoléances) – *couler à flot* (ou à flots).

- on dit :

  un réveille-matin, des réveille-matin, mais *un réveil, des réveils; à tout moment,* mais *par moments; par parenthèse,* mais *entre parenthèses; un pommier en fleur* (une espèce), mais *un jardin en fleurs* (plusieurs espèces); *prendre en main,* mais *être entre bonnes mains; arriver à sa fin* (finir sa vie), mais *arriver à ses fins* (réussir)...

Ne pas hésiter à consulter le dictionnaire.

N.B. ■ Noter la distinction savoureuse entre le singulier, de gourmandise, et le pluriel, de sympathie, (voir § 732) :

  aimer le pigeon, le mouton...; aimer les pigeons, les moutons...

■ Ne confondons pas :

  il fait **du** *patin à roulettes* (sportif) et il fait **des** *patins à roulettes* (fabricant)

L'ARTICLE

156. C'est le plus humble des compagnons, des déterminants du nom; mais son importance n'est pas négligeable. Il précise, avant tout, le *genre* et le *nombre* du nom, ou de la locution substantive, qu'il introduit :

> *le pain, le qu'en-dira-t-on, des m'as-tu-vu, une marie-j'ordonne...*

157. On distingue trois articles : le défini, le partitif, l'indéfini :

> *le* pain, *du* pain, *un* pain;
> *la* viande, *de la* viande, *une* viande.

■■■■■ L'article défini

Ses formes

158. Les formes de l'article défini sont :
le (masc. singulier), **la** (fém. singulier), **les** (m. et f. pluriel).

> **le** *pain*, **la** *croûte*, **les** *morceaux*, **les** *miettes*.

159. L'article défini est **élidé** au singulier devant *voyelle* ou *h muet :*

> **le** : l'*agent*, l'*homme;* **la** : l'*intelligence*, l'*horloge*.

N.B. Cette élision ne se fait pas devant quelques mots comme : un, huit, onze, onzième, oui, uhlan, yacht, yatagan, yoga, yole, yaourt... :

> **le** un, **le** huit, **le** onze, **le** oui, **le** yacht, **la** yole, **le** yaourt...

Elle est *facultative* devant le nom *ouate :*

> apportez-moi l'ouate (ou **la** ouate).

---

160. L'article défini est **contracté** (fusion avec les prépositions *à, de*) :

■ au *masculin singulier* devant consonne ou h aspiré :

> *la mousse* **au** (à le) *chocolat, la pêche* **au** (à le) *homard.*
> *l'ombre* **du** (de le) *hêtre, l'odeur* **du** (de le) *pin.*

■ au *masculin* ou *féminin pluriel* devant voyelle ou consonne, h muet ou aspiré :

> *la pêche* **aux** (à les) *harengs,* **aux** *crevettes*
> *l'ombre* **des** (de les) *arbres,* **des** *haies.*

N.B. Jadis on contractait aussi la préposition **en** et l'article pluriel **les** :

> licencié **ès** (= en les) sciences, docteur **ès** lettres; agir **ès** qualités;
> cf des *toponymes* comme : Saint-Pierre-**ès**-Liens, Riom-**ès**-Montagnes...

Ses valeurs

161. ● Étymologiquement il a *valeur démonstrative,* qu'on sent souvent :

> **Le** (= ce) *monsieur qui passe sur le* (= ce) *trottoir est le* (= ce) *professeur dont j'ai aimé les cours.*

● Mais, selon le contexte, il peut exprimer diverses autres valeurs :

■ *possessive :*

> *Je souffre de la* (= ma) *tête; il a mal* **aux** (= à ses) *yeux.*

■ *indéfinie :*

> *Il sort* **le** (= chaque) *jeudi; payer trois francs* **le** (= chaque) *kilo.*

■ *générale :*

> *Le travail c'est la santé – L'argent ne fait pas le bonheur –*
> *Le chat et le chien peuvent cohabiter – Il travaille le bois, le fer.*

■ *restreinte,* par un complément :

> *Le chat et le chien de mon oncle s'entendent bien.*

■ *affective, laudative* ou *péjorative,* et *exclamative :*

> *Le beau clair de lune ! – Le grand champion ! – Le brave homme !*
> *Le monstre ! – La chipie ! – La peste ! – La mauvaise langue !...*

N.B. ■ Même emploi, laudatif ou péjoratif, devant un nom propre, dans :

> *le* Titien, *la* Callas (artistes); *la* Pompadour, *la* Du Barry (favorites);

■ Curieuse *ellipse* d'un nom commun, avec un « *le* » masculin, dans :

> *le* France, *le* Normandie (navires); *le* Raspail, *le* Magenta (boulevards);
> *le* Savoie, *le* Bretagne, *le* Bastille (restaurants, cafés, cinémas...).

▬▬ L'article partitif

Ses formes

162. Les formes de l'article partitif sont : **du** (masc. sing.), **de la** (fém. sing.), **des** (masc. et fém. pluriel) :

> **du** *pain,* **de la** *mie,* **des** *croissants,* **des** *biscottes.*

163. Au *singulier,* masculin et féminin, il *s'élide* en **de l'** devant une voyelle ou un **h** muet :

> *boire* **de l'***alcool,* **de l'***hydromel; apporter* **de l'***eau,* **de l'***herbe*
> *acheter* **de** *l'ouate* (ou **de la** ouate; § 159 NB)

Ses valeurs

164. Étymologiquement, il s'agit de l'article défini précédé de la préposition *de* (**du** = *de* le, **des** = *de* les). Il indique qu'on ne considère qu'une partie d'un tout, d'une masse, d'un ensemble :

> *je mange* **du** *pain,* **de la** *viande,* **des** *légumes.*

- au singulier, **du** se distingue facilement de l'article défini contracté :

  manger **du** *pain, manger la croûte* **du** *pain.*

- au pluriel, **des** se distingue difficilement de l'art. indéf. (§ 168) :

  acheter **des** *pommes (cf acheter* **du** *raisin) : partitif.*

165. Au masculin singulier, on l'emploie curieusement devant un nom propre : d'écrivain, de musicien, de peintre... :

lire **du** *Balzac, interpréter* **du** *Bach, acheter* **du** *Picasso,*
jouer **du** *Molière,* **du** *Racine,* **du** *Marivaux,* **du** *Musset...*

166. Il se réduit à **de** :

- devant *un nom pluriel précédé d'un adjectif qualificatif* (sauf si l'adjectif est inséparable du nom : nom composé) :

  manger **de** bonnes pommes. (*mais* : manger **des** petits pois).

- devant un complément de l'adverbe de quantité (sauf avec *bien*) :

  beaucoup **de** souci, **d'**amis. (*mais* : bien **du** souci, bien **des** amis).

- après *un verbe négatif :*

  Je ne bois pas **de** lait, tu ne manges pas **de** légumes.

L'article indéfini

Ses formes

167. Les formes de l'article indéfini sont : **un** (masc. sing.), **une** (fémin. sing.), **des** (masc. et fém. pluriel) :

un pain, **une** brioche, **des** boulangers, **des** fournées.

Ses valeurs

168. Étymologiquement, l'article indéfini est :

- *au singulier,* une atténuation de l'*adjectif numéral,* **un, une** :

  j'attends **un** *ami (quelconque : indéfini); j'ai* **un** *ami (numéral)*

- *au pluriel,* une atténuation de l'*article partitif,* **des** :

  J'attends **des** *amis (quelques amis : indéfini)*

N.B. Nous avons vu, § 164, que cette distinction est difficile à faire :

Cueillir **des** pommes *(indéfini);* manger **des** pommes (**du** pain) *(partitif)*

---

169. De façon générale, on constate que l'article indéfini :

- au *singulier,* ne précise pas l'*identité* (= un certain) :

  J'ai lu **une** fable – **Une** grenouille vit **un** bœuf.

■ au *pluriel,* ne précise pas la *quantité* (= quelques) :

J'ai lu **des** fables – **Des** grenouilles virent **des** bœufs.

170. Au *singulier,* il peut prendre la valeur générale de *tout;* il se rapproche alors de l'article défini dans le même emploi (§ 161) :

Un *(Le)* bon conducteur est toujours prudent.

171. Il peut enfin prendre une valeur affective (laudative ou péjorative) en proposition exclamative :

C'est un artiste ! – Ce poète est un Hugo ! – Il est d'une virtuosité !
Elle m'a parlé sur un ton ! – Ce vieillard est un Harpagon !

172. *Comme le partitif,* **des** se réduit à **de** devant un nom pluriel précédé d'un adjectif :

J'ai visité **de** beaux pays, **de** belles régions.

■■■■■ **Omission de l'article**

173. Il arrive souvent que l'article, défini, partitif ou indéfini, soit omis. Il prend alors *une valeur par omission :*

■ dans les *formules générales,* les *dictons,* les *proverbes :*

Noblesse oblige – Nécessité fait loi – A bon chat bon rat

■ dans les *locutions verbales,* voir § 328-329 :

Avoir soin, prendre garde, perdre pied, tenir tête...

N.B. Il importe de ne pas confondre :

prendre congé et *prendre un congé;* perdre pied et *perdre un pied;*
tenir tête et *tenir la tête;* faire route et *faire une route...*

■ dans le *style elliptique* (titres, croquis, portraits, exclamations, télégrammes...) :

Mémoires d'outre-tombe (Chateaubriand) –
Servitude et grandeur militaires (Vigny) –
Toutes les nuits, qui vive ! alerte ! assauts ! attaques ! (Hugo) –
Vacances terminées, arrivons début semaine, affections. Paul –
Maison à vendre – Appartement à louer – Bail à céder...

■ enfin dans le cas de *fonctions multiples du nom :*

Et *grenouilles* de se plaindre *(La Fontaine) (sujet)*
Femmes, moine, vieillards, tout était descendu *(id.) (appositions)*
Margot tressaillit d'*aise,* de *crainte* et de *surprise (Musset)*
(compl. circ. de cause)...

L'ADJECTIF

174. Le nom peut s'employer seul (voir ci-dessus). Il est le plus souvent accompagné d'un ou plusieurs mots, et avant tout d'un ou plusieurs **adjectifs** (adjectif = qui s'ajoute, qui se joint; cf. adjonction). Nous venons de voir que l'article est aussi, étymologiquement, un adjectif :

> chien, **le** chien, **mon** chien, **ce** chien, **deux** chiens,
> **un beau** chien...

175. On distingue trois groupes d'adjectifs :

■ les *adjectifs pronominaux,* ainsi appelés parce qu'ils sont en rapport de forme et de sens avec des *pronoms* (voir ci-après). Ils remplacent généralement l'article, et, comme lui, ils introduisent, ils déterminent le nom :

l'adjectif *possessif :*	**mon** chat.
l'adjectif *démonstratif :*	**ce** chat.
l'adjectif *indéfini :*	**tout** chat.
l'adjectif *interrogatif :*	**quel** chat?
l'adjectif *relatif* (rare) :	**lequel** chat.

■ les *adjectifs numéraux,* qui accompagnent ou remplacent, devant le nom, l'article ou l'adjectif pronominal. Ils se répartissent en :

● *cardinaux :* un, deux, trois, quatre, cinq...

● *ordinaux :* premier, deuxième, troisième...

> **deux** chiens, les (mes, ces...) **deux** chiens,
> le (mon, ce...) **troisième** chien;

■ les *adjectifs qualificatifs,* moins nécessaires que l'article ou l'adjectif pronominal, mais qui complètent, qui enrichissent le nom :

> chat, le (mon, ce...) chat, le **beau** chat, le chat **noir**,
> le **beau** chat **noir**...

LES ADJECTIFS PRONOMINAUX

L'adjectif possessif

Ses formes

176. L'**adjectif possessif** a deux séries de formes :

■ les formes les plus courantes, dites **atones :**

● au *singulier :* un seul possesseur, un seul objet :

> **mon, ton, son** (masculin); **ma, ta, sa** (féminin).

plusieurs possesseurs, un seul objet :

> **notre, votre, leur** (masculin ou féminin).

- au *pluriel :* un seul possesseur, plusieurs objets :

> **mes, tes, ses** (masculin ou féminin).

plusieurs possesseurs, plusieurs objets :

> **nos, vos, leurs** (masculin ou féminin).

■ les formes dites ***toniques,*** beaucoup plus rares, à ne pas confondre avec les *pronoms possessifs,* § 264-271 :

> *mien, tien, sien; mienne, tienne, sienne; nôtre, vôtre, leur; miens, tiens, siens; miennes, tiennes, siennes; nôtres, vôtres, leurs.*

N.B. Bien distinguer (attention aux accents et à la *prononciation*) :

> notre, votre *(atones)* et nôtre(s), vôtre(s) *(toniques).*

Ses emplois et fonctions

177. L'adjectif possessif s'accorde *en personne* (1re, 2ème, 3ème) avec le nom, ou pronom, désignant le ou les possesseurs, en genre et en nombre avec l'être ou la chose, les êtres ou les choses possédés :

> **leur** maison (3ème pers., plusieurs possesseurs; fém. sing. comme le nom « maison »).
> je suis **tien** (2ème pers., un seul possesseur (toi); masc. sing. comme le pronom « je »).

178. *Remarques*

■ Au féminin singulier, on emploie curieusement les masculins **mon, ton, son** devant voyelle ou h muet au lieu d'une *élision* (comme jadis : m'amie, t'amie, s'amie, voir § 104) :

> Quelle était **mon** erreur ! – Elle remonte **son** horloge.

■ On emploie **votre** et **vos** (au lieu de ton, ta, tes), **vôtre** (au lieu de tien, tienne) dans le *pluriel de politesse* (un véritable singulier) :

> J'ai bien reçu **votre** lettre et **vos** cartes, mon ami(e).
> Je reste **vôtre** fidèlement, très cher (chère) ami(e).

179. ■ *Atone,* il précède toujours le nom, comme l'article :

> Il aime **son** chien, je caresse **ma** chatte.

■ *Tonique,* il s'emploie comme attribut (du sujet ou de l'objet) :

> Sus au goupil, il est **nôtre,** nous le tenons *(Genevoix).*
> Je fais **mienne** votre idée (je fais votre idée **mienne**).

Mais parfois il s'emploie comme l'*adjectif atone,* précédant le nom et précédé d'un article indéfini, emploi rare et archaïsant :

> un **mien** cousin, une **sienne** cousine.
> Au travers d'un **mien** pré certain ânon passa *(Racine).*

Ses valeurs

180. Outre sa valeur essentielle de *possession* :

> **mon** jardin, **ma** maison, **mes** livres, **mes** pensées.

l'adjectif possessif atone peut exprimer d'autres nuances :

- de *respect,* de *déférence* :
> **mon** général, **Votre** Excellence, **Son** Altesse.

Il se soude alors parfois avec le nom :

> monsieur, **mon**seigneur, **Nos**seigneurs les Chevaux *(La Fontaine).*

- de *mépris,* d'*ironie* :
> Il a encore menti, **ton** fils ! –
> « **Votre** monsieur Tartuffe » *(Molière)*

- d'*affection,* de *tendresse* (hypocoristique) :
> **mon** Pierrot, **ta** Perrine, **sa** Suzon.

- d'*habitude* :
> Elle boit **sa** tisane – Il a **son** rhume – Tu fais **ta** mijaurée.

- de *familiarité* dans le récit (fréquente chez les conteurs) :
> **Notre** lièvre n'avait que quatre pas à faire *(La Fontaine).*

181. Il faut bien *distinguer* son sens, réfléchi ou non :

- *réfléchi*, si le possesseur est le sujet de la proposition :
> J'aime **ma** chatte, tu aimes **ton** chien.

- *non réfléchi*, si le possesseur n'est pas le sujet de la proposition :
> J'aime **ton** chien, tu aimes **ma** chatte.

N.B. Attention aux équivoques possibles à la 3e personne :
> Paul aime **son** chien (de Paul : *réfléchi;* de Pierre : *non réfléchi*).
> Il lui tend **son** assiette (celle du sujet? du destinataire? d'un tiers?)

Ses équivalents

182. L'*article défini* remplace souvent l'adjectif possessif, quand il n'y a aucun doute sur le possesseur :

> J'ai mal à **la** tête - Elle souffre **du** cou.

On peut dire et distinguer :

> J'ai mal à **la** jambe (mal *passager*) – J'ai mal à **ma** jambe (mal *habituel*, connu de mon interlocuteur).

183. Le *pronom personnel*, aidé de l'article défini, peut aussi, par élégance de style, remplacer l'adjectif possessif (équivalence) :

> Il **m'a** griffé **la** main (mieux que : il a griffé **ma** main)
> J'aime la campagne, j'**en** goûte **le** charme (= je goûte **son** charme)

████████ L'adjectif démonstratif

Ses formes

184. L'adjectif démonstratif a deux séries de formes :

- des formes *simples : ce* (masc. s.), *cette* (fém. sing.), *ces* (masc. ou fém. plur.) :

> **ce** garçon, **cette** fille, **ces** livres, **ces** images

- des formes composées, à l'aide des adverbes *-ci* et *-là :*

> ce garçon-**ci** (-**là**), cette fille-**ci** (-**là**).
> ces livres-**ci** (-**là**), ces images-**ci** (-**là**).

185. Au masculin singulier, *ce* s'écrit **cet** devant voyelle ou *h* muet; c'est d'ailleurs le vrai masculin : *ce* n'étant qu'une forme réduite :

> **cet** ami, **cet** homme (-ci, -là) –
> **Cet** âge est sans pitié *(La Fontaine)*

Ses emplois et valeurs

186. Comme l'adjectif possessif atone, l'adjectif démonstratif remplace l'article devant le nom. Il le *détermine :*

> **le** chien, **mon** chien, **ce** chien.

Comme son nom l'indique, il montre, il *démontre.* Dans la langue parlée, il s'accompagne volontiers d'un geste de la main ou d'un signe de la tête :

> Regarde **ce** papillon – Admirez **ces** pommes

187. Outre sa valeur *démonstrative,* il peut exprimer d'autres nuances :

- il peut *rappeler ce qui précède,* ce dont on a déjà parlé :

> **Ce** brouet fut par lui servi sur une assiette *(La Fontaine).*

- il peut *annoncer ce qui suit,* ce dont on va parler :

> Écoutez **ce** récit avant que je réponde *(La Fontaine).*

- avec ou sans -ci, il peut *marquer la proximité* (temps ou espace)

> Il fait frais **ce** matin – Il fait beau **ces** jours-**ci.**

- avec ou sans -là, il peut *marquer l'éloignement* (temps ou espace) :

> A **cette** époque (en **ce** temps-**là**) on vivait à peu de frais.

- -ci et -là peuvent perdre leur valeur étymologique de proximité ou d'éloignement et marquer une simple distinction, un *parallèle :*

> Lequel choisis-tu, **ce** livre-**ci,** **ce** livre-**là?**

- il peut *prendre une valeur possessive* de la 1re personne (chez les classiques) :

> Et **ce** (= *mon*) bras du royaume est le plus ferme appui
> *(Corneille).*

■ il peut *avoir une valeur de respect, de politesse :*

Ces messieurs désirent? – Au suivant de **ces** messieurs !...

■ *une valeur affective* enfin, laudative ou péjorative, en exclamative :

Ce bel orage ! **Ce** grand artiste ! –
Ce monstre d'enfant ! **Ce** vaurien !

L'adjectif indéfini

Ses formes

188. D'origine et de formes diverses, l'adjectif indéfini marque :

■ une **quantité :**

- *nulle* (aucun, aucune, nul, nulle, pas un, pas une) :

Nulle feuille ne tremble à la voûte des bois *(Lamartine).*

- *partielle* ou vague (certain(e)(s), maint(e)(s), quelque(s), quelconque(s), divers(e)(s), différent(e)(s), plusieurs) :

Toujours par **quelque** endroit fourbes se laissent prendre
(La Fontaine).

- *totale* (chaque, tout, toute, tous, toutes) :

A **tout** seigneur, **tout** honneur – A **chaque** fou sa marotte.

■ l'**identité**, la **différence**, la **similitude** ou la **ressemblance** (même(s), autre(e), tel(le)(s)) :

Autres temps, **autres** mœurs – **Tel** pain, **telle** soupe.

189. On range parmi les adjectifs indéfinis les *locutions : je ne sais quel/-le/s, on ne sait quel/le/s, n'importe quel/le/s :*

Il vient **je ne sais quelle** (= *quelque*) odeur de sureau *(Vallès).*

Ses emplois et valeurs

190. Comme les adjectifs possessif et démonstratif, l'adjectif indéfini *remplace* généralement l'article et détermine le nom :

certain renard, **nul** repos, **chaque** été.

mais il peut *accompagner l'article,* (ou un autre *déterminant*) :

l'**autre** jour, un **quelconque** voisin, ces (mes) **quelques** livres...

191. Remarquons que **chaque** est toujours au *singulier,* **plusieurs** au *pluriel,* **aucun(e)**, **nul**(le) au *singulier* (sauf avec un nom sans singulier) :

aucun ami, **nulle** amie; **aucuns** frais, **nulles** obsèques.

192. Attention. Certains *adjectifs indéfinis peuvent devenir adjectifs qualificatifs.* Il faut donc bien distinguer :

certain matin *(indéfini)* et être **certain** (= sûr) *(qualificatif).*
nul travail *(indéfini)* et un travail **nul** (= mauvais) *(qualificatif).*
différents avis *(indéfini)* et des avis **différents** *(qualificatif).*

193. **Tout, quelque, même, tel** ont diverses valeurs (voir § 873 sq.) :

> **tout** pays, **tout** le pays, dix francs **le tout,** être **tout** oreilles.

194. **Aucun** et **nul** ont parfois une valeur *affirmative :*

> Il a réussi mieux qu'**aucun** (que **nul**) autre concurrent.

L'adjectif interrogatif

Ses formes

195. L'adjectif interrogatif n'a qu'une forme, mais qui varie en *genre* et en *nombre* :

> **quel** (masc. sing.), **quelle** (fém. sing.), **quels** (masc. plur.), **quelles** (fém. plur.)

Ses fonctions

196. Comme les autres adjectifs pronominaux, il *remplace* généralement l'article devant le nom, qu'il s'agisse d'une interrogation directe ou d'une interrogation indirecte (voir Syntaxe, § 631-632) :

> **Quel** nom as-tu? – Dis-moi / **quel** nom tu as.
> **Quelle** heure est-il? – Dites-moi / **quelle** heure il est.

197. Mais il précède souvent et le verbe et le sujet (inversé); il est alors *attribut du sujet,* en interrogation directe ou indirecte.

> **Quel** est ton nom? – Dis-moi / **quel** est ton nom.
> **Quels** sont vos projets? – Dites-moi / **quels** sont vos projets.

Ses valeurs

198. Il a plusieurs nuances, il interroge :

- ■ d'abord sur la *qualité* (c'est là son sens étymologique) :
  > **Quel** caractère a-t-elle? – **Quelle** compétence a-t-il?

- ■ mais aussi sur l'*identité :*
  > **Quel** est ce garçon? – **Quels** amis as-tu invités ce soir?

- ■ sur la *quantité :*
  > **Quels** bénéfices a-t-il faits cette année?

- ■ sur le *rang :*
  > **Quel** mois? **quel** jour? **quelle** heure? – **Quelle** place as-tu?

199. Il devient souvent *exclamatif,* avec des nuances affectives :

- • il peut avoir *une valeur laudative ou péjorative :*
  > **Quel** beau champion ! – **Quelle** vieille chipie !

- • il peut exprimer *la joie* ou *la douleur :*
  > Des estampes partout ! **quel** bonheur ! **quel** délire ! *(Hugo)*
  > **Quel** malheur ! – **Quelle** tristesse ! – **Quelle** horreur !...

200. En emploi exclamatif, il se rencontre, comme l'adjectif interrogatif, aussi bien *en proposition subordonnée*, qu'*en proposition indépendante* ou *principale*, et très souvent incomplète, elliptique :

> Oh ! oh ! **quelle** caresse ! et **quelle** mélodie ! *(La Fontaine).*
> Je laisse à penser / **quelle** joie ! *(La Fontaine).*

L'adjectif relatif

Ses formes, ses emplois

201. L'adjectif relatif n'a qu'une forme, variable en *genre* et *nombre*.

> **lequel** (masc. sing.); **laquelle** (fém. sing.),
> **lesquels** (masc. plur.), **lesquelles** (fém. plur.)

Il peut *fusionner* avec **à** et **de** : auquel, auxquel/le/s, duquel, desquel/le/s :

> Des enfants du village ont été mordus par un chien errant, **auxquels** enfants on a immédiatement administré un vaccin.

202. Comme les autres adjectifs pronominaux, il *remplace l'article* devant le nom. Devenu très rare d'emploi, il ne se rencontre plus guère que dans la langue judiciaire, volontiers traditionnelle et archaïsante :

> **Lequel** individu fut appréhendé et incarcéré.
> **Laquelle** propriété sera mise aux enchères le mois prochain.

ainsi que dans la locution figée et encore fréquente : **auquel cas** :

> Je pourrais être retardé, **auquel cas** je vous préviendrais.

203. On le remplace généralement par un *démonstratif* précédé de **et** :

> Auquel cas = **et** *dans ce cas...* - Lequel voleur = **et** *ce voleur...*

LES ADJECTIFS NUMÉRAUX

L'adjectif numéral cardinal

Ses formes

204. L'**adjectif numéral cardinal** se présente sous l'aspect :

■ d'un *mot simple :*

● de zéro à seize : *un, deux, trois..., treize, quatorze, quinze.*
● les dizaines : *vingt, trente, quarante, cinquante, soixante.*
● les deux mots : *cent* et *mille :*

> **zéro** faute; **onze** heures; **trente** ans; **cent** pages; **mille** francs...

■ d'un *mot composé :*

● par *addition :* dix-sept, dix-huit, dix-neuf; de vingt et un à soixante-dix-neuf (sauf trente, quarante, cinquante, soixante) :

> **dix-sept** ans; **trente-six** francs; **soixante-dix-sept** ans.

- par *multiplication :* la dizaine « quatre-vingts »; les multiples de cent (de deux cents à neuf cents); les multiples de mille (à partir de deux mille) :

> **quatre-vingts** ans; **cinq cents** francs; **quatre mille** ans.

- par *multiplication* et *addition :*

> **quatre-vingt-neuf** ans; **deux cent quatre-vingt-dix-sept** francs, **cinq mille deux cent trente-six** kilomètres...

205. *Remarques*

■ 21, 31, 41, 51, 61 (et 71) prennent la conjonction **et** devant **un** et **onze :**

> vingt **et un**; cinquante **et un**; soixante **et onze**.

mais :

> *quatre-vingt-un (-onze); cent un (onze); mille un (onze)*.

■ les autres adjectifs composés, inférieurs à cent, sont reliés par des traits d'union :

> *dix-huit, vingt-deux, soixante-six, soixante-dix-neuf*.

■ soixante-dix, quatre-vingts et quatre-vingt-dix se disent dans certaines régions, *septante, octante, uitante (huitante), nonante*.

206. Les adjectifs numéraux cardinaux sont *invariables,* sauf :

- **un**, qui *varie en genre :*

> **un** chien, **une** chatte, soixante et **une** pages.

- **vingt** *et* **cent**, qui *prennent l's du pluriel* lorsqu'ils sont multipliés, sans être en plus suivis d'un autre nombre additionné :

> quatre-**vingts** ans, trois **cents** pages, neuf **cents** francs.
> (mais : quatre-**vingt**-deux; trois **cent** six; neuf **cent** cinq).

Cependant **un, vingt** et **cent** restent *invariables* quand ils ont une valeur *ordinale* (voir ci-après, § 212) :

> page soixante et **un** (61ème), ligne quatre-**vingt**-un (80ème),
> année mille neuf **cent**, en mille neuf **cent** (1900ème).

N.B. Mille peut s'écrire **mil** dans les *dates,* s'il est suivi d'un autre nombre :

> *mil* huit cent onze (mais : l'an *mille*, l'an deux *mille*...)

Ses emplois, ses fonctions

207. Comme l'article, comme l'adjectif pronominal, l'adjectif numéral cardinal a pour rôle essentiel d'*introduire le nom*. On le rencontre seul :

> **trois** amis, **vingt-quatre** heures, **cent sept** ans.

mais il peut aussi *accompagner* l'article ou l'adjectif pronominal :

> *les* **trois** amis, *mes* **trois** amis, *ces* **trois** amis.

208. Il est parfois employé tout seul, sans le nom, et joue alors un rôle de *pronom*, avec toutes les fonctions possibles d'un pronom :

> **Trois** sont absents – Ils sont **treize** à table – J'en prends **quatre**.

209. Employé seul, et précédé d'un article, il *devient un nom*, avec toutes les fonctions possibles d'un nom :

> Il a eu un **vingt** en calcul – Le **huit** a gagné –
> Combien vaut le **cent** d'huîtres? –
> Il a payé ça des **cents** et des **mille** –Paul est un **zéro**...

N.B. **Mille,** employé comme *nom de longueur* prend un **-s** au pluriel :

> un **mille** marin (1 852 m), des **milles** marins.

Ses valeurs

210. L'adjectif numéral cardinal exprime essentiellement un *nombre précis,* une *quantité précise,* d'êtres ou de choses :

> J'ai invité **trois** amis – Le jour a **vingt-quatre** heures.

211. Mais dans certaines expressions de la langue familière, il perd de sa précision et ne désigne, comme un indéfini, qu'une quantité vague :

- soit *petite :*

> C'est à **deux (quatre)** pas d'ici – Je vais lui dire **deux** mots –
> Je reviens dans **cinq** minutes – Attends-moi **deux** secondes...

- soit *grande...*

> Je te l'ai dit **vingt (cinquante, cent, mille)** fois –
> Voir **trente-six** chandelles – Faire les **quatre cents** coups –
> Attendre **cent sept** ans –
> Dire (faire) **mille et une (mille et mille)** sottises...

212. Parfois il prend la place d'un *ordinal,* pour indiquer :

- *l'année,* le *jour,* l'*heure :*

> mil(le) sept cent quatre-vingt neuf – le cinq mai – à six heures.

- les *parties d'un ouvrage :*

> tome deux, livre quatre, chapitre trois, page soixante-treize.

- les *numéros des maisons* d'une rue :

> le cent vingt (120) de la rue Jean-Jaurès.

- les *noms de souverains :*

> Louis quatorze (XIV), Henri quatre (IV), Élisabeth deux (II)...

N.B. Dans cet emploi curieux d'ordinal, il se place *après* le nom.

▰▰▰ L'adjectif numéral ordinal

Ses formes

213. On forme l'**adjectif numéral ordinal** à l'aide d'un *suffixe (-ième)* ajouté à l'adjectif numéral cardinal correspondant :

trois, trois-**ième**; cent, cent-**ième**; mille, mill-**ième**.

Dans les *adjectifs composés,* seul le dernier élément prend le suffixe :

...nte-huit**ième**; cent quatre-vingt-six**ième**.

...mier et **second** n'utilisent pas ce suffixe caractéristique;

...st remplacé par **unième** dans les composés :

...gt et **unième**; quatre-vingt-**unième**; cent **unième**.

...e est concurrencé par **second** sauf dans les composés :

...n **deuxième** (ou **second**) fils,

...n vingt-**deuxième** roman.

...premier, on utilise parfois **prime** :

...ns sa **prime** jeunesse, de **prime** abord.

...le troisième, quatrième, cinquième, on peut rencontrer les ...aïsantes **tiers** (fém. **tierce**), **quart(e)**, **quint(e)** :

...tiers état, le **tiers** monde, une **tierce** personne, le **quart** livre, ...a fièvre **quarte**, Charles **Quint**, une fièvre **quinte**.

Ses accords, ses fonctions

215. Si l'adjectif cardinal est plus proche de l'article ou de l'adjectif pronominal (comme eux il introduit, il *détermine* le nom), l'*adjectif ordinal* est plus proche de l'*adjectif qualificatif* (indiquer un rang, c'est en quelque sorte qualifier). Comparons :

Il est **brillant** en français, **médiocre** en calcul *(qualificatifs).*
Il est **premier** en français, **vingtième** en calcul *(ordinaux).*

216. Comme l'adjectif qualificatif, il s'accorde en *genre* et *nombre :*

premier, première, premiers, premières.

217. Il a les mêmes quatre fonctions possibles que l'adjectif qualificatif (*épithète, attribut du sujet, attribut de l'objet, apposé*; § 578-588) :

Mon **deuxième** fils est **troisième** en orthographe – Je te croyais **cinquième** en calcul – **Dixième** en rédaction, elle est déçue.

218. *Employé seul,* mais précédé de l'article, il joue un rôle de *pronom,* avec les fonctions possibles d'un pronom :

Le troisième l'emporte sur **le premier**, je préfère l'esprit **du second.**

219. *Employé seul,* avec article et ellipse du nom (facile à rétablir grâce au contexte), il joue le rôle de *nom :*

> habiter **au sixième** (étage);
> habiter dans le **sixième** (arrondissement);
> avoir un fils **en sixième**, une fille en **troisième** (classe);
> partir **le deux**, revenir **le cinq** (jour du mois);
> en scène pour **le trois** (3ᵉ acte);
> cinq colonnes à **la une** (1ère page);

ainsi que dans la désignation des *fractions :*

> le **cinquième**, les quatre **cinquièmes**;
> **un tiers**, les trois **quarts...**

N.B. Nous avons vu, § 212, que l'adjectif ordinal est souvent *remplacé* par un adjectif cardinal, mais il reparaît avec **premier :**

> Napoléon **Ier**, le **Ier** mai, tome **Ier**, Napoléon **III**, le **2** mai, tome **4**).

---

220. Les numéraux se rencontrent en chiffres *arabes,* en chiffres *romains,* voir Appendices, § 757-758, ou en *toutes lettres :*

> 1, 2, 3, 4, 5...   I, II, III, IV, V...   un, deux, trois, quatre, cinq...

LES ADJECTIFS QUALIFICATIFS

221. Le plus important des compagnons du nom est l'**adjectif qualificatif.** Moins directement nécessaire que l'article ou l'adjectif pronominal, qui « déterminent » le nom, il le complète et l'enrichit :

> un chien, un **beau** chien; mon chien, mon **beau** chien **noir**.

222. L'adjectif qualificatif est un *mot variable* qui exprime essentiellement une *qualité,* bonne ou mauvaise, physique ou morale, de l'être ou de la chose désignés par le nom :

> un **bon** garçon, une **belle** fille, une voiture **neuve**.

Ses formes

223. Comme le nom, l'adjectif qualificatif *change de forme :*

■ selon son *genre,* masculin ou féminin :

> grand, grande; gris, grise.

N.B. Son *neutre,* disparu, a laissé quelques traces (§ 235, 242 (NB), 253).

■ selon son *nombre,* singulier ou pluriel :

> grand, grands; grise, grises.

Formation du féminin

224. D'une façon générale, on forme le *féminin* de l'adjectif qualificatif en ajoutant un -e à l'adjectif masculin :

> grand, grand**e**; noir, noir**e**; pur, pur**e**; loyal, loyal**e**.

EXCEPTIONS (§ 225 à 228)

225. Parfois cet **-e** final est précédé d'une *modification* plus ou moins importante de la fin de l'adjectif masculin :

- *doublement* de la consonne finale :

> cruel, cruel**le**; gros, gros**se**; muet, mue**tte**.

- *changement* de la consonne finale :

> naïf, naï**ve**; heureux, heureu**se**.

- *modification* de la fin du mot :

> léger, lég**ère**; menteur, ment**euse**; libérateur, libéra**trice**; vengeur, veng**eresse**.

226. Il convient de noter les curiosités suivantes :

- **Traître** a pour féminin **traîtresse.**

- Dix adjectifs en **-et** ne doublent pas le **t** final : complet, incomplet, désuet, discret, indiscret, quiet, inquiet, replet et secret :

> compl**ète**, désu**ète**, secr**ète**..., mais : *muette, nette, blette...*

- Six adjectifs en **-ot** doublent le **t** final : *bellot, boulot, maigriot, pâlot, sot* et *vieillot* :

> boulo**tte**, so**tte**, pâlo**tte**..., mais : *dévote, idiote, petiote...*

- Sept adjectifs en **-s** doublent la consonne finale devant **-e** : *bas, épais, exprès, gras, gros, las, métis* :

> ba**sse**, expre**sse**, la**sse**..., mais : *grise, éparse...*

- *Beau* (bel), *nouveau* (nouvel), *fou* (fol), *mou* (mol), *vieux* (vieil), *jumeau*, ont pour féminins : *belle, nouvelle, folle, molle, vieille, jumelle* :

> un plaisir **fou**, un **fol** espoir, une idée **folle**...

- Les féminins de *blanc, frais, franc, sec, long, bénin, malin, doux, faux, tiers, sauveur, caduc, public, turc, grec, favori, coi, rigolo, volatil*, sont :

> *blanche, fraîche, franche, sèche, longue, bénigne, maligne, douce, fausse, tierce, salvatrice, caduque, publique, turque, grecque, favorite, coite, volatile.*

N.B. Ne pas confondre l'*adjectif* **volatil** avec le *nom masculin :* un **volatile.**

■ Les féminins de *aigu, ambigu, exigu, contigu,* ont un **tréma** sur l'**e** final :

aiguë, ambiguë, exiguë, contiguë.

■ **Béni** (bénie) a un doublet : **bénit** (bénite) :

Père, sois **béni**. Mère, sois **bénie** – Pain **bénit**, eau **bénite**.

■ **hébreu** n'a pas de féminin; **hébraïque,** surtout féminin, est aussi masculin.

■ **laïque**, masculin et féminin, peut s'écrire aussi **laïc** au masculin;

N.B. *Rappel :* le féminin **coquette** est étymologiquement impossible (voir § 108).

---

227. Les adjectifs masculins en **-e** ne changent pas au féminin :

un vin *rouge,* une robe *rouge;* un geste *large,* une rue *large.*

228. *Remarques*

■ *Certains adjectifs qualificatifs n'ont pas de féminin,* parce qu'ils ne s'emploient qu'avec des noms masculins : aquilin, benêt, bot, carmin, coulis, grégeois, pantois, pers, preux, saur, vairon, vainqueur... :

un nez *aquilin* – un pied *bot* – un hareng *saur* – un vent *coulis...*

■ *Certains autres n'ont pas de masculin,* parce qu'ils ne s'emploient qu'avec des noms féminins : bée, cochère, crasse, dive, pote, scarlatine... :

bouche *bée* – ignorance *crasse* – *dive* bouteille – main *pote...*

■ *Certains autres n'ont qu'une forme* pour les 2 genres (mots souvent familiers, argotiques) : chic, bath, snob, mastoc, gnangnan, rococo, kaki, angora... :

un homme (une femme) *chic;* un chat (une chatte) *angora...*

■ **Grand** et **fort** ne prennent parfois pas d'**-e** au *féminin :*

La **Grand**-Combe, **Grand**ville, **grand**-chose, **grand**-croix, **grand**-faim, **grand**-mère (mère-**grand**), **grand**-tante, **grand**-voile, **grand**-route...
Roche**fort**, Roque**fort**, se faire **fort** de... : il (elle) se fait **fort**, ils (elles) se font **fort** de triompher de cet obstacle...

▬▬ **Formation du pluriel**

229. D'une façon générale, on forme le *pluriel* de l'adjectif qualificatif en ajoutant un **-s** à l'adjectif singulier :

noir, noir**s**, noire, noire**s**.

230. Prennent un -**x** au pluriel, et non un -**s** :

■ les quatre adjectifs *beau, jumeau, nouveau, hébreu* :

de **beaux** fruits, des frères **jumeaux**, des vins **nouveaux**, des textes **hébreux**.

■ presque tous les adjectifs en -**al,** qui donnent -**aux** :

des tigres **royaux**, des exercices **oraux**, des conflits **mondiaux**...

231. Les adjectifs déjà terminés au singulier par -**s** ou -**x** ne changent pas au pluriel :

des yeux **gris**, de **gros** chagrins, des poils **roux**, des jours **glorieux**.

232. *Remarques*

■ *Bancal, fatal, final, naval* prennent un -**s** au pluriel :

des gestes **fatals**, des combats **navals**.

■ *Jovial, pascal, pluvial,* hésitent entre -**als** et -**aux;** *banal* donne **banals** (sauf dans des locutions féodales, avec four, moulin, pressoir) :

des gestes **banals**, mais : des fours **banaux**.

■ *Glacial, natal, pénal, astral, austral, boréal...* ne s'emploient guère qu'au singulier :

un froid **glacial**, le sol **natal**, le droit **pénal**, l'hémisphère **austral**.

■ *Bleu* et *feu* (défunt, § 236) prennent un -**s** et non un -**x** au pluriel :

des yeux **bleus**, nos **feus** grands-parents.

■■■■■■ **Accords de l'adjectif qualificatif**

233. Quelle que soit sa fonction (épithète, attribut, apposé; voir § 578 et suivants), l'adjectif qualificatif s'accorde en *genre* et en *nombre* avec le nom, ou le pronom, auquel il se rapporte :

C'est un homme **cruel** – Ils sont **cruels** – Je la trouve **cruelle** – **Cruelles,** elles font le vide autour d'elles.

234. S'il se rapporte à plusieurs noms, il se met au *pluriel* :

L'Amérique et l'Asie sont à peu près **égales** *en superficie.*

Si les noms sont de genre différent, le *masculin* l'emporte :

A l'équinoxe, le jour et la nuit sont **égaux.**

235. *Remarques*

■ Avec *un seul nom pluriel,* plusieurs adjectifs peuvent être au *singulier* :

les langues **latine** et **grecque** – les codes **civil** et **pénal.**
(cf. les **dix-neuvième** et **vingtième** siècles : *numéraux*).

■ Parfois, *selon le sens,* l'adjectif ne s'accorde qu'avec un seul nom :

commander une salade et une pomme **cuite.**

Noter la différence de sens entre :

un fromage et un fruit **secs,** un fromage et un fruit **sec**

dans le 1er cas, *tous deux* sont secs, dans le 2e cas, *le fruit* seul.

■ Quand il se rapporte à un pronom neutre, il se met au *masculin.* L'adjectif, comme le nom, a perdu le neutre, mais on le sent bien comme un *neutre* :

C'est **beau** (*bon, laid...*); quelque chose de **beau**; quoi de **neuf?**

■ Dans le cas d'un *pluriel de politesse,* il reste au singulier :

Soyez **prudent,** monsieur – Vous êtes bien **gentille,** madame.

236. *Curiosités*

■ Pour l'accord capricieux avec le nom **gens,** voir § 154.

■ On peut écrire :

Elle a l'air **douce** (= elle semble); elle a l'air **doux** (= la mine);

mais il faut écrire (avec un *nom de chose*) :

Ces blés ont l'air **mûrs** (accord avec le *sujet*).

ou encore, quand le sens interdit l'accord avec *air* :

Elle a l'air **bavarde.**

l'accord doit se faire avec *air,* si ce mot a un complément :

Cette fillette a l'air **sérieux** d'une grande personne.

■ On écrit, selon la *place* par rapport à l'article ou l'adjectif pronominal :

feu *la reine,* la **feue** reine;
feu ma grand-mère, ma **feue** grand-mère;
feu mes grands-parents, mes **feus** grands-parents.

■ L'adjectif **impromptu** est *invariable,* sauf au masculin pluriel :

une visite (des visites) **impromptu**;
des voyages **impromptus.**

■ Les adjectifs **demi, mi, semi,** et **nu,** placés devant nom ou adjectif, avec un trait d'union, jouent rôle de préfixe et *sont invariables.*

une **demi**-heure, des **demi**-portions; des yeux **mi**-clos, à **mi**-côte.
une arme **semi**-automatique; sortir **nu**-tête; marcher **nu**-pieds.

mais **demi** et **nu**, placés derrière le nom, s'accordent :

- **demi**, en *genre seulement :*

    deux heures et **demie**; quatre kilos et **demi**.

- **nu**, en *genre et en nombre :*

    sortir tête **nue**; marcher pieds **nus**.

237. Attention aux **adjectifs composés.**

- *S'ils sont formés de deux vrais adjectifs,* les deux s'accordent :

    sourd-muet, **sourde-muette,**
    sourds-muets, sourdes-muettes.

Mais *le premier adjectif* reste parfois *invariable* :

- dans : grand-ducal, extrême-oriental, libre-échangiste, saint-simonien, franc-comtois, franc-maçonnique, haut-allemand, bas-breton... :

    les cours **grand**-ducales, les civilisations **extrême**-orientales...

- quand il se termine par un -**o**, ou un -**i** :

    des monuments **gallo**-romains, des situations **tragi**-comiques...

- *S'ils sont formés de deux adjectifs* dont le premier est employé adverbialement, seul le deuxième s'accorde :

    nouveau-né, **nouveau**-né(e)s, **court**-vêtu(e), **court**-vêtu(e)s.

Mais il faut noter les *curiosités* suivantes :

- **nouveau** est variable devant les participes autres que *né* :

    des **nouveaux** mariés; des **nouvelles** venues.

- on écrit, par analogie avec *nouveau-né,* bien que le premier élément ne soit pas adverbial :

    mort-né, **mort**-née, **mort**-nés, **mort**-nées.

- dans **premier-né** et **dernier-né**, les deux éléments varient :

    sa **première-née**, leurs **derniers-nés**.

- **frais, grand, large,** quoique adverbiaux, varient dans :

    des roses **fraîches** écloses, des yeux **grands** ouverts,
    des bouches **larges** ouvertes.

- dans **tout-puissant**, *tout* n'est variable qu'au féminin, singulier et pluriel :

    tout-puissant(s), **toute**-puissante, **toutes**-puissantes.

- **fin** hésite entre les deux solutions (accord ou non) :

    elles sont **fin** prêtes (ou **fines** prêtes).

- *Si le premier élément est un mot invariable,* seul l'adjectif varie :

    des régions **sous**-développées; les populations **nord**-africaines,
    sud-américaines; des rayons **ultra**-violets, **infra**-rouges;
    des haricots **super**-fins; des petits pois **extra**-fins...

- *Dans les adjectifs composés* indiquant une **couleur**, où le premier adjectif est précisé par un deuxième adjectif ou par un nom, le groupe reste *invariable* :

> des robes **bleu pâle, bleu foncé, bleu ciel, bleu roi, bleu outremer;**
> des rubans **vert clair, vert sombre, vert pomme, vert bouteille;**
> une gravure **noir et blanc,** des cravates **gris perle...**

Les noms employés comme adjectifs de couleur, sauf : mauve, écarlate, pourpre et rose, restent *invariables,* à plus forte raison s'ils sont composés :

> des yeux **marron, marron foncé,** des rubans **paille,**
> des corsages **saumon fumé.**

N.B. *Distinguons : des cravates* **rose** et **bleu** (les mêmes, bicolores).
des cravates **roses** et **bleues** (différentes, unicolores).

████████ **Degrés de l'adjectif qualificatif**

238. Quelle que soit sa *fonction :* épithète, attribut du sujet ou de l'objet, apposé (§ 575 sq.), l'*adjectif qualificatif* peut exprimer divers degrés de signification, résumés dans le tableau suivant :

Positif	Comparatif	Superlatif
	■ *de supériorité* **plus sage**	■ *de supériorité* relatif : **le plus sage** absolu : **très sage**
sage	■ *d'égalité* **aussi sage**	
	■ *d'infériorité* **moins sage**	■ *d'infériorité* relatif : **le moins sage** absolu : **très peu sage**

Le positif

239. Un adjectif qualificatif est au *degré positif* quand il exprime une qualité simple, sans nuance spéciale :

> Il était **fort, habile, courageux** *(Troyat).*

Le comparatif

240. Un adjectif qualificatif est au *degré comparatif* quand il exprime une comparaison avec une autre qualité ou avec la même qualité considérée dans un autre être ou objet ou à un autre moment :

> La salle parut **plus vide, plus morne** encore *(Simenon).*

241. Le degré comparatif a *trois nuances* possibles :

■ le *comparatif de supériorité*, avec l'adverbe **plus** :

> Il était **plus fort, plus habile, plus courageux.**

■ le *comparatif d'égalité*, avec l'adverbe **aussi** :

> Il était **aussi fort, aussi habile, aussi courageux.**

■ le *comparatif d'infériorité*, avec l'adverbe **moins** :

> Il était **moins fort, moins habile, moins courageux.**

242. *Remarques*

■ Trois comparatifs de supériorité sont *irréguliers,* écrits en un mot :

• **meilleur**, comparatif de *bon*; on ne peut pas dire **plus bon* :

> Il est bon en calcul, **meilleur** en français.

• **moindre**, comparatif de *petit*, employé surtout dans la langue littéraire, mais fortement concurrencé par *plus petit* :

> un **moindre** mal, un tableau de valeur **moindre** (plus petite).

• **pire**, comparatif de *mauvais*, employé surtout dans la langue littéraire, mais fortement concurrencé par *plus mauvais* :

> Il est **pire** que son frère – Il n'est **pire** eau que l'eau qui dort.

N.B. **Pire** a un *neutre* : **pis**, souvent remplacé, à tort, par le masculin :

> Rien de **pis** que la trahison – Il ment et, qui **pis** est, il triche.

■ Etymologiquement, *majeur, mineur, supérieur, inférieur, antérieur, postérieur...* sont des *comparatifs de supériorité*, en un mot :

> **majeur** (= plus grand), **mineur** (= plus petit).

■ L'adjectif précédé de l'adverbe **trop** est aussi une sorte de *comparatif de supériorité*, avec complément omis, sous-entendu :

> Il est **trop bavard** (= plus bavard... qu'il ne convient).

243. Pour le *complément du comparatif*, voir Syntaxe, § 563-565.

Le superlatif

244. Un adjectif qualificatif est au degré *superlatif* quand il exprime une qualité poussée à un haut point :

> Entre **les plus beaux** noms leur nom est **le plus beau** *(Hugo).*

245. Le degré *superlatif* comprend les nuances suivantes :

Le superlatif de supériorité, avec deux sous-nuances :

■ le *superlatif de supériorité relatif :*
> Il était le **plus fort**, le **plus habile**, le **plus courageux**.

c'est le comparatif de supériorité précédé de l'*article défini*.

■ *le superlatif de supériorité absolu :*
> Il était **très fort, très habile, très courageux**.

c'est le positif précédé de l'adverbe *très*.

Le superlatif d'infériorité, avec deux sous-nuances :

■ *le superlatif d'infériorité relatif :*
> Il était le **moins fort**, le **moins habile**, le **moins courageux**.

c'est le comparatif d'infériorité précédé de l'*article défini*.

■ *le superlatif d'infériorité absolu :*
> Il était **très peu fort, très peu habile, très peu courageux**.

c'est le positif précédé des deux adverbes *très* et *peu*.

246. *Remarques*

■ Il n'existe évidemment pas de *superlatifs d'égalité*.

■ Dans les *superlatifs absolus*, de supériorité ou d'infériorité :

● **très** peut être remplacé par : *fort, bien, extrêmement, tout, tout à fait*, et même, familièrement, par : *formidablement, rudement, drôlement, vachement... :*
> Elle est **fort** *(bien)* jolie – Il est **rudement** *(drôlement)* fort.

N.B. **Très** peut même être remplacé par **des plus**, avec nuance *partitive* (§ 577) :
un cas **des plus** étranges; une fille **des plus** aimables.

● **très peu** peut être remplacé par : *fort peu, bien peu... :*
> Elle est **fort peu** jolie – Il est **bien peu** habile.

■ A noter que le *superlatif d'infériorité absolu* est rare d'emploi; au lieu de **très peu fort**, on dit plutôt **très faible**, en prenant l'adjectif de sens contraire, l'*antonyme* (voir § 121), et au superlatif de supériorité absolu :
> fort peu jolie = **fort laide**; bien peu habile = **bien maladroit**.

■ A retenir les *trois superlatifs de supériorité relatifs :* le **meilleur** (bon), le **moindre** (petit), le **pire**, le **pis** (mauvais) (voir § 242) :
> le **meilleur** (le **moindre**) vent; le **pire** ennemi; c'est là le **pis**.

■ Sont, pour le sens, de véritables *superlatifs de supériorité absolus*, les adjectifs suivants :

● *dérivés :* richissime, rarissime, sérénissime, minime, ultime :

> un mécène **richissime** *(très riche),*
> une dépense **minime** *(très petite).*

● *composés :* archibanal, archicomble, extra-fort, extra-fin, suraigu, surfin, superfin, hypertendu, hypernerveux... :

> un stade **archicomble**, des pois **extra-fins**,
> un cri **suraigu**, une fillette **hypernerveuse**.

247. Employé seul, le superlatif peut jouer *rôle de nom,* avec toutes les fonctions d'un nom (voir Syntaxe, § 511) :

> Que **le plus coupable** périsse ! *(La Fontaine)* (sujet).

Il peut même prendre parfois une valeur de *neutre :*

> Au **plus fort** de l'été... – Au **plus profond** des forêts...

248. *Le superlatif relatif s'accorde en genre* avec son complément :

> L'âne (masc.) est **la plus sotte** (fém.) des *bêtes* (fém.)
> (la plus sotte *bête* parmi les bêtes).
> L'oie (fém.) est **le plus sot** (masc.) des *animaux* (masc.).

249. Pour le *complément du superlatif,* voir Syntaxe, § 566-568.

250. **Attention !** Il ne faut pas confondre *le superlatif relatif* et *le comparatif.* Il arrive parfois, en effet, que l'article défini (le, la, les) du superlatif se cache dans un article défini contracté, ou cède la place à un adjectif possessif :

> La raison du **plus fort** (de celui qui est **le plus fort**) (superlatif).
> Un partisan du **moindre** effort (de l'effort **le moindre**) (id.).
> Mon **meilleur** ami et ton **pire** ennemi (id.).
> Se sentir **plus fort** (comparatif); un **moindre** mal (comparatif).
> Je n'ai pas de **meilleur** ami, toi de **pire** ennemi (comparatifs).

LE PRONOM

251. Si le nom peut avoir des *compagnons :* articles et adjectifs divers, il peut aussi avoir des *remplaçants,* spécialement les **pronoms.**
Comme son nom l'indique (pro-nom = [mis] pour le nom), le pronom a pour mission première de remplacer le nom :

> Légère et court vêtue, **elle** allait à grands pas *(La Fontaine)*
> (**elle** = Perrette, la célèbre laitière de notre fabuliste).

252. Mot variable, il varie en *genre* et en *nombre,* parfois en *personne :*

> Elle (il) allait – **Elles (ils)** allaient – **Tu** allais...

253. Si le nom a perdu le *genre neutre*, le pronom l'a conservé, et très vivace :

> Elle pense à **tout** – **Cela** m'étonne – Voilà **ce dont** je me plains...

Nous avons vu aussi (§ 235 et 242 NB) que l'*adjectif qualificatif* qui se rapporte à un pronom neutre se met, faute de neutre, *au masculin*, mais est bien senti comme *neutre* :

> C'est **bon** – Quoi de **neuf**? – Quelque chose de **bon**.

254. Il y a six sortes de pronoms : les pronoms *personnels, possessifs, démonstratifs, indéfinis, interrogatifs* et *relatifs*.

Le pronom personnel

Ses rôles

255. Comme tous les pronoms, le **pronom personnel** a pour rôle essentiel de remplacer un nom. Il représente alors un nom déjà exprimé et permet d'en éviter la répétition, donc d'alléger le style :

> Cette femme aime les chats, **elle les** soigne bien.

Elle représente *cette femme;* **les** représente *les chats*. Ces deux pronoms personnels évitent une double répétition.

256. D'autre part, le pronom personnel indique, étymologiquement, le rôle, le personnage (comme au théâtre; du latin *persona* = masque de théâtre, puis rôle attribué à ce masque), tenu, joué par :

- *l'être,* ou la chose personnifiée, *qui parle :* 1ère personne, **je**.
- *l'être,* ou la chose personnifiée, *à qui l'on parle :* 2ème personne, **tu**.
- *l'être,* ou la chose, *de qui* ou *dont on parle :* 3ème personne, **il, elle**.

Ses formes

257. Les formes du pronom personnel sont diverses et intéressantes. Elles révèlent des traces de l'*ancienne déclinaison* : **je** est un cas *sujet*, **me** et **moi** sont des cas *compléments*. Elles varient en *genre*, en *nombre*, et en *personne*, selon le tableau suivant :

Personnes		Singulier	Pluriel
■ *1ère personne*	(m. ou f.)	**je, me, moi**	**nous**
■ *2e personne*	(m. ou f.)	**tu, te, toi**	**vous**
■ *3e personne*	(masculin)	**il, le, lui**	**ils, eux, les, leur**
	(féminin)	**elle, la, lui**	**elles, les, leur**
	(m. ou f.)	**se, soi, en, y**	**se, en, y**
	(neutre)	**il, le, en, y**	

258. *Remarques*

■ On constate, à la lecture du tableau, qu'une même forme peut, selon le contexte, être du *masculin*, du *féminin* ou du *neutre*; du *singulier* ou du *pluriel*. On constate, d'autre part, que les *formes neutres* n'existent qu'à la 3ème personne, et au singulier seulement :

> Il pleut – Je **le** sais – J'**en** souffre – Je n'**y** peux rien.

■ **Je, me, te, le, la, se** s'élident devant une voyelle ou un **h** muet, ainsi que devant **en** et **y** :

> J'arrive – Tu **m**'honores – Il **t**'en veut – On **s**'y rend.

■ On distingue les *formes atones* (inaccentuées) et les *formes toniques* (accentuées, qui insistent) :

> **Toi** *(tonique)*, **tu** *(atone)* ris; **moi** *(tonique)*, **je** *(atone)* pleure.

● Sont *toujours toniques* : **moi, toi, soi, eux**.

> **Toi** tu joues, **eux** ils travaillent.

● Sont *toujours atones* : **je** (sauf dans le style administratif, et loin de son verbe : *Je* soussigné ... certifie ...), **tu, il, me, te, se, ils** :

> **Je te** cherchais – **Tu me** cherchais – **Il(s) se** retire(nt).

● *Tous les autres* sont tantôt *atones*, tantôt *toniques* :

– *Atones* quand ils précèdent immédiatement le verbe ou *voici, voilà* :

> Il **nous** salue – Je **lui (leur)** souris – **Me** voici – **Nous** voilà.

– *Toniques* ailleurs (entre virgules, en tête de proposition, après une préposition, après un impératif affirmatif) :

> Paul, **lui**, a compris – **Lui** dit blanc, **elle** noir – Je le ferai malgré **vous** (sans **lui**, sans **elle**).
> Réponds-**leur** – Appelle-**la** – Reprends-**en** – Songes-**y**.

259. L'insistance peut renforcer les formes toniques à l'aide des adjectifs **même, autre, seul**, de la locution **en personne**, de **pour** ou de **quant à**, ou d'un adjectif numéral :

> Fais-le **toi-même** – Ils l'ont fait **eux-mêmes** – Nous **autres** –
> Eux **seuls** – Vous **quatre**, nous **cinq**, eux (elles) **deux** –
> Moi, **pour** moi, **quant à** moi, je préfère la musique...

Ses emplois

260. L'emploi du pronom personnel appelle quelques remarques :

■ **Nous** remplace *je* dans le pluriel *de majesté* ou *de modestie* :

> **Nous**, *Président de la République...*
> **Nous**, *Maire de la commune...*
> **Nous** *sollicitons l'indulgence du lecteur...* (modestie d'auteur).

■ **Vous** remplace *tu* dans le pluriel *de politesse* :

> Que **vous** êtes joli ! que **vous** me semblez beau ! *(La Fontaine)*

■ **Nous** remplace parfois *tu* ou *vous* dans la langue familière :

    Nous avons été sage(s)?
    Nous sommes encore puni(e)(s) ! (*nous* = tu, vous).

■ **En** et **y** sont, étymologiquement, des *adverbes de lieu* :

    J'**en** viens (= de là) – J'**y** suis, j'**y** reste (= là) – J'**y** vais (= là).

mais, par glissement de sens, ils deviennent souvent pronoms personnels : **en** = de lui, d'eux, d'elle(s), de cela; **y** = à lui, à eux, à elle(s), à cela :

    Elle aime les friandises, elle **y** *rêve, elle* **en** *abuse.*

La langue pure les réserve aux *choses*, les évite pour les *êtres*. On dit :

    J'**en** *connais les défauts* (en parlant de choses);
    je connais ses (leurs) *défauts* (en parlant d'êtres).
    J'**y** *songe* (choses), *je songe à lui, à elle(s), à eux* (êtres).
    *Je me souviens d'***eux** (êtres), *je m'***en** *souviens* (choses).

■ **Soi** s'emploie avec un *sujet vague*, ou avec un impersonnel :

    Chacun pour **soi** – *Il faut penser à* **soi** (et à autrui).

Dans la langue classique, il s'employait avec un *sujet déterminé* :

    Gnathon ne vit que pour **soi** *(La Bruyère).*

ce qui permettait d'éviter l'*équivoque* de la langue d'aujourd'hui :

    Il ne pense qu'à **lui** (lui = soi, le sujet, ou une autre personne?).

N.B.   Attention à **soi-disant**, qui ne doit s'employer que pour les *personnes*.
    un **soi-disant** champion (artiste, savant...) (il se dit champion)
pour les *choses*, on ne peut dire que :
    un **prétendu** exploit, un **prétendu** chef-d'œuvre...

■ L'indéfini **on** est parfois rangé parmi les *pronoms personnels* :

    Il rugit : **on** *se cache,* **on** *tremble à l'environ (La Fontaine).*

Dans le style familier, il peut remplacer :

• une 1ère personne *(je, nous)* :

    *Vous verra-t-***on** *dimanche prochain?*

• une 2ème personne *(tu, vous)* :

    *A-t-***on** *été sage(s)? –* **On** *est encore puni(e)(s) !*

■ Le pronom démonstratif neutre **ce**, **c'**, **ça**, peut remplacer le pronom neutre **il** :

    C'*est vrai (il est vrai) qu'elle ment souvent.*

et même, curieusement, un masculin ou un féminin, **il**, **elle** :

    C'*est haut comme trois pommes et* **ça** *veut commander !*

Ses fonctions

261. Pronom, il a toutes les fonctions possibles du nom, voir Syntaxe :

> *Paul* (sujet) *offre une pomme* (objet) *à son ami* (attribution) =
> **Il** (sujet) **la** (objet) **lui** (attribution) *offre.*

262. *Remarques*

■ Le pronom neutre **il** est souvent *sujet apparent,* ou *grammatical* :

> **Il** *court des bruits fâcheux* (= des bruits fâcheux courent).

■ Jadis le pronom (atone) sujet n'était pas obligatoire, il nous en reste des traces :

> *Fais ce que* **dois** (*tu* dois) – *Tes père et mère* **honoreras** (*tu...*).

surtout quand il s'agit du neutre **il** :

> **Suffit !** – **Reste** à savoir – Si bon te **semble** – **N'importe...**

■ Le pronom personnel est *explétif,* vide de valeur grammaticale :

• dans *certains gallicismes* (§ 710-712), où il ne s'analyse plus :

> **Il y a,** **s'en** *aller,* **l'**emporter, **en** *imposer,* **le** *prendre de haut...*

• dans *l'emploi du pronom de reprise :*

> *Paul viendra-t-***il**? – *Il mentit, aussi ses parents sévirent-***ils**.

• dans *la langue familière* du conte, du récit (1ère ou 2ème p.) :

> *Il* **vous** *prend sa cognée, il* **vous** *tranche la bête* (La Fontaine).
> *Goûte-***moi** *donc ce petit vin –*
> *Voyez-***moi** *ce vaurien, ce chenapan !*

■ Dans l'analyse d'un pronom personnel non sujet, il faut bien sentir s'il a le *sens réfléchi* ou *non réfléchi* (renvoi ou non au sujet) :

> *Je* **me** *blesse* (**me** : réfléchi) – *Tu* **me** *blesses* (**me** : non réfléchi).

se et **soi**, *au singulier,* ont toujours le *sens réfléchi* :

> *Elle* **se** *vante* – *Chacun lutte pour* **soi**.

se, *au pluriel,* peut aussi avoir le *sens réciproque* :

> *Ils* **se** *saluent amicalement* –
> *Elles* **se** *détestent depuis longtemps.*

■ Au *neutre,* il peut remplacer non un nom, mais :

• un *adjectif qualificatif* :

> *Es-tu sage?* – *Je* **le** *suis* (**le** = sage).

• toute *une proposition* :

> *Elle devient aimable, nous* **en** *sommes ravis*
> (**en** = toute la 1ère proposition).

Sa place

263. ■ Quand le verbe est *précédé* de deux pronoms personnels compléments, le *complément d'objet direct* est en *deuxième* position :

> On **me** l'*a dit* – *Je* **vous** la *confie.*

sauf si l'autre complément est **lui** ou **leur** (*ordre inverse*) :

> On **le** lui *a dit* – *Je* **la** leur *confie.*

■ Quand le verbe est *suivi* de deux pronoms personnels compléments, le *complément d'objet direct* est en *première* position :

> *Rends-***le-moi,** *dis-***le-leur,** *proposez-***le-lui.**

mais avec **nous** comme autre complément, l'ordre est indifférent :

> *Rends-***le-nous,** *rends-***nous-le.**

■ Quand le pronom personnel est *complément d'un infinitif objet,* il précède immédiatement ledit infinitif :

> *Je veux* **te** *corriger* – *Elle saura* **me** *trouver.*

mais dans la langue classique, on le plaçait devant le 1er verbe :

> *Je* **te** *veux corriger* – *Elle* **me** *saura trouver.*
> *On crut qu'il* **s'**allait plaindre (La Fontaine).

ainsi que devant un *2ème impératif coordonné* :

> *Porte-lui ma réponse et* **nous** *laisse en repos* (Corneille).
> *Poète, prends ton luth et* **me** *donne un baiser* (Musset).

■ Notons sa place comme *sujet de proposition infinitive* (§ 627) :

> *J'entends / les enfants rire = Je* **les** *entends rire.*

Le pronom possessif

Ses formes

264. Le **pronom possessif** n'est autre que l'adjectif possessif tonique (§ 176), précédé de l'article défini :

> un *mien* cousin, **le mien** – Une *sienne* cousine, **la sienne.**

265. Il varie, **en** *genre, nombre* et *personne,* selon le tableau suivant :

		m.s.	f. s.	m. pl.	f. pl.
un seul	1ère p.	**le mien**	**la mienne**	**les miens**	**les miennes**
possesseur	2e p.	**le tien**	**la tienne**	**les tiens**	**les tiennes**
	3e p.	**le sien**	**la sienne**	**les siens**	**les siennes**
plusieurs	1ère p.	**le nôtre**	**la nôtre**	**les nôtres**	**les nôtres**
possesseurs	2e p.	**le vôtre**	**la vôtre**	**les vôtres**	**les vôtres**
	3e p.	**le leur**	**la leur**	**les leurs**	**les leurs**

266. Introduit par **à** et **de**, il a des formes *contractées* :

    au mien, du mien, aux vôtres, des leurs...

Ses emplois et fonctions

267. Le pronom possessif *remplace* un nom précédé d'un adjectif possessif atone, et permet d'éviter la répétition dudit nom :

    Je relus sa lettre, puis **la mienne** *(Pagnol)* (= ma lettre).

268. Pronom, il a toutes les *fonctions possibles du nom* (cf Syntaxe).

    Sa main trembla **dans la mienne**
    (complément circonstanciel de lieu)
    Ton chien est semblable **au leur** (complément d'adjectif)...

269. Il prend parfois une véritable *valeur de nom* :

    Il aime **les siens** (ses parents) –
    Les nôtres *ont gagné* (nos athlètes) –
    Y mettre **du sien** (travail, peine) –
    Faire **des siennes** (sottises) –
    A **la tienne** ! A **la vôtre** ! A **la bonne nôtre** ! (santé)...

270. Il est parfois *renforcé* par l'adjectif **propre** :

    Comme idées, elle n'admet que les **siennes propres.**

271. Complément, il a le *sens réfléchi*, ou le *sens non réfléchi* :

    Je préfère **le mien** (réfléchi), –
    Il préfère **le mien** (non réfléchi)

▄▄▄▄▄ Le pronom démonstratif

Ses formes

272. Les formes du pronom démonstratif sont *simples* ou *composées*, et se répartissent selon le tableau suivant :

	m. s.	f. s.	n. s.	m. pl.	f. pl.
■ *simples*	celui	celle	ce	ceux	celles
■ *composés*	celui-ci	celle-ci	ceci	ceux-ci	celles-ci
	celui-là	celle-là	cela	ceux-là	celles-là

273. *Remarques*

■ Le *neutre*, fréquent au singulier, n'existe pas au pluriel :
> *Retenez bien* **ceci** *– Pourquoi dis-tu* **cela**?

■ **Cela** se réduit souvent, dans le style familier, à **ça** :
> *Si tu me fais* **ça**, *tu me le paieras.*

Ne pas le confondre avec l'*adverbe de lieu* **çà**, ou *l'interjection* **çà** :
> *Errer* **çà** *et là –* **Çà**, *dit-il, reprenons notre travail.*

■ **Ce** s'élide devant voyelle, et, devant un a en prenant une cédille :
> *C'est bon –* **C**'en *est fait de nous !* – **Ç**'a été dur – **Ç**'allait finir.

N.B. La locution stupide *sens dessus dessous* devrait s'écrire :
> **c'en**, et même, **cen** dessus dessous (cen : *ancien démonstratif neutre*).

Ses emplois et valeurs

274. Le pronom démonstratif remplace un nom précédé d'un adjectif démonstratif et permet d'*éviter la répétition* dudit nom :
> *Je prends* **ce** *livre*-**ci**, *je laisse* **celui-là** (= **ce** livre-**là**)

275. Comme l'adjectif démonstratif (§ 187), il peut exprimer diverses nuances, surtout le pronom de forme composée :

■ Il marque *l'éloignement* (avec -**là**), *la proximité* (avec -**ci**) :
> *Du siècle de Périclès ou du nôtre, lequel préférer?*
> *celui-**ci**, celui-**là**?*

■ *Dans un parallèle*, -**ci** renvoie au dernier nommé, -**là** au premier :
> *De Paule et Anne, je préfère* **celle-ci** *(Anne) à* **celle-là** *(Paule).*

■ *Dans un parallèle*, **celui-ci** et **celui-là** peuvent marquer une simple distinction, avec valeur d'indéfinis :
> **Celui-ci** (l'un) *est bon,* **celui-là** (l'autre) *méchant.*

■ *En proposition exclamative*, il peut prendre une valeur affective, laudative ou péjorative :
> **Celle-là**, *quelle artiste !* – **Celui-là**, *un monstre !*

■ *Au neutre*, nous l'avons vu (§ 260), il peut remplacer un pronom personnel, et marquer attendrissement ou mépris :
> **Cela** *nous grimpera le soir sur les genoux (Hugo) –*
> **C**'est jeune et **ça** ne sait pas.

Ses fonctions

276. Pronom, il a toutes les *fonctions possibles du nom* (cf. Syntaxe) :
> *Sa voix tremblait comme* **celle** *d'une chèvre (Troyat).*
> (comparaison)

277. Attention à la fonction du pronom neutre **ce, c'** :

■ Il est souvent *sujet* avec pour attribut un adjectif, un nom, un pronom :

C'est beau – **Ce** fut une erreur – C'est moi – C'est vous...

mais avec pour attribut **eux, elles**, ou un **nom pluriel** (§ 831), le verbe est plutôt au *pluriel* :

Ce **sont** eux – C'**étaient** elles – Ce **furent** nos meilleurs moments.

■ Il est aussi *sujet*, sans attribut, dans des expressions figées :

Ce me semble – **Ce** néanmoins – **Ce** nonobstant...

■ Il est *complément d'objet*, dans des expressions figées comme :

Ce disant – **Ce** faisant – **Ce** dit-on – Pour **ce** faire...
(ne pas confondre avec **se** disant, **se** dit-on, pour **se** faire peur)

■ Il est parfois *complément circonstanciel* :

Sur **ce,** il tourna les talons.

278. Le pronom démonstratif a souvent un *complément* (Syntaxe § 557)

Le pronom indéfini

Ses formes et valeurs

279. Le **pronom indéfini** remplace un nom et un adjectif indéfini :

Chacun se taisait (Chacun = chaque assistant).

280. Ses formes, comme celles de l'adjectif indéfini (§ 188), sont d'origine et d'apparence variées. Il marque une *quantité* :

• *nulle :* personne, rien, aucun, nul, pas un, ni l'un ni l'autre :

Et **nul** ne se connaît tant qu'il n'a pas souffert (Musset).

• *partielle* ou *vague :* l'un, l'autre, l'un ou l'autre, l'un l'autre, un autre, on, quelqu'un, quelque chose, autrui, certains, plusieurs, d'autres, autre chose :

Car encor faut-il bien que je sois **quelque chose** (Molière).

• *totale :* chacun (tout un chacun), l'un et l'autre, tout, tous :

Ils ne mouraient pas **tous**, mais **tous** étaient frappés
(La Fontaine).

281. La plupart des pronoms indéfinis varient en *genre* et en *nombre* :

quelqu'un(e), quelques-un(e)s; l'un, l'une, les uns, les unes...

• mais certains sont toujours au *singulier :*

personne, rien, pas un(e), on, quelque chose, autrui, chacun(e)...

• d'autres sont toujours au *pluriel :*

certain(e)s, plusieurs, d'autres, tous, toutes.

• d'autres enfin sont *neutres*, donc invariables :

rien, autre chose, quelque chose, tout.

282. On range aussi parmi les pronoms indéfinis les *locutions* :
je ne sais qui (quoi), je ne sais lequel (laquelle, lesquels, lesquelles),
on ne sait qui (quoi), on ne sait lequel (laquelle, lesquels, lesquelles),
n'importe qui (quoi, lequel, laquelle, lesquels, lesquelles) :

> *Elle raconte encore* **je ne sais quoi** (= quelque chose)
> **à je ne sais qui** (= à quelqu'un), *cette commère !*
> **N'importe qui** (= chacun, tout un chacun)
> *pourrait en faire autant.*

283. *Remarques*

■ **Aucun,** singulier manquant une quantité nulle, *a un pluriel* archaïsant **aucuns, d'aucuns,** marquant une quantité *partielle* (= certains) :

> *Phèdre était si succint qu'***aucuns** *l'en ont blâmé (La Fontaine).*
> **D'aucuns** *prétendent que vous faites erreur.*

■ Étymologiquement **on** signifie *homme* (du latin *homo* → hom, om, on), et, comme le nom, il peut prendre l'article défini élidé (surtout après : et, ou, où, qui, que, quoi, si); l'on = l'homme :

> *Et* **l'on** *crevait les yeux à quiconque passait (Hugo).*

■ *Personne, aucun, rien,* sentis comme de valeur négative, parce que souvent accompagnés par **ne,** retrouvent parfois leur valeur initiale affirmative, *une personne, quelqu'un, une chose* :

> *Je ne crois pas que* **personne** *puisse le vaincre* (= quelqu'un).
> *Il se sauva avant qu'***aucun de nous** *eût réagi* (= quelqu'un).
> *Connais-tu* **rien** *de plus beau que ce chef-d'œuvre?*
> (= quelque chose).

Ses fonctions

284. Pronom, il a toutes les *fonctions possibles du nom* (cf. Syntaxe) :

> *Causer* **avec quelqu'un** *soutient quand* **on** *chancelle (Hugo).*
> (**quelqu'un** : comp. circ. d'accompagnement; **on** : sujet).

285. *Remarques*

■ **On** (l'on) est toujours *sujet,* **autrui** est toujours *complément* :

> **On** (sujet) *doit respecter le bien d'***autrui** (comp. de nom).

■ Dans les groupes **l'un l'autre, l'un à** *(pour, de, avec...)* **l'autre,** le 1er élément est apposé au sujet, le 2ème complément :

> *Ils doivent s'aider* **l'un l'autre** (les uns les autres).
> *Elles se méfient* **l'une de l'autre** (les unes des autres).

286. Pour le *complément* du pronom indéfini et pour *l'adjectif épithète* du pronom indéfini, voir Syntaxe, § 557 et 580.

Ses formes et emplois

287. Le **pronom interrogatif** remplace un nom précédé d'un adjectif interrogatif :

> *Eva,* **qui** *donc es-tu? (Vigny)* (**qui** = quel être, quelle personne?)

288. Il possède des formes :

- *invariables :* qui? que? (qu'?) quoi?
- *variables :* lequel? laquelle? lesquels? lesquelles?
- *renforcées :* qui est-ce qui? qui est-ce que? qu'est-ce qui? qu'est-ce que? qu'est-ce que c'est que? à (de, avec, par, pour...) quoi est-ce que? (surtout dans le style familier, relâché) :

> **Qui** es-tu? – **Laquelle** veux-tu? – **Qu'est-ce qui** se passe? – **De quoi est-ce que** vous parlez? – **Qu'est-ce que c'est que** tu fais? – **A quoi est-ce que** tu penses?

289. *Remarques*

■ Variable ou non, il est, selon le contexte, au *masculin,* au *féminin* ou au *neutre,* au *singulier* ou au *pluriel :*

> **Qui** (f. s.) *est-elle?* - **Qu'est-ce que** (neutre s.) *tu dis?*

■ Les pronoms variables peuvent fusionner avec **à** et **de** :

> *auquel, auxquel(le)s, duquel, desquel(le)s.*

■ On le rencontre aussi bien en subordonnée interrogative (§ 631) qu'en indépendante (ou principale) interrogative :

> **Qui** es-tu? – Dis-moi / **qui** tu es – **De quoi** s'agit-il? – Dites-moi / **de quoi** il s'agit.

■ Dans la subordonnée interrogative, le pronom neutre **que**?, **qu'est-ce que**?, devient **ce qui** ou **ce que** (cf. § 633, 864) :

> **Que** se passe-t-il? – Dis-moi / **ce qui** se passe.
> **Que** fais-tu? (**Qu'est-ce que** tu fais?) – Dis-moi / **ce que** tu fais.

Ses fonctions

290. Pronom, il a toutes les *fonctions possibles du nom* (cf. Syntaxe), qu'il soit en subordonnée ou en indépendante, ou principale :

> **Qui** *es-tu?* (**qui** : *attribut* du sujet inversé **tu**); *dis-moi /* **qui** *tu es* (**qui** : attribut du sujet **tu**).
> **Laquelle** *voulez-vous?* (**laquelle** : comp. d'objet de *voulez*); *dites-nous /* **laquelle** *vous voulez* (id.).

291. *Remarques*

■ **Qui**, sans préposition, est généralement *sujet :*

> **Qui** *va là?* – **Qui** *vient de téléphoner?*

- mais il peut être *attribut du sujet :*

   Qui *es-tu?* – **Qui** *sont-elles?* – *Je te dirai* / **qui** *tu es.*

- ou *complément d'objet :*

   Qui *aimes-tu?* – *Dis-nous* / **qui** *tu aimes.*

■ **Que** est généralement *complément d'objet :*

   Que *dites-vous?* – **Que** *fait-on demain?* – **Que** *préparent-elles?*

- mais il peut être *attribut du sujet :*

   Que *devenez-vous?* – **Que** *deviendront-ils?*

- ou même *sujet réel*, avec un **il** neutre, sujet apparent :

   Que *se passe-t-il?* – **Que** *vous faudrait-il?*

■ **Qui est-ce qui, qu'est-ce qui, ce qui** sont *sujets;* **qui est-ce que** est *complément d'objet,* **qu'est-ce que, ce que** sont *compléments d'objet* ou *attributs :*

   Qu'est-ce qui *arrive?* (sujet) – *Dis-moi* / **ce que** *tu vois* (objet) – **Qu'est-ce que** *tu deviens?* (attribut).

■ Veiller à son emploi en *proposition elliptique* (dialogue) :

   Je viens d'écrire une lettre. – *A* **qui**? (c. d'attribution).

292. Pour le *complément* du pronom interrogatif, et pour *l'adjectif épithète* du pronom interrogatif, voir Syntaxe, § 558 et 581 N.B.

Le pronom relatif

Son rôle et ses formes

293. Le **pronom relatif** remplace un nom précédé de l'adjectif relatif :

   Je te présente l'ami / **qui** *m'a sauvé la vie* (**qui** = lequel ami).

C'est, avec le pronom personnel, le plus important des pronoms. Plus complexe que les autres pronoms, il ne se borne pas à remplacer un nom; *il établit un lien, une relation* (d'où son nom) entre deux propositions :

   Il laboure le champ / **que** *labourait son père (Racan).*

294. Le pronom relatif possède des formes :

- *invariables :* qui, que (qu'), quoi, dont, où :

   La rue / **où** *je logeais* / *était sombre et déserte (Musset).*

- *variables :* lequel, laquelle, lesquels, lesquelles :

   Malheur à celui / **par lequel** *le scandale arrive (A. Chamson).*

Qu'il soit variable ou non, il est, *selon le contexte,* au *masculin,* au *féminin* ou au *neutre,* au *singulier* ou au *pluriel :*

   Vois le chagrin de nos amies / **qui** *partent* (**qui** : fém. pl.).
   Ce / **dont** *tu parles* / *est grave* (**dont** : neutre sing.).

295. *Remarques*

■ Le pronom relatif variable peut fusionner avec **à** et **de** :

auquel, auxquel(le)s; duquel, desquel(le)s.

■ **Dont** est un ancien *adverbe;* **où** est un *adverbe* qui peut devenir pronom relatif. On les appelle parfois *adverbes relatifs :*

*La ville / **dont** on parle, c'est la ville / **où** il habite.*

■ Il ne faut pas confondre les *pronoms relatifs* **qui, que, qu', quoi, lequel,** avec les *pronoms interrogatifs* identiques :

*Je connais bien l'homme / **qui** arrive* (**qui** : pronom relatif).
*Je ne sais pas / **qui** arrive* (**qui** : pronom interrogatif).

296. On range parmi les pronoms relatifs les *pronoms composés :* quiconque, qui que, quoi que, qui que ce soit qui, qui que ce soit que, quoi que ce soit qui, quoi que ce soit que :

Quiconque *frappera par l'épée périra par l'épée.*
Qui que *tu sois,* **quoi que** *tu aies fait, franchis mon seuil.*

Son antécédent et sa place

297. Le mot ou groupe de mots repris par le pronom relatif est *son antécédent,* ainsi nommé parce qu'il va, qu'il marche *devant.*
L'antécédent se présente sous divers aspects. Ce peut être, en effet :

• un *nom* ou un *groupe du nom :*

*C'est **un trou de verdure** / **où** chante une rivière (Rimbaud).*

• un *pronom,* surtout *personnel* ou *démonstratif :*

*C'est **moi** / **qui** vous le dis, / **qui** suis votre grand-mère (Molière).*
*J'appelle marin **celui** / **qui** navigue à la voile (Maurois).*

• un *adjectif qualificatif,* au positif ou au superlatif :

Sotte / **que** *tu es !* – **Idiot** / **que** *je suis !*
*Elle est **la plus belle** / **qui** soit (**que** j'aie vue).*

• un *adverbe de lieu* (partout, ici, là) :

*Il revient vivre **là** / **où** il a connu le bonheur.*

• et même toute une *proposition :*

Allons nous baigner, / **après quoi** *nous déjeunerons.*

298. Il arrive souvent que l'*antécédent* soit *omis :*

*Qui dort dîne – Qui ne dit mot consent – J'aime qui m'aime –
Il le répète à qui veut l'entendre – Elle a de quoi vivre –
J'aimerais être où vous êtes...*

N.B. **Quiconque** n'a jamais d'antécédent :

Quiconque *ne sait point souffrir n'a point un grand cœur (Fénelon).*

---

299. Variable ou non, le pronom relatif a le *genre* et le *nombre* de son antécédent, que celui-ci soit exprimé ou sous-entendu :

> *Je crois ce / qu'il dit* (neutre sing. la chose que) –
> **Qui** *a bu boira* (m. s. : celui qui).

• Quand l'antécédent est un *pronom personnel*, il faut aussi faire l'accord du verbe en personne :

> *C'est moi qui* **suis** *le chef – C'est vous qui* **êtes** *arrivées en tête.*

Même quand l'antécédent est *omis* (tu, vous), avec un nom en apostrophe :

> *Laboureurs / qui* **travaillez** *tant /, je vous respecte*
> (2ème p. m. pl. = Laboureurs, *vous* qui...).

Éviter de dire, comme les enfants : « C'est nous qui **sont* les gendarmes, c'est vous qui **sont* les voleurs ».

• Quand l'antécédent est une *proposition*, le pronom est neutre singulier :

> **De ce lieu-ci je sortirai**, /
> **Après quoi** *je t'en tirerai (La Fontaine).*

300. Le pronom relatif est le premier mot de sa proposition,

• *sauf s'il est précédé d'une préposition* ou d'une locution prépositive :

> *Voici l'homme /* **à qui** (**en faveur de qui**) *j'ai parlé hier.*

• *sauf s'il est complément d'un nom* lui-même précédé d'une préposition :

> *Connais-tu l'homme /* **à la table de qui** *j'étais assis ce soir ?*

Ses emplois et fonctions

301. Pronom, il a toutes les *fonctions possibles du nom* (cf. Syntaxe). Sa fonction n'a rien à voir avec celle de son antécédent : ils ne sont pas dans la même proposition :

> *Je chante les héros /* **dont** *Esope est le père (La Fontaine).*
> **héros** : c. d'objet de *chante;*
> **dont** : c. du nom *père.*

302. **Qui** est essentiellement *sujet* (antécédent exprimé ou omis) :

> **Qui** *vivra verra – Voilà /* **qui** *m'étonne – C'est moi /* **qui** *ai crié.*

• mais, *avec antécédent omis*, il peut être *complément d'objet* :

> *Choisis /* **qui** *tu voudras – Embrassez /* **qui** *vous voulez.*

• et, *précédé d'une préposition*, il prend diverses autres fonctions :

> *C'est l'homme /* **à** (**de, pour, avec, contre**...) **qui** *je parle...*

• Noter également *son emploi en répétition*, comme sujet de proposition elliptique :

> *Ils portent /* **qui** *une pelle, /* **qui** *une faux, /* **qui** *un râteau.*

303. **Que, qu'** est essentiellement *complément d'objet :*

> *Il laboure le champ /* **que** *labourait son père* (c.o. de *labourait*).

- mais il peut être *attribut du sujet :*

> *Le pilote /* **que** *tu seras... – Le vaurien /* **qu'**il est devenu...

- ou *complément circonstanciel :*

> *C'était l'année /* **que** *je fus si malade* (= **où** : *temps*).
> *Il pleure les millions /* **que** *cela lui a coûté* (combien? *prix*).

- avoir une *double fonction* dans la relative doublée d'une infinitive (§ 628) :

> *L'homme /* **que** *tu vois venir / est Jean*
> (**que** c.o. de *vois*, et sujet de *venir*).

N.B. Distinguons bien :
> Celui **qui** l'a choisi(e) *et* celui **qu'**il a choisi (qui : sujet; qu' : objet).
> Ce **qui** lui plaît *et* ce **qu'**il lui plaît (de faire) (qui : sujet; qu' : objet).

---

304. **Quoi**, toujours précédé d'une *préposition*, toujours neutre, est *complément* d'un verbe ou d'un adjectif :

> *Voilà ce /* **à quoi** *je rêve – Voilà ce /* **en quoi** *il est doué.*

- Son *antécédent* est surtout un *pronom neutre*
(ce, rien, quelque chose) :

> *C'est* **quelque chose** *(C'est* **ce**) */* **à quoi** *il faudrait penser.*

- Quand son *antécédent* est une *proposition*, on l'appelle parfois *relatif de liaison* (sur quoi, après quoi, sans quoi, moyennant quoi) :

> *Il dîna, /* **après (sur) quoi** *il sortit – Obéis, /* **sans quoi** *je sévis*
> *– Écoute tes maîtres, /* **moyennant quoi** *tu réussiras.*

- Son *antécédent* est parfois *omis :*

> *C'est bien /* **à quoi** *je pense – C'est /* **par quoi** *il faut commencer.*

Noter son emploi curieux en proposition elliptique :

> *Ils ne sont pas à plaindre : ils ont /* **de quoi** (= des ressources).
> « *Je vous remercie – Il n'y a pas /* **de quoi.** »

305. **Où** est essentiellement *complément de lieu :*

> *La ville /* **où** (= dans laquelle) *je vis / est paisible.*

- mais il est parfois *complément de temps :*

> *C'était l'année /* **où** (= pendant laquelle) *je fus si malade.*

306. **Dont** est le plus subtil, avec ses fonctions variées :

- il est souvent *complément de nom :*

> *Sors vainqueur d'un combat /* **dont** *Chimène est le prix.*
> *(Corneille)*
> (Chimène est le prix de quoi? – de **dont**; *dont* : c. du nom *prix*).

- mais il peut avoir bien d'*autres fonctions* :

> *C'est un succès* / **dont** *je suis fier* (c. de l'adjectif *fier*).
> *Il adore sa mère* / **dont** *il est aimé* (c. d'agent de verbe passif).
> *C'est le bâton* / **dont** *il m'a frappé* (c. cir. de moyen)...

- et notons sa *valeur partitive* intéressante en proposition elliptique :

> *Ils ont eu six enfants* / **dont** *cinq filles* (= parmi lesquelles).

307. **Lequel** est généralement *complément*, avec préposition :

> *J'admire la vitesse* / **avec laquelle** *il a réagi* (c. de manière).

Mais il peut être *sujet*, sans préposition :

- dans le *style juridique* (comme pour l'adjectif relatif, voir § 202) :

> *On a arrêté l'assassin,* / **lequel** *a vite été incarcéré.*

- pour *éviter une dangereuse équivoque* sur son antécédent :

> *J'ai vu la voiture de ton ami,* / **laquelle** *est en piteux état*
> (avec **qui**, on hésiterait sur l'antécédent : la *voiture*? ton *ami*?).

308. Le pronom relatif, nous l'avons vu, est subtil et délicat d'emploi. Il est source de nombreuses négligences, d'incorrections plus ou moins graves, de pléonasmes, d'équivoques, enfin de *perles* en tout genre. Sans parler des « horreurs troupières » de « l'ami Bidasse » comme :

> *C'est le caporal* / ***dont auquel** j' te cause.*

■ *soyons* nous-mêmes vigilants; n'oublions pas qu'on dit :

> **se souvenir de** *quelqu'un, de quelque chose,* mais :
> **se rappeler** *quelqu'un, quelque chose.*

donc qu'il faut dire :

> *l'ami* (le pays) / **dont** *je me souviens* (et non **que je me souviens*)
> *l'ami* (le pays) / **que** *je me rappelle* (et non **dont je me rappelle*);

et éviter les affreux *pléonasmes* (pron. relatif + pron. personnel) :

> ***dont je m'en** souviens, et, pis encore,* ***dont je m'en** rappelle !*
> *le mal* ***dont** elle* **en** *souffre.*

■ *Évitons* de même les trop fréquentes fautes comme :

> *ce* / ***que** j'ai besoin* (au lieu de : ce / **dont** *j'ai besoin*).
> *la chose* / ***que** je te parle* (pour : la chose / **dont** *je te parle*).

■ *Savourons* (mais évitons) des *équivoques*, des *perles* comme :

> *La robe de grand-mère* / *que j'ai retrouvée toute sale au grenier.*
> *Le Petit Chaperon-Rouge portait du beurre à sa grand-mère* / *qui était malade dans un petit pot.*
> *Chambre à louer* / *qui conviendrait à célibataire de trois mètres sur quatre.*
> *Soldat Bidasse, puni pour avoir jeté un seau d'eau à la tête de son caporal* / *qui était plein...*

LE VERBE

GÉNÉRALITÉS

▬▬▬ Action, état

309. De tous les mots variables, *le plus variable* est, de loin, le **verbe,** avec sa très riche conjugaison. Il est d'autre part le mot-roi de la proposition (même quand il est omis !) : tout dépend de lui. Étymologiquement, il vient du latin *verbum* : le mot, la parole (cf. « Au commencement était le *Verbe* »). Il exprime essentiellement :

- une action faite, ou subie par le sujet *(verbe d'action)* :

  Le vent **souffle** – Le chêne **est déraciné** par le vent.

- un état du sujet *(verbe d'état)* :

  Le vent **est** violent – Les marins **deviennent** inquiets.

310. *Remarques*

- ■ Certains verbes dits *d'action* tendent vers *l'état* :

  Je souffre – Tu blanchis – Il mourut général.

- ■ Certains autres sont tantôt verbes *d'action*, tantôt verbes *d'état :*

  Faire *une bêtise* (+ c. d'objet : action).
  Faire *le fou* (+ attribut : état).

- ■ Les *verbes d'état* marquent diverses nuances : état *réel* (être), état *apparent* (sembler, paraître, avoir l'air, passer pour), état *qui dure* (rester, demeurer), état *qui change* (devenir, se faire, se rendre) :

  Je suis las – Tu sembles gaie – Il reste jeune – Je me fais vieux.

▬▬▬ Les trois groupes

311. D'après la terminaison de leur infinitif présent, on distingue :

- ■ les verbes du **1er groupe,** en **-er,** de loin les plus nombreux :

  aimer, chanter, manger, lancer, jeter, espérer, payer, saluer...

- ■ les verbes du **2ème groupe,** en **-ir,** participe présent en **-issant** :

  finir, pâlir, rougir, bondir, saisir, nourrir, chérir, haïr...;

- ■ les verbes du **3ème groupe,** en **-ir,** participe présent en **-ant;** en **-oir,** en **-re,** peu nombreux et pour la plupart *irréguliers* (voir § 782 sq.) :

  – cour**ir,** mour**ir,** ouvr**ir,** part**ir,** ten**ir,** ven**ir**... (**-ir**);
  – dev**oir,** pouv**oir,** sav**oir,** v**oir,** voul**oir,** val**oir**... (**-oir**);
  – attend**re,** boi**re,** craind**re,** croi**re,** di**re,** fai**re,** mett**re**... (**-re**).

312. *Remarques*

■ Les *auxiliaires* **avoir** et **être** (voir § 322) sont du **3ème groupe**.

■ Les *1er et 2ème groupes*, le 1er surtout, forment la conjugaison dite *vivante*. Ils servent de modèles aux verbes nouvellement créés :

> *radiographier, téléphoner, téléviser, pasteuriser, atomiser...*
> *amérir (ou amerrir), vrombir, alunir...*

■ Les *verbes du 2ème groupe* sont dits *inchoatifs* (début d'action) :

> nous *pâl-iss-ons* = nous devenons pâles.

■ Le *3ème groupe*, lui, forme la conjugaison dite *morte* : tous ses verbes sont plus ou moins *irréguliers*, et en recul constant devant des équivalents, surtout du 1er groupe, plus faciles à conjuguer :

> **choir** a reculé devant *tomber*;
> **quérir**, (ou **querir**) devant *chercher*.
> **férir** devant *frapper*; **ouïr** devant *entendre*;
> **faillir** devant *manquer*; **vêtir** devant *habiller*...

On voit même **résoudre** et **émouvoir** reculer devant d'affreux barbarismes, comme **solutionner* et **émotionner* !
Pour les *verbes défectifs*, voir Appendices, § 828-829.
Pour les *curiosités*, voir Appendices, § 774 sq :

> **maudire**, composé de **dire** (3e g.), est du 2e g. (§ 780).

▬▬▬ Les trois voix

313. Le *verbe d'action* peut se présenter sous trois aspects différents : ce sont les trois voix de la conjugaison :

■ le verbe est à la **voix active** si le sujet *fait* l'action :

> Le vent souffle, je ferme mes fenêtres.

■ le verbe est à la **voix passive** si le sujet *subit* l'action :

> L'arbre est déraciné, ses feuilles sont emportées (par le vent).

■ le verbe est à la **voix pronominale** s'il est précédé d'un *pronom personnel complément* représentant la même personne que le sujet :

> Le vent **se** calme, nous **nous** réjouissons.

314. *Remarques*

■ De très nombreux verbes peuvent exister aux trois voix :

> *Je blesse, je suis blessé, je me blesse.*
> *Je vois, je suis vu, je me vois...*

■ Certains verbes n'existent qu'à la *voix active* :

> *avoir, être, venir, partir, tomber, sembler, paraître...*

■ Certains verbes n'existent qu'à la *voix pronominale*, ce sont les verbes dits *essentiellement pronominaux* (voir § 772-773) :

> *se souvenir, s'écrier, s'abstenir, s'emparer, se repentir...*

315. Dans l'analyse d'un verbe, après avoir cerné sa voix, il faut en préciser le sens :

■ Rien à dire pour un *verbe passif* : pas de sens à signaler.

■ Pour un *verbe actif*, il faut dire s'il est *transitif* ou *intransitif* :

Il est **transitif** s'il est accompagné d'un complément d'objet :

> J'*attends* **un ami** – Je l'*attends* – Paul est l'ami / **que** j'*attends*;

Il est **intransitif** s'il n'est pas accompagné d'un complément d'objet :

> Mon père *part* (demain), il *reviendra* (le mois prochain)

N.B. Un même verbe peut être tantôt **transitif**, tantôt **intransitif** :

> J'attends (patiemment) : *intransitif;* j'attends (un ami) : *transitif.*
> Les toits blanchissent : *intransitif;* la neige blanchit les toits : *transitif.*

■ Et pour un *verbe pronominal,* il faut bien maîtriser ses quatre nuances : sens *réfléchi, réciproque, passif, vague.* C'est très important aussi pour l'accord de son participe passé (voir § 839 sq.) :

> Je me lave *(réfléchi)* – Ils se querellent *(réciproque)* –
> Les fruits se vendent cher cet hiver *(passif)* –
> Il s'empare de la ville *(vague).*

316. *Remarques*

■ Dans les verbes actifs de sens transitif on indique parfois s'ils sont *transitifs directs,* avec complément d'objet direct, ou *transitifs indirects,* avec complément d'objet indirect. (voir Syntaxe, § 521) :

> Il **évoque** sa jeunesse – Il **se souvient de** sa jeunesse.

■ Seuls les *verbes transitifs directs* peuvent prendre la voix passive :

> Le vent déracine le chêne – Le chêne est déraciné par le vent.

Notons cependant que les trois verbes actifs **obéir**, **désobéir**, **pardonner**, transitifs indirects, mais jadis transitifs directs, se rencontrent à la voix passive :

> Il est obéi – Tu es désobéi(e) – Je fus pardonné(e).

Aujourd'hui, on utilise même au passif des intransitifs comme **démissionner :**

> Il a démissionné; il a été démissionné (par ses pairs)...

■ Le véritable *verbe passif* exprime une action en train de se faire. Il a, ou peut avoir, un *complément d'agent* (voir Syntaxe, § 524) :

> Elle **est grondée** – Elle **est grondée** *par sa mère.*

Mais il peut exprimer le résultat d'une action passée :

Elle **est privée** de dessert = elle **a été privée** de dessert;

ou même être réduit au rôle de *verbe d'état*, avec attribut du sujet :

Elle **est abattue** = elle est **triste**.

Les sept modes

317. Quelle que soit sa voix, un verbe a sept modes possibles :

- quatre *modes personnels;* ils ont des formes variant selon les personnes :

  l'**indicatif**, le **conditionnel**, l'**impératif**, le **subjonctif**;

- trois *modes impersonnels;* ils ne varient pas selon les personnes :

  l'**infinitif**, le **participe**, le **gérondif**.

Valeur des modes

318. • L'**indicatif** est essentiellement le mode du *réel :*

Ils **demandent** le chef : je **me nomme**, ils **se rendent**

(Corneille).

• Le **conditionnel** exprime l'*éventuel* :

Je le **ferais** encor, si j'avais à le faire *(Corneille).*

• L'**impératif** exprime avant tout l'*ordre* et la *défense* :

Retire-toi, te dis-je, et ne m'**échauffe** pas les oreilles *(Molière).*

• Le **subjonctif** est le mode du *doute*, du *fait pensé* ou *voulu* :

Je veux qu'on **soit** sincère *(Molière).*

• L'**infinitif** est avant tout la *forme nominale* du verbe :

Partir, c'est **mourir** un peu (= le *départ* est une *mort* partielle).

• Le **participe** est la *forme adjective* du verbe :

Et l'on développa la muraille **flottante** *(Hugo).*

• Le **gérondif** est la *forme adverbiale* du verbe :

J'écoute **en frémissant** chaque bûche qui tombe *(Baudelaire).*

N.B. Pour les détails, voir ci-après, § 367 et suivants.

Les temps

319. Chaque *mode* a un ou plusieurs *temps*, indispensables à connaître. Le plus pauvre est le **gérondif**, avec un seul temps, le présent (voir ci-après § 433) :

En chantant, en rêvant, en se promenant, en s'entendant...

Le plus riche, et de loin, est l'**indicatif**, avec ses huit (ou mieux dix) temps officiels, sans compter les temps surcomposés et les nuances obtenues à l'aide des semi-auxiliaires (voir ci-après § 367 sq.) :

Je chante, j'ai chanté, j'ai eu chanté, je vais chanter...

320. Tout verbe, toute forme verbale, se présente sous l'aspect d'un *temps simple*, d'un *temps composé*, ou d'un *temps surcomposé* :

Je finis, tu as finis, quand elle aura eu fini...

■ Un **temps simple** est formé de deux éléments, le *radical* et la *terminaison*. Le radical, généralement invariable, donne le sens, la signification du verbe. La terminaison, la désinence, très variable, renseigne sur le mode, le temps, la personne et le nombre de la forme verbale employée :

Tu chant-as, qu'il chant-ât, vous chant-iez.

■ Un **temps composé** est formé de deux éléments : un temps simple d'un verbe auxiliaire + le participe passé du verbe utilisé, ou un temps simple d'un semi-auxiliaire + l'infinitif du verbe utilisé :

Nous avons chanté, nous allons chanter, nous venons de chanter.

■ Un **temps surcomposé** est formé de deux éléments : un temps composé d'un verbe auxiliaire + le participe passé du verbe utilisé :

Il a eu fini rapidement; quand tu auras eu fini...

321. *Remarques*

■ Le *radical*, généralement *invariable*, surtout au 1er groupe, peut être très variable dans les verbes du 3ème groupe :

Il aperç-ut, il apercev-ait; il veu-t, il voul-ait, qu'il veuill-e...

Certains, très irréguliers, ont des *radicaux* d'origines différentes :

être : je **su**-is, tu **ét**-ais, il **fu**-t, il **ser**-a...
aller : je **va**-is, tu **all**-ais, il **ir**-a...

■ Les *terminaisons*, très variables, varient selon :

• la *personne* et le *nombre*. Ex. : indicatif présent actif 1er groupe :

-e, -es, -e, -ons, -ez, -ent.

• le *temps*. Ex. : imparfait et passé simple actifs 1er groupe :

-ais, -ais, -ait, -ions, -iez, -aient (je chantais, tu...).
-ai, -as, -a, -âmes, -âtes, -èrent (je chantai, tu...).

• le *mode*. Ex. : indicatif et subjonctif imparfaits 1er groupe :

-ais, -ais, -ait, -ions, -iez, -aient
-asse, -asses, -ât, -assions, -assiez, -assent.

■ Au *2ème groupe*, il y a parfois une *syllabe intercalaire*, **-iss-** : c'est elle qui donne le sens « inchoatif », § 312 :

*Nous roug-**iss**-ons, vous bond-**iss**-iez.*

■ Tous les temps de la *voix passive*, même les temps dits *simples*, sont *composés* :

Tu es attaqué(e); il avait été blessé.

■ Les *temps surcomposés* se rencontrent surtout dans la langue parlée et patoisante, surtout à l'actif. Ils sont peu nombreux; ce sont :

● le *passé surcomposé,* à l'indicatif, au conditionnel, au subjonctif, à l'infinitif, au participe :

> j'ai eu (j'aurais eu, que j'aie eu) fini, avoir eu (ayant eu) fini.

● le *plus-que-parfait surcomposé,* à l'indicatif :

> (quand) j'avais eu fini...

● le *futur antérieur surcomposé,* à l'indicatif :

> (quand) j'aurai eu fini...

Les deux auxiliaires

322. Les deux verbes **avoir** et **être** sont communément appelés *auxiliaires* parce qu'ils aident à la conjugaison des autres verbes. Mais ils ne sont pas toujours auxiliaires :

■ **Avoir** peut exprimer sa pleine *valeur de possession* :

> J'**ai** (= je possède) un chien - Il **avait** (= possédait) une chatte.

■ **Être** peut avoir *diverses valeurs* :

● *lier* l'attribut au sujet (verbe *copule*) :

> Il **est** gai, tu **es** médecin, elle **est** triste, elle **fut** juge.

● *signifier,* selon le contexte, exister, se trouver, aller, appartenir :

> Je pense, donc je **suis** – Elle **était** au grenier –
> Et chacun **fut** se coucher – Ce vélo **est** à Paul.

323. *Remarques*

■ **J'ai été**, pour *je suis allé* passe pour familier; les classiques en ont pourtant usé, surtout au *passé simple* :

> J'**ai été** à Livry *(Mme de Sévigné)* –
> Et je **fus** me coucher *(J.-J. Rousseau).*

On rencontre aussi « **il s'en fut** » au lieu de « *il s'en alla* ».

■ Notons les emplois spéciaux de **être** dans certains gallicismes :

> Il **était** une fois... (= il y avait) – Il **est** nuit (= il fait).

324. Quoi qu'il en soit, **avoir** et **être** sont surtout *auxiliaires* :

■ *Avoir* sert d'auxiliaire :

● à *lui-même* d'abord, ainsi qu'au verbe *être* :

> J'ai eu, tu avais eu, avoir eu – J'ai été, tu avais été, avoir été.

● à tous les *verbes transitifs actifs* :

> J'ai rencontré ton père – Elle aura fini son travail.

- à la plupart des *verbes intransitifs actifs* :

  J'ai couru – Tu avais rougi – Il aura dormi – Ayant ri.

- aux véritables *verbes impersonnels* (voir Appendices, § 823-827) :

  Il a plu – Il avait neigé – Il aura tonné.

■ *Être* sert d'auxiliaire :

- à tous les *temps de la voix passive* (même aux temps « simples ») :

  Je suis attaqué(e) – Tu as été pris(e) – Il serait délivré bientôt.

- à tous les *temps composés de la voix pronominale* :

  Je me suis blessé(e) – Tu t'étais trompé(e) – Il se serait trahi.

- à tous les *temps composés de certains verbes intransitifs* :

  Il est parti – Tu serais rentré(e) – Être revenu(e)(s).

325. *Remarques*

■ Certains *verbes intransitifs* hésitent entre **avoir** et **être** :

  Le facteur est passé – Il a passé par ici.
  Nous sommes convenus d'un prix – Ce livre m'a convenu.

■ Les *intransitifs* sortir, entrer, rentrer, monter, descendre...,
employés transitivement prennent l'*auxiliaire* **avoir** :

  Il **est rentré** tard – Il **a rentré** sa voiture au garage.
  Elle **est montée** au grenier – Elle **a monté** sa valise au grenier.

▬▬ Les semi-auxiliaires

326. Outre avoir et être, le français peut réduire certains verbes au rôle
modeste d'auxiliaires. Ils forment bloc avec l'infinitif qui suit, et on
les appelle *semi-auxiliaires*. Ce sont :

- **aller, devoir, être sur le point de, être en passe de, être
près de,** qui indiquent une nuance de *futur prochain* :

  Je **vais** sortir – Il **doit** rentrer ce soir – Elle **est près de** pleurer.

N.B. **Aller** peut même s'employer comme semi-auxiliaire de lui-même :
  Je **vais aller** en ville – Nous **allons aller** au cinéma.

- **venir de,** qui exprime un *passé récent* :

  Tu tombes bien, je **viens de rentrer** –
  Pas de chance, il **vient de sortir** !

- **paraître, sembler, passer pour,** qui expriment une *apparence*.

  Il **semble** souffrir – Elle **passe pour** être riche.

- **être en train de, ne pas laisser de** (= continuer à),

commencer à, se mettre à, se prendre à, qui indiquent une action *qui dure* ou *qui commence* :

> Il **ne laisse pas** de se plaindre – Elle **se mit** (**se prit**) à rire.

- **devoir, pouvoir**, qui indiquent *probabilité*, ou *approximation* :

> Elle **doit** être rentrée – Il **peut** être dix heures, dix heures dix.

- **avoir à**, qui exprime une *obligation* :

> Tu **as à** travailler – J'**ai à** lui écrire.

- **aller** + participe présent, qui indique *continuité, progression* :

> Le sentier **allait serpentant** – Son mal **va empirant**.

- **faire**, qui exprime une nuance d'*ordre* :

> Elle **fit taire** les enfants – **Faites entrer** l'accusé.

327. *Remarque*

Le français peut exprimer certaines de ces nuances sans l'aide d'un semi-auxiliaire, comme par exemple :

- un *début d'action*, au moyen d'un *verbe pronominal* (avec ou sans « en », soudé ou non) ou d'un *verbe du 2e groupe* (inchoatif, § 312) :

> Je **me fais** vieux, tu **t'en vas**, il **s'enfuit**, elle **blanchit**.

- une *répétition d'action*, à l'aide d'un *préfixe* ou d'un *suffixe* :

> Je **re**-lis, tu **re**-passes; il suç-**ote**, elle saut-**ille**.

Les locutions verbales

328. Outre les groupes auxiliaire + participe passé et semi-auxiliaire + infinitif, le verbe peut se présenter sous l'aspect d'une **locution verbale**, groupe de mots inséparables, équivalent d'un verbe simple :

> **Prendre congé** = quitter, **se faire fort** = prétendre.

329. La *locution verbale* est faite d'un *verbe* auquel se joint :

- un **nom**, avec ou sans article, parfois avec préposition :

avoir l'air, avoir honte (peur, tort, raison, besoin, faim, soif...)
prendre garde (part, parti, à partie, soin, congé, note...)
faire face (front, fête, échec, pitié, droit, honneur...)
savoir gré, tenir tête, rendre gorge, rendre compte... :

> Prendre congé = partir; prendre congé de ses amis = quitter...

- un **adjectif qualificatif** :

avoir chaud (froid), avoir beau, se faire fort, l'échapper belle... :

> Il se fait fort de (= il prétend) réussir.

N.B. Le semi-auxiliaire **faire** + *infinitif* peut être pris comme une *locution verbale* :
faire taire = calmer, **faire venir** = convoquer, **faire savoir** = informer.

La personne et le nombre

330. Le verbe, enfin, varie en **personne** et en **nombre**, du moins dans les modes personnels, où il se conjugue avec les *pronoms personnels atones sujets* :

> **je, tu, il, elle** : 1ère, 2e, 3e personnes du singulier.
> **nous, vous, ils, elles** : 1ère, 2e, 3e personnes du pluriel.

331. *Remarques*

■ *L'impératif* n'a que trois personnes sur six et *pas de pronom sujet* :

> **Aime** (2e sing.), **aimons** (1re pl.), **aimez** (2e pl.).

■ Nous avons vu (§ 260) que **nous** peut signifier **je, tu,** ou **vous**; **vous** remplacer **tu** (pl. de *politesse*). Il en est de même à l'*impératif* :

> **Hâtons-nous !** (= toi, ou vous) – **Entrez**, monsieur !

■ Les trois *modes impersonnels*, infinitif, participe, gérondif, sont invariables, mais, à la voix pronominale, ne pas oublier que le pronom personnel complément varie, en *personne* et en *nombre* :

> **me** (te, se, nous, vous, se) laver –
> **me** (te, se, nous, vous, se) lavant.
> en **me** (te, se, nous, vous, se) lavant.

■ Certains verbes ne s'emploient qu'à une personne, la 3e du singulier. Ce sont les *verbes impersonnels*, ou mieux **unipersonnels** :

> Il pleut, il vente, il neige.

Notons que certains verbes habituellement personnels peuvent prendre l'emploi impersonnel. Ce sont les verbes *accidentellement impersonnels* :

> Il court des bruits fâcheux – Il a été trouvé un portefeuille.

Pour les détails, voir Appendices, § 823-827.

■ Certains verbes dits *défectifs* (détails § 828-829) se réduisent à n'être plus qu'*impersonnels* :

> Il **appert**, peu me **chaut**, il **faut** (il fallait, il faudra...).

Règles d'accord

332. Le verbe s'accorde **en personne** et **en nombre** avec son *sujet* :

> Le vent **se lève** (3ème p. s.), nous **frissonnons** (1ère p. pl.).

Aux temps composés, il peut s'accorder, de plus, *en genre* :

> Les feuilles **sont tombées** (3ème pers. du fém. pl.).

N.B. Pour les subtilités d'accord, avec un collectif, un neutre, un adverbe de quantité, plusieurs sujets, voir Appendices, § 831-833 :

> Il y aura des fruits – Paul, toi et moi luttons ensemble.

---

333. **Attention** au *participe présent,* tantôt verbe, tantôt adjectif :

■ Lorsqu'il garde sa valeur de verbe, il est *invariable* :

Une meute **hurlant** de fureur s'acharnait sur la bête.

■ Réduit au rôle d'adjectif (on l'appelle alors *adjectif verbal)*, il s'accorde, comme un adjectif qualificatif, en *genre* et en *nombre* :

Une meute **hurlante** de chiens; des meutes **hurlantes.**

334. **Attention**, surtout, au *participe passé* :

■ Employé seul, il s'accorde, comme l'adjectif qualificatif, en genre et en nombre avec le mot auquel il se rapporte :

un ami **dévoué,** des amis **dévoués,** une mère **dévouée,**
des mères **dévouées.**

■ Employé avec l'*auxiliaire* **être**, il s'accorde en genre et en nombre avec le sujet (dont il est l'attribut) :

Les feuilles *sont* **tombées,** elles *seront* **brûlées.**

■ Employé avec l'*auxiliaire* **avoir**, il s'accorde en genre et nombre avec le complément d'objet direct, si celui-ci est *devant* le verbe :

Vous *avez* **pris** la bonne route (objet *derrière* : pas d'accord).
C'est la bonne route que vous *avez* **prise** (objet devant : accord).

■ **Attention** au participe passé des *verbes pronominaux* (§ 839 sq.) :

Elles se *sont* **lavées** – Elles se *sont* **lavé** les mains.

Pour les détails, voir Appendices, § 761-844.

Particularités orthographiques

Indicatif

335. **Présent** : On distingue, par la 1ère personne du singulier, les verbes en -**e** (1er groupe), et les verbes en -**s** (2ème et 3ème groupes). Ou encore, par les trois personnes du singulier, les verbes en -**e**, -**es**, -**e**, (1er), et les verbes en -**s**, -**s**, -**t**, ou -**d** (2e et 3e) :

J'aim**e**, tu aim**es**, il aim**e** (1er) – Je pâli**s**, tu pâli**s**, il pâli**t** (2e) –
Je cour**s**, tu cour**s**, il cour**t** – Je vend**s**, tu vend**s**, il ven**d** (3e).

336. Font *exception* à cette règle générale (§795) :

● **pouvoir, valoir, vouloir**, terminés par -**x**, -**x**, -**t** :

Je peu**x**, tu peu**x**, il peu**t**; je vau**x**, tu vau**x**, il vau**t**; je veu**x**...

● **cueillir, couvrir, ouvrir**, et leurs composés; **assaillir, offrir, souffrir, tressaillir**, terminés en -**e**, -**es**, -**e**, comme s'ils étaient du 1er groupe, alors qu'ils sont du 3e (§ 783) :

Je cueill**e**, tu couvr**es**, il ouvr**e** – J'assaill**e**, tu offr**es**, il souffr**e**.

● **aller, avoir, vaincre** et **convaincre** (§ 775 et 806) :

Je vai**s**, tu va**s**, il v**a** – J'a**i**, tu a**s**, il **a** – Je vainc**s**, tu vainc**s**, il vain**c**
– Je convainc**s**, tu convainc**s**, il convain**c**.

337. Le **1er groupe**, tout régulier qu'il est, a ses curiosités, ses particularités : verbes en **-cer**, **-ger**, **-yer**, **-eler**, **-eter**... (voir § 774-776). Sans parler de :

interpeller et *regretter*, qui gardent toujours double consonne;
aller et *envoyer*, qui sont irréguliers.

338. Le **2ème groupe**, *inchoatif*, présente aussi quelques particularités, avec sa syllabe intercalaire **-iss-** à certains temps, entre le radical et la terminaison, avec le verbe *haïr* et son *tréma* envahissant, avec quelques autres curiosités. Voir Appendices, § 778-780.

339. Quant au **3ème groupe**, verbes en **-ir**, **-oir**, **-re**, il ne contient guère que des *verbes irréguliers*. Voir Appendices, § 782 sq.

340. **Imparfait** : Tous les verbes ont les mêmes terminaisons :

-ais, **-ais**, **-ait**, **-ions**, **-iez**, **-aient**.

Attention ! Ne pas oublier le **i** dans **-ions**, **-iez**, surtout dans les verbes où la prononciation ne diffère pas du présent. Ex. : verbes en **-yer**, **-ier**, **-iller**, **-gner** :

nous pay-**ions**, vous pay-**iez** (présent : nous pay*ons*, vous pay*ez*).
nous copi-**ions**, vous copi-**iez**, nous fouill-**ions**, vous fouill-**iez**,
nous cogn-**ions**, vous cogn-**iez**...

N.B. **Fleurir,** 2ème groupe, a deux imparfaits : *fleurissait* et *florissait* (au figuré) :
Les vergers **fleurissaient**; les arts **florissaient** (à cette époque).

---

341. **Passé simple** : Pour éviter les barbarismes, si fréquents, hélas !, retenons bien les terminaisons du passé simple :

1er groupe : **-ai**, **-as**, **-a**, **-âmes**, **-âtes**, **-èrent** :
je chantai, tu chantas...

2ème groupe : **-is**, **-is**, **-it**, **-îmes**, **-îtes**, **-irent** :
je rougis, tu rougis...

3ème groupe : **-is**, **-is**, **-it**, **-îmes**, **-îtes**, **-irent** :
je servis, tu servis...
-us, **-us**, **-ut**, **-ûmes**, **-ûtes**, **-urent** :
je courus, tu courus...
-ins, **-ins**, **-int**, **-înmes**, **-întes**, **-inrent**, pour *tenir, venir*
et leurs composés (§ 789) :
je tins, je retins, je vins, je parvins...

342. *Remarques*

■ Veillons à la *prononciation* correcte de :
Je chant**ais** (imparfait : son -è), je chant**ai** (passé simple : son -é).

■ Au XVIe siècle, le passé simple en **-is** a eu tendance à se généraliser (certains patois actuels en ont gardé des traces) :

> Un petit enfant se **laissit** choir... il **se relevit**...
> (*Molière, Le Médecin malgré lui*, I, 5).
> Ci-gît le chien de Brisquet qui n'**allit** qu'une fois au bois et que le loup **mangit** *(Nodier).*

■ Certains verbes n'ont *pas de passé simple* :

> *braire, bruire, clore, frire, luire, paître, traire, absoudre...*

343. **Futur simple** : Le futur est un *faux temps simple* : c'est en réalité la fusion d'une locution : infinitif + présent du verbe *avoir* :

> j'aimer**ai** (= j'ai à aimer, j'aimer-**ai** = il se peut que j'aime :
> on n'est jamais sûr de l'avenir !..., et non j'aim-**erai**),
> je finir-**ai**, je prendr(e)-**ai**, je vendr(e)-**ai**, je boir(e)-**ai**...

Ses terminaisons (dont deux tronquées) sont donc :

> -**ai** (prononcé -é), -**as**, -**a**, (av)-**ons**, (av)-**ez**, -**ont**.

344. *Remarques*

Il faut se méfier :

■ des **futurs** influencés par l'orthographe de l'*indicatif présent* :

> *je gèlerai, je paierai* (payerai), *je broierai, j'essuierai;*

■ des **futurs** plus ou moins *irréguliers* comme :

> *Je courrai* (de l'ancien infinitif courre, je courr(e)-ai;
> cf la chasse à courre).
> *Je mourrai, j'acquerrai, je pourrai, je devrai, j'irai, je viendrai, je verrai, je ferai, je cueillerai, je saurai, je vaudrai, je voudrai, je tiendrai, je recevrai...*

N.B. **Voir** (je verrai) a influencé **envoyer** et **renvoyer** : j'enverrai, je renverrai.
Dites bien : je **conclurai**, 3ème groupe, conclur(e)-ai, et non *concluerai !

---

345. **Futur du passé**, ou conditionnel présent : parallèle au futur, c'est aussi un *faux temps simple* : infinitif + imparfait de *avoir* :

> *J'aimerais* (= j'avais à aimer, j'aimer-(av)ais; et non j'aim-erais).

Ses terminaisons, toutes tronquées, sont donc :

> -(av)**ais**, -(av)**ais**, -(av)**ait**, -(av)**ions**, -(av)**iez**, -(av)**aient**.

Les mêmes curiosités qu'au *futur* s'y rencontrent :

> *Je gèlerais, je courrais, j'irais, j'enverrais, je conclurais...*

N.B. **Attention** : Ne confondons pas :
Je courais (imparfait : *un seul* r), et je courrais (futur du passé : *deux* r).

Autres modes

346. Impératif présent : *À la 2ème personne du singulier,* on distingue les verbes en **-e** (1er groupe) et les verbes en **-s** (2ème et 3ème groupes) :

> *Avance, marche, saute; bondis, saisis; pars, cours, bois, tiens...*

Les mêmes exceptions qu'à l'indicatif présent (§ 336) se retrouvent :

> *Cueille, accueille, recueille, couvre, recouvre, découvre, ouvre, rouvre, entrouvre, assaille, offre, souffre, tressaille, va.*

Sont calqués sur le subjonctif :

> *Aie, sois, sache, veuille* (mais *veux* en emploi absolu, § 795).

347. *Remarques*

■ *Par souci d'euphonie,* afin d'éviter un hiatus, on ajoute un -s aux verbes en **-e,** et à **va,** devant les pronoms **en** et **y,** non suivis d'un infinitif.

> *Vas-y, manges-en, retournes-y, cueilles-en, offres-en...*

mais : *Retourne / y faire un tour, Va / y porter cette lettre*

■ *On écrit* : **Va-t'en** avec **t',** élision du pronom personnel **te,** et non **-t-** euphonique, comme dans : *ira-t-il, dira-t-on, chante-t-elle...*
A preuve le pluriel, avec pronoms : allons-*nous*-en, allez-*vous*-en.

N.B. Dans la *locution interjective* **A Dieu vat !**, et malgré l'opinion couramment admise, **vat** n'est pas l'impératif **va** (avec un -t postiche, comme dans « Malbrough s'en va-t-en guerre », « un va-t-en-guerre », « un *va-t-et-vient* »). C'est un *hybride franco-breton* ! (voir § 501).

---

348. *Au pluriel,* les deux formes se calquent sur l'indicatif :

> *Mangeons,* (nous mangeons). *Courez,* (vous courez).

Attention à :

> *ayons, ayez; soyons, soyez* (pas d'**i** après l'**y,** faute fréquente)
> *veuillons, veuillez* (absolument : *voulons, voulez*), *sachons, sachez.*

349. Subjonctif présent : Les trois groupes ont les mêmes terminaisons : **-e, -es, -e, -ions, -iez, -ent** :

Que j'	*aim-*e,	que je	*fin-iss-*e,	que je	*voi-*e.
Que tu	*aim-*es,	que tu	*fin-iss-*es,	que tu	*voi-*es.
Qu'il	*aim-*e,	qu'il	*fin-iss-*e,	qu'il	*voi-*e.
Que nous	*aim-*ions,	que nous	*fin-iss-*ions,	que nous	*voy-*ions.
Que vous	*aim-*iez,	que vous	*fin-iss-*iez,	que vous	*voy-*iez.
Qu'ils	*aim-*ent,	qu'ils	*fin-iss-*ent,	qu'ils	*voi-*ent.

350. *Remarques*

■ *Se méfier* du 1er groupe, où l'on peut confondre les 3èmes pers. du singulier et du pluriel avec les mêmes personnes de l'indicatif présent :

> *Je sais qu'il* **écoute** *(indic.). Je veux qu'il* **écoute** *(subj.).*

■ *Se méfier* des deux premières personnes du pluriel (aux 3 groupes), qu'on peut confondre avec l'indicatif imparfait :

> *Je savais que vous* **écoutiez** *(imparfait),*
> *Je veux que vous* **écoutiez** *(subjonctif).*

■ *Ne confondez pas,* au 3ème groupe :

> *Je sais qu'il* **voit** *clair (indicatif),*
> *Je veux qu'il* **voie** *clair (subjonctif).*

■ **Attention** à *avoir* et *être*, qui ne suivent pas la règle générale :

> que *j'aie,* que *tu aies,* qu'*il ait* (-e, -es, -t, au lieu de -e);
> que *je sois,* que *tu sois,* qu'*il soit* (-s, -s, -t);
> que *nous ayons,* que *vous ayez,* que *nous soyons,* que *vous soyez*
> (pas d'**i** après l'**y**, comme à l'impératif, voir § 348);
> (cf que nous pay-**ions**, que vous copi-**iez**, que nous voy-**ions**...).

351. Subjonctif imparfait : Pour éviter les barbarismes, trop fréquents, sachons qu'il est en rapport étroit avec l'*indicatif passé simple* (§ 341). Il suffit de partir de la 2ème personne du singulier :

> tu *aimas* → que tu **aimas-ses**; tu *vins* → que tu **vins-ses**;
> tu *eus* → que tu **eus-ses**; tu *fus* → que tu **fus-ses**...

Ses terminaisons sont donc :

> 1er groupe : **-asse, -asses, -ât, -assions, -assiez, -assent.**
> 2ème groupe : **-isse, -isses, -ît, -issions, -issiez, -issent.**
> 3ème groupe : **-isse, -isses, -ît, -issions, -issiez, -issent,**
> **-usse, -usses, -ût, -ussions, -ussiez, -ussent,**
> **-insse, -insses, -înt, -inssions, -inssiez, -inssent**; (pour *tenir, venir,* et leurs composés : *retenir, parvenir...*) :
> *Que j'aimasse,* que j'*entrasse* (1er),
> *Que je finisse,* que je *pâlisse* (2e)
> *Que je partisse,* que je *reçusse,* que je *tinsse,* que je *vinsse* (3e)...

352. *Remarques*

■ A la 3ème personne du singulier, n'oublier ni le **-t** *final,* ni l'*accent circonflexe* sur la voyelle qui le précède. A distinguer du passé simple :

> Il eu**t**, qu'il e**ût**; il fu**t**, qu'il f**ût**; il aim**a**, qu'il aim**ât**;
> Il fini**t**, qu'il fin**ît**; il bu**t**, qu'il b**ût**; il revin**t**, qu'il revin**t**...

Attention. Ne pas confondre :

> qu'il **bâtît** *(bâtir)* et qu'il **battît** *(battre)...*

■ Dans les verbes du 2ème groupe, les *subjonctifs présent* et *imparfait* semblent ne différer qu'à la 3ème personne du singulier :

> *Je veux qu'il* **finisse** *(présent) – Je voulais qu'il* **finît** *(imparfait).*

En réalité les autres personnes diffèrent aussi, selon qu'elles ont ou non la *syllabe intercalaire* -**iss**- (voir § 338, et Appendices, § 777 et 778 N.B.) :

> *Que nous fin*-**iss**-*ións* (présent); *que nous fin*-**issions** (imparfait).

353. Participe présent : Nous avons vu, § 333, qu'il est *invariable* quand il a valeur de verbe, *variable* en valeur adjective :

> Une meute **hurlant** de fureur; la meute **hurlante** des chiens.

Ajoutons qu'il peut avoir *deux orthographes* selon qu'il est *verbe* ou *adjectif* :

> **suffoquant** (verbe), *suffocant* (adjectif); **fatiguant,** *fatigant;*
> **provoquant,** *provocant;* **négligeant,** *négligent;*
> **précédant,** *précédent;* **communiquant,** *communicant;*
> **naviguant,** navigant; **vaquant,** *vacant...*
> (+ les doublets : **sachant,** *savant;* **pouvant,** *puissant;* **valant,**
> *vaillant;* cf aussi **fleurissant,** *florissant :* voir § 340, N.B.)

354. Participe passé : Gare à sa *lettre finale* et penser au féminin :

> au 1er groupe : -**é** : *aim***é**, (aim**ée**);
> au 2ème groupe : -**i** : *fin***i** (fin**ie**); except. *maudit*(**e**);
> au 3ème groupe : -**i**; -**u**; -**s**; -**t** : *serv***i**, (*serv***ie**); reç**u**, (reç**ue**);
> mi**s**, (mi**se**); fai**t**, (fai**te**); exception : né, née.

355. *Remarques*

■ Le participe passé de **être**, *été*, est *invariable;*

■ On écrit : *dû, due, dus, dues* (devoir); *crû, crue, crus, crues* (croître), *mû, mue, mus, mues* (mouvoir).
Seul le masculin singulier a l'accent circonflexe.

■ Notons : *dissous, dissoute* (+ dissolu, en *adjectif*) (dissoudre); *absous, absoute* (+ absolu, en *adjectif*) (absoudre); *résolu, résolue* (plus fréquent que *résous, résoute*. Ex. : un brouillard *résous* en pluie)
(résoudre); *conclu, exclu* (mais : *inclus, reclus, occlus*).

■ *Béni, bénie* (bénir) a un doublet : *bénit* (pain), *bénite* (eau).

■ *Dit, dite* se soude à l'*article défini* ou à l'adverbe **sus** :

> *Ledit, ladite, lesdits, lesdites; audit, auxdit(e)s; dudit, desdit(e)s;*
> le *susdit*, la *susdite*, les *susdit(e)s.*

■ Certains participes passés sont invariables (§ 838 N.B.).

Temps composés

356. A quelque mode que soit un temps composé, il faut bien veiller :
• à l'emploi exact de *l'auxiliaire*, § 324-325.
• à l'accord éventuel du *participe passé*, § 334 et § 835 sq. :

> Les vents **ont soufflé** – Les feuilles **sont tombées**.

357. Attention !

■ *Ne pas confondre :*

- *Elle est punie* (présent passif); *elle est tombée* (p. comp. actif)
- *Il sera puni* (futur passif); *il sera parti* (futur antérieur actif)...

■ *Ne pas confondre :*

- *Je fus heureux / quand il* **eut réussi** (indicatif passé antérieur).
- *Je souhaitais / qu'il* **eût réussi** (subjonctif plus-que-parfait).
- *J'eusse applaudi / s'il* **eût réussi** (conditionnel passé 2e forme).

Les tours (tournures, formes)

358. Un verbe, une forme verbale, enfin, peut se présenter au **tour** (on dit aussi *tournure*, ou *forme*) :

affirmatif : *Il rit, rions, qu'ils rient, en riant...*
négatif : *Il ne rit pas, ne riez pas, ne pas rire...*
interrogatif : *Rirez-vous?; auraient-ils ri?...*
interro-négatif : *Ne riras-tu pas?; n'auriez-vous pas ri?...*

N.B. Ne *confondons* pas les deux expressions voisines :
– **forme du verbe** : c'est le tour, la tournure du verbe dans la proposition.
– **forme verbale** : c'est l'aspect (temps simple, temps composé, locution verbale) sous lequel se présente tout verbe, quel que soit son tour.

---

359. Le **tour négatif** utilise l'adverbe de négation **ne**, suivi :

- des *anciens noms* : **pas, point, mie, goutte.**
- des *pronoms, adjectifs, adverbes* : **rien, personne, aucun, jamais.**
- de la *conjonction* **ni**, seule ou répétée, voir § 494 :

On **n**'y voit **goutte** – Je **ne** vois **rien** – Je **ne** peux **ni ne** veux.

■ Aux *temps simples*, le verbe se place entre les deux éléments, à tous les modes (infinitif excepté : **ne pas** rire, **ne rien** voir) :

Je **ne** dormirai **point** sous de riches lambris *(La Fontaine).*

■ Aux *temps composés*, l'auxiliaire seul se place entre les deux éléments, à tous les modes (infinitif compris : **n**'avoir **pas** ri; **n**'être **pas** sorti) :

Je **ne** l'ai **point** encore embrassé d'aujourd'hui *(Racine).*

360. *Remarques*

■ **Rien, personne, aucun, jamais** peuvent précéder **ne** :

Rien ne me réussit – **Personne** ne vient – **Jamais** elle ne sourit.

■ **Ne** est parfois seul exprimé (voir § 466) :

Je **ne** sais – Si je **ne** m'abuse.

■ Attention au **ne** *explétif* (et non négatif) (voir § 467) :

   Je crains qu'il **ne** vienne.

■ Ne pas *confondre* (voir § 467) :

   On entend bien (affirmatif) et *on n'entend **rien*** (négatif; avec **n'**).

361. Le **tour interrogatif** n'existe qu'à l'*indicatif* et au *conditionnel* :

   Rirez-vous? – **Aurions**-nous ri?

■ Aux *temps simples*, le pronom sujet suit immédiatement le verbe, auquel il est relié par un trait d'union :

   Où vas-**tu**? – Que sais-**je**? – Quand reviendrez-**vous**?

■ Aux *temps composés*, le pronom sujet suit l'auxiliaire (ou le 1er élément de l'auxiliaire composé) :

   Avez-**vous** réfléchi? – Aurions-**nous** été trahis?

362. *Remarques*

■ Le gallicisme **est-ce que?** remplace souvent l'inversion (surtout à la 1ère personne du singulier, voir Appendices, § 764) :

   Est-ce que je rêve? (= Rêvé-je?) – *Est-ce que je pars?*

■ Notons le -**t**- *euphonique* après -**e** ou -**a** (voir § 712) :

   Chante-**t**-elle? – A-**t**-elle ri? – Viendra-**t**-il?

■ Dans le style familier, l'interrogation peut se marquer par la simple *intonation*, sans inversion du pronom sujet :

   Tu viens? – Vous avez fini? – Tu te tais? – Vous viendrez demain?

■ Pour l'emploi de l'interrogation en subordonnée, voir § 630-638 :

   Où es-tu? – Dis-moi / **où tu es**...

363. Le tour **interro-négatif** n'existe qu'à l'*indicatif* et au *conditionnel* :

   Ne **rirons**-nous pas? – N'**auriez**-vous pas **ri**?

■ Aux *temps simples*, la négation encadre et le verbe et le pronom sujet inversé :

   Ne viendrez-vous **pas**? – **Ne** comprendras-tu **jamais**?

■ Aux *temps composés*, la négation encadre l'auxiliaire (ou le 1er élément de l'auxiliaire composé) et le pronom sujet inversé :

   N'avez-vous **pas** réfléchi? – **N'**as-tu **jamais** été puni(e)?

364. *Remarques*

■ Le gallicisme **est-ce que?** s'emploie aussi dans le tour interro-négatif, à la place de l'inversion du sujet :

   Est-ce que vous ne viendrez pas? –
   Est-ce que tu n'as jamais été puni(e)?

■ Dans le style familier, le tour interro-négatif peut aussi se marquer par la simple *intonation*, sans inversion du pronom sujet :

   Vous ne viendrez pas? – Elle n'a pas encore compris?

365. En plus des *quatre tours officiels*, affirmatif, négatif, interrogatif, interro-négatif, le *verbe*, ou plus exactement la proposition (indépendante, principale ou subordonnée) peut avoir valeur **exclamative** :

> Est-il stupide ! – A-t-elle été odieuse ! – Quel courage il montre ! – Je vous laisse imaginer / quelle fut notre déception !

366. Faire l'**analyse grammaticale** d'un verbe, d'une forme verbale, c'est indiquer :

■ *son infinitif présent et son groupe* (1er, 2e, 3e).

■ *sa voix,* active, passive, pronominale, et, le cas échéant, préciser s'il est en emploi impersonnel ou unipersonnel.

■ *son sens :*
– transitif ou intransitif, pour la voix active;
– réfléchi, réciproque, passif ou vague, pour la voix pronominale.

■ *son tour* (affirmatif, négatif, interrogatif, interro-négatif; et, le cas échéant, exclamatif).

■ *son mode*
– personnel : indicatif, conditionnel, impératif, subjonctif.
– impersonnel : infinitif, participe, gérondif.

■ *son temps*

■ *sa personne et son nombre,* 1ère, 2e, 3e, singulier, pluriel.

Exemple :

> Je *ne t'aurais pas puni(e)*, si tu avais avoué ta faute.

> **n'aurais pas puni(e)** : *Verbe* **punir**, 2e groupe. *Voix* active. *Sens* transitif (il a un complément d'objet : **t'**). *Tour* négatif. *Mode* conditionnel.
> Temps passé 1re forme. 1ère *personne* du *singulier.*

MODES ET TEMPS

▬▬▬ L'indicatif

367. Nous avons vu, § 318, que l'**indicatif** est le *mode du réel;* nous avons vu aussi, § 319, qu'il est, de loin, le plus riche des sept modes. Il a officiellement *huit temps,* qui vont deux par deux : présent et passé composé, imparfait et plus-que-parfait, passé simple et passé antérieur, futur simple et futur antérieur :

> Je chante, j'ai chanté; tu chantais, tu avais chanté;
> Il chanta, il eut chanté; elle chantera, elle aura chanté.

Mais nous avons dit (et l'expliquerons, § 388 et 389) qu'il a plutôt *dix temps,* et même plus (avec semi-auxiliaires et temps surcomposés).

368. En voici un tableau (verbe **blesser,** 1er groupe, 1ère p. du sing.) :

	Actif	Passif	Pronominal
Présent	je blesse	je suis blessé(e)	je me blesse
Imparfait	je blessais	j'étais blessé(e)	je me blessais
Passé simple	je blessai	je fus blessé(e)	je me blessai
Passé composé	j'ai blessé	j'ai été blessé(e)	je me suis blessé(e)
Passé antér.	j'eus blessé	j'eus été blessé(e)	je me fus blessé(e)
Plus-que parfait	j'avais blessé	j'avais été blessé(e)	je m'étais blessé(e)
Futur simple	je blesserai	je serai blessé(e)	je me blesserai
Futur antér.	j'aurai blessé	j'aurai été blessé(e)	je me serai blessé(e)
Futur du passé	je blesserais	je serais blessé(e)	je me blesserais
F. antér. du passé	j'aurais blessé	j'aurais été blessé(e)	je me serais blessé(e)
Futur prochain	je vais blesser	je vais être blessé(e)	je vais me blesser
Futur prochain du passé	j'allais blesser	j'allais être blessé(e)	j'allais me blesser
Passé récent	je viens de blesser	je viens d'être blessé(e)	je viens de me blesser
P. réc. du passé	je venais de blesser	je venais d'être blessé(e)	je venais de me blesser

N.B. Ne pas oublier les *temps surcomposés :*
      J'ai eu (j'avais eu, j'aurai eu, j'aurais eu) blessé.
      J'ai eu été (j'avais eu été...) blessé(e).

Ce tableau éclaire la richesse extraordinaire de notre indicatif; de plus, chacun de ses temps, surtout le *présent* et l'*imparfait* (voir ci-après) peut exprimer, selon le contexte, plusieurs nuances.

Le présent

369. Il exprime avant tout une *action actuelle*, en train de se produire au moment où l'on parle :

> Le jour **s'achève**, les paysans **quittent** les champs.

Ce *présent actuel* exprime, selon la valeur du verbe, une action :

> *instantanée* : La portière **claque**
> ou *continue* : La voiture **roule**.

370. Le présent peut exprimer encore diverses nuances :

■ une *action habituelle* (présent d'habitude) :

> Il **se lève** à six heures le matin et **rentre** tard le soir.

■ une *vérité générale*. Voir *proverbes* et *maximes* :

> Qui **veut** voyager loin **ménage** sa monture.

■ une *action passée*, même lointaine (présent historique, ou de narration) :

> Jeanne d'Arc **naît** à Domrémy et **meurt** à Rouen.
> Ils **demandent** le chef; je **me nomme**, ils **se rendent**
>
> *(Corneille).*

■ un *passé récent*, ou, au contraire, un *futur prochain* :

> Tu le manques de peu : il **sort** à l'instant (= *il vient de sortir*).
> Attends-moi un peu : je **reviens** (= *je vais revenir*).

■ une *action future*, en *subordonnée conditionnelle* :

> Si tu **reviens** (demain, l'an prochain), je serai content.

■ une *action future*, présentée comme *certaine* et déjà réalisée :

> C'est sûr : nous **gagnons** (ce match) ce soir.

L'imparfait

371. C'est le plus subtil des temps du passé. Il exprime avant tout une *action inachevée*, imparfaite, en cours au moment où une autre action passée se produit; c'est *le présent du passé* :

> Deux coqs **vivaient** en paix : une poule survint *(La Fontaine).*

372. **Présent du passé,** il exprime des nuances parallèles au présent :

■ une *action qui dure* dans le passé (imparfait de durée) :

> La lune **était** sereine et **jouait** sur les flots *(Hugo).*

■ une *action habituelle* (imparfait d'habitude, de répétition) :

> Il **se levait** à six heures le matin et **rentrait** tard le soir.

■ une *action située à un moment précis* (imparfait historique) :

> En 1815, Napoléon **partait** pour Sainte-Hélène;
> il y **mourait** en 1821.

■ un *passé récent* par rapport à une autre action passée :

> A peine **arrivions-nous** que l'orage éclata.

■ un *futur prochain* par rapport à une autre action passée :

Je **sortais** (= j'allais sortir) quand elle est arrivée.
J'ai appris que tu **revenais** (= allais revenir) demain.

373. Autres nuances possibles de l'imparfait :

■ un *futur antérieur du passé*, à la place d'un conditionnel passé, en présentant de façon plus vivante la chose comme *certaine :*

Sans toi, il **se noyait** – Sans ce contretemps, tu **gagnais**.

■ un *fait possible*, dans l'avenir, ou non réalisé, dans le présent, en subordonnée conditionnelle. Voir Syntaxe, § 670-673 :

Si j'**avais** un avion (*maintenant, demain*), je serais heureux.

■ une *supposition*, une menace, un souhait :

Et si je te **dénonçais** ! – Ah ! si tu **réussissais** !

■ une *atténuation*, là où le présent serait un peu brutal (imparfait de discrétion, de politesse; et aussi de tendresse) :

Vous **désiriez**, Madame? – Je **voulais** vous demander un conseil
– « Comme il **était** mignon ! Comme sa maman l'**aimait** ! »...

Le passé simple

374. Appelé autrefois *passé défini* ou *prétérit*, le passé simple exprime :

■ un *fait achevé,* qui s'est produit à un moment précis du passé, sans idée de durée, au contraire de l'imparfait :

Deux rats cherchaient leur vie; ils **trouvèrent** un œuf
(La Fontaine).

C'est le temps par excellence du *récit*, dans le style écrit. Il présente les faits successivement :

Elle **but**, s'**essuya** la bouche et **continua** *(Mérimée).*

au contraire de l'imparfait, qui présente des faits multiples comme simultanés, en tableau continu, *temps de la description* :

Le soleil **se couchait**, tout **était** calme,
la lune **montait** à l'horizon.

■ une *action souvent constatée* et présentée comme vérité générale :

Un dîner réchauffé ne **valut** jamais rien *(Boileau).*

375. *Remarques*

■ Dans la *langue parlée,* il cède le plus souvent la place au passé composé (sauf dans certaines régions : Normandie, Midi). Dans la *langue écrite* d'aujourd'hui on hésite à l'employer en dehors de la 3ème personne.

■ Il peut exprimer un fait qui dure, mais limité de façon précise par un complément de temps (durée) :

Il **marcha** trente jours, il **marcha** trente nuits *(Hugo).*

Le passé composé

376. Il exprime essentiellement une action passée, entièrement accomplie, mais sans date précise, ce qui le distingue du passé simple; on l'appelle parfois *passé indéfini* :

> J'**ai fait** ce que j'**ai pu**; j'**ai servi**, j'**ai veillé** *(Hugo).*

Mais bien souvent, dans la langue familière et parlée, il remplace le passé simple, et exprime alors une action passée, accomplie, à un moment *défini* :

> *Hier soir nous* **sommes allés** (= nous allâmes) *au théâtre.*

377. Le passé composé peut aussi exprimer d'autres nuances :

■ une *antériorité* par rapport à un présent :

> Il **a fini** son travail, il sort – Quand tu **as compris**, j'applaudis.

■ une *action achevée*, dont les effets durent encore. C'est le véritable *parfait*, résultat présent d'une action passée :

> Il **a terminé** son livre (celui-ci est donc, maintenant, terminé).

■ une *action souvent constatée*, présentée comme vérité générale :

> La discorde **a** toujours **régné** (= règne) dans l'univers.

■ une *action future proche*, présentée comme déjà accomplie :

> Attendez-moi : j'**ai terminé** dans deux minutes.

■ une *action future antérieure*, en subordonnée conditionnelle :

> Si j'**ai terminé** mon travail ce soir, nous irons au cinéma.

378. N'oublions pas le **passé surcomposé** (style familier), en subordonnée ou en indépendante :

> Quand il **a eu fini**, il est sorti – Elle **a eu vite fini** sa vaisselle.
> « Ç'**a eu payé** ». (sketch de *Fernand Raynaud*) (ça **a eu payé**).

Le passé antérieur

379. Comme son nom l'indique, il exprime essentiellement une *antériorité*, en subordonnée, par rapport à une action passée dont le verbe est au passé simple :

> Quand il **eut terminé** son travail, il *sortit* se promener.
> (Rappel § 127. Quand le roi **eut bu** (*Jarry*) → le roi **Ubu**).

Mais il peut s'employer en indépendante, ou principale, quand il exprime une action passée vite achevée, et précisée par un adverbe de temps (*vite, bientôt, en un instant...*) :

> Et le drôle **eut lapé** le tout en un moment *(La Fontaine).*

Le plus-que-parfait

380. Il exprime une action passée, antérieure à un autre fait passé, dont le verbe est à l'imparfait, au passé simple ou au passé composé :

> Quand il **avait fini** son travail, il écoutait de la musique.
> Elle **avait terminé** quand nous arrivâmes (ou sommes arrivés).

381. Le **plus-que-parfait** peut exprimer aussi d'autres nuances :

■ un *fait qui n'a pas eu lieu*, en subordonnée conditionnelle (§ 394) :

> Si j'**avais eu** un avion, j'aurais été heureux.

■ un *regret*, en indépendante exclamative :

> Si j'**avais su** ! – Ah ! si nous **avions pu** l'aider !

■ en *remplacement* d'un conditionnel passé (style plus vivant) :

> Un peu plus, tu l'**avais rejoint** (= tu l'aurais rejoint).

382. Le **plus-que-parfait** a une forme *surcomposée* (style familier) :

> À peine **avait**-il **eu fini** qu'il sortit faire un tour.

Le futur simple

383. Étymologiquement, nous l'avons vu § 343, ce n'est pas un *temps simple*. Il exprime essentiellement une action *à venir,* proche ou lointaine :

> Bientôt nous **plongerons** dans les froides ténèbres *(Baudelaire).*

384. Il peut encore exprimer d'autres nuances :

■ un *ordre atténué*, un conseil, une prière, un souhait, moins sec, moins brutal que l'impératif. Voir ci-après § 399 :

> Tu **feras** les commissions en rentrant –
> Je te **prierai** de m'écouter.

■ une *intention*, une promesse, une probabilité :

> Je **reviendrai** bientôt – Je te **rembourserai** demain.

■ une *indignation* devant un fait présent qui menace de durer :

> Quoi ! ces gens **se moqueront** de moi ! *(La Fontaine).*

■ une *vérité générale* (avec toujours, souvent, jamais) :

> Homme libre, toujours tu **chériras** la mer ! *(Baudelaire).*

■ une *action passée*, même lointaine : futur « historique », fréquent sous la plume des historiens :

> La campagne de Russie **sera** fatale à Napoléon, qui **abdiquera** à Fontainebleau et **se retirera** à l'île d'Elbe.

Le futur antérieur

385. On peut l'appeler le *passé du futur.* Il exprime avant tout une action future, en subordonnée, et antérieure à une autre action future dont le verbe est au *futur simple* :

> Quand tu **auras** assez **causé**, tu le *diras (Courteline).*

386. Mais il peut aussi exprimer, en indépendante, principale ou subordonnée :

- un *fait futur*, considéré comme déjà accompli :

> Attends-moi, **j'aurai fini** dans un petit quart d'heure.

- un *fait passé*, exprimant diverses nuances affectives : probabilité, souhait, indignation, ironie... :

> Elle **aura** encore **égaré** son parapluie ! –
> J'espère qu'ils **n'auront pas eu** d'accident –
> **J'aurai** donc **travaillé** en vain ! –
> Il **n'aura** encore **rien compris** !...

387. Le futur antérieur a une forme *surcomposée* (style familier) :

> Quand j'**aurai eu fini**, je sortirai –
> Le voleur **aura eu** vite **disparu**.

Le futur du passé

388. Parallèle au *futur*, et, comme lui, un faux *temps simple*, § 345, il est, étymologiquement, un temps de l'*indicatif*. Il remplace un futur dans une *subordonnée complétive*, après un verbe principal au passé. Voir concordance des temps, Syntaxe, § 702 :

> Je croyais / qu'il **terminerait** demain.
> (cf. Je crois / qu'il **terminera** demain).

On le trouve aussi dans le discours *semi-direct*, en indépendante (§ 708) :

> Il rayonnait : il **ferait** ce voyage, il **verrait** Venise !

Le futur antérieur du passé

389. Parallèle au *futur antérieur,* il le remplace en subordonnée complétive après un verbe principal au passé :

> Je croyais / qu'il **aurait terminé** demain.
> (cf. Je crois / qu'il **aura terminé** demain).

On le trouve aussi dans le discours *semi-direct*, en indépendante (§ 708) :

> Il rayonnait : il **aurait fait** ce beau voyage, il **aurait vu** Venise !

390. *Remarque*

Pour distinguer *futur du passé* et *futur antérieur du passé* du conditionnel présent et du conditionnel passé 1ère forme (voir ci-après), on les appelle parfois des **conditionnels-temps.**

Le conditionnel

391. Le **mode conditionnel** n'existait pas en latin. Lorsque le français a éprouvé le besoin de le créer, à l'époque romane, il s'est contenté de puiser dans l'*indicatif* et le *subjonctif*. En effet :

■ le *conditionnel présent* n'est que le futur du passé (de l'indicatif) :

J'aurais, je serais, j'aimerais, je serais aimé...

■ le *conditionnel passé 1ère forme* n'est que le futur antérieur du passé (de l'indicatif) :

J'aurais eu, j'aurais été, j'aurais aimé, j'aurais été aimé...

■ le *conditionnel passé 2e forme* n'est que le subjonctif plus-que-parfait (sans *que*) :

J'eusse eu, j'eusse été, j'eusse aimé, j'eusse été aimé...

392. En voici un tableau (**blesser,** 1er groupe, 1ère personne singulier) :

	Actif	Passif	Pronominal
Présent	je blesserais	je serais blessé(e)	je me blesserais
Passé 1ère forme	j'aurais blessé	j'aurais été blessé(e)	je me serais blessé(e)
Passé 2e forme	j'eusse blessé	j'eusse été blessé(e)	je me fusse blessé(e)

N.B. *Le conditionnel passé 1ère forme* a une *forme surcomposée* (style familier).

Ils **auraient eu** bientôt **mangé** tout le pauvre patrimoine (Perrault).

Ses valeurs et emplois

393. En progrès depuis sa création, le conditionnel est devenu un *véritable mode.* On l'appelle **conditionnel-mode,** pour le distinguer du simple *conditionnel-temps.* Voir ci-dessus : **futur du passé** et **futur antérieur du passé,** 388-390 :

Je croyais / qu'il **comprendrait** (qu'il **aurait compris**)
(Je crois / qu'il **comprendra,** (qu'il **aura compris**)

Le **conditionnel-mode** se rencontre :

394. En proposition principale. Il exprime alors une idée soumise à une condition, et peut indiquer trois nuances différentes, voir § 672 :

■ La chose *est possible*, elle porte sur l'avenir : c'est le *potentiel*
Le verbe est au *conditionnel présent* :

Si j'avais un grand bateau (un jour), je **ferais** des croisières.

■ La chose n'*existe pas*, dans l'immédiat : c'est l'irréel du présent
Le verbe est aussi (attention à l'équivoque) *au conditionnel présent* :

> Si j'avais un grand bateau (maintenant), je **ferais** des croisières.

■ La chose n'*a pas eu lieu*, dans le passé : c'est l'irréel du passé.
Le verbe est au *conditionnel passé* (1ère et, moins souvent,
2e forme) :

> Si j'avais eu un bateau, j'**aurais** (j'**eusse**) **fait** des croisières.

NB Le conditionnel *passé 2e forme* est plus recherché, plus littéraire, que le passé
1ère forme. Il peut même se trouver dans la subordonnée :

> Si j'**eusse eu** un grand bateau, j'**eusse fait** des croisières.
> L'âne, s'il **eût osé, se fût mis** en colère (*La Fontaine*).

---

395. **En proposition indépendante.** Il peut alors exprimer :

- le *désir*, le souhait, le rêve, le conseil (au présent; cf. le potentiel) :

  > J'**aimerais** voyager – Je **verrais** bien Tahiti ! –
  > Tu **devrais** te reposer

- le *regret* (au passé, 1ère ou 2e forme) :

  > J'**aurais** (j'**eusse**) **aimé** voyager –
  > J'**aurais** (j'**eusse**) bien **vu** Tahiti !

- une *atténuation* de l'indicatif, senti comme un peu trop brutal :

  > **Pourriez**-vous avancer? – Je **voudrais** un kilo de pommes.
  > On ne **saurait** (= on ne peut) penser à tout.

- une *impression*, une affirmation prudente, car non contrôlée :

  > On **dirait** (on **croirait**) un grondement d'orage.
  > Le train **aurait déraillé**, on **compterait** beaucoup de victimes.

- une *supposition*, un fait imaginé (voir les jeux d'enfants) :

  > Vous **seriez** les gendarmes, nous **ferions** les voleurs

- l'*indignation*, sous forme exclamative ou interrogative :

  > J'**ouvrirais** pour si peu le bec ! (*La Fontaine*).

L'impératif

396. **L'impératif** est le plus pauvre des quatre modes personnels :

■ Il n'a que deux temps : un *temps simple*, le présent; un *temps
composé*, le passé. Et le passé est fort rare, et limité à la voix active :

> **Finis, aie fini** à temps – **Rentre, sois rentré(e)** à sept heures

■ Chacun de ses deux temps, cf § 331, n'a que trois personnes : la
2ème du singulier, la 1ère et la 2ème du pluriel :

> Finis, finissons, finissez – Aie fini, ayons fini, ayez fini.

397. En voici un tableau (**blesser,** 1er groupe) :

	Actif	Passif	Pronominal
Présent	blesse blessons blessez	sois blessé(e) soyons blessé(e)s soyez blessé(e)s	blesse-toi blessons-nous blessez-vous
Passé	aie blessé ayons blessé ayez blessé	(inusité)	(inusité)

398. *Remarques*

■ L'impératif n'a jamais de sujet exprimé :
> Tais-toi, et mange proprement.

■ Pour les curiosités orthographiques, voir § 346-348 :
> Entre ou sors – Ouvre; va – Offres-en – Ayons; soyez...

■ Le pluriel de politesse est fréquent à l'impératif :
> **Entrez,** monsieur – **Asseyez-vous,** madame.

■ La 1ère pers. du pluriel peut signifier une 2ème pers. du sing. ou du plur. :
> **Pressons-nous,** jeune homme – **Taisons-nous,** mesdemoiselles.

et même une 1ère personne du singulier (celui qui parle s'exhortant soi-même) :
> Du cran ! **montrons-nous** un homme; et **restons** digne.

■ Pour pallier ses lacunes, l'impératif fait appel au *subjonctif*, et peut ainsi exprimer l'ordre à *toutes* les personnes :
> *singulier* : que je sorte (1ère), sors (2ème), qu'il sorte (3ème).
> *pluriel* : sortons (1ère), sortez (2ème), qu'ils sortent (3ème).

Ses valeurs et emplois

399. L'impératif exprime essentiellement : *l'ordre* (tour affirmatif), et *la défense* (tour négatif) :
> **Mange** proprement – **Ne mens pas** à tes amis.

● L'*impératif présent* exprime un futur, immédiat ou lointain :
> **Entrez** – **Revenez** la semaine prochaine (ou dans dix ans...).

● L'*impératif passé*, rare et limité à la voix active, ne se rencontre que dans des verbes exprimant l'achèvement d'une action :
> **Aie fini (terminé, achevé...), sois parti (rentré, revenu...).**

Il indique une action à exécuter, dans le futur, avant qu'une autre se produise :

> **Ayez appris** vos leçons, **ayez fait** vos devoirs,
> quand je rentrerai ce soir.

400. L'impératif peut être senti comme trop brutal, et le français, volontiers poli, donne des ordres déguisés, atténués, au moyen de :

■ *l'indicatif présent* :

> Vous **prenez** en face, vous **faites** cent mètres,
> vous **tournez** à gauche.

■ *l'indicatif futur* :

> Tu **passeras** chez le boucher, tu **commanderas** un rôti.

■ *l'indicatif imparfait*, tour interrogatif, après *si* :

> Si tu **faisais** tes devoirs? – Et si vous **vous taisiez** un peu?

■ le *conditionnel présent*, tour interrogatif :

> **Voudriez-vous** approcher?

■ *l'infinitif présent* :

> **Prendre** un cachet matin et soir –
> **Ne pas se pencher** au dehors.

401. L'impératif lui-même peut se faire moins brutal, et exprimer :

• une *invitation polie* :

> **Entrez**, messieurs, et **mettez-vous** à l'aise.

• un *conseil*, une exhortation :

> **Soigne** bien ton rhume –
> **Reprends** courage, et **oublie** cet échec.

• une *prière*, un souhait, une affirmation :

> **Aidez**-nous – **Guérissez** vite –
> **Croyez**, Monsieur, à toute ma sympathie.

• une *supposition* :

> **Dites** blanc, elle dira noir – **Fais** un pas, je t'assomme *(Hugo).*

• une *simple interjection*, enfin, où il perd toute valeur verbale :

> **Allons** ! – **Allez** ! – **Tiens** ! – **Tenez** ! – **Voyons** !...

Le subjonctif

402. Des quatre modes personnels, le **subjonctif** est le plus délicat d'emploi :

■ *C'est le mode*, essentiellement, de la *subordination*, du doute, de l'indécision, du fait possible, du fait pensé

■ *Ses quatre temps* doivent (devraient !) obéir à la stricte règle de la concordance des temps. Voir Syntaxe, § 705-707 :

Je veux / que tu **termines** (que tu **aies terminé**) à l'heure.
Je voulais / que tu **terminasses** (que tu **eusses terminé**)...

mais le français moderne, surtout dans la langue parlée, répugne à employer le *subjonctif imparfait*, et, par contrecoup, son *plus-que-parfait*, et dit (sans vergogne) :

Il fallait / que nous **écoutions**, au lieu de **écoutassions**
*Il fallait / que j'***aie fini** *à temps*, au lieu de **eusse fini** !

403. En voici un tableau (**blesser,** 1er groupe, 1ère personne singulier) :

	Actif	Passif	Pronominal
Présent	que je blesse	que je sois blessé(e)	que je me blesse
Imparfait	que je blessasse	que je fusse blessé(e)	que je me blessasse
Passé	que j'aie blessé	que j'aie été blessé(e)	que je me sois blessé(e)
Pl.-que-pft	que j'eusse blessé	que j'eusse été blessé(e)	que je me fusse blessé(e)

Ses quatre temps

404. ■ Le *présent* exprime aussi bien le futur que le présent :

Je veux / que tu **viennes** nous voir l'année prochaine.

■ L'*imparfait*, calqué sur l'indicatif passé simple (§ 351), présente parfois des formes cocasses, cacophoniques :

Je voulais / que vous **sussiez** bien vos leçons;

d'où son déclin, sauf à la 3ème p. du singulier, plus *euphonique* :

Que vouliez-vous qu'il **fît** contre trois? – Qu'il **mourût**,
Ou qu'un beau désespoir alors le **secourût** (Corneille).

■ Le *passé* marque l'antériorité par rapport au présent :

Je veux / que tu **aies terminé** *à temps* (cf que tu **termines**).

■ Le *plus-que-parfait* marque l'antériorité par rapport à l'imparfait :

Je voulais / que tu **eusses terminé** *à temps*
(cf. que tu **terminasses**).

405. *Remarques*

■ Le *subjonctif passé* a, dans le style familier, une forme *surcomposée* :

Ne me dérange pas avant que j'**aie eu fini** ce travail.

■ Le *subjonctif plus-que-parfait*, nous l'avons vu (§ 391), a servi à former le conditionnel passé 2ème forme, sans *que* :

> *Il voulait / que j'*eusse fini *à temps* (subjonctif plus-que-parfait).
> *J'*eusse fini *à temps sans ce contretemps* (conditionnel passé 2ème forme).

■ Pour *les confusions à éviter*, voir § 352 :

> Je veux que tu **finisses** (subj. présent); je voulais que tu **finisses** (subj. imparfait).
> Je sais qu'il **fut** bon (indic. passé simple); je voulais qu'il **fût** bon (subj. imparfait).

Ses valeurs et emplois

406. On le rencontre surtout en *propositions subordonnées* :

■ *complétives* introduites par la conjonction *que* (détails § 622) :

> Ah ! je ne croyais pas / *qu'il* **fût** *si près d'ici* (Racine).

■ *relatives* (détails, § 617) :

> Tu es la fille la plus avisée / *que j'*aie jamais rencontrée
> *(G. Sand)*

■ *circonstancielles* (détails, § 643; 649; 655; 660; 667; 671; 685).

> Il était généreux / *quoiqu'il* **fût** *économe* (V. Hugo).

407. Mais on le rencontre aussi en *indépendante* ou en *principale*. Il peut y exprimer diverses nuances :

■ *l'ordre* ou la *défense*. Voir ci-dessus, l'impératif :

> Que chacun **se retire** et qu'aucun **n'entre** ici *(Corneille)*

■ le *souhait*, le *désir*, l'exhortation, la prière :

> Que monsieur saint Denis **garde** le roi de France ! *(V. Hugo)*
> Que Votre Majesté **ne se mette pas** en colère ! *(La Fontaine)*

■ la *supposition* :

> Qu'on **dise** blanc, elle dit noir

■ la *concession*, l'opposition :

> Qu'ils **se soient enrichis**, ils restent bien vulgaires.

■ *l'indignation* :

> Moi, des tanches, dit-il; moi, héron, **que je fasse**
> Une si pauvre chère ! Et pour qui me prend-on? *(La Fontaine)*

408. *Remarque*

Le **subjonctif** n'est pas toujours introduit par *que* :

> **Puisses-tu** réussir ! *(souhait)*.
> **Soit** un triangle isocèle *(supposition)*.
> **Viennent** les beaux jours, nous sortirons *(temps et condition)*.
> Je **ne sache pas** que tu aies répondu *(affirmation atténuée)*.

Sauve qui peut; **coûte** que **coûte**;
vaille que **vaille**; **advienne** que pourra; **vogue** la galère;
plaise (**plût**) aux Dieux; grand bien te **fasse**;
comprenne qui pourra (*expressions figées*)
Fût-il; **fût**-ce; ne **fût**-ce que; **dussé**-je (**dût**-il; **dussions**-nous)
partir; **eût-il triomphé**; **fût-elle revenue**... (*imparfaits et
plus-que-parfaits hypothétiques*).

▦ L'infinitif

409. L'**infinitif** est la forme la plus dépouillée de l'expression verbale.
Sans le contexte, il est difficile de lui trouver une valeur de personne,
de nombre, de temps, et même de mode. C'est la *forme nominale* du
verbe, § 318. On l'appelle aussi *nom verbal*, et l'on a pris l'habitude de
le baptiser *mode impersonnel*, comme le participe et le gérondif :

avoir, être, calmer, finir, boire...

Ses temps

410. L'**infinitif** *a deux temps* : un *temps simple*, le présent, et un *temps
composé*, le passé :

Avoir, être; aimer, finir, prendre; aller, venir, partir...
Avoir eu, avoir été; avoir aimé (fini, pris); être allé (venu, parti)...

	Actif	Passif	Pronominal
Présent	blesser	être blessé(e)(s)	se blesser
Passé	avoir blessé	avoir été blessé(e)(s)	s'être blessé(e)(s)

411. L'*infinitif présent* a divers emplois :

■ Il est *tantôt verbe* et *tantôt nom* (voir détails ci-après).

■ *En emploi temporel*, il exprime la simultanéité par rapport au
verbe dont il dépend, c'est-à-dire le présent, le passé ou le futur :

Il peut (il pouvait, il pourra) **parler** anglais.

■ *Il a souvent* une valeur de futur :

J'espère **revenir** dans deux ans.

■ *A la voix active*, il est parfois *bivalent*, c'est-à-dire qu'il a un sens
actif ou passif selon le point de vue auquel on se place :

Terrain **à vendre** (*actif*, si l'on pense au vendeur; *passif*, si l'on
pense au terrain) – *Appartement* **à louer** - *Travail* **à terminer**...

■ Après *faire, envoyer, mener, laisser*, l'infinitif présent pronominal
prend curieusement un aspect de voix active :

Je l'ai envoyé **promener** – Faites-les **taire**.

■ *Il fait corps* avec le semi-auxiliaire qui le précède (voir § 326) :

Il **vient de rentrer** – Elle **allait sortir**...

412. L'*infinitif passé* exprime :

■ essentiellement l'*antériorité*, par rapport au verbe dont il dépend, avec ou sans préposition :

Il sort (il sortit, il sortira) *après* **avoir terminé** *son travail.*
Je crois (je croyais, je croirai) **avoir agi** *pour le mieux.*

■ parfois même *l'avenir*, le futur, après verbe au présent (ou au passé) :

Il espère **avoir fini** *ce soir* (= qu'il aura fini : futur antérieur).
Il espérait **avoir fini** *à temps* (= qu'il aurait fini : futur antérieur du passé).

413. *Remarques*

■ **Attention** ! Ne pas confondre :
  • être blessé, être puni, être vu, être poursuivi... *présents passifs.*
  • être allé, être venu, être sorti, être parti..., *passés actifs.*

■ L'*infinitif passé* a une forme *surcomposée* (style familier) :

Il est parti après **avoir eu fini** son travail.

■ *Mode impersonnel*, et invariable, l'infinitif varie du moins en personne à la voix pronominale. C'est le pronom complément qui varie :

Je peux **me blesser**, *tu peux* **te blesser**, *il peut* **se blesser**,
nous pouvons **nous blesser**, *vous pouvez* **vous blesser**,
ils peuvent **se blesser**
Après **m'être** (**t'être**, **s'être**, **nous être**, **vous être**, **s'être**)
blessé(e)(s), **j'ai** (**tu** *as*, **il** *a*, **nous** *avons*, **vous** *avez*, **ils** *ont*) pris du repos

■ *Mode impersonnel*, invariable, il peut varier en *genre* et *nombre* :

J'espère **m'être trompé** (ou **trompée**) – *Vous partirez après*
vous être reposé (ou **reposée**, ou **reposés**, ou **reposées**).

Ses valeurs et emplois

414. L'infinitif, nous l'avons dit, a tantôt pleine valeur de *verbe*, tantôt simple valeur de *nom*.

415. **L'infinitif-nom**. Réduit au rôle de nom, il est bien la *forme nominale* du verbe. On peut alors le remplacer par un nom équivalent :

Mentir est honteux = **Le mensonge** est honteux – Il aime **lire**
(= **la lecture**) – La crainte de **mourir** (= **de la mort**)...

416. *Équivalent du nom*, il en a toutes les fonctions possibles. Voir Syntaxe, § 514 sq. :

Mentir (*sujet*) est honteux – Je veux **partir** (*objet*) – Il est puni pour avoir menti (*cause*) – Il respire la joie **de vivre** (*c. de nom*) – Il n'a que trois soucis : **boire, manger, dormir** (*appositions*)...

417. L'infinitif joue si bien un rôle de nom qu'il peut le devenir effectivement : c'est l'*infinitif substantivé* :

■ on le trouve alors le plus souvent précédé de *l'article* :

> *le boire, le manger, le dormir, le savoir, le pouvoir*...

■ on le rencontre même au pluriel (ce mot dit « invariable» !) :

> *les vivres, les devoirs, les pouvoirs, les rires, les dires*...

■ certains anciens infinitifs ne se rencontrent plus que comme *noms* :

> *loisir, plaisir, avenir, nonchaloir, manoir*...

418. L'infinitif-verbe. Si l'infinitif-nom relève de l'analyse grammaticale, l'infinitif-verbe, noyau de proposition, relève, lui, de l'*analyse logique*. On le rencontre soit en *proposition indépendante* ou *principale,* soit en *proposition subordonnée.*

419. En indépendante *ou principale.* Il exprime alors :

■ l'*ordre* ou la *défense*, plus général et impersonnel que l'impératif :

> Bien **faire** et **laisser** dire – **Ralentir**, travaux – **Ne pas se pencher** au dehors – **S'adresser** au guichet A – **Agiter** le flacon...

■ l'*interrogation*, à valeur de délibération, d'hésitation :

> Que **faire**? Que **devenir**? Où **aller**? *(Hugo)*

■ l'*exclamation* ou l'*interrogation* (indignation, étonnement, regret, souhait). Il équivaut alors à un conditionnel ou à un subjonctif (§ 395, 407) :

> Moi, te **trahir** ! (= je te **trahirais** ! = que je te **trahisse** !) Lui, **avoir menti** ainsi ! – **Voir** Naples et **mourir** !...

■ l'*affirmation*, avec un **de** *explétif* à la place d'un indicatif passé. C'est l'*infinitif de narration*, avec sujet exprimé ou omis :

> Et grenouilles **de se plaindre** (*La Fontaine*) Et chacun **de crier** – Et tous **d'applaudir** – Et **de rire**.

420. *Remarques*

■ Quoique *impersonnel*, l'infinitif-verbe contient, selon le contexte, une idée précise de personne :

> **Ralentir**, travaux (= *ralentissez* : 2ème personne du singulier ou du pluriel). Ils furent punis; et **de protester** (3ème personne du pluriel).

■ Il fait corps avec le semi-auxiliaire, § 326 et 411. Il ne s'analyse pas séparément, il est l'élément essentiel du verbe :

> Il **va partir** (= il *partira* bientôt); Elle **semble avoir souffert** (= elle *a souffert* apparemment).

421. En subordonnée. Il est alors le verbe d'une proposition :

■ *complétive infinitive*, § 624-630, avec sujet exprimé (mais souvent inversé) :

> J'entends / **les cloches sonner** – J'entends / **siffler un merle**

■ *complétive interrogative*, § 631-639, sans sujet exprimé :

> Je ne savais / que **dire**; il ne savait / que **faire**.

■ *relative*, § 611-617, sans sujet exprimé :

> Je cherche un coin tranquille / où **passer** mes vacances.

422. *Remarque*

L'infinitif complément circonstanciel peut être considéré comme l'équivalent d'une subordonnée circonstancielle (§ 698) :

> Il partit **après avoir fini** (= après qu'il eut fini) : *temps.*
> Il fut puni **pour avoir triché** (= parce qu'il avait triché) : *cause.*
> Il court **pour arriver à temps** (= pour qu'il arrive...) : *but...*

N.B. Le sujet, *non exprimé*, de l'infinitif circonstanciel doit être le même que celui du verbe dont il dépend. A l'époque classique, la construction était moins stricte :

> *Allons, rends-le-moi* **sans te fouiller** *(Molière)* (= sans que je te fouille)
> *Le temps léger s'enfuit* **sans m'en apercevoir** *(Desportes)* (= sans que je m'en aperçoive)...

▉▉▉▉ **Le participe**

Ses temps

423. Comme l'infinitif, le participe est un mode dit *impersonnel.* Comme l'infinitif, il n'a que deux temps : un *temps simple*, le présent, et un *temps composé*, le passé :

> ayant, étant; aimant, finissant, prenant; allant, venant...
> ayant eu, ayant été; ayant aimé (fini, pris); étant allé (venu)...

	Actif	Passif	Pronominal
Présent	blessant	étant blessé(e)(s)	se blessant
Passé	ayant blessé	[ayant été] blessé(e)(s)	s'étant blessé(e)(s)

424. *Remarques*

■ **Attention** ! Ne pas confondre :
- étant blessé, étant puni, étant vu... (*participes présents passifs*);
- étant allé, étant venu, étant sorti... (*participes passés actifs*).

■ Le *participe passé* a une forme *surcomposée* (style familier) :
> Ayant eu grondé, ayant eu puni, ayant eu aperçu...

■ Le *participe passé passif* se présente sous deux formes possibles :

- une *forme composée* (avec auxiliaire) :
> Ayant été grondé(e)(s), ayant été puni(e)(s), ayant été reçu(e)(s).

- une *forme simple* (sans auxiliaire), plus légère, plus alerte :
> grondé(e)(s), puni(e)(s), reçu(e)(s).

N.B. Il en est de même pour le *participe passé actif* des verbes intransitifs utilisant l'auxiliaire être :
> étant allé(e)(s) ou allé(e)(s), étant parti(e)(s) ou parti(e)(s).

■ Le *participe passif* de *forme simple* est *présent* ou *passé* :
> **Gâté** (= étant gâté) *par les siens, cet enfant est odieux.*
> **Gâté** (= ayant été gâté) *jadis, cet homme supporte mal la vie.*

■ Le participe passé *pronominal* de forme simple perd son aspect de pronominal :
> **accoudé** (= s'étant accoudé), **évanoui** (= s'étant évanoui) ...

■ *Mode impersonnel*, et invariable comme l'infinitif, le participe varie du moins en personne, à la *voix pronominale* :
> **me** calmant, **te** calmant, **se** calmant, **nous** (**vous, se**) calmant.
> **m'** (**t', s'**) étant calmé(e), **nous** (**vous, s'**) étant calmé(e)s.

■ Et, comme l'infinitif, le participe peut varier en *genre* et *nombre* :
> **M'étant trompé(e)** de chemin, j'ai perdu du temps (m. ou f. s.).
> **Ayant été trahi(e)s,** nous nous vengeâmes (m. ou f. pl.).

425. Le *participe présent* exprime essentiellement la simultanéité par rapport au verbe dont il dépend : présent, passé, futur :
> On la voit, on la voyait, on la verra, **gémissant** sans cesse.

N.B. ■ Précédé du *semi-auxiliaire* **aller**, voir § 326, il exprime plutôt une *durée*, une continuité, une progression :
> La fillette va (allait, ira) **chantant.**

■ Le participe présent du *semi-auxiliaire* **devoir** exprime selon le contexte, le *futur prochain*, l'intention, la destination ou l'obligation :
> **Devant** partir ce soir, il prépare ses valises.
> (= « sur le point de », ou « disposé à », ou « obligé de » partir).

---

426. Le *participe passé* exprime essentiellement l'*antériorité* :

> **Grondé** *par le maître* (= ayant été grondé),
> *il rentrait le cœur gros.*

Mais, nous l'avons vu, il peut exprimer la *simultanéité* :

> **Grondé** *par le maître* (= étant grondé), *le cancre ricanait.*

et même le *résultat d'une action passée* :

> **Accoudée** *au balcon* (= s'étant accoudée), *la jeune fille rêvait.*

Ses valeurs et emplois

427. Comme son nom l'indique, le participe *participe* de l'état de verbe : c'est le *participe-verbe*, et de l'état d'adjectif : c'est le *participe-adjectif* (voir § 333) :

> *La meute* **hurlante** (adjectif),
> *La meute* **hurlant** *de fureur* (verbe).

428. Le participe-adjectif. Réduit au rôle d'adjectif qualificatif, présent ou passé, le participe varie en *genre* et en *nombre*. C'est la *forme adjective du verbe*, ou *l'adjectif verbal*, § 318, 333, 353-354 :

> hurlant(s), hurlante(s), enragé(s), enragée(s).

Il a alors les *quatre fonctions possibles* de l'adjectif qualificatif : épithète, attribut du sujet ou de l'objet, apposé (§ 575-589), et ses degrés de signification : positif, comparatif, superlatif (§ 238) :

> *Je lis un livre* **très captivant**
> (superlatif de supériorité absolu, épithète).
> *Son style est* **plus recherché**
> (comparatif de supériorité, attribut du sujet).

429. *Remarques*

■ Le *participe présent-adjectif* de forme *active* peut exprimer :

● une nuance *passive* :

> *Une entrée* **payante** (= qui doit être payée),
> *une couleur* **voyante** (= qui est vue)...

● une nuance *pronominale* :

> *Un enfant* **bien portant** (**méfiant, repentant**),
> *un soleil* **couchant**, *le soleil* **levant**...

● une nuance *impersonnelle* :

> *Une rue* **passante** (= où l'on passe); *un film* **parlant**;
> *une soirée* **dansante**; *une chaussée* **glissante**...

■ Le *participe passé-adjectif* peut perdre sa valeur *passive* et exprimer :

● une nuance *active* :

> *Un homme* **avisé, réfléchi, dissimulé**...

- une nuance *pronominale* :

   Une fillette **appliquée, obstinée, passionnée**...

- une nuance *impersonnelle* :

   Une place **assise** (où l'on peut s'asseoir).

■ Il arrive même qu'un participe s'emploie comme *nom* ou *mot invariable* :

   - un **débutant**, des **étudiants**; une **allée**, des **blessés**; les **nantis**, les **parvenus**...
   - **durant, pendant, vu, excepté, moyennant, nonobstant, suivant, maintenant**...

430. Le **participe-verbe**. Le participe peut conserver toute sa valeur de verbe; il relève alors de l'*analyse logique*, et on le trouve :

- comme *verbe de la proposition subordonnée participiale*, avec sujet propre (voir Syntaxe, § 687) :

   La tanche rebutée, *il trouva du goujon (La Fontaine).*
   Le départ approchant, *nous bouclons nos valises.*

- en *fonction d'épithète* ou plus souvent d'*apposition*, sans sujet propre, mais avec des compléments possibles (comme tout verbe à n'importe quel mode) :

   Une meute **hurlant** de fureur s'acharnait sur la bête.
   Trompé par le renard, le corbeau s'envola piteusement.

431. *Remarques*

■ Le *participe présent-verbe* est aujourd'hui *invariable* :

   Une meute **hurlant** de fureur, des filles **hurlant** de terreur.

mais il n'en a pas toujours été ainsi :

   J'aime la bouche **imitante** la rose *(Ronsard).*

et il nous en reste des traces : langue judiciaire, expressions *figées* :

   les **ayants** droit, les **ayants** cause, toutes affaires **cessantes,** une partie **plaignante**, séance **tenante**, à la nuit **tombante**...

■ Le *participe-verbe épithète* équivaut :

- à une subordonnée *relative* :

   C'est un garçon **s'intéressant à tout** = qui s'intéresse à tout.

- à la locution verbale **en train de** + *infinitif* :

   On le voit toujours **fumant sa pipe** = en train de fumer sa pipe.

■ Le *participe-verbe apposé* équivaut à une *circonstancielle* (§ 698) :

   Le vainqueur saluait, **brandissant** son bouquet *(temps)* *(tandis que).*
   Ayant menti à ses parents, il fut puni *(cause)* *(parce que).*
   Épuisé de fatigue, il refuse le repos *(concession)* *(bien que).*
   Guidé par de bons maîtres, il comblerait son retard *(condition)* *(si).*

432. Le **gérondif** n'est pas, comme on le croit souvent, le participe présent précédé de la préposition **en**. Ce sont, étymologiquement, deux formes différentes, que le français a fini par confondre, mais que l'italien, par exemple, continue de distinguer :

> **cantante** = *chantant* (participe),
> **cantando** = *en chantant* (gérondif).

433. Comme l'infinitif et le participe, c'est un mode dit *impersonnel*. Plus pauvre qu'eux, il n'a qu'un temps : le *présent*. Rare à la voix passive, il est très fréquent aux *voix active* et *pronominale* :

> Il siffle **en travaillant** – Elle rêve **en se promenant**.

	Actif	Passif *(rare)*	Pronominal
Présent	en blessant	en étant blessé(e)(s)	en se blessant

434. *Remarques*

■ Comme l'infinitif et le participe, ce mode dit impersonnel, et invariable, varie, du moins en personne, à la voix pronominale :

> En **me (te, se, nous, vous, se)** blessant –
> **En nous promenant** (et non **en se promenant*) hier dans la forêt, nous avons aperçu un chevreuil.

■ Anciennement, il pouvait s'employer *sans en*; il nous en reste quelques survivances, dans des locutions plus ou moins *figées* :

> Chemin faisant (= en faisant chemin); tambour battant; argent comptant; ce faisant; ce disant; aller croissant; juridiquement parlant; généralement parlant; sincèrement parlant ...

Ne pas confondre avec de simples participes présents.

■ Anciennement il pouvait aussi se construire avec d'autres *prépositions* que **en,** par exemple **à,** dans l'expression bien connue :

> à son corps **défendant** (= en défendant son corps; puis par glissement : de mauvais gré, à contrecœur).

Ses valeurs et emplois

435. Si le participe est la forme *adjective* du verbe, le gérondif en est la forme *adverbiale :* il porte sur un verbe. Il a donc toujours une valeur *circonstancielle* et, en analyse « logique », il est l'*équivalent* parfait d'une subordonnée de *temps,* de *cause,* de *condition,* ou de *concession* (voir § 698) :

> Mon père fredonnait toujours / **en se rasant** (valeur de *temps* = pendant qu'il se rasait).
> Il a provoqué un accident / **en roulant trop vite** (valeur de *cause* = parce qu'il roulait trop vite).
> Tu réussirais mieux / **en t'appliquant plus** (valeur de *condition* = si tu t'appliquais davantage).
> Elle réussit bien / **en travaillant peu** (valeur de *concession* = bien qu'elle travaille peu).

Telles sont les quatre nuances circonstancielles possibles du gérondif; mais, par atténuation, il peut prendre aussi une simple valeur de *manière* ou de *moyen* :

> Son père dort / **en ronflant** *(manière)* –
> Elle s'instruit / **en lisant** *(moyen* = par la lecture).

436. Attention ! Dans la langue actuelle, le *sujet* (non exprimé) du gérondif doit être le même que celui du verbe dont il dépend.
À l'époque classique, la règle était moins stricte et un *La Fontaine* pouvait écrire :

> Vous m'êtes **en dormant** un peu triste apparu.

Dans ce vers, « en dormant » signifie « pendant que *je* dormais », et non « pendant que *vous* dormiez ».
Il nous en reste des traces dans des expressions *clichées* comme :

> L'appétit vient **en mangeant** – La fortune vient **en dormant** –

(ce n'est pas l'*appétit* qui mange, ni la *fortune* qui dort !)
Aujourd'hui, il faut, à tout prix, éviter la grave incorrection, hélas si fréquente, en fin de lettre (voir § 723, NB) :

> ***En espérant** une prompte réponse, *veuillez* agréer...

et écrire, plus correctement :

> **En espérant** une prompte réponse, *je* vous prie d'agréer...

Ce faisant, nous évitons toute *équivoque* possible dans une phrase comme :

> **En rentrant** de l'école, *maman* me questionne.

Qui rentre de l'école? Ce ne peut être que maman, qui est professeur, ou institutrice.
Si c'est l'enfant (le fils ou la fille de maman) qui rentre de l'école, il faut dire, et écrire :

> **En rentrant** de l'école, *je* subis les questions de maman.

Les mots invariables

437. Après les cinq espèces de mots variables, nom, article, adjectif, pronom et verbe, voici les quatre espèces de mots *invariables* : l'**adverbe**, la **préposition**, la **conjonction** et l'**interjection**.

L'ADVERBE

438. L'**adverbe** est un mot *invariable* qui, placé auprès d'un autre mot (*ad* = auprès + *verbum* = mot), modifie le sens de ce mot. Ce mot peut être un *verbe*, un *adjectif* ou un *autre adverbe* :

> Il *lit* **beaucoup** – Elle est **bien** *gentille* – Tu manges **trop** *peu.*

439. On distingue deux grandes familles d'adverbes :

■ les *adverbes* dits de **circonstance**, au nombre de quatre : l'adverbe de manière, l'adverbe de quantité, l'adverbe de lieu, l'adverbe de temps.

■ les *adverbes* dits **d'opinion**, également au nombre de quatre : l'adverbe d'affirmation, l'adverbe de négation, l'adverbe de doute, l'adverbe d'interrogation.

LES ADVERBES DE CIRCONSTANCE

 **L'adverbe de manière**

Son aspect, ses formes

440. Il peut se présenter sous l'aspect :

■ d'un *adverbe simple* : bien, mieux, mal, pis, ainsi, même, exprès, debout, ensemble, plutôt, vite, volontiers... :

> **Volontiers** gens boiteux haïssent le logis (*La Fontaine*).

■ d'une *locution adverbiale* : à tort, à contrecœur, au hasard, à tâtons, à reculons, à califourchon, à tue-tête, tour à tour, au fur et à mesure, à cœur joie, à vau l'eau, en vain, à l'envi, à cor et à cri, sens dessus dessous, bon gré mal gré, petit à petit, dare-dare, de plus belle, cahin-caha, tête-bêche, tout de go... :

> Elle était arrivée **à reculons** près de la porte *(Audoux).*

■ d'un *adjectif qualificatif* employé comme adverbe (donc invariable) : bas, haut, bon, cher, clair, doux, droit, faux, fort, ferme, net... :

> C'est un petit bout de femme qui parle **haut** et **sec** *(Orieux).*

■ d'un *dérivé d'adjectif féminin* : adjectif féminin + suffixe -ment. En réalité, ce suffixe est un nom féminin (latin *mens* : esprit, *mentalité*), et c'est pourquoi l'adjectif se met logiquement au féminin) :

> Les loups mangent **gloutonnement** *(La Fontaine).*
> avec une « ment-alité », d'une manière gloutonne.

441. *Remarques*

■ De nombreux mots, ou locutions, *latins* et *italiens* s'emploient en français comme adverbes de manière : gratis, de visu, vice versa, recta, sine die, ex aequo, a priori, a posteriori, a fortiori, ad libitum, lato sensu, stricto sensu, manu militari...; allegro, piano, crescendo, lento, incognito, franco... :

> Agir **gratis**, terminer **ex aequo**, venir **incognito**.

■ Les adjectifs féminins en -**aie**, -**ée**, -**ie**, -**ue**, perdent leur -**e** final devant le *suffixe* -**ment** :

> **vrai**-ment, **aisé**-ment, **figuré**-ment, **poli**-ment, **éperdu**-ment, **résolu**-ment...

cependant on écrit :

> **gaie**-ment, **assidû**-ment, **goulû**-ment, **crû**-ment, **dû**-ment, **indû**-ment, **congrû**-ment, **continû**-ment, **nû**-ment.

■ Autres curiosités : on écrit, par exemple :

> **aveuglé**-ment *(aveugle)*, **immensé**-ment *(immense)*, **profondé**-ment *(profonde)*, **exquisé**-ment *(exquise)*, **genti**-ment *(gentille)*, **impuné**-ment *(impunie)*

■ Les adjectifs en -**ent**, -**ant** forment leur adverbe en -**emment**, -**amment** :

> prud**emment**, excell**emment**; const**amment**, vaill**amment**...

cependant on écrit :

> lente-**ment**, présente-**ment**, véhémente-**ment**.

■ Certains adverbes en -**ment** dérivent d'anciens adjectifs, d'anciens adverbes, ou encore de noms, d'adjectifs ou d'adverbes :

> journelle-**ment**, griève-**ment**, brière-**ment**, traîtreuse-**ment**, nuit-**amment**, sci-**emment**, bête-**ment**, même-**ment**, quasi-**ment**, com-**ment**...

442. L'*adverbe circonstanciel de manière* est l'équivalent parfait du nom, ou groupe du nom, complément circonstanciel de manière (voir § 543). Il porte essentiellement sur un verbe :

> Agir **stupidement** = agir *d'une façon stupide.*

443. *Remarques*

■ L'équivalence n'est pas toujours possible, certains adjectifs n'ayant pas donné naissance à un adverbe de manière, comme par exemple :

> *concis, content, charmant, mobile...*

on use alors d'une *périphrase* : d'une manière, d'une façon, d'un air, d'un ton :

> D'une façon (*manière*) concise, d'un air (*ton*) charmant.

■ L'équivalence existe parfois, mais imparfaite, avec des nuances :

> Travailler **constamment**, travailler **avec constance**.

■ Autres différences : ne pas confondre, par exemple : grièvement et *gravement*, faux et *faussement*, bas et *bassement* :

> **grièvement** blessé, **gravement** malade; chanter **faux**, accuser **faussement**; parler **bas**, agir **bassement**...

Attention ! Certains adverbes de manière s'emploient :

● comme *adverbes de quantité* : bien, fort, extrêmement, tout à fait... :

> Il est **bien** (terriblement, diablement) méchant –
> Il est **fort** aimable – Elle est **fort** jolie.

● comme *adjectifs* : bien, mieux, debout, gratis... :

> C'est une fille **bien** – Il est **mieux** qu'elle –
> Station **debout** pénible – Spectacle **gratis**.

● comme *noms* : bien, mieux, pis, ensemble... :

> **Le mieux** est souvent l'ennemi du **bien** – Je sens **un** léger **mieux** – **Le pis** est qu'il ment – Ils jouent avec **un** bel **ensemble**.

444. Comme l'adjectif qualificatif, § 238, *l'adverbe de manière* peut avoir des degrés de signification : positif, comparatifs, superlatifs :

> Stupidement; plus (*aussi, moins*) stupidement (*comparatifs*),
> le plus (*le moins, très, très peu*) stupidement (*superlatifs*).

d'où les équivalences avec le complément circonstanciel de manière :

> **Stupidement** = avec stupidité.
> **Plus** (*aussi, moins*) **stupidement** = avec plus (*autant, moins*) de stupidité.
> **Le plus** (*le moins*) **stupidement** = avec le plus (*le moins*) de stupidité.
> **Très** (*très peu*) **stupidement** = avec beaucoup (*avec très peu*) de stupidité.

445. L'adverbe de manière peut avoir un complément, introduit par **à**, parfois par **de**; voir Syntaxe, § 560 :

> Il a agi **conformément** (contrairement) à *la loi*.
> Cela s'est produit **indépendamment de** *ma volonté*.

L'adverbe de quantité

Son aspect, ses formes

446. Il peut se présenter sous l'aspect :

■ d'un *adverbe simple* : peu, beaucoup, bien, très, trop, assez, plus, davantage, moins, guère, presque, aussi, tant, autant, tellement, combien, comme, que, tout, si... :

> Tu en dis **trop**, ou pas **assez**.

■ d'une *locution adverbiale* : à demi, à peine, à moitié, à gogo, peu à peu, peu ou prou, à peu près, pas du tout, tout à fait... :

> Nous enfoncions **peu à peu** dans la vasière.

Ses valeurs et emplois

447. L'*adverbe circonstanciel de quantité* est l'équivalent parfait du nom, ou groupe du nom, complément circonstanciel de quantité, § 548 :

> *Il boit* **peu** = en faible quantité; **trop** = en quantité excessive.

Il modifie un verbe, un adjectif ou un autre adverbe :

> Il travaille **assez** – Il est **assez** *gentil* – Il comprend **assez** *bien*.

448. Il peut exprimer, à lui seul, une nuance de *degré* :

> Je travaille **peu** *(positif)*, **moins, autant, plus** *(comparatifs)*, **beaucoup** *(superlatif)*

et, de plus, il sert à fabriquer les *comparatifs* et *superlatifs* des adjectifs (§ 238), et des adverbes (§ 444) :

> Il est **plus** (aussi, moins, très, le plus, le moins, très peu) *sage*.
> Elle travaille **plus** (aussi, moins, trop , très...) *courageusement*.

449. Il a souvent un complément (voir Syntaxe § 560) :

> Il y a **beaucoup** *de vent* et **peu** *de pluie* –
> **Trop** *d'élèves* bavardent.

Et ce groupe de l'adverbe de quantité (adverbe + son complément) est l'équivalent parfait d'un *groupe du nom* :

> Beaucoup d'élèves *(bien des élèves)* = des élèves nombreux.

Il a donc toutes les fonctions possibles du nom, ou groupe du nom :

> Beaucoup d'élèves sont bavards *(sujet)*.
> Ce maître a formé beaucoup d'élèves *(complément d'objet)*...

N.B. Noter l'équivalence *beaucoup de = force* (voir § 477) :

> Il a fait **force** bêtises – J'ai dévoré **force** moutons *(La Fontaine)*.

---

450. *Remarques*

■ **Peu,** précédé de **un** ou **de**, change de sens. Comparez :

> Il te distance **peu**, il te distance **un peu**, il te distance **de peu**.

■ **Tant, tellement, si, combien, comme, que,** peuvent prendre une nuance exclamative :

> Il a **tant** *(tellement)* de soucis ! –
> Tu es **si** (tellement) gentil ! –
> **Combien** *(comme, que)* nous sommes inquiets !

■ **Combien** et **que** peuvent prendre une nuance interrogative :

> **Combien** d'enfants as-tu? –
> **Que** *(combien)* coûte cet album?

■ **Attention!** **Si** et **très** ne peuvent modifier qu'un *adjectif* ou un *adverbe*. On doit donc dire, en principe, avec un nom :

> J'ai eu **tellement peur !** (et non : *si peur*).
> Nous avons **grand-faim** (et non : *très faim*).

■ **Attention!** Il faut éviter de confondre :

Bien, adverbe de manière ou adverbe de quantité :

> Elle travaille **bien** – Elle est **bien** sage.

Aussi, adverbe de manière, de quantité, conjonction de coordination :

> Il sera là **aussi** – Il est **aussi** sage – Il pleut, **aussi** je rentre.

Fort, adverbe de manière, de quantité, ou adjectif qualificatif :

> Tu frappes **fort** – Elle est **fort** sotte – Il est **fort**.

Les divers **tout** (voir § 193 et § 873).
Les divers **comme** (voir § 867).

███████ **L'adverbe de lieu**

Son aspect, ses formes

451. Il peut se présenter sous l'aspect :

■ d'un *adverbe simple* : ici, là, y, en, où, partout, ailleurs, dehors, dedans, devant, derrière, dessus, dessous, loin, près, autour ... :

> **Là** chacun d'eux se désaltère *(La Fontaine)*.

■ d'une *locution adverbiale* : d'ici, par ici, d'où, par où, çà et là, de-ci, de-là, deçà delà, au-dessus, au-dessous, au-dedans, au-dehors, en avant, en arrière, au centre, là-haut, là-bas, quelque part ... :

> Qu'est-ce que tu regardes, **là-haut**?

Ses valeurs et emplois

452. L'*adverbe circonstanciel* de lieu est l'équivalent parfait du nom, ou groupe du nom, complément circonstanciel de lieu (§ 539) :

> Il s'en va **ailleurs** = *dans un autre endroit*.

Comme le nom, ou groupe du nom, complément circonstanciel de lieu (voir Syntaxe, § 539), il peut exprimer les quatre nuances : où l'on est, où l'on va, d'où l'on vient, par où l'on passe :

> Je suis **ici** – Viens **ici** – Sors **d'ici** – Passez **par ici**.

453. Certains *adverbes de lieu* ont des degrés de signification :

> Ils habitent **loin** (près) : *positif* – Ils habitent **plus** (aussi, moins, trop) **loin** (près) : *comparatifs* – Ils habitent **le plus** (le moins, très, très peu) **loin** (près) : *superlatifs*.

454. *Remarques*

■ **Où**, par glissement de sens, peut devenir *pronom relatif* (§ 295).
En et **y** peuvent devenir *pronoms personnels* (§ 260) :

> C'est le quartier **où** j'habite, j'**en** connais tous les coins,
> j'**y** circulerais les yeux fermés.

■ **Voici** et **voilà** contiennent l'impératif *vois*, ou le thème verbal *voi*, + les adverbes de lieu *ci* et *là* : proximité, éloignement, § 184-187 :

> **Voici** ma voiture et **voilà** la sienne.

■ **Ci**, forme réduite de **ici**, ne se rencontre que combiné à un autre mot, qu'il précède ou suit, avec un trait d'union :

> **Ci**-joint, **ci**-gît, **ci**-après; ce livre-**ci**, celui-**ci** ...

Noter cependant son emploi isolé dans le style commercial (factures) :

> **Ci** deux mille cinq cent dix francs.

■ **Dessus, dessous, dedans, dehors**, uniquement *adverbes* aujourd'hui, ont été longtemps aussi *prépositions* :

> Le lièvre était gîté **dessous** un maître chou *(La Fontaine)*.

■ Ne pas confondre les divers **où**, les divers **en** (§ 865, 871).

Son aspect, ses formes

455. Il peut se présenter sous l'aspect :

■ d'un *adverbe simple* : maintenant, alors, hier, demain, bientôt, jamais, tôt, tard, toujours, désormais, jadis, naguère, souvent, encore, enfin, aussitôt; premièrement, deuxièmement... :

> Elle dort, ses beaux yeux se rouvriront **demain** *(Hugo)*.

■ d'une *locution adverbiale* : aujourd'hui, tout à coup, d'abord, tout de suite, à présent, de nouveau, avant-hier, après-demain, sur-le-champ, de temps en temps, de loin en loin, dès lors, depuis long-temps ... :

> Il avait l'air exténué, **tout à coup** *(Martin du Gard)*.

N.B. On peut y joindre les adverbes d'*origine latine* :

> *primo* (= premièrement), *secundo, tertio, quarto* ...

Ses valeurs et emplois

456. L'*adverbe circonstanciel* de temps est l'équivalent parfait du nom, ou groupe du nom, complément circonstanciel de temps (§ 540) :

> Nous partirons **bientôt** (= dans un proche avenir).

Comme le nom, ou groupe du nom, complément circonstanciel de temps, il peut exprimer diverses nuances : date, durée, répétition de l'action, succession des actions :

> Je serai là **demain** – Il fut **longtemps** malade – Elle souffre **de temps en temps** – **Avant**, j'étais timide, et **puis** j'ai réagi.

457. Certains *adverbes de temps* ont des degrés de signification :

> Il se lève **tôt** (tard) : *positifs*,
> **plus** (aussi, moins, trop) **tôt** (tard) : *comparatifs*,
> **le plus** (le moins, très, très peu) **tôt** (tard) : *superlatifs*.

458. *Remarques*

■ **Un jour, tantôt, tout à l'heure** marquent aussi bien le *passé* que l'*avenir* :

> Il partit **un jour** – Elle guérira **un jour**.
> Je l'ai vu **tantôt** – Viens me voir **tantôt**.
> Il est venu **tout à l'heure** – Je pars **tout à l'heure**.

■ Il ne faut pas confondre :

> **Jadis** (il y a longtemps) et **naguère** (il n'y a *guère* de temps).
> **Tout à coup** (= soudain) et **tout d'un coup** (= en une seule fois).
> **Aussitôt** et *aussi tôt*; **sitôt** et *si tôt*; **bientôt** et *bien tôt*.

LES ADVERBES D'OPINION

459. Si l'*adverbe de circonstance* modifie un mot : verbe, adjectif, adverbe, l'**adverbe d'opinion** modifie plutôt une proposition entière. Et si l'adverbe de circonstance remplace un complément circonstanciel, de manière, de quantité, de lieu, de temps, on peut dire que l'adverbe d'opinion remplace, lui, toute une proposition :

> Viendras-tu? – **Oui** (= *je viendrai*) – **Non** (= *je ne viendrai pas*) – **Peut-être** (= *c'est possible*) – **Comment?** (= *par quel moyen?*)

▬▬▬ L'adverbe d'affirmation

460. Les **adverbes** et **locutions adverbiales d'affirmation** sont : oui, si, bien, certes, certainement, assurément, évidemment, en vérité, bien sûr, pour sûr, parfaitement, effectivement ... :

> « Tu ne viens pas? – **Si, si,** j'arrive » *(Cadou).*

461. *Remarques*

■ On emploie **oui** en réponse à une question non négative :

> Viendras-tu? – **Oui.**

On emploie **si** en réponse à une question négative :

> Ne viendras-tu pas? – **Si.**

■ On renforce souvent **oui** et **si** :

● soit par la *répétition* :

> **Oui, oui,** j'arrive – **Si, si,** j'arrive.

● soit par l'*adjonction* d'un autre mot :

> **Mais** oui, **oh!** oui, **que** oui, oui-**da** (vieilli), **certes** oui ...
> **Mais** si, **oh!** si, **que** si, si **fait**, si **vraiment** ...

● soit par leur *remplacement :*

> Certes, parfaitement, bien sûr, assurément.

■ L'ancien adverbe **voire** (= vraiment) ne s'emploie plus qu'ironiquement :

> C'est un grand champion – **Voire** (= si l'on veut).

Renforcé par *même*, il signifie *et même :*

> Elle est économe, **voire même** avare.

▬▬▬ L'adverbe de doute

462. Les **adverbes** et **locutions adverbiales de doute** sont : peut-être, sans doute, probablement, apparemment, soit :

> **Peut-être** faites-vous des choses inconnues *(Hugo).*

463. *Remarques*

■ On distingue « **sans aucun doute** » (affirmatif) et *sans doute* (autrefois de même sens, aujourd'hui atténué, et exprimant le doute) :

Il vaincra **sans aucun doute** (= *sûrement*).
Il vaincra **sans doute** (= *probablement*).

■ **Sans doute, probablement, peut-être, apparemment** peuvent être suivis d'un **que** *explétif :*

Sans doute qu'il viendra – **Peut-être qu**'il fera beau demain.

L'adverbe de négation

464. Les **adverbes** et **locutions adverbiales de négation** sont :
non, ne, ne ... pas, ne ... point, ne ... goutte, ne ... mie, ne ... plus, ne ... personne, (personne ne), ne ... rien (rien ne), ne ... jamais (jamais ... ne), ne ... aucun (aucun ne) :

Les champs **n**'étaient **point** noirs, le cieux **n**'étaient **pas** mornes
(Hugo).

465. Non est la forme *tonique* de la négation :

■ C'est le contraire de **oui** et de **si** :

Viendras-tu? – **Non** – Ne viendras-tu pas? – **Non**.

■ On peut le *renforcer* (répétition, adjonction, remplacement) :

Non, non – Mais non, oh ! non, que non, certes non –
Point, nullement, pas du tout.

■ On le rencontre :

● dans *certaines locutions :*

sinon, non que, non seulement (... mais encore), non plus.

● devant un *élément de proposition :*

une beauté nonpareille; travail non fait; réagir non sans motif.

● devant un *nom,* avec un trait d'union (cf. § 736):

un non-lieu, un non-sens, un pacte de non-agression.

● à l'*intérieur d'une phrase*, pour opposer deux éléments :

Prenez à droite, non à gauche – C'est mon livre, (et) non le tien.

● en *tête* ou en *fin* de phrase, pour *renforcer* la négation :

Non, je ne l'accueillerai pas – Je ne l'accueillerai pas, **non**.

466. Ne est la *forme atone* de la négation :

■ **Il est généralement accompagné** d'un autre mot, qui a pris à son contact une valeur négative, qu'il s'agisse :

● d'un *nom :* (un) pas, (un) point, (une) goutte, (une) mie (miette) :

Je ne vois **pas**, tu ne vois **point**, il ne voit **goutte** (**mie**).

- d'un *pronom, adjectif* ou *adverbe :* personne, rien, aucun, jamais :

> Je ne dis **rien**, tu ne ris **jamais**, il ne salue **aucun** voisin.

Mais certains de ces mots retrouvent parfois leur sens *affirmatif* initial :

> Il parle mieux qu'**aucun** de nous (aussi bien que **personne**) –
> Est-il **rien** de plus beau? – As-tu **jamais** vu pareil étourdi?

■ **Il est parfois seul exprimé** (sans : pas, point...) :

- dans nombre de *locutions* plus ou moins figées :

> N'importe – Qu'à cela ne tienne – Ne t'en déplaise – Je n'en ai cure
> – Je n'aurai garde de l'oublier – Je ne sais, je n'ose, je ne puis...

- dans des *propositions interrogatives* ou *exclamatives :*

> Qui ne rêve de Tahiti? – Que n'es-tu près de moi !

- dans certaines *propositions subordonnées :*

> Si je ne me trompe – Si je ne m'abuse – Si ce n'est toi, c'est lui –
> N'était la date, je partais – Il y a longtemps que je ne l'ai vu(e)...

■ **Il est parfois omis,** en proposition elliptique, dans une réponse :

> Point d'argent, point de suisse *(Racine)* –
> Des rides et pas de charme; un air buté et point aimable –
> « Va-t-il mieux? – Guère » – « Rit-elle? – Jamais »...

467. Attention !

■ **Ne** est parfois *explétif*, sans valeur négative, en subordonnée :

> Je crains / qu'il ne parte – Évite / qu'elle ne prenne froid – Je ne
> doute pas / que tu ne réussisses – Il est plus fin / que tu ne crois –
> Tu te tais / de peur qu'on ne te gronde – Pars vite / avant qu'il ne
> rentre.

■ La locution **ne ... que** n'est pas négative, mais *restrictive :*

> Il n'aime que la poésie (= *il aime seulement la poésie*).

On la rencontre aussi dans les locutions : **ne faire que de** (passé récent), il **n'est que de** (= *il suffit de*), et pour renforcer **trop** :

> Je ne fais que d'arriver –
> Il n'est que de bien écouter pour comprendre –
> Je ne le sais que trop – Il ne la voit que trop...

■ Deux négations équivalent à une *affirmation forte :*

> Il n'est rien qu'il ne puisse faire (= il peut tout).
> Vous n'êtes pas sans le savoir (= vous le savez).

N.B. ■ Évitons donc l'expression stupide, hélas fréquente :

> *Vous n'êtes pas sans ignorer (qui ne veut dire que : vous ignorez !)

■ La double négation se rencontre dans la « *litote* » (§ 715, 716).

> Je ne la déteste pas (= je l'aime) – Ce n'est pas mal (= c'est bon).

■ **Attention** ! Ne pas oublier le **n'** des phrases *négatives,* et bien distinguer :

> On aime bien, on **n'**aime rien – En écrivant bien; en **n'**écrivant rien – On aperçoit bien l'horizon; on **n'**aperçoit rien...

■ Saluons l'ancien adverbe négatif **nenni** (langue paysanne) :

> Vous moquez-vous? – **Nenni**, monsieur.

■ Pour l'emploi de la *conjonction* **ni**, voir § 494.

L'adverbe d'interrogation

468. Les **adverbes** et **locutions adverbiales d'interrogation** sont :

■ des *adverbes circonstanciels* en emploi interrogatif, et contenant des nuances de *manière* (comment?), de *quantité* (combien?), de *lieu* (où? d'où? par où?), de *temps* (quand? depuis quand?), de *cause* (pourquoi?) :

> **Comment** vas-tu? – **D'où** viens-tu? – **Pourquoi** ris-tu?

■ la *périphrase* **est-ce que**?, en interrogation directe, et *l'adverbe* **si**, en interrogation indirecte, voir § 632-633 :

> **Est-ce que** tu m'aimes? – Dis-moi / **si** tu m'aimes.

469. *Remarques*

■ **Pourquoi** est parfois remplacé par **que** :

> **Que** ne te tais-tu? – **Que** tarde-t-elle à venir?

■ Ne pas confondre **où** *adverbe interrogatif* et **où** *pronom relatif :*

> Dis-moi / **où** tu vis – Le coin / **où** tu vis / est paisible.

■ Ne pas confondre **si** adverbe interrogatif et **si** conjonction de condition :

> Dis-moi / **si** tu l'aimes – **Si** tu l'aimes, / épouse-la.

LA PRÉPOSITION

470. La **préposition** est un mot invariable posé, placé, devant un mot ou un groupe de mots (d'où son nom : *pré-position*), et unissant ce mot, ou ce groupe, au mot complété :

> Elle est allée **chez** son médecin – Téléphonez **après** vingt heures.

Si l'adverbe se suffit à soi-même, la préposition est inséparable du mot ou groupe qu'elle introduit.

Son aspect, ses formes

471. Elle peut se présenter sous l'aspect :

■ d'une *préposition simple :* à, de, pour, avec, sans, par, dans, sur, sous, vers, en, chez, avant, après, devant, derrière, pendant, durant, depuis, contre, selon, malgré, excepté, vu, hormis, outre, entre, parmi, dès, hors, sauf, plein... :

> Il vivait **de** régime et mangeait **à** ses heures *(La Fontaine).*

■ d'une *locution prépositive :* à travers, d'après, par-devant, par-dessus, par-dessous, au-dessus de, au-dessous de, au-devant de, au-delà de, jusqu'à, par-delà, grâce à, près de, loin de, vis-à-vis de, avant de, à cause de, afin de, à force de, au lieu de, en faveur de, aux environs de, en face de, quant à, en dépit de, eu égard à, étant donné, au sortir de... :

> Voyez, la lune monte **à travers** ces ombrages *(Musset).*

472. *Remarques*

■ **A** et **de** se dissimulent dans les articles définis contractés, **en** dans l'ancienne préposition **ès.** Voir § 160 :

> La pêche aux (= à les) crevettes – Docteur ès (= en les) lettres.

■ Outre **ès,** signalons les deux anciennes prépositions **lez,** ou *lès,* ou *les* (= à côté de, du latin *latus :* côté), et **fors** (= hors, hormis), qu'on retrouve, déformée, dans fau-bourg, fau-filer, for-ban, for-clos, for-fait, four-bu, (fau-, for-, four-)...

> Plessis-**lez**-Tours; Jouy-**lès**-Reims; St Rémy-**les**-Chevreuse...
> Tout est perdu, **fors** l'honneur *(François 1er,* après Pavie).

■ Pour des raisons d'*euphonie,* **jusque** peut s'écrire avec un -**s** final :

> **Jusques** au fond – **jusques** à quand? – **jusques** et y compris.

■ **Voici, voilà** jouent parfois un rôle de préposition :

> **Voici** huit jours qu'il est là (= *il est là depuis huit jours).*

■ Les participes ou adjectifs employés comme prépositions deviennent invariables : durant, pendant, suivant, nonobstant; vu, attendu, excepté; sauf, plein :

> **Pendant** (durant) l'été – **Vu** les circonstances – **Plein** les poches.

N.B. **Durant** est la seule *préposition* qui peut suivre le mot *introduit* (cf. § 691) :

> L'été durant – Trois heures durant – Vingt ans durant...

■ Certaines locutions sont tantôt *adverbes,* tantôt *prépositions* :

> Va **devant** (adverbe); *devant* la porte (préposition) –
> Aller **au-delà** (adverbe); *au-delà des* mers (préposition) –
> Nager **loin** (adverbe); *loin* de la côte (préposition).

Son rôle

473. La *préposition,* ou la locution prépositive, introduit un complément qui peut être :

- un *nom,* ou un groupe du nom :

    Un vase *en* **cristal**; un voyage *de* **plusieurs semaines**.

- un *pronom,* ou un groupe du pronom :

    Venez *chez* **nous**; pensez *à* **chacun des vôtres**.

- un *adverbe,* ou un groupe de l'adverbe :

    Arrivez *dès* **demain**; épuisé *par* **trop de soucis**.

- un *infinitif* :

    Il faut manger *pour* **vivre** et non vivre *pour* **manger**.

N.B. Elle entre, enfin, dans la formation du *gérondif* :

Siffler **en travaillant**, rêver **en flânant**, ronfler **en dormant**.

---

474. Le mot, ou groupe, qu'elle introduit peut être complément :
- d'un *nom* :

    Un **moteur** *à* essence, un **voyage** *en* avion.

- d'un *adjectif qualificatif* :

    Riche *en* blé, **prompt** *à* la riposte, **bon** *pour* la santé.

- d'un *pronom* :

    Quelqu'un *des* tiens, **ceux** *de* la famille, **qui** *parmi* vous?

- d'un *adjectif numéral* (cardinal ou ordinal) :

    Deux *de* mes amis, **le troisième** *d'*entre nous.

- d'un *adverbe circonstanciel* :

    Conformément *à* la loi, **beaucoup** *de* préoccupations.

- d'un *verbe* (objet, agent, attribution, circonstanciels) :

    Penser *aux* malheureux – **Être invité** *par* des amis – **Donner** *aux* pauvres – **Marcher** *à* grands pas – **Sortir** *de* terre.

Ses valeurs

475. *Certaines prépositions* ont un sens bien précis et limité à une ou deux nuances : parmi, derrière, malgré, contre, entre... :

Entre la mairie et la poste (*espace*);
entre dix et onze heures (*temps*).

Mais d'autres ont des valeurs et nuances très variées, surtout **à, de, par, pour, en, avec**. Voir § 550; Appendices, § 849 sq. :

Travailler **avec** un ami (*accompagnement*),
avec ardeur (*manière*), **avec** une pioche (*moyen*)...

Il faut bien réfléchir pour cerner la nuance exacte d'un complément introduit par telle ou telle préposition (voir Syntaxe, passim).

476. *Remarques*

■ **Attention** à *avec,* qui peut prêter à équivoque (amphibologie) dans :

> Je lutte **avec** un camarade.

Selon le contexte, on a un complément *d'accompagnement* (= *aux côtés de*) ou d'*opposition* (= *contre*).

■ **Attention** à *à,* qui peut prêter à équivoque dans :

> J'ai acheté un livre **à** Paul.

Selon le contexte, on a un complément *d'attribution,* de destination, ou d'*origine,* de provenance, selon que Paul est le destinataire ou le vendeur.

■ **Attention** à *par,* qui n'est pas préposition, mais :

- *adverbe,* dans **par trop** (= *vraiment trop, bien trop*) :

> Elle est **par trop** timide.

- *nom,* dans **de par** (altération de *de part* = *de la part de*) :

> **De par** le Roi; **de par** Dieu (cf. le nom propre *Depardieu*).

Son omission

477. *Dans l'ancienne langue,* le complément de nom se construisait directement, sans préposition. Il nous en reste des traces, surtout dans des *noms propres* :

> L'Hôtel-Dieu, la Fête-Dieu, Bourg-la-Reine, Bois-le-Roi,
> Bar-le-Duc, La Roche-Guyon (= *de Guy*; cas-régime : Guyon),
> les quatre fils Aymon (= *d'Ayme*; cas-régime : Aymon);
> cf. force moutons, force bêtises (§ 449);
> cf. de par (de part) le roi, de par Dieu, Depardieu (§ 476).

478. C'est sur ce type qu'on supprime la préposition devant un complément de nom dans des expressions modernes, concernant :

■ des noms de rues, de places, de monuments, d'écoles... :

> *La rue Voltaire, la place Condorcet, la tour Eiffel,*
> *le pont Mirabeau, l'école Jules-Ferry, le lycée Lakanal...*

■ des termes du langage culinaire (voir les « menus » de restaurants) :

> *Homard mayonnaise, pommes vapeur, bœuf gros sel...*

■ bon nombre de raccourcis négligés, fréquents dans les dates, et surtout dans le jargon politique ou commercial :

> *Dès la fin juin, au début juillet, vers la mi-août...*
> *Le ministère Durand, la question finances, le problème éducation...*
> *Une veste sport, des chaussures cuir, un saucisson pur porc...*

479. Attention ! Il ne faut pas confondre :

> Le roi Henri IV (*apposition*) et le lycée Henri IV (*compl. de nom sans préposition*); l'orateur Mirabeau et le pont Mirabeau (*id*); l'ingénieur Eiffel et la tour Eiffel (*id*)...

480. Outre le complément de nom, *le complément circonstanciel* peut se construire directement, sans préposition :

> Je serai là **fin juin**, **courant juillet** (*temps*) –
> Elle habite **place Gambetta** (*lieu*) –
> Il sort **pieds nus** (*manière*)...

481. *Par négligence,* la préposition **de** est parfois omise, aussi, dans quelques locutions prépositives :

> En face [de] la gare, près [de] l'église, [de] retour de voyage.

Ses emplois explétifs

482. La *préposition* est parfois vidée de son sens. Elle est alors *explétive,* sans rôle grammatical, et on la trouve :

■ devant une *apposition,* voir § 574 :

> La ville **de** Paris, l'île **de** Sein, le mois **de** juin.

Ne pas confondre ces exemples avec des compléments de nom, où **de** a toute sa valeur :

> Les rues *de* Paris, les marins *de* Sein, les soirs *de* juin.

N.B. **Quant à** est aussi *explétif* devant une apposition :

> **Quant à** moi, je suis heureux (= *moi, je suis heureux*).

■ devant un *attribut du sujet* ou *de l'objet* : nom ou adjectif. Voir Syntaxe :

> Il passe **pour intelligent** – Elle sert **de confidente**.
> Je l'ai pris **pour un médecin** – Il m'a traité **de fou**.

■ devant un *adjectif épithète* de pronom interrogatif ou indéfini, masculin ou neutre. Voir § 558 et 581 NB :

> Quoi **de neuf?** – Quelqu'un **de gentil**.

■ devant un *infinitif* de fonctions diverses, § 416, et Syntaxe :

> Il est honteux **de mentir** – Elle aime **à rire** – Et tous **de rire**...

483. **Préposition et correction.** La langue moderne se montre souvent bien négligente dans l'emploi de l'humble préposition. Elle pousse même, hélas ! jusqu'à l'incorrection. Il n'est pas mauvais de rappeler ici quelques faits importants :

■ *On peut dire indifféremment :*

> Elle aime lire, à lire, **de** lire (*plus rare*) – Je te félicite **de (pour)** ton succès – Il se jette **à (par)** terre – Sauter **à (en)** bas du lit – Se marier, se fiancer **à (avec)** quelqu'un – Réussir chaque (à chaque) fois – Acheter bon (à bon) marché – Il ne sert **à (de)** rien de gémir – On dirait un (**d'un**) fou – Crainte (**de crainte**) de – Un maître hors (hors **de**) pair – Tâcher **à (de)** plaire – Se refuser **à (de)** rire

– Croire ses (**à, en** ses) amis – **Au** reste, **du** reste – **Au** vrai, **de** vrai – **Au** fait, **de** fait...

■ *On obtient des sens différents* par changement de prépositions :

Finir **de** parler, finir **par** parler – Manquer **de** savoir-vivre, manquer **au** savoir-vivre – Je rêve **de** toi (dans mon sommeil); **à** toi (je pense **à** toi); **sur** ce problème (je médite) – J'ai affaire **à** (**avec**) un voisin; qu'ai-je affaire **de** tes reproches? – Le train **de** Paris (qui vient **de**); le train **pour** Paris (qui va **à**...) – Sourire **à** un camarade, sourire **d'**un camarade...

■ *On doit dire :*

Parler **à** un ami, *mais* causer **avec** un ami – Aller **à** la boucherie, *mais* **chez** le boucher – Aller **à** la campagne, *mais* partir **pour** la campagne – Aller **au** Japon, *mais* **en** Chine – Aller **en** voiture, *mais* **à** bicyclette – S'asseoir **sur** une chaise, *mais* **dans** un fauteuil – Lire **sur** une affiche, *mais,* **dans** un livre, **dans** le journal – Dîner **avec** des amis, *mais,* **de** légumes – Cinq **ou** six personnes, *mais* cinq **à** dix personnes – Être **près de** partir, *mais* être **prêt(e) (s) à** partir – Mettre **à jour** (compléter), *mais* mettre **au jour** (faire sortir)...

■ *On doit dire* (et gare aux incorrections !) :

Pallier un inconvénient, *et non* ***à** un inconvénient – **Vitupérer un enfant,** *et non* ***contre...** – Être furieux **contre...**, *et non* ***après...** – Regarder **de** la fenêtre, *et non* ***depuis...** – La femme **de** Jean, *et non* ***à** Jean – Quinze **pour** cent, *et non* ***du** cent – La clé **à** (**sur**) la porte, *et non* ***après...** – C'est ma faute, *et non* ***de** ma faute – D'ici **à** demain, *et non* *d'ici demain – **Outre** cela, *et non* ***en outre de** cela – Jusqu'**à** hier, *et non* *jusque hier – Deux fois **par** semaine, *et non* ***la** semaine – Ôter le couvert **de** (**de dessus**) la table, *et non* ***de sur** la table – **Quant à** moi, *et non* ***tant qu'à** moi – **Avant** peu, *et non* ***sous** peu – Eu égard **à**, *et non* ***en** égard **à** – Comme il est juste, *et non* *comme **de** juste – Cent kilomètres **à** l'heure (ou **par** heure, ou l'heure), *et non* ***de** l'heure – S'absenter **pour** une semaine, *et non* *partir **pour** une semaine – En réponse **à**, *et non* ***suite à**...

N.B. ■ *D'anciennes distinctions,* chères aux puristes, tendent à s'atténuer et l'on ne distingue plus guère aujourd'hui :

C'est à vous **à** parler, c'est à vous **de** parler – S'occuper **à** son jardin, s'occuper **de** son jardin – **A** raison de, **en** raison de – **A** nouveau, **de** nouveau – **Du** point de vue de, **au** point de vue de.

Consulter un dictionnaire.

■ Certains emplois, condamnés par les puristes, s'admettent de plus en plus de nos jours :

Dans le but de (*à la place de :* en vue de, dans le dessein de), sous le rapport de (*et même :* rapport à !), à l'avance (*au lieu de :* d'avance, ou par avance), au plan de (*au lieu de :* sur le plan de), demain en huit (*au lieu de :* de demain en huit), en vélo, en skis (*au lieu de :* à vélo, à skis).

Consulter un dictionnaire.

LA CONJONCTION

484. Comme son nom l'indique, la **conjonction** est un mot, invariable, qui sert à joindre (cf. *jonction*) des mots ou des groupes de mots plus ou moins importants. On distingue, d'après leur rôle, les conjonctions de **coordination** et les conjonctions de **subordination** :

> La belle **et** la bête (*et* : conjonction de *coordination*).
> J'espère / **que** tu viendras (*que* : conjonction de *subordination*).

LA CONJONCTION DE COORDINATION

Son rôle

485. La *conjonction de coordination* sert à relier deux *mots* ou groupes de mots de même nature : noms, pronoms, adjectifs, adverbes, ou deux *propositions* (indépendantes, principales, subordonnées) :

> Le loup **et** le chien – Toi **et** moi –
> Doux **et** patient – Jadis **et** naguère –
> L'œil était dans la tombe / **et** regardait Caïn *(Hugo)*.

486. Elle peut unir deux équivalents, par exemple :

■ un *nom* et un équivalent de nom, pronom ou autre, voir § 510-513 :

> Ton père **et** toi – Ton père **et** le mien – Paul **et** beaucoup d'amis.

■ un *adjectif* et un équivalent d'adjectif (voir § 576-578) :

> Légère **et** court vêtue – Sérieux **et** qui travaille bien.

Son aspect, ses formes

487. Elle se présente sous l'aspect d'une *conjonction* (un mot) ou d'une *locution conjonctive* (deux ou plusieurs mots).

● Chacun connaît le célèbre *groupe mnémotechnique :* **mais, ou, et, donc, or, ni, car** : « Mais où est donc Ornicar? »

● A côté de ces sept conjonctions courantes, on trouve, jouant le même rôle, des mots ou locutions d'origines diverses, surtout des *adverbes* : au contraire, en revanche, cependant, néanmoins, seulement, du moins, en effet, d'ailleurs, c'est-à-dire, à savoir, ainsi, aussi, par conséquent, c'est pourquoi, en outre, de plus... :

> Elle est fiévreuse, **et** elle garde la chambre.
> Elle est fiévreuse, **c'est pourquoi** elle garde la chambre.

488. *Remarque*

Elle peut se présenter en construction *parallèle,* symétrique : **et... et, ou... ou, soit... soit, ni... ni,** d'**une part... d'autre part, non seulement... mais encore** :

Ou tu travailleras, **ou** tu te passeras de pain *(Giraudoux).*

Ses valeurs

489. Elle exprime des rapports variés :

l'*addition* (et, ni), la *négation* (ni), l'*alternative* (ou, ou bien, ou... ou, soit... soit, tantôt... tantôt), l'*opposition* (mais, pourtant, au contraire, cependant, néanmoins), la *cause* (car, en effet), la *transition* (or, or donc), la *conséquence* (c'est pourquoi, donc, par conséquent) la *gradation* (de plus, en outre, mais aussi), l'*explication* (c'est-à-dire, à savoir, soit) :

Je pense, **donc** je suis *(Descartes) (conséquence).*
Meurs **ou** tue *(Corneille) (alternative).*

490. ■ Elle *est souvent omise*; les deux éléments sont alors simplement *juxtaposés,* mais le sens reste clair, le rapport évident :

Vous n'êtes point gentilhomme, vous n'aurez pas ma fille

(Molière).

■ Elle *précède généralement l'élément coordonné*; mais certaines conjonctions peuvent se mettre au milieu et même à la fin du groupe coordonné : donc, cependant, en effet, pourtant, néanmoins :

Il a **donc** menti – Tu l'avais **pourtant** promis –
Elle est là **en effet**...

Emplois divers

491. A y regarder d'un peu près, on constate qu'une seule et même conjonction peut exprimer, selon le contexte, plusieurs nuances, par exemple : **et, mais, ou, ni.**

■ *La conjonction* **et,** par exemple, peut marquer :

● l'*addition* : Il pleut **et** il vente – Paul est grand **et** fort.

● la *conséquence* : Le vent souffle **et** le roseau plie.

● l'*opposition* : Je plie **et** ne romps pas.

● l'*étonnement* : **Et** tu l'as laissé partir !

● l'*indignation* : **Et** tu oses reparaître devant moi !

● la *soudaineté de l'action* (dans l'infinitif de narration) :

Il tomba à l'eau, **et** tous de rire.

● la *gradation* : Il nous versa du vin, **et** du meilleur.

- *la transition,* la continuité dans le récit :

> **Et** l'on crevait les yeux à quiconque passait.
> **Et** le soir on lançait des flèches aux étoiles *(Hugo).*

- *l'insistance,* dans une énumération, lorsque :

— l'on relie tous les éléments par **et**, et non le seul dernier :

> Elle est rieuse, **et** guerrière, **et** gloutonne comme pas une *(Colette).*

— l'on introduit tous les éléments, même le premier, par **et** :

> **Et** la terre, **et** le fleuve, **et** leur flotte, **et** le port,
> Sont des champs de carnage où triomphe la mort *(Corneille)...*

492. ■ *La conjonction* **mais**, qui est étymologiquement un adverbe (du latin *magis* : plus, davantage; cf. Je n'en peux *mais*), peut marquer :

- *l'opposition :* Le roseau a plié, **mais** a résisté.

- la *restriction :* D'accord, **mais** je demande à réfléchir.

- *l'objection :* « Tu seras puni – **Mais** pourquoi? »

- *l'étonnement,* l'*indignation :* **Mais** qui vois-je à la porte ! – **Mais** quelle audace !

- la *gradation :* Il a fait froid hier, **mais** froid !

- *l'insistance :* Il nous a servi un vin, **mais** un de ces vins !

- la *transition :* retour au sujet, ou passage à un autre sujet :
Mais revenons à nos moutons – **Mais** parlons d'autre chose.

493. ■ *La conjonction* **ou**, à ne pas confondre avec les divers **où**, (§ 865), marque :

- essentiellement l'**alternative**, avec deux nuances différentes :

— tantôt signifiant *ou peut-être, ou si l'on veut* (choix) :

> Venez nous voir demain **ou** après-demain.

— tantôt signifiant *ou au contraire, ou alors* (exclusive) :

> Choisis : c'est lui **ou** moi – La bourse **ou** la vie !

- parfois **une équivalence** entre deux mots, et signifiant alors *c'est-à-dire, autrement dit :*

> La nostalgie **ou** le mal du pays lui ronge le cœur.

N.B. Elle est parfois renforcée par *bien*, ou par la répétition :
> Tu écoutes **ou bien** tu sors – **Ou** (bien) tu écoutes, **ou** (bien) tu sors.

---

494. ■ **Attention** à la conjonction **ni**. Elle marque une *négation* doublée d'une *addition*, et s'emploie soit une seule fois, soit répétée :

- Elle se rencontre surtout *répétée*, avec un seul **ne** devant ou derrière les deux **ni** :

> Il **n**'aime **ni** Pierre **ni** Paul – **Ni** Pierre **ni** Paul **ne** l'attirent.

Répétée, elle n'est jamais accompagnée d'un « pas » ou d'un « point », mais elle peut s'accompagner d'un « plus » :

> Elle **n**'avait **plus ni** frère **ni** sœur.

Dans la langue classique, le premier **ni** pouvait être omis :

> Le soleil **ni** la mort ne se peuvent regarder fixement
>
> *(La Rochefoucauld).*

● Elle peut être employée *une seule fois* : entre deux propositions indépendantes, ou principales, négatives, entre deux subordonnées dépendant d'une principale négative, entre deux termes introduits par la préposition *sans* :

> Il ne pleut **ni** ne vente – Je ne crois pas / qu'il pleuve **ni** vente –
> Elle vit sans amis **ni** relations (cf. les expressions : *sans foi* **ni** *loi,
> sans tambour* **ni** *trompette*).

● Dans la langue classique, **ni** remplace **et** ou **ou**, dans une *comparative* ou après une *principale interrogative :*

> Patience et longueur de temps
> Font plus / que force **ni** que rage *(La Fontaine).*
> Penses-tu, lui dit-il, / que ton titre de roi
> Me fasse peur **ni** me soucie? *(La Fontaine)...*

LA CONJONCTION DE SUBORDINATION

Son rôle

495. La conjonction de subordination sert à relier une proposition subordonnée à la proposition, principale ou non, dont elle dépend. La proposition subordonnée qu'elle introduit *précède, suit* ou *coupe* la proposition dont elle dépend :

> **Quand** le chat n'est pas là, / les souris dansent.
> Les souris dansent / **quand** le chat n'est pas là.
> Les souris, / **quand** le chat n'est pas là, / dansent.

Son aspect, ses formes

496. Elle se présente sous l'aspect soit d'une conjonction (un mot), soit d'une locution conjonctive (deux ou plusieurs mots) :

● *conjonctions :* que, quand, comme, si.

● *locutions conjonctives* (la plupart composées avec *que,* soudé ou non au premier élément) : lorsque, dès que, puisque, parce que, pour que, à condition que, quoique, bien que, ainsi que... :

> Je veux / **que** tu viennes nous voir.
> Je suis heureux / **parce que** tu as réussi à ton examen.

Ses valeurs

497. Son étude est inséparable de la syntaxe, plus précisément de *l'analyse logique*. Elle introduit en effet :

■ soit une *subordonnée complétive* : que (cf. § 619-623) :

Je veux / **qu**'on soit sincère – **Qu**'il revienne / me surprendrait.

■ soit une *subordonnée circonstancielle* :

● de **temps** : quand, lorsque, dès que, avant que, après que, tant que, tandis que, jusqu'à ce que..., cf. § 640-645 :

Quand le chat n'est pas là, / les souris dansent.

● de **cause** : comme, puisque, parce que, vu que, sous prétexte que, attendu que..., cf. § 646-651 :

Nous étions heureux / **parce que** les nôtres avaient gagné.

● de **but** : pour que, afin que, de peur que, de crainte que, à seule fin que..., cf. § 657-662 :

Il travaille dur / **pour que** les siens ne manquent de rien.

● de **conséquence** : de sorte que, de façon que, si ... que, tant ... que, tellement ... que, au point que ..., cf. § 652-656 :

Il pleuvait **si** fort / **que** nous ne pouvions sortir.

● de **concession** : bien que, quoique, alors que, même si, pour ... que, tout ... que, quelque ... que ..., cf. § 663-669 :

Elle ne se plaint pas / **bien que** ses forces déclinent.

● de **condition** : si, à condition que, à moins que, pourvu que, soit que... soit que ..., cf. § 670-677 :

Si vous veniez nous voir, / nous ferions de belles excursions.

● de **comparaison** : comme, de même que, ainsi que, à mesure que, autant que, comme si ..., cf. § 678-686 :

Je suis passionné de musique, / **comme** tu es féru de peinture.

498. *Remarques*

■ On constate donc qu'il existe huit subordonnées dites *conjonctives* : une subordonnée *complétive*, introduite par « **que** », et sept *circonstancielles*. Pour les détails, voir Syntaxe.

■ **Attention** aux divers **que**, **quand**, **comme**, **si**. Pour le détail, voir Syntaxe, passim et Appendices, § 863-870.

L'INTERJECTION

Son rôle

499. L'**interjection** est un mot invariable, employé surtout dans la langue parlée, et, par conséquent dans les *dialogues* de la langue écrite. Contrairement aux trois autres espèces de mots invariables, *adverbe, préposition, conjonction,* dont le rôle grammatical, nous venons de le voir, est important, l'interjection, elle, ne joue aucun rôle grammatical, et ne *s'analyse* donc pas. Mais elle sert à donner du relief, de la vie, à la phrase, au style :

Pouah ! que c'est laid ! – **Brr** ! quel froid ! – **Hep** ! par ici !

Ses formes

500. Elle se présente sous l'aspect d'une *interjection* (un seul mot), ou d'une *locution interjective* (deux ou plusieurs mots). Elle provient d'origines diverses. Elle peut être, en effet :

■ un *simple cri* :

ah ! ah ! oh ! ho ! ô ! aïe ! hep ! hop ! pst ! (psitt !), hum ! (hem ! hm !), brr ! fi ! pouah ! kiss-kiss ! bah ! bof ! euh ! (heu !), eh eh !

■ une *onomatopée* (imitation d'un bruit, d'un cri d'animal cf. § 98) :

pan ! pan pan ! rataplan ! vlan ! boum ! badaboum ! patatras ! crac ! cric crac ! clac ! clic clac ! paf ! pif-paf ! plouf ! teuf-teuf ! tic-tac ! cocorico ! coin-coin ! miaou ! meuh ! cui-cui ! pipit ! bê ! ouaoua !

■ un *mot quelconque* (nom, adjectif, verbe, adverbe) employé comme interjection par changement de catégorie grammaticale (voir § 97) :

diable ! ciel ! peste ! silence ! paix ! crochet ! rideau ! attention ! chouette ! flûte ! crotte ! malheur ! miséricorde ! vache !...
bon ! parfait ! hardi ! vrai ! chic ! mince !...
tiens ! allons ! voyons ! soit ! suffit !
assez ! vite ! debout ! eh bien ! arrière ! bien ! très bien !

■ un *groupe de mots* plus ou moins complexe :

Juste ciel ! grands dieux ! bon sang ! bon sang de bon sang ! mille sabords ! tout doux ! tout beau ! la barbe ! bonjour ! bonsoir ! adieu ! à la bonne heure ! par exemple ! voyez-vous ça ! ça suffit !

■ un *juron déformé* par scrupule, par euphémisme, cf. § 107 :

pardi ! parbleu ! morbleu ! corbleu ! dame ! tudieu ! diantre !...

■ un *juron*, une *injure* (fréquents dans la langue parlée, et, de plus en plus, dans toutes les couches de la société) :

merde (merdre, chez le père Ubu) ! ta gueule ! putain !...

N'insistons pas et renvoyons, pudiquement, aux recueils – ils existent – de *gros mots*. Le français sait être gaulois et rabelaisien !...

■ un *mot étranger* :

bis ! bravo ! hourrah ! stop ! baste ! go ! O.K. !...

501. *Remarques*

■ **Allô** ! dans un appel téléphonique n'est pas, comme on l'a dit, une déformation de *allons*, mais un emprunt à l'anglo-américain *hallo, hello.*

■ « **A Dieu vat** » ! nous l'avons dit, § 347, est un *hybride* franco-breton : *ordre transmis par le timonier, pour un changement de cap du navire, moment délicat entre tous, et signifiant A Dieu donc :* breton **vat**, abréviation de *avat* = tout de bon, cependant, donc.

■ Ne pas confondre l'interjection **çà** ! avec l'adverbe de lieu **çà** et le pronom démonstratif **ça**, cf. § 273.

502. L'interjection peut exprimer des nuances très variées :

enthousiasme : bravo ! hourrah !   *douleur :* hélas ! aïe !
admiration : ah ! oh !   *indifférence :* bah ! bof ! ah ! tiens !
soulagement : ouf !   *doute :* hum ! ouais !
exhortation : allons ! courage !   *ordre :* chut ! paix ! silence !
interrogation : hein?   *appel :* hep ! ohé ! pst !
excitation : kiss-kiss !   *surprise :* diable ! diantre ! tiens !
juron déformé : parbleu !   *juron :* merde ! ta gueule !
dépit : mince, zut ! crotte ! flûte !...

N.B. ■ Si certaines interjections ont un sens précis et limité, d'autres possèdent une gamme très riche de nuances. Ex. : **ah** ! **oh** ! qui, *selon l'intonation,* expriment toutes sortes de nuances, de l'enthousiasme le plus délirant au désespoir le plus sombre.

■ Signalons aux lecteurs, aux amateurs de bandes dessinées, pour enfants ou pour adultes, qu'ils peuvent y trouver force interjections, surtout sous forme de *cris* et d'*onomatopées* en tout genre...

TROISIÈME PARTIE

D

LA SYNTAXE DU FRANÇAIS

Syntaxe de la proposition
Syntaxe de la phrase
Conclusions sur la syntaxe
Grammaire et langue

De la morphologie à la syntaxe

503. Un mot, quel qu'il soit, variable ou invariable, n'a guère de sens, isolé de tout contexte; c'est pourquoi on le rencontre rarement seul :

Oh ! – Silence ! – Entrez.

Il ne suffit donc pas de savoir discerner la *nature*, l'espèce, d'un mot ni d'en étudier la *forme*. Il faut aussi, et surtout, en trouver la *valeur*, le *rôle*, la *fonction*.

C'est ainsi que la **morphologie** est inséparable de la **syntaxe**; la preuve en est que nous avons déjà, abondamment, piétiné les plates-bandes du domaine syntaxique en étudiant, dans la partie précédente, l'*article*, l'*adjectif*, le *pronom*, le *verbe*, l'*adverbe*, la *préposition*, la *conjonction* et l'*interjection*, et en exposant leur valeur, leur rôle, leur **fonction**.

504. Il nous reste à étudier en détail :

■ la **syntaxe de la proposition**, avec la gamme très riche des fonctions du *nom*, ou du groupe du nom, ou des divers équivalents du nom, et avec les quatre fonctions de l'*adjectif qualificatif*, ou du groupe de l'adjectif qualificatif, ou de ses divers équivalents :
Ce sera le domaine de ce qu'on appelle traditionnellement l'**analyse grammaticale**;

■ la **syntaxe de la phrase**, avec le jeu, plus ou moins complexe des *diverses propositions* : indépendantes, principales et, surtout, subordonnées, avec leurs multiples *équivalents*. Ce sera le domaine de ce qu'on appelle, non moins traditionnellement, l'**analyse logique**.

La proposition

505. La proposition est un ensemble de mots qui, gravitant autour d'un verbe, exprime un fait, une idée, une volonté, un sentiment. Plus simplement, elle indique ce que fait, ce que subit, ou ce qu'est *le sujet du verbe* (cf. § 309; cf. § 515-520) :

Le **chat** guette l'oiseau *(verbe à la voix active)*.
L'**oiseau** est guetté par le chat *(verbe à la voix passive)*.
Le **chat** est un chasseur redoutable *(verbe d'état)*.

Syntaxe de la proposition

LE NOM

506. **Du nom au groupe du nom.** Le nom se présente :

• rarement *seul*, sinon dans :

    • *l'apostrophe* : Paul ! – Françoise ! – Médor !
    • *l'ordre* : Paix ! – Silence ! – Attention !
    • *l'exclamation* :
    Honte ! opprobre ! malheur ! anathème ! vengeance ! *(Hugo)*

• plus *souvent accompagné* d'un ou plusieurs mots qui, gravitant autour de lui, forment avec lui un *groupe du nom* : Ex. : **sanglot**

    Les **sanglots** longs/Des violons/De l'automne... *(Verlaine)*

Parmi les compagnons du nom, on distingue :
Les mots qui l'*introduisent*, les mots qui le *complètent*.

507. **Les mots qui introduisent le nom.** Ce sont :

■ *l'article*, défini, indéfini, partitif. Voir § 156-173 :

    le *chat*, **un** *coussin*, **du** *lait*.

■ *l'adjectif pronominal*, possessif, démonstratif, indéfini, interrogatif – ou exclamatif –, relatif. Voir § 176-203 :

    mon *chat*, **ce** *chat*, **tout** *chat*, **quel** *chat?* (**quel** *chat !*),
    lequel *chat*.

■ *l'adjectif numéral cardinal*. Voir § 204-212 :

    deux *chats*, **trois** *chats*, **quatre** *chats*...

N.B. Ces mots qui introduisent le nom ne s'excluent pas forcément l'un l'autre; ils peuvent *s'associer* dans un même groupe :

    Un certain chat, ces deux chats, mes trois chats.

---

508. **Les mots qui complètent le nom.** Ce sont :

■ *l'épithète* : adjectif *numéral ordinal*, voir § 215-217, adjectif *qualificatif* § 579, *groupe* de l'adjectif qualificatif § 561-563. L'épithète s'allie aux mots qui introduisent le nom, et enrichissent ainsi son groupe :

> Le (mon, ce) **deuxième** chat, ce **joli** chat **siamois,** un **jeune** chat **joueur** et **plein de gentillesse...**

■ *l'apposition,* qui peut être :

• un adjectif *numéral ordinal,* un adjectif *qualificatif* ou leur groupe :

> Ce chat, **deuxième de la portée...;**
> ce chat, **fidèle à ses maîtres...**

• un *nom,* ou son groupe. Voir § 572-574 :

> Mon chat, **terreur des oiseaux et des souris du voisinage...**

■ le *complément du nom,* mot ou groupe. Voir § 552-555 :

> Un chat **de race,** un chat **aux grands yeux verts énigmatiques...**

509. Le groupe du nom, quelles que soient sa longueur et sa richesse, est généralement situé dans une seule et même proposition :

> Le beau **chat** noir aux grands yeux d'or de mon meilleur ami...

Mais il peut déborder sur une *proposition* subordonnée, *relative* ou *complétive,* § 611 sq. et 619 sq. :

> Un souriceau tout jeune et **qui n'avait rien vu...** *(La Fontaine).*
> Il garde l'espoir **que son chat guérira vite** (= *de la guérison rapide de son chat).*

510. Les équivalents du nom. Le nom, ou le groupe du nom, a de nombreux équivalents, ainsi que nous l'avons vu dans l'étude du *Vocabulaire* et surtout de la *Morphologie.* Ces équivalents permettent une grande souplesse et beaucoup de variété dans l'expression de la pensée :

> **Le mensonge** est *honteux* = **Mentir** *est honteux* = *Il est honteux* **de mentir** = **Qu'on puisse mentir** *est honteux...*

511. Les équivalents du nom, ou de son *groupe,* sont :

■ d'abord, tout mot (ou groupe) qui, précédé de l'article, est, par glissement, employé comme *nom commun.* Voir détails, § 94 :

> un hercule, le vrai, le moi, le coucher, un blessé, le pour et le contre, le qu'en-dira-t-on, un papa, une télé, un S.O.S., les U.S.A.

■ le *pronom,* § 251-308, et le groupe du pronom, § 556-558 :

> **Chacun** aime **les siens — Qui te l'**a dit?
> Mon fils et **celui de mes voisins** sont bons amis.

■ *l'adjectif numéral* employé seul, § 208-209 et 218-219, et *le groupe de l'adjectif numéral,* § 559 :

> **Trois (Trois de mes meilleurs amis)** sont partis hier.
> **Le troisième (Le troisième d'entre eux)** reviendra demain.

■ le *superlatif* employé seul, § 247 :

> Que **le plus coupable** périsse ! *(La Fontaine)*

■ l'*adverbe de circonstance*, § 442, 447, 452, 456 :

> **stupidement** (= *d'une façon stupide*),
> **peu** (= *en faible quantité*),
> **ailleurs** (= *en un autre lieu*,
> **bientôt** (= *dans un proche avenir*).

et le *groupe de l'adverbe de quantité*, § 449 :

> **beaucoup d'amis** (= *de nombreux amis*);
> **trop de vent** (= *un vent excessif*).

■ l'*infinitif-nom*, § 415-417 :

> **Mentir** (= *le mensonge*) est honteux.
> Elle aime **lire** (= *la lecture*).

■ le *gérondif*, § 435 :

> ronfler **en dormant** (= *pendant le sommeil*); s'instruire **en lisant** (= *par la lecture, au moyen de la lecture*).

■ et même une *proposition subordonnée*, voir ci-après, passim :

> **Qu'il vienne** (= *sa venue*) me surprendrait beaucoup.
> Dis-moi **qui tu hantes** (= *tes fréquentations*)...

512. Ces divers équivalents du nom, ou de son groupe, peuvent :

• soit *remplacer le nom*, ou son groupe :

> Le vent s'attaque au chêne (au chêne orgueilleux de la fable).
> **Il le** déracine (**il** = *le vent*; **le** = *le chêne, le chêne orgueilleux de la fable)*.

• soit l'*accompagner*, en *juxtaposition* ou en *coordination* :

> Ton père, **celui de Jean** et **le mien** sont d'excellents amis.
>
> (groupe du nom + groupe du pronom démonstratif juxtaposé + pronom possessif coordonné).

513. Ces divers équivalents du nom, ou de son groupe, jouent, évidemment, les mêmes rôles, ont les mêmes **fonctions** que lui.

• *Les uns*, pronom ou son groupe, adjectif numéral ou son groupe, groupe de l'adverbe de quantité, infinitif-nom, en ont *toutes les fonctions*.

> **Trois de mes amis** *(sujets)* arrivent demain –
> Je reçois **trois de mes amis** *(objet)* –
> Je sors **avec trois de mes amis** *(accompagnement)*...

• *Les autres*, adverbe de circonstance, gérondif, proposition subordonnée, ne peuvent en avoir qu'*une* ou *quelques-unes* :

> Agir **stupidement** *(manière)* –
> Siffler **en travaillant** *(temps)* –
> Dis-mois / **qui tu hantes** *(objet)*...

LES FONCTIONS DU NOM

514. **Le nom,** ou son groupe, ou son équivalent, a, dans la proposition, de très nombreuses **fonctions** que nous allons étudier successivement, et qu'il convient de maîtriser pour bien comprendre sa langue.
Notons préalablement, avant d'entrer dans le détail, que :

■ le *verbe,* mot essentiel, *peut être omis,* le sens restant clair :

> Pierre aime la musique, Paul la peinture et Jean le sport.

Paul et *Jean* sont chacun sujet d'un verbe omis *(aime);* la *peinture* et le *sport* chacun c. d'objet de ces mêmes verbes sous-entendus.

■ l'on parle de sujet ou d'attribut, ou de complément, **commun,** quand il y a un seul sujet, ou attribut, ou complément, pour plusieurs verbes :

> **L'attelage** suait, soufflait, était rendu *(La Fontaine).*

(attelage : *sujet commun* des trois verbes suait, soufflait, était rendu).

■ l'on parle, inversement, de sujets, ou d'attributs, ou de compléments, **partiels,** quand il y a, pour un seul verbe, plusieurs sujets, ou attributs, ou compléments :

> Imitez **le canard, la grue** et **la bécasse** *(La Fontaine).*

Canard : *complément d'objet partiel* de imitez; grue : id.; bécasse : id.

N.B. Il peut arriver qu'il y ait *plusieurs* sujets, ou attributs, ou compléments, pour *plusieurs* verbes. Dans ce cas chacun des sujets, ou attributs, ou compléments, est à la fois **commun** et **partiel** :

> Pierre et Paul aiment et cultivent la musique et la poésie.

> (Pierre : *sujet partiel* et *commun* de aiment et de cultivent. Paul : idem. Musique : c. d'objet *partiel* et *commun* des deux verbes. Poésie : idem.

▰▰▰ Le sujet

515. **Le sujet du verbe,** nom ou équivalent, représente la personne, l'animal ou la chose :

■ qui *fait l'action :* verbe actif, ou pronominal (de sens réfléchi, réciproque ou vague) :

> **La tempête** souffle – **Chacun de nous** se protège.

■ qui *subit l'action :* verbe passif, ou pronominal de sens passif :

> **La souris** est guettée par le chat – **Les légumes** se vendent cher en cette saison.

■ qui *se trouve dans l'état* exprimé par le verbe : verbe être et équivalents, cf. § 310, § 532, § 583 :

> **Cet enfant** est hardi, **il** deviendra explorateur.

516. Seuls des 7 modes du verbe, l'*impératif,* § 398, et le *gérondif,* § 436, ne peuvent avoir de sujet exprimé. N'oublions pas en effet que *l'infinitif* et le *participe* peuvent avoir un sujet (subordonnée infinitive § 627, subordonnée participiale § 690) :

> Je vois / mes honneurs croître (**honneurs** : *sujet de* croître).
> La tanche rebutée, il trouva du goujon (**tanche** : *sujet de* rebutée).

517. Généralement devant le verbe, le sujet peut être **inversé** :

■ dans l'*interrogation* et dans l'*exclamation* :

> A quelle heure rentre **ton père**? – Est-**elle** sotte !

■ après un *adverbe* ou un *complément circonstanciel* :

> Le long d'un clair ruisseau buvait **une colombe** *(La Fontaine)*.
> Ici naquit **Victor Hugo**.

■ dans une *subordonnée*, relative, complétive, circonstancielle :

> C'est un trou de verdure / où chante **une rivière** *(Rimbaud)*.
> J'entends / siffler **un merle** – Quand vint **l'été**, elle alla mieux.

■ après un *attribut* lancé en tête, par effet de style :

> Hauts sont **les monts** et profondes **les vallées.**

■ après un *verbe* lancé en tête (style administratif, énoncés, propositions intercalées, indicatifs et subjonctifs expressifs) :

> Sont déclarés admis **les candidats**... – Soit **un triangle** A B C – Reviens, dit-**elle** – Survient **un bolide** – Puisse-t-**elle** guérir !

518. Le sujet peut être **redoublé**, par un pronom, personnel ou démonstratif, en emploi *explétif*, et qu'on appelle :

● *pronom de reprise*, s'il est derrière le vrai sujet :

> Quand ton père rentre-t-**il**? – Partir, **c'**est mourir un peu.

● *pronom d'annonce*, s'il est devant le vrai sujet :

> **Il** est gentil, ton père – **C'**est affreux, cette peinture.

N.B. La langue parlée vulgaire en use et en abuse : *Tout le monde il est gentil...*

---

519. Attention ! Quand le verbe est précédé d'un pronom neutre (il. c'), le nom, ou son équivalent, qui suit le verbe est le véritable sujet, le *sujet réel*, le pronom neutre n'étant que *sujet apparent*, ou sujet *grammatical* :

> *Il* court **des bruits fâcheux** – *Il* y avait **du vent** –
> *Il* était une fois **un roi** et **une reine**... –
> *C'*est toujours une joie **de voir du Molière.**

520. *Remarques*

■ Ne pas oublier, dans une analyse précise, d'indiquer si le sujet étudié est *partiel* ou *commun*, *juxtaposé* ou *coordonné*, § 514. Remarque qui vaut pour toutes les fonctions que nous allons étudier :

> **Pierre**, **Paul** et **Jacques** poussèrent des cris de joie.

■ Le pronom sujet est parfois *omis* (§ 262) :

> Suffit – Si bon te semble – Peu importe (Peu me chaut, § 829).
> Soit dit entre nous – Fais ce que dois, advienne que pourra...

■ Parmi les nombreux équivalents possibles du nom sujet, ne pas oublier la *proposition subordonnée sujet*, relative sans antécédent ou complétive, voir § 613, 620 et 631.

> **Qui vivra** (= *tout survivant*) verra – **Qu'il vienne** (= *sa venue*) me surprendrait – **Pourquoi il a agi ainsi** (= *son acte*) ne te regarde pas.

La subordonnée sujet peut même être sujet *inversé*, et sujet *réel* :

> De toi seul dépend / **qu'il vienne**.
> Il faut (il importe) / **qu'il vienne**.

▬▬▬▬ **Le complément d'objet**

521. Le **complément d'objet** du verbe, nom ou équivalent, représente la personne, l'animal ou la chose sur lesquels porte l'action exprimée par le verbe, à la voix active :

> J'aime **le son du cor**... – Je **l'**écoute avec ravissement.

La tradition distingue le *complément d'objet direct*, construit sans préposition, après un verbe dit *transitif direct* :

> J'aime *(quoi?)* **le son du cor**.

et le *complément d'objet indirect*, introduit par une préposition, après un verbe dit *transitif indirect* :

> Tu dois te souvenir *(de quoi?)* **de nos jeunes années**.
> On ne saurait penser *(à quoi?)* **à tout**.

Mais ce qui compte, c'est la notion d'objet; notons les *équivalences* :

> Je me souviens du passé = *Je me rappelle le passé*.
> Il recourut à une ruse = *Il utilisa une ruse*.

N.B. **Attention.** Ne pas confondre *complément d'objet* et *sujet réel*, § 519 :

> Il a (= *il possède*) **une maison** sur la colline
> (*maison :* complément d'objet).
> Il y a **une maison** sur la colline (*maison :* sujet réel).

---

522. Parmi les nombreux équivalents du nom qui peuvent être complément d'objet, n'oublier, ni la *relative* sans antécédent, ni les trois *complétives :* cf. § 613 et § 619, 624, 631 :

> Aimez (qui?) / **qui vous aime** (= *vos amis*).
> Je veux (quoi?) / **qu'on soit sincère** (= *de la sincérité*).
> Dis-moi (quoi?) / **qui tu hantes** (= *tes fréquentations*).
> Je sens (quoi?) / **l'hiver venir** (= *la venue de l'hiver*).

523. Le complément d'objet *suit* généralement le verbe dont il dépend, mais il peut le *précéder* :

■ dans l'*interrogation* et l'*exclamation* :

Quels livres aimes-tu ? – **Quel temps** nous avons eu cet été !

■ dans la *mise en relief,* avec pronom de reprise, ou d'annonce :

Cet homme, je *le* déteste – Je *le* déteste, **cet homme**.
Lire les poètes, j'aime *ça* – J'aime *ça*, **lire les poètes**.

■ dans des *expressions figées* de l'ancienne langue :

Chemin faisant – Sans **coup** férir – Il gèle à **pierre** fendre...

N.B.   Le *pronom personnel* complément d'objet *précède* aussi, généralement, le verbe (§ 263) :

Je **la** connais – Ils **nous** saluent – Nous **les** inviterons...

Le complément d'agent

524. Le **complément d'agent** du *verbe passif,* nom ou équivalent, représente la personne, l'animal, ou même la chose (personnifiée ou non) par qui est accomplie l'action exprimée par le verbe (passif) :

Il fut grondé **par son père** – Elle a été griffée **par son chat** –
Le bateau est entraîné **par la tempête** et **par les flots**.

Il mérite bien son nom : c'est lui qui *agit*, c'est lui *l'agent* de l'action. Si l'on tourne la phrase à l'actif, il devient en effet le *sujet* :

L'oiseau est guetté par le chat = Le chat guette l'oiseau.

(sujet + verbe passif + agent = sujet + verbe actif + objet).

Évitons donc de le ranger parmi les *compléments circonstanciels*.

525. Seuls (voir § 316) les verbes *transitifs directs* (+ obéir, désobéir, pardonner; + quelques *intransitifs* comme démissionner) peuvent exister à la voix passive, donc avoir un complément d'agent :

Il est obéi (**par ses élèves**) –
Il fut démissionné (**par ses pairs**).

On peut cependant parler aussi de *complément d'agent*, en l'absence d'un *verbe passif*, dans des phrases comme :

Je l'ai souvent entendu raconter **par mon grand-père**.
Je vous ferai porter ce paquet **par mon fils**.

526. *Remarques*

■ Le complément d'agent est introduit par **par** ou **de** :

● **par**, quand le verbe exprime une action *précise, momentanée :*

Notre sommeil fut interrompu **par un fracas terrible**.

- **de**, quand il exprime un *résultat*, presque un *état*, et *durable* :

    Elle est aimée **de tous** et **de chacun**.

N.B. Il est introduit par **à** dans l'expression *figée* « **mangé aux mites** » :

    Ce vieux tapis est mangé **aux mites** (= *par les mites*).

■ Ne pas confondre *complément d'agent* et complément circonstanciel *de cause*. L'agent devient sujet, si l'on tourne à la voix active :

    Il fut puni **par sa mère** *(agent)*. Il fut puni **par erreur** *(cause)*.

Le complément d'attribution

527. Le **complément d'attribution** du verbe, nom ou équivalent, représente la personne, l'animal ou la chose auxquels est destinée l'action exprimée par le verbe, actif, passif ou pronominal :

    J'ai prêté un livre à **Paul**; il **me** l'a rendu – Un gros os a été jeté **au chien** – Des soins attentifs se donnent à **la vigne**.

528. Il *accompagne* souvent un complément d'objet, qu'il précède ou suit, avec des verbes comme : *donner, offrir, attribuer, accorder, prêter, confier, infliger, imposer...* :

    Confier à **un ami** un secret – Prêter un livre à **un ami**.

Mais il peut s'employer seul, le complément d'objet étant omis, ou contenu dans le verbe (**objet interne**) :

    Écrire (une lettre) à **un ami** –
    Parler (dire des paroles) à **un voisin**.

529. Généralement introduit par **à**, il peut l'être par **pour**; on peut alors l'appeler *complément de destination* ou d'*intérêt* :

    J'ai acheté des fleurs **pour ma mère**.

N.B. Avec **être** et **appartenir**, on peut l'appeler *complément d'appartenance* :

    Cette villa appartient à **mes amis** – « **A qui** est ce livre? ... **A moi** ».

---

530. *Remarques*

■ Pas plus que le complément d'agent, le complément d'attribution n'est un complément circonstanciel. On l'appelle parfois *objet second*.

■ *Rappel*. Attention à l'équivoque dans la phrase :

    J'ai acheté un livre à **Paul**.

selon que Paul est le *destinataire* (attribution) ou le *vendeur* (origine), cf. § 476 et § 549.

531. **L'attribut du sujet**, nom ou équivalent, exprime une *qualité* attribuée au sujet (personne, animal ou chose), par l'intermédiaire d'un verbe :

> Mon fils sera **chirurgien** – Ce chien est **un basset** –
> Cette maladie semble **une pleurésie**.

532. Le verbe qui relie l'attribut au sujet peut être :

■ le verbe *être* ou l'un des verbes dits *d'état* : *sembler, paraître, devenir, rester, demeurer...* cf. § 310 :

> Il devient **un virtuose**; il **le** restera toujours.

■ un verbe d'*action intransitif* comme : *naître, vivre, mourir, partir, revenir, arriver...* :

> Il partit **simple soldat**, il revint **officier**, il mourut **général**.

■ un verbe d'*action transitif* à la voix passive, comme : *être nommé, être choisi, être élu, être déclaré...*, ou un verbe *pronominal* de sens passif comme : *s'appeler* (= être appelé) ou de sens vague comme : *se faire* (= devenir) :

> Il a été élu **député**; il s'appelle **M. Dupont**.

■ un verbe suivi d'une *préposition* (à, de, pour) ou de la *conjonction* comme (en emploi *explétif* cf. § 482); ex. : passer *pour*, servir *de*, être traité *de*, avoir l'air *de*, être considéré *comme*, être pris *à*, être pris *comme...* :

> Il passe pour **un héros** – Tu serviras d'**arbitre** –
> Je fus pris à (comme) **témoin**.

533. L'attribut du sujet *suit* généralement sujet et verbe, mais :

■ Il peut les *précéder* :

● *dans l'interrogation ou l'exclamation :*

> **Que** devenez-vous? – **Quelle belle jeune fille** elle est devenue !

● *dans la mise en relief* (avec ou sans pronom de reprise) :

> **Amies** elles sont, **amies** elles **(le)** resteront.

● *dans la complétive* sujet après le verbe être :

> **Le mieux** est que tu avoues (= *que tu avoues est le mieux*).

■ Attention au cas où il y a *inversion du sujet*. Il n'est pas toujours facile de distinguer quel est le sujet, quel est l'attribut, d'où les hésitations dans l'accord du verbe :

> Le signal du départ **sera** deux coups de sifflet –
> Le signal du départ **seront** deux coups de sifflet.

N.B. D'où les jeux de mots grammaticaux, les équivoques :

> Je suis *(v. être)* un idiot *(attribut)*; je suis *(v. suivre)* un idiot *(c. o.)*;
> Il *(ce charcutier)* fait bien l'andouille *(sens propre : c. o.)*;
> il fait souvent l'andouille *(sens figuré* = l'âne, l'idiot; *attribut)*.

---

534. *Remarques*

■ Ne pas confondre *attribut du sujet* et *complément d'objet* :
> Il devient **un bon peintre** (attribut) –
> Il connaît **un bon peintre** (c. o. d.).

■ L'attribut du sujet se rencontre souvent avec pour sujet **ce, c'** :
> C'est **un ami** – C'étaient **des disputes sans fin** – Ce sera **la fin**.

■ Pour l'*adjectif qualificatif* attribut du sujet, cf. § 583-584.

▬▬▬▬ L'attribut de l'objet

535. L'attribut de l'objet *(du complément d'objet)*, nom ou équivalent, exprime une qualité attribuée au complément d'objet (direct) du verbe, nom ou équivalent; personne, animal ou chose :
> Je crois ce garçon **un être d'élite** –
> On appelle ce chien **un basset** –
> Nous croyions sa maladie **une pleurésie**.

536. On rencontre l'attribut de l'objet (du complément d'objet) :

■ *après* des verbes transitifs directs à la voix active comme : *nommer, appeler, choisir, élire, déclarer, croire, juger, estimer...* :
> Tu nommais mon pas **une danse** *(Colette)*.

■ *précédé* d'une préposition, *à, de, pour* ou de la conjonction *comme* (en emploi *explétif*, cf. § 482) après des verbes, actifs, comme : *traiter de, tenir pour, prendre à, considérer comme :*
> Il *me* traita de **voleur** – Je tiens *cela* pour **un mensonge** –
> Je *te* prends à **témoin** – Elle considère *Paul* comme **un ami**.

537. *Remarques*

■ Il suit ou précède le complément d'objet :
> Il a Jean pour **prénom** et Durand pour **nom**
> = *Il a pour* **prénom** *Jean et pour* **nom** *Durand.*

■ Ne pas le confondre avec un *complément circonstanciel* :
> Je te considère comme **un ami**
> (*attribut de l'objet* : comme *explétif*)
> Tu as agi / comme **un ami**
> (complément circonstanciel de comparaison).

■ Notons la curieuse équivalence :
> On le fit président = *On fit de lui un président.*
>
> *président :* attribut de l'objet dans la 1re phrase; complément d'objet dans la 2e phrase.

■ Pour l'*adjectif qualificatif* attribut de l'objet, cf. § 585-586.

Le complément circonstanciel

538. En plus des fonctions de base que nous venons d'étudier, la proposition peut utiliser **un** ou **plusieurs compléments circonstanciels.** Ces compléments enrichissent la pensée de leurs nombreuses nuances; ils précisent, essentiellement, *où, quand, comment, pourquoi,* se fait l'action exprimée par le verbe :

> Le courageux sauveteur disparut *(où?)* **dans la foule**
> *(quand?)* **après son exploit** *(comment?)* **avec rapidité**
> *(pourquoi?)* **par discrétion...**

Le complément de lieu

539. Le **complément circonstanciel de lieu**, nom ou équivalent, possède quatre nuances, qu'il convient de préciser dans l'analyse :

- le lieu *où l'on est* :

> J'habite **dans la (en) banlieue**, j'y vis au calme.

- le lieu *où l'on va* :

> Je vais **en ville**, je passerai **chez vous**.

- le lieu d'*où l'on vient* :

> Nous rentrons **de Grèce**, nous **en** revenons enchantés.

- le lieu *par où l'on passe* :

> Il passera **par Toulouse** et rentrera **par l'Auvergne**.

N.B. Généralement introduit par une *préposition*, il peut se construire directement, sans préposition (cf. § 478) :

> Habiter **rue Jean-Jaurès**; se rendre **boulevard Saint-Germain**.

Le complément de temps

540. Le **complément circonstanciel de temps**, nom ou équivalent, possède deux nuances essentielles, à préciser dans l'analyse :

- la nuance **date**, qui répond à la question **quand?** :

> J'arriverai *(quand?)* **demain** et repartirai *(quand?)* **avant vous**.

- la *nuance* **durée**, qui répond à la question **combien de temps?** :

> Elle a été souffrante *(combien de temps?)* **pendant des mois**.

541. *Remarques*

■ Généralement introduit par une préposition, il peut se construire directement, sans préposition :

> Il viendra **la semaine prochaine** – Je serai absent **un mois**.

■ Pour les *équivalents du complément de temps*, cf. § 645.

Le complément de cause

542. Le **complément circonstanciel de cause**, nom ou équivalent, répond à la question *pourquoi? à cause de quoi?* posée après le verbe. Il est introduit par les prépositions **de, par, pour**, ou par les locutions prépositives **à cause de, faute de** :

> Je grelotte **de fièvre** – Il fut puni **par erreur** – Je te félicite **pour ton succès** – Allume **à cause du froid** – Relâchez-le **faute de preuves.**

N.B. Pour les équivalents du complément de cause, cf. § 651.

Le complément de manière

543. Le **complément circonstanciel de manière**, nom ou équivalent, répond à la question *comment? de quelle manière?* posée après le verbe. Il peut se construire :

- soit *avec une préposition* : **avec, sans, à, de, en, par** :

> Regarder **avec surprise** – Vivre **sans ambition** – Marcher **à pas** feutrés – Accepter **de bon cœur** – Rester **en rang** – Triompher **par raccroc**.

- soit *sans préposition*, le nom étant accompagné d'un *adjectif* :

> Parler **la bouche pleine** – Aller **pieds nus** (**tête nue**).

- soit de *façon elliptique*, le nom étant omis :

> S'habiller **à la** [*mode*] **française** – Peindre **à la** [*manière de*] **Picasso** – Cuisiner **à la chinoise**.

N.B. Les équivalents du complément de manière sont, nous l'avons vu : l'*adverbe de manière* ou *son groupe*, § 442, 445, l'*infinitif-nom*, § 416, et *le gérondif*, § 435 :

> Avancer **à tâtons** – Agir **conformément à la loi** – Agir **sans réfléchir** – Parler **en bégayant**...

Le complément de moyen

544. Le **complément circonstanciel de moyen**, nom ou équivalent, répond à la question *comment?, au moyen de quoi?*, posée après le verbe. Il est introduit par les prépositions **de, avec, à, par, en**, ou par la locution prépositive **grâce à** :

> Vivre **de poisson** – Frapper **du poing** – Marcher **au gaz** – Voyager **par avion** – Payer **en blé** – Avancer **grâce au vent**...

N.B. Très proche du complément de manière, qui représente plutôt un nom abstrait, il représente un nom concret; on pourrait l'appeler **complément d'instrument** :

> Travailler **avec ardeur** (*manière*), **avec une pioche** (*moyen*).

Le complément d'accompagnement

545. Le **complément circonstanciel d'accompagnement**, nom ou équivalent, répond à la question *comment?*, *en compagnie de qui?*, posée après le verbe :

> Elle sort **avec ses parents** – Viens **avec moi, avec nous**.

N.B. Proche des *compléments de manière* et *de moyen*, il se distingue d'eux parce qu'il représente non des choses, abstraites ou concrètes, mais des êtres animés :

> Je sors **avec ma mère** – Il joue **avec son chien, avec son chat**.

Le complément de comparaison

546. Le **complément circonstanciel de comparaison**, nom ou équivalent, répond à la question *comment?*, *comme qui?*, *comme quoi?*, posée après le verbe.
Il est introduit par la conjonction **comme** ou les locutions conjonctives **ainsi que**, de **même que**, par les prépositions **en, selon** ou par la locution prépositive **à la façon de** :

> Manger **comme un ogre** – Agir **ainsi qu'un prince** –
> Parler **en maître** – Être jugé **selon ses mérites** –
> Vivre **à la façon des ermites**.

N.B. Il est proche du *complément du comparatif d'égalité*, § 564 :

> Tu es bête **comme une oie** = Tu es aussi bête *qu'une oie*.

---

547. Avec **comme, ainsi que, de même que**, il peut s'analyser comme faisant partie d'une subordonnée comparative *elliptique*, § 681 :

> Il est malin / **comme un singe**.
> (singe : *complément circonstanciel de comparaison*,
> ou mieux *sujet d'un verbe sous-entendu* : [est malin]).

> Elle aime les bonbons / **comme les gâteaux**
> (gâteaux : *complément circonstanciel de comparaison*, ou mieux
> *complément d'objet d'un verbe sous-entendu* : [elle aime]).

N.B. **Attention** à l'équivoque savoureuse dans :

> Perrine aime les bonbons / **comme sa maman;** (maman : *sujet* ou *objet d'un verbe* sous-entendu? « comme sa maman **les aime** »? ou « comme **elle aime** sa maman »?).

Le complément de quantité

548. Le **complément circonstanciel de quantité**, nom ou groupe du nom, répond à la question *combien?* posée après le verbe. Généralement construit directement, sans préposition, il exprime diverses nuances :

> Un tableau de maître se vend **plusieurs millions** (*prix*).
> Cet hercule pèse **cent trente kilos** (*poids*).
> Ce basketteur mesure **deux mètres sept** (*taille*).
> Cet enfant a **treize ans et demi** (*âge*).
> La piste du stade fait **quatre cents mètres** (*dimension*).
> Ils ont marché **douze kilomètres** dans la campagne (*distance*).
> Le thermomètre a baissé **de dix degrés** (*différence*).

Autres compléments circonstanciels

549. La gamme des compléments circonstanciels est très riche; outre les principaux, exposés ci-dessus, on peut citer ceux qui expriment :

■ *le but :* prépositions et locutions : **pour, dans, à, en vue de, dans le dessein de.** Éviter **dans le but de, incorrect pour les puristes :

> Lutter **pour la liberté** – Œuvrer **dans l'intérêt des siens** – Viser **à la perfection** – Travailler **en vue d'un succès.**

■ *le propos :* prépositions et locutions : **de, sur, au sujet de, à propos de,** ou directement, sans préposition :

> Parler **de ses amis** – Méditer **sur un problème** – Nous parlons souvent **poésie, théâtre, peinture** et **musique.**

■ *le point de vue :* **de, en, quant à** :

> Il est Canadien **de naissance** et Français **de cœur** – Je le bats **en ardeur au travail**; il l'emporte **quant aux dons.**

■ *l'échange :* **pour, contre, en échange de** :

> Je te propose ce livre **pour** (**contre, en échange de**) ton stylo.

■ *l'origine, la provenance :* **à, de** :

> Il naquit **de sang noble** – Elle hérita **de son parrain** – J'ai emprunté de l'argent **à un ami.**

> Ne pas confondre avec le *complément d'attribution*, § 530.

■ *la conséquence :* **à, pour** :

> Il a réussi, **à la surprise générale** (**pour notre plus grande joie**).

■ *la concession :* **avec, sans, malgré, nonobstant, en dépit de** :

> Il court **malgré sa blessure** – Elle sort **en dépit de la pluie.**

■ *la condition :* **avec, sans, en cas de** :

> **Avec plus de travail**, il réussirait – Elle s'ennuierait **sans la lecture** – N'hésite pas à m'appeler **en cas de besoin.**

550. *Remarques*

■ Nous constatons qu'*une même préposition* peut introduire des compléments différents, § 475; Appendices, § 849-856.
Veillons au contexte, *au sens*.

■ Un seul et même complément circonstanciel peut être riche de deux ou plusieurs nuances : *bivalence, polyvalence* :

Il fut grondé **pour un accroc à son pantalon.**

Complément de *cause* et de *propos* : à cause de, et à propos de cet accroc.

On s'instruit **à la lecture des bons écrivains.**

Complément de *moyen*, de *temps*, de *condition*, de *cause* : au moyen de la lecture : quand on lit, si on lit, parce qu'on lit !...

LES AUTRES FONCTIONS DU NOM

551. Outre les fonctions qui gravitent autour du *verbe*, et que nous venons de passer en revue, le nom, ou son remplaçant, peut avoir d'autres fonctions importantes; ce sont : les **compléments** du *nom*, du *pronom*, de l'*adjectif numéral*, de l'*adverbe*, de l'*adjectif qualificatif*, et enfin l'**apostrophe** et l'**apposition**.

Le complément du nom

552. Le nom, ou son équivalent, **complément du nom** précise le sens de ce nom auquel il est relié par diverses prépositions : **de, à, en, pour, par, sans**... :

L'air **de la mer**, un ver **à soie**, une montre **en or**, un coiffeur **pour dames**, un voyage **par air**, un jour **sans soleil**...

N. B. ■ **De** et **à** fusionnent souvent avec l'*article défini*, § 160 :
Le roi **des** (*de les*) **animaux** – Le héron **au** (*à le*) **long bec.**
■ La préposition peut être *omise* devant le complément de nom, § 477 :
L'Hôtel-**Dieu**, le pont **Mirabeau**, le lycée **Lakanal**, le bœuf **gros sel.**

---

553. Comme le complément du verbe, le **complément du nom** exprime de nombreuses nuances. On ne les précise pas, généralement, dans l'analyse, mais il est bon de les sentir, pour maîtriser sa langue. Les principales nuances du complément de nom sont :

■ la *possession* :

La maison **de Claudine** – Le bateau **de mon cousin** – Le vélo **de Jean.**

■ la *matière* :

Un bijou **en or** – Un vase **de cristal** – Le Pot **de terre** et le Pot **de fer.**

■ la *qualité* :

Un peintre **de talent** – Un enfant **d'un bon naturel** – Un poète **de génie** – Un vase **à long col** et **d'étroite embouchure**...

554. Citons encore, pour illustrer sa richesse, les nuances :

- manière : Une vente *aux enchères*, un achat *à crédit*.
- lieu, origine : La pêche *en mer*, un vin *de Bourgogne*.
- destination, but : Une robe *de bal*, un habit *de gala*, une tasse *à thé*.
- temps : Les fêtes *de Noël*, un congé *de huit jours*.
- cause : Un cri *de joie*, un hurlement *de douleur*.
- contenu : Une tasse *de thé*, une bouteille *de bière*.
- tout, dont le nom complété n'est qu'une partie :
  Le pied *de la table*, l'anse *de la tasse*, un quartier *d'orange*, une part *de gâteau*, le couvercle *de la casserole*.
- quantité, avec les mêmes nuances que pour le complément de quantité du verbe (§ 548) :
  Un tableau *de plusieurs millions* (*prix*), un hercule *de cent trente kilos* (*poids*), un basketteur *de deux mètres sept* (*taille*), un enfant *de treize ans et demi* (*âge*), une piste *de quatre cents mètres* (*dimension*), une marche *de douze kilomètres* (*distance*), une baisse de *dix degrés* (*différence*).
- point de vue : Un champion *de gymnastique*, un as *du volant*.
- propos : Un livre *de grammaire*, une leçon *de géographie*.
- partitive : Un peintre *de mes amis* (de = parmi, d'entre).
- sujet de l'action contenue dans le nom complété :
  Le travail *du graveur*, le saut *de l'athlète*.

C'est le graveur qui travaille, c'est l'athlète qui saute.

- objet de l'action contenue dans le nom complété :
  Le travail *du cuivre*, le saut *de la haie*.
  (*On* travaille le cuivre, *on* saute la haie).

555. *Remarques*

■ Noter la différence de sens entre :
  Une tasse **à thé** (*destination*), une tasse **de thé** (*contenu*).

■ **Attention** à l'équivoque dans une phrase comme :
  La crainte **de l'ennemi** était immense.

(ou l'ennemi craint : *nuance sujet*, ou on le craint : *nuance objet*).

■ Les *équivalents du nom* pouvant être *complément du nom* sont :

- le **pronom**, ou son groupe :
  Le don **de soi**; l'amour **des siens**.
  La joie **de chacun des convives**.
- l'**adverbe** :
  Les gens **d'hier**, les amis **de toujours**, la porte **de devant**.
- l'**infinitif-nom** :
  Le plaisir **de lire**; la joie **de vivre**; l'espoir **de guérir**.
- la **subordonnée complétive** par *que*, § 620 :
  La certitude / **que tu viendras** (= *de ta venue*) / me soutient.

Le complément du pronom

556. Le pronom, remplaçant principal du nom, peut, comme lui, avoir un complément, nom ou équivalent. Ce **complément du pronom** précise le sens de ce pronom, auquel il est relié par **de, d'entre, parmi** :

> Quelques-uns **de** (*d'entre, parmi*) **mes amis** arrivent demain.

Des six sortes de pronoms, § 254, seuls trois peuvent avoir un complément : les pronoms *démonstratif, interrogatif, indéfini* :

> Ceux / **de mes amis** - Quelques-uns / **de mes amis** –
> Qui / **de mes amis**?

557. Le *complément du pronom* **démonstratif** peut être : un nom, un pronom, un adverbe, un infinitif, une subordonnée relative :

> Celui de **mon père** – Ceux d'**entre nous** – Celle de **jadis** –
> La joie de vivre et celle de **chanter** – Ceux **qui travaillent** –
> Ce **que tu dis** ...

Il exprime diverses nuances : *possession, lieu* (origine), *temps*, et, quand il est complété par une relative, une nuance *partitive* :

- Je préfère ta maison à celle / **de tes voisins** (*possession*).
- Avec ceux / **de Paimpol**, d'Audierne et de Cancale (*lieu*).
  > (Heredia).
- Les habits de tous les jours et ceux / **du dimanche** (*temps*).
- Il a puni ceux / **d'entre nous** / qui travaillaient mal (*partitif*).

558. Le *complément du pronom* **interrogatif,** comme celui du *pronom* **indéfini,** peut être : un nom ou son groupe, un pronom ou son groupe, un adjectif qualificatif épithète, avec un **de** explétif, cf. § 581 NB :

> Lequel **de mes amis?** – Chacun **de mes amis** – Qui **d'entre vous?** – Quelqu'un **d'entre eux** – Qui (quoi) **de plus aimable?** – Quelqu'un **de bon** – Rien **de neuf**...

N.B. Leur complément a une nette valeur *partitive* :

> Qui **de** (**d'entre, parmi**) **tes amis** t'est le plus cher? –
> Quelques-uns **d'** (**d'entre, parmi**) **eux** me sont très chers.

Le complément de l'adjectif numéral

559. Employé seul, en fonction de pronom, § 208 et 218, l'**adjectif numéral,** *cardinal* ou *ordinal*, peut s'enrichir d'un *complément,* nom ou pronom, avec une nette valeur *partitive,* comme dans le complément du pronom :

> Trois **de** (**d'entre, parmi**) **mes amis** arrivent demain.
> La troisième **de** (**d'entre, parmi**) **ses filles** se marie demain.

Comparer : *dix*/de mes amis et *quelques-uns*/de mes amis.

560. **L'adverbe circonstanciel,** *de manière,* et surtout *de quantité,* peut avoir un complément : nom ou pronom, cf. § 445, 449 :

> Agissez conformément **à la loi** – Beaucoup **d'élèves** rêvassent.

N.B. Le complément de l'adverbe de quantité possède une nette valeur partitive. Si l'on remplace *beaucoup* par **bien,** *de* cède d'ailleurs la place à l'*article partitif* :

> Beaucoup de plaisir = bien **du** plaisir –
> Beaucoup de chance = bien **de la** chance –
> Beaucoup de joies = bien **des** joies...

Le complément de l'adjectif qualificatif

561. **L'adjectif qualificatif,** quelle que soit *sa fonction,* voir ci-après, § 575 sq., quel que soit *son degré,* § 238 sq., peut avoir un complément, nom ou équivalent, relié à lui par diverses prépositions :

> Prompt (plus prompt, très prompt) **à la colère** –
> Riche **de possibilités** – Fort **en calcul** –
> Bon **pour les animaux** – Dur **envers les méchants**...

Suivi d'un complément, l'adjectif qualificatif voit son sens se restreindre ou prendre un sens figuré :

> Un homme **fort**; un homme **fort en mathématiques**;
> Une femme **libre**; une femme **libre de tout souci matériel.**

562. Le **complément de l'adjectif qualificatif** exprime bien des nuances de :

- *cause* : Célèbre **pour son savoir,** fier **d'un succès.**
- *moyen* : Plein **de lait,** plein **de fleurs.**
- *origine* : Natif **de Bretagne,** issu **du peuple.**
- *point de vue* : Élégant **de forme,** fort **en grammaire.**
- *égalité, inégalité* : Semblable (égal, supérieur, inférieur) **à sa sœur.**
- *mouvement vers* : destination, but, inclination :
  > Né **pour les voyages,** utile **à la société,** bon **pour les bêtes,** reconnaissant **envers ses parents.**
- *éloignement, privation, opposition :*
  > Libre **de tout souci,** exempt **d'impôts,** absent **du pays,** efficace **contre le mal.**
- *objet de l'action,* contenue dans l'adjectif :
  > Désireux *(avide)* **de gloire,** soucieux *(oublieux)* **de la parole donnée,** capable *(incapable)* **de progrès** (on désire *la gloire,* on respecte ou non *sa parole,* on peut faire ou non *des progrès*).

563. *Remarques*

■ Un même adjectif peut avoir *plusieurs* compléments :

Il est capable **de progrès** *(objet)* **en calcul** *(point de vue)*.

■ Les *équivalents du nom* pouvant être compléments de l'adjectif sont : *le pronom* ou son groupe, *l'infinitif, la complétive par* **que** :

Je suis fier **de toi** *(de chacun de vous, de ceux qui réussissent)* –
Il est heureux **de vivre** – Elle est belle **à voir** –
Je suis désireux **que tu réussisses** (= *de ta réussite*).

━━━━━ **Le complément du comparatif**

564. L'adjectif qualificatif au **comparatif**, de supériorité, d'égalité, d'infériorité, § 242, peut avoir un complément. Ce complément, introduit par la conjonction **que**, n'est autre qu'une *subordonnée circonstancielle de* comparaison complète ou elliptique, § 679 sq. :

Il est *plus (aussi, moins)* petit / **que sa sœur** *(ne l'est)*.

Il est proche du complément de *comparaison* (§ 546) :

Il est *aussi* bête **qu'une oie** = Il est bête *comme* une oie.

565. Ce **complément du comparatif** se présente sous l'aspect :

■ d'un *nom* ou d'un *pronom*, ou de leur groupe :

Il est plus gentil **que sa grande sœur** –
On a souvent besoin d'un plus petit **que soi** –
Mon jardin est aussi grand **que celui des voisins.**

■ d'un *adjectif qualificatif*, au positif :

Il est aussi puissant **que beau** – Elle est plus belle **que gentille.**

■ d'un *adverbe* :

Elle est plus grincheuse **que jamais.**

■ d'un *infinitif*, avec un **de** *explétif* :

Avouer une faute est plus loyal **que de la nier.**

■ d'une *subordonnée, de comparaison,* complète :

Il est moins sot / **que tu ne penses.**

566. *Remarques*

■ Le complément des adjectifs **supérieur, inférieur, antérieur**..., vrais *comparatifs*, (cf. § 242), est introduit par **à**, et non par **que** :

Tu es inférieur **à mon frère,** mais supérieur **à moi.**

■ Le complément du comparatif peut s'accompagner d'un autre complément de l'adjectif (cf. § 561-562) :

Elle est plus forte / **que nous** / **en grammaire** *(point de vue)*.

■ Proche de lui est le **complément du comparatif de l'adverbe,** § 444 :

Il agit plus *(aussi, moins)* sagement / **que sa sœur** *(qu'elle)*.

Le complément du superlatif

567. L'adjectif qualificatif au **superlatif relatif**, de supériorité ou d'infériorité, cf. § 245, a très souvent un complément, introduit le plus souvent par **de** :

> Il est le plus jeune (le moins jeune) **de mes élèves.**

568. Ce **complément du superlatif,** relatif, se présente sous l'aspect :

- d'un *nom* ou de son groupe au *pluriel* :

> L'absence est le plus grand **des maux.**

N.B. Quand il semble au *singulier*, c'est qu'il y a une *omission* :

> Le moins doué **de la classe (de la famille)**
> = Le moins doué *(des élèves)* de la classe, *(des membres)* de la famille.

- d'un *pronom* ou de son groupe, au *pluriel* :

> Le plus (le moins) discret **de tous (de ceux de notre équipe)** .

- d'une *subordonnée relative*, au subjonctif :

> Ce livre est le plus beau / **qui soit (que je connaisse, que j'aie jamais lu).**

569. *Remarques*

■ Le *superlatif absolu* n'a jamais de complément :

> Il est **très bavard** – Elle est **très peu hardie.**

■ Le **complément du superlatif**, relatif, a une nette *valeur partitive* :

> Il est le plus *(le moins)* sage **de (d'entre, parmi) mes amis.**

■ Rappelons, cf. § 248, que le *genre du superlatif* est influencé par celui de son complément :

> La plus **sotte** *(féminin)* **des bêtes;**
> le plus **sot** *(masculin)* **des animaux**

■ Le **complément du superlatif** peut être *double* :

> C'est le plus beau / **des poèmes / que je connaisse.**
> Tu es le plus fort / **de nous tous / en grammaire.**

■ Proche de lui est le **complément du superlatif de l'adverbe,** § 444 :

> Tu as agi le plus *(le moins)* stupidement / **de tous nos amis.**

L'apostrophe

570. Le nom, ou son groupe, ou le pronom, est mis en **apostrophe** quand il désigne l'*être animé* : personne ou animal, nom commun ou nom propre; ou la *chose personnifiée*, à qui l'on adresse la parole, qu'on interpelle, qu'on apostrophe :

> **Homme libre,** toujours tu chériras la mer *(Baudelaire)*
> Mords-les, **Fidèle** ! – A la niche, **Médor** ! – **Toi,** cesse d'aboyer !
> Sonnez, sonnez toujours, **clairons de la pensée** *(Hugo).*

571. *Remarques*

■ L'apostrophe ne dépend, grammaticalement, d'aucun autre mot de la proposition. Isolée par une ou deux virgules, elle précède, coupe ou suit la proposition qu'elle accompagne :

> **Chœurs,** interrompez-vous; cessez, **danses légères** *(Hugo).*

■ Elle est parfois précédée de l'*interjection* ô (style solennel, ou ironique), ou d'un *article* (style familier) :

> **O temps,** suspends ton vol *(Lamartine).*
> Voile-toi la face, **ô Muse des comices agricoles** ! *(Daudet).*
> Silence, **les gosses** ! – Passez votre chemin, **la fille** !

L'apposition

572. Le nom, ou son groupe, mis en **apposition** précise la *nature* ou la *qualité du nom,* ou pronom, auquel il est apposé; ce nom, ou pronom, ayant n'importe quelle fonction dans la proposition :

> Le lion, **terreur des forêts,** convoqua ses sujets.
> (apposition à un *sujet*).
> Je crains la colère du lion, **terreur des forêts.**
> (apposition à un *complément de nom*).
> Je te redoute, ô lion, **terreur des forêts.**
> (apposition à une *apostrophe*)...

573. L'**apposition** est généralement isolée du nom auquel elle est apposée, soit par une *virgule*, soit par *deux points*, dans l'énumération :

> Pierrot, **le chat,** et Lili, **la tortue,** ne se quittent plus *(Colette).*
> Tout le monde est sur pied : **pigeons, canards, dindons, pintades** *(Daudet).*

Mais elle peut être *juxtaposée*, sans ponctuation aucune :

> Le poète **Victor Hugo,** l'orateur **Mirabeau,** l'ingénieur **Eiffel.**

A distinguer (cf. § 479) du *complément de nom sans préposition* :

> Le lycée **Victor Hugo,** le pont **Mirabeau,** la tour **Eiffel.**

574. *Remarques*

■ Elle est parfois introduite par un **de** ou un **quant à** *explétifs,* § 482 :

> La ville **de Paris,** l'île **de Sein,** le mois **de juin.**
> **Quant à mon père,** il bricole tout le temps.

■ Elle peut être *éloignée* du mot auquel elle se rapporte :

> Les *flots* le long du bord glissent, **vertes couleuvres** *(Hugo).*

L'ADJECTIF QUALIFICATIF

575. Nous avons exposé, § 221 sq., la *morphologie,* parfois capricieuse, de **l'adjectif qualificatif** et ses *degrés de signification*.

Nous avons vu aussi, § 508, que, seul ou enrichi d'un complément, l'adjectif qualificatif fait partie du **groupe du nom.**

Nous venons enfin d'examiner les *compléments de l'adjectif, du comparatif* et *du superlatif,* § 561-569.

Il reste à étudier ses *quatre fonctions*, dans la proposition :

> **épithète, attribut du sujet, attribut de l'objet, apposé.**

Ses équivalents

576. Comme le nom, l'adjectif qualificatif a de nombreux équivalents possibles, qui donnent souplesse et variété à l'expression de la qualification. Ces équivalents tantôt le *remplacent,* tantôt l'*accompagnent,* en coordination ou juxtaposition :

> Un tissu **rouge**, un tissu **or**, **rouge et or**, **rouge sang**.

577. Les divers équivalents de l'adjectif qualificatif sont :

■ un *nom commun* :

> Une robe **rose**, un air **bête**, un enfant **prodige**.

■ un *participe*, *présent* ou *passé* :

> Un enfant **souriant** *(gai et souriant),* **bouclé** *(blond et bouclé).*

■ un *nom*, ou un *groupe du nom*, avec ou sans préposition, exprimant diverses nuances : qualité, couleur, matière, manière, possession... :

> Un homme **de bonne foi** (= *loyal*), un chien **en laisse** (= *captif*), une barbe **poivre et sel**, un vin **pelure d'oignon**, des robes **cuisse-de-nymphe**, un tissu **laine et coton**, une voie **sans issue**, la demeure **des ancêtres** (= *ancestrale*)...
> Cf. les expressions de la langue *familière* : Un effet **bœuf**, une réception **monstre**, un rire **canaille**, une mine **chatte**, une toilette **chou**...

■ un *adverbe* :

> Une fille **bien**, le temps **jadis**, des places **debout**, la **presque** totalité, la **quasi**-unanimité...

■ un *superlatif relatif au pluriel*, à valeur partitive, cf. § 246 :

> Un esprit **des plus fins** (= *très fin*), une culture **des plus vastes** (= *très vaste*), un intérieur **des mieux tenus** (= *très bien tenu*).

■ un *groupe de l'adverbe de quantité* :

> Un orateur disert et **de beaucoup d'esprit** (= *et très spirituel*).

■ un *infinitif* précédé de **à** :

>Terrain **à vendre**, (*disponible* à la **vente**).
>Maison **à louer** (*disponible* à la **location**).

■ une *subordonnée relative* :

>Un souriceau tout jeune et **qui n'avait rien vu** (= *et naïf*).

■ une *subordonnée circonstancielle de comparaison* :

>Un homme (une femme) **comme il faut** (= *convenable*)...

578. Ces divers équivalents de l'adjectif qualificatif peuvent avoir :

● *les mêmes degrés de signification* que lui :

>Un enfant **plus** (*aussi, moins, trop, très...*) **souriant**.
>Une femme **de plus** (*de moins, de beaucoup*) **d'esprit**.

● *les quatre mêmes fonctions* que lui (voir ci-après).

L'adjectif épithète

579. L'**adjectif qualificatif**, ou son groupe, ou son équivalent, est **épithète du nom** lorsqu'il est intimement lié à lui, qu'il le précède ou qu'il le suive :

>Une **vieille** voiture, une voiture **neuve**.

Sa place

580. *Lorsqu'il est seul*, tantôt il précède obligatoirement le nom, tantôt il le suit obligatoirement, tantôt il le précède ou le suit indifféremment :

>un **haut** fourneau; un hareng **saur**;
>une **amère** déception ou une déception **amère**.

■ *En ancien français*, sous l'influence du germanique (§ 726), l'adjectif épithète précédait plutôt le nom. Il nous en reste des traces :

● dans des **composés anciens** :

>**chauve**-souris, **vif**-argent (mercure), **blanc**-seing, **basse**-cour, **claire**-voie, **plate**-bande, **haut** mal (l'épilepsie), **grand**-place...

● en **toponymie** :

>**Neuf**châtel (= *château neuf*), **Cler**mont (= *mont clair*), **Gram**mont (= *grand mont*), **Haute**ville (= *ville haute*)...

■ *Aujourd'hui, il le suit* plus volontiers, parfois obligatoirement :

>Chapeau **pointu**, terrain **carré**, robe **rouge**, fruit **sec**...

■ *Parfois il le précède* ou le *suit* indifféremment :

>Un **vif** désir, un désir **vif**; un **étroit** sentier, un sentier **étroit**.

les **beaux**-arts, le **noble** art *(la boxe)*.

■ C'est un *souci de rythme, d'euphonie*, qui peut décider de sa place. Les poètes, souvent, le placent *devant* le nom :

Voici l'**étroit** sentier de l'**obscure** vallée *(Lamartine)*.

581. *Remarques*

■ Il arrive que le sens soit très différent selon la place de l'adjectif. De *sens propre*, il suit le nom; de *sens figuré*, il le précède :

Un homme **grand**, un **grand** homme; un sire **triste**, un **triste** sire; un homme **brave**, un **brave** homme; une fille **pauvre**, une **pauvre** fille; une tête **forte**, une **forte** tête; un maçon **franc**, un **franc**-maçon; une femme **sage**, une **sage**-femme...

■ La *mise en relief* peut se faire de façon curieuse, le nom prenant l'aspect d'un complément de nom, et l'épithète se substantivant :

Une **drôle** de guerre *(une guerre drôle, bizarre)*, un **fripon** de valet *(un valet fripon)*, un **coquin** d'enfant *(un enfant coquin)*...

ou cédant sa place à un *nom* correspondant :

Un **amour** de bébé *(un beau bébé)*,
une **horreur** de robe *(une robe laide)*,
un **chameau** de belle-mère *(une belle-mère méchante)*.

N.B. Ne pas oublier l'adjectif épithète non plus d'un nom, mais d'un *pronom indéfini* ou *interrogatif*, masculin ou neutre, avec un **de** *explétif* : § 482; 558 :

Quelqu'un (quelque chose) **de bon**; quoi **de neuf**?

582. *Lorsqu'il y a deux ou plusieurs adjectifs épithètes*, ils sont juxtaposés ou coordonnés entre eux, et ils précèdent, suivent, ou encadrent le nom qu'ils accompagnent :

Un **grand méchant** loup; un ciel **pur** *et* **serein**;
une **jeune** étudiante **vive** *et* **sympathique**...

■ L'adjectif attribut du sujet

583. Comme le nom, § 531-534, l'adjectif qualificatif, ou son groupe, ou son équivalent, est **attribut du sujet**, nom ou équivalent, lorsqu'il est relié au sujet :

● par le **verbe être** ou un **verbe d'état** : *sembler, paraître, devenir, rester, demeurer...* :

Il est **blond**, elle est **brune** – Petit poisson deviendra **grand**.

● par **tout verbe**, intransitif, passif, pronominal, équivalent du verbe être ou d'un verbe d'état, § 532 :

> Il naquit **boiteux** – Il fut jugé **coupable** – Il se fait **vieux** –
> Il passe **pour loyal** – Il fut traité **de** (considéré **comme**) **fou**.

N.B. Attention à l'*équivoque* dans la phrase : Il marche **droit**.
Droit, adjectif, est attribut du sujet (il se tient droit en marchant); droit, est employé comme adverbe de manière, si le sens est « il obéit, il obtempère ».
Au féminin, l'équivoque disparaît :

> Elle marche **droite** – Elle marche **droit**.

---

584. *Remarques*

■ Le verbe est parfois *omis* devant l'attribut du sujet :

> Il pleuvait, le ciel était gris, le moulin **triste** *(Daudet)*.

■ L'attribut peut précéder verbe et sujet, exprimés ou non :

> **Hauts** sont les monts et les vaux ténébreux *(Chanson de Roland)*.

■ L'adjectif attribut du sujet se place devant le sujet réel, infinitif avec un **de** explétif, ou subordonnée complétive :

> Il est **bon** *de lire* – Il est **bon** / *que chacun lise*.

▬▬▬▬▬ L'adjectif attribut de l'objet

585. Comme le nom, § 535-537, l'adjectif qualificatif, ou son groupe, ou son équivalent, est **attribut du complément d'objet**, nom ou équivalent, après les verbes transitifs : *croire, juger, sentir, estimer, trouver, rendre, tenir pour, traiter de, considérer comme... :*

> Je juge cet enfant **sain** – Je le crois **sincère** – Il me traita **de fou**
> – Je te tiens **pour fidèle** – Je le considère **comme bon**.

586. *Remarques*

■ Il y a parfois attribut de l'objet sans objet exprimé (*l'homme*) :

> Le travail rend **joyeux** – La maladie rend **grincheux** –
> Ça rend **aimable**.

■ L'attribut de l'objet peut *précéder l'objet*, nom ou équivalent : infinitif, subordonnée complétive :

> Je juge **heureux** les paysans – Je tiens **pour sage** cet avis –
> Je crois **utile** de partir – Je tiens **pour sûr** que tu te trompes.

■ On le rencontre aussi avec le pronom relatif d'objet **que** :

> Voilà donc l'individu / **que** vous prétendez **innocent**.

N.B. Quand le complément d'objet est un *pronom personnel réfléchi*, l'attribut de l'objet se confond avec l'attribut du sujet :

> Je **me** sens (**plus**, **moins**) **malade** – Elle **se** montra (**très**) **aimable**.

---

587. Comme le nom, § 571-573, l'adjectif qualificatif, ou son groupe, ou son équivalent, est *en apposition,* ou **apposé,** lorsqu'il est isolé du nom, ou du pronom, auquel il se rapporte. Il en est séparé par une ou deux virgules, selon sa place :

> **Légère** et **court-vêtue**, elle allait à grands pas *(La Fontaine).*
> Nous reprîmes, **gais** et **joyeux**, le chemin du retour.

588. *Remarques*

■ L'adjectif apposé donne de la nervosité au style. Comparer :

> Il trépignait **avec rage** *(rageusement)* – Il trépignait, **rageur.**

■ Riche de sens, il peut remplacer, avec élégance, toute une proposition subordonnée :

> **Loyale,** elle est aimée de tous (= *parce qu'elle est loyale*).
> **Malade,** il refusa un congé (= *bien qu'il fût malade*).
> **Plus sérieux,** tu réussirais (= *si tu étais plus sérieux*).

■ A noter l'importance de la *virgule*, qui permet de distinguer l'attribut du sujet et l'apposition :

> Il vient à nous **rapide** et **sombre** *(attributs du sujet).*
> Il vient à nous, **rapide** et **sombre** *(appositions au sujet).*

589. Rappel. Épithète, attribut du sujet, attribut du complément d'objet, apposé, telles sont les *quatre seules fonctions* possibles de l'adjectif qualificatif, ou de son groupe, ou de ses équivalents, quel que soit son *degré de signification :* positif, comparatif, superlatif.

Mais nous avons vu que, par glissement, il peut s'employer :

■ *comme* **nom,** au singulier ou au pluriel :

> le **beau**, le **vrai**, la **droite**, la **gauche**...;
> les **bons**, les **méchants**, les **vieux**, les **jeunes**...

Il a alors toutes les fonctions d'un nom :

> Le **coupable** *(sujet)* fut puni – On a puni les **coupables** *(objet)*...

■ *comme* **adverbe de manière :**

> Parler **bas**, chanter **faux**, travailler **dur**, sentir **bon**...

Il est alors *invariable* et équivaut à un *complément de manière.*

■ *comme* **interjection :**

> hardi ! bon ! ferme ! vrai ! parfait !...

Il est alors *invariable,* et n'a aucun rôle grammatical.

RAPPELS

590. Les autres adjectifs. Pour la fonction des *autres adjectifs* (pronominaux et numéraux), et de *l'article* (étymologiquement un adjectif), on dit, traditionnellement, qu'ils *se rapportent* au nom qu'ils *introduisent*.

En fait, on constate qu'ils sont :

■ *généralement épithètes* du nom :

> **un** chat, **mon** chat, **ce** chat, **chaque** chat, **quel** chat?...

■ *parfois attributs,* du sujet ou de l'objet : adjectif *possessif tonique* (§ 119), adjectif *interrogatif* (§ 197) :

> Je reste **tien**, à jamais ! – Je fais **mienne** ton idée –
> **Quel** est ton nom? – **Quelle** sera sa vie?

N.B. ■ L'*adjectif numéral cardinal* peut s'employer seul, avec ou sans article, en fonction de *nom* ou de *pronom*, § 208-209 :

> **Trois** (*sujet*) sont absents – Il a eu **un trois** (*objet*) en calcul.

■ L'*adjectif numéral ordinal,* quant à lui, a les mêmes quatre fonctions que l'*adjectif qualificatif,* § 217 :

> **Troisième** en calcul, elle est satisfaite (*apposé au sujet* **elle**).

Employé seul, il a les fonctions du *nom* ou du *pronom*, § 218-219 :

> **Le troisième** (*sujet*) bat **le deuxième** (*objet*) –
> Habiter **au sixième** (*lieu*).

---

591. Le pronom. Quel qu'il soit : *personnel, possessif, démonstratif, indéfini, interrogatif, relatif,* le pronom, nous l'avons vu, a toutes les fonctions possibles du nom :

> **Je** (*sujet*) **te** (*attribution*) **l'** (*objet*) avais bien dit –
> **Qui** (*attribut*) est-**il?** (*sujet inversé*)...

592. Le verbe. Nous avons étudié en détail, § 309-436, les rôles et valeurs des divers *modes* et *temps* du verbe, le mot roi de la proposition, même quand il est omis. Il nous reste à le *situer* dans la *phrase*, en *indépendante*, en *principale* ou en *subordonnée*. Voir ci-après : **Syntaxe de la phrase.**

593. Les mots invariables. En étudiant enfin les mots invariables : *adverbes, prépositions, conjonctions, interjections,* § 437-502, nous avons vu leurs valeurs et emplois multiples, donc leurs rôles et fonctions dans la proposition, et même dans la phrase.

Syntaxe de la phrase

594. *De la proposition à la phrase*

■ **La langue parlée,** qui bénéficie des ressources merveilleuses de l'intonation, cf. § 17-18, supprime volontiers tout mot qu'elle juge inutile : la pensée va vite, la parole doit suivre; elle use donc plutôt de la coordination, de la juxtaposition :

> Il fait froid, *donc* j'allume le feu – Il fait froid, j'allume.

■ **La langue écrite,** plus soignée, plus logique, plus structurée, lie les idées, organise les propositions, use volontiers de la subordination :

> Il fait si froid / que j'allume – J'allume / parce qu'il fait froid.

Et si la langue parlée tend à la phrase courte, même très courte, et elliptique, la langue écrite peut étoffer la phrase, multiplier les propositions (penser à *Marcel Proust*), et atteindre à la majesté de la période oratoire d'un *Bossuet* ou d'un *Chateaubriand.*

595. Une phrase est donc un ensemble de mots plus ou moins complexe, allant d'un point à un autre. Elle est formée d'une ou de plusieurs propositions, chacune d'entre elles pouvant être :

■ **indépendante**, si elle se suffit à elle-même, si elle ne dépend d'aucune autre proposition, et si aucune autre ne dépend d'elle :

> Le vent se lève – On ne saurait penser à tout.

■ **principale**, si elle ne dépend d'aucune proposition, mais si elle commande une ou plusieurs autres propositions :

> **Je veux** (qu'on écoute) – **J'aime les enfants** (qui écoutent).

■ **subordonnée**, si elle dépend d'une autre proposition; elle ne peut exister sans ladite proposition (principale ou subordonnée) :

> **Quand le chat n'est pas là** (les souris dansent).

596. *Remarques*

■ Deux ou plusieurs propositions de même nature, indépendantes, principales, subordonnées de même nuance, sont dites :

● **coordonnées**, si elles sont reliées par une *conjonction de coordination* :

> Je suis heureux **car** il fait beau.

● **juxtaposées**, si elle se suivent sans aucun lien grammatical, séparées simplement par une *virgule* :

> Je suis heureux, il fait beau.

■ Une *indépendante et une principale* peuvent être, entre elles, *coordonnées* ou *juxtaposées.* Une indépendante n'est qu'une principale privée de toute subordonnée; une principale n'est qu'une indépendante enrichie d'une ou plusieurs subordonnées.

■ Toute proposition, indépendante, principale ou subordonnée, peut être incomplète, *elliptique* :

Tel père, tel fils (*deux indépendantes elliptiques*) –
Rien de neuf / qui puisse t'intéresser (*principale elliptique*) –
Je laisse à penser / **quelle joie** (*subordonnée elliptique*).

LA PROPOSITION INDÉPENDANTE

597. La phrase peut se réduire à une seule proposition : cette proposition est alors généralement **indépendante**.
La proposition indépendante se présente le plus souvent sous l'aspect d'un ensemble de mots plus ou moins riche et gravitant autour du mot principal, *le verbe,* avec son ou ses sujets, son ou ses attributs, son ou ses divers compléments :

Midi, roi des étés, épandu sur la plaine,
Tombe en nappes d'argent des hauteurs du ciel bleu
(*Leconte de Lisle*).

598. Elle peut être très brève, réduite à un seul mot, ou groupe :

■ un **verbe,** à l'impératif, à l'infinitif, à l'indicatif :

Entrez – Ne ris pas – Ralentir – Que faire? – Et de rire – Suffit.

■ un **nom,** ou son groupe :

Jean ! (*apostrophe*) – Terrain à vendre (*annonce*) – Paix ! (*ordre*).

■ un **pronom**, ou son groupe, dans un dialogue :

Qui de vous deux? (*question*) – Moi (*réponse*).

■ un **adverbe**, ou une locution adverbiale, dans un dialogue :

Où? – Quand? – Comment? – Pourquoi? – Combien? (*questions*).
Ici – Demain – A contrecœur – Oui – Non – Peut-être (*réponses*).

■ une **interjection**, ou une locution interjective :

Ah ! – Oh ! – Par exemple ! – Diable ! – Hélas ! – Ouf !...

599. Elle est souvent *elliptique* :

● dans les *proverbes* :

A bon chat, bon rat – A père avare, fils prodigue.

● dans les *dialogues rapides* :

« Qui (a dit cela)? – Moi – Quand? – Hier – Ah !... »

- dans les *descriptions* ou *portraits rapides* (croquis) :

    Pas un souffle de vent, pas une voile, rien.

- dans l'expression des *émotions fortes*, style haché :

    Nous séparer? Qui? Moi? Titus de Bérénice? *(Racine).*

- dans l'*exclamation*, quel qu'en soit le ton :

    Le beau coucher de soleil ! – Ce monstre de gosse !

- dans le style *télégraphique* : télégramme, notes, journal intime :

    Accident ● Sains et saufs ● Rentrons demain ● Affections ● Jean.

600. Une proposition indépendante, enclavée comme une parenthèse à l'intérieur d'une proposition ou d'une phrase, et ne faisant pas corps avec cet ensemble est dite **intercalée**, ou **incise**; on la rencontre surtout lorsqu'on rapporte les paroles de quelqu'un :

> Arrêtons-nous, / **dit-il** /, car cet asile est sûr *(Hugo).*

N.B. Son sujet est généralement *inversé*, sauf dans l'*affirmation d'une opinion* de la personne qui s'exprime :

> Il n'est, / **je le vois bien**, / si poltron sur la terre
> Qui ne puisse trouver un plus poltron que soi *(La Fontaine).*

---

601. Brève ou longue, complète ou elliptique, la proposition indépendante peut se présenter sous toutes les formes : affirmative, négative, interrogative, interrogative-négative, exclamative :

> Je l'**évite** partout, partout il me **poursuit** *(Racine).*
> Rien ne me **verra plus**, je ne **verrai** plus rien *(Hugo).*
> De quoi s'**avise**-t-elle, et qui la **fait** venir? *(Molière).*
> Ne **fais**-tu pas l'hypocrite? *(Marivaux).*
> O rage ! ô désespoir ! ô vieillesse ennemie ! *(Corneille).*

N.B. Distinguons (intonation, inversion ou non du sujet) :

> Quelle joie éprouva-t-elle? – Quelle joie elle éprouva !

---

602. Son **verbe,** lorsqu'il est exprimé, se rencontre :

- à l'**indicatif** surtout, avec tous ses temps, toutes ses nuances :

    Je n'en **démordrai** pas, les vers **sont** exécrables *(Molière).*

- au **conditionnel** :

    Deux liards **couvriraient** fort bien toutes mes terres *(Hugo).*

- à l'**impératif** :

    Pleurons et **gémissons**, mes fidèles compagnes *(Racine).*

- au **subjonctif** :

    Gardes, qu'on **saisisse** ce monstre *(Hugo).*

■ à l'**infinitif** :

> Quoi ! Sire, m'**imposer** une si dure loi ! *(Corneille).*

N.B.   Le verbe peut se dissimuler dans les deux mots *voici, voilà,* § 454 :

> Me **voici** sur la plage armoricaine *(Rimbaud).*

---

603. Une phrase peut ne contenir que des indépendantes, coordonnées ou juxtaposées :

> Deux coqs vivaient en paix : / une poule survint, /
> Et voilà la guerre allumée / *(La Fontaine).*

Trois indépendantes, la 2ème juxtaposée à la 1ère, la 3ème coordonnée à la 2ème.

LA PROPOSITION PRINCIPALE

604. Une proposition indépendante, nous l'avons dit, *devient* **principale** dès qu'on lui adjoint *une* ou *plusieurs subordonnées* :

> **Le vent se lève** / (dès que midi approche) –
> **Entrez** / (si vous voulez).

605. Sa syntaxe est, évidemment, la même que celle de l'indépendante :

■ Sa **forme** peut être : affirmative, négative, interrogative, interrogative-négative, exclamative :

> **Viendras-tu** nous voir / (si nous t'invitons)? *(interrogative).*

■ Son **verbe** (lorsqu'il est exprimé !) peut être : à l'indicatif, au conditionnel, à l'impératif, au subjonctif, à l'infinitif (ou dissimulé dans *voici, voilà*) :

> **Encourageons** les élèves / (qui le méritent) *(impératif).*

606. Comme l'indépendante, la principale peut être :

- *très brève*, réduite à un seul mot : verbe, nom, pronom, adverbe :

> **Entrons** / *(puisqu'on nous y convie).*

- *elliptique :*

> **Quelle joie** / *(lorsque tu nous as annoncé ton prochain retour) !*

- même *totalement omise*, la subordonnée étant seule exprimée :

> **Si je t'aime !** (= *Tu me demandes* / si je t'aime !).
> **Puisque je te le dis !** (= *Crois-le* / puisque je te le dis).

607. Une indépendante intercalée, ou incise, devient une **principale intercalée,** ou *incise* si on lui adjoint une subordonnée :

> « Diable ! / **dit-il** *(quand on l'eut informé)* /, réfléchissons ».

N.B. Une principale peut, par *élégance de style*, et rupture de construction (appelée **anacoluthe**) se dissimuler sous l'aspect (faux !) d'une indépendante incise :

Comme il me sentait fléchir : « Courage, **me dit-il,** tiens bon »
(= *Comme il me sentait fléchir,* **il me dit :** « *Courage, tiens bon* »).

---

608. Une phrase un peu *longue* peut, évidemment, contenir plusieurs principales, juxtaposées ou coordonnées entre elles (ou avec une ou plusieurs indépendantes).

LA PROPOSITION SUBORDONNÉE

609. On peut classer les diverses **propositions subordonnées** selon leur *fonction*. On sait, en effet, que les propositions subordonnées ont, dans la phrase, des fonctions analogues aux fonctions du nom dans la proposition. On les classe, plus généralement, selon leur *nature,* ce qui n'empêche pas, accessoirement, de préciser leur fonction. Penser à la formule traditionnelle de la non moins traditionnelle *analyse logique* : « **Nature** et **fonction** de telle ou telle proposition dans telle ou telle phrase ».

610. On distingue quatre grandes familles de propositions subordonnées :

■ Les **relatives,** reliées à un *antécédent,* exprimé ou non, et qu'on peut appeler *adjectives* :

> J'aime les élèves / **qui écoutent** (= *attentifs*).

■ Les **complétives,** qui jouent un rôle essentiel de *complément d'objet,* répondant à la question **quoi?** posée après le verbe; on peut les appeler **substantives** (qu'elles soient introduites par **que,** infinitives ou interrogatives).

> J'espère (quoi?) / **que tu reviendras vite** (= *ton retour rapide*).
> J'entends (quoi?) / **le bébé pleurer** (= *les pleurs du bébé*).
> Dis-moi (quoi?) / **qui tu fréquentes** (= *tes fréquentations*).

■ Les **circonstancielles,** marquant sept nuances différentes : *temps, cause, conséquence, but, concession, condition, comparaison.* On peut les appeler *adverbiales* :

> Je suis heureux *(quand?)* / **quand le soleil brille** *(temps).*

■ Les **participiales,** qui équivalent à des *circonstancielles,* de temps, de cause, de concession, de condition :

> **Le café bu** (quand le café fut bu) *(temps),* on se leva de table.

611. La **proposition relative** tire son nom du mot : *pronom* ou *adjectif*
relatif, qui l'introduit et qui la relie à son antécédent :

Je vous présente un ami / **qui m'a sauvé la vie.**
Je vous présente un ami, / **lequel ami m'a sauvé la vie.**

N.B. Relire, § 201-203, § 293-308, ce qui est dit de l'*adjectif* et du *pronom relatifs.*

Son rôle, ses valeurs

612. *Son premier rôle* est de compléter le sens de son antécédent, d'où la
formule traditionnelle : **complément de son antécédent**, formule
vague et inadéquate, puisqu'elle joue surtout un rôle d'*adjectif qualificatif épithète* :

Le maître aime les élèves / **qui travaillent** (= *laborieux*).
Il existe des astres / **que l'œil ne voit pas** (= *invisibles*).
Il est des dates / **dont on se souvient** (= *mémorables*)...

Mieux vaut alors parler de **subordonnée adjective.**

613. *Mais il arrive* que l'antécédent soit omis, ou que la relative fasse bloc
avec son antécédent, surtout quand il s'agit du *pronom démonstratif.*
Dans ces deux cas, la relative n'est plus *adjective*, mais **substantive** : elle est sentie comme un nom, ou son groupe, avec diverses
fonctions de nom :

Qui a bu *(sujet)* boira – **Quiconque est loup** *(id)* agisse en loup.
Je ne suis pas **qui tu crois** *(attribut).*
Aimez **qui vous aime** *(objet).*
Donnons à **qui (à quiconque) le mérite** *(attribution).*
Elle a vécu **ce que vivent les roses** *(temps).*
Tu seras puni **pour ce que tu as fait** *(cause).*
Il a menti, **ce qui (chose qui) m'étonne** *(apposition).*
Il est menteur et, **qui pis est** *(id)*, voleur...

614. *Parfois enfin*, séparée souvent de son antécédent par une *virgule*, elle
prend une nette valeur de **circonstancielle** :

Mon père, **qui allait sortir**, a reçu une visite *(temps).*
Cet homme, **qui se surmène**, est tombé malade *(cause).*
Appelle un ouvrier **qui nous fasse cette réparation** *(but).*
Un homme **qui agirait ainsi** serait un héros *(condition).*

N.B. Pour l'emploi archaïque de **qui = si on** (archaïsme), voir § 862, N.B. :

Tout vient à point **qui** (= si on) sait attendre.

---

615. La subordonnée relative *suit, coupe ou précède* la proposition, principale ou non, dont elle dépend :

> J'aime fort les jardins / **qui sentent le sauvage** *(Ronsard)*.
> Le feu / **qui semble éteint** / souvent dort sous la cendre
> *(Corneille)*.
> **Qui veut voyager loin** / ménage sa monture *(Racine)*.

N.B. Parfois, *par élégance de style*, on éloigne le relatif de l'antécédent :

> Une servante entra, / **qui apportait la lampe** *(Gide)*.
> La vieille blessure est fermée, / **que je croyais incurable** *(Duhamel)*.

---

616. Elle est parfois *elliptique* : avec **dont** *partitif*, avec **qui** *distributif*, avec **voici** et **voilà** :

> J'ai cinq bons amis / **dont Paul** – Ils cultivent / **qui la musique,** / **qui la poésie,** / **qui la peinture** – L'homme / **que voici (que voilà)** / est un grand médecin.

Elle peut elle-même dépendre d'une *proposition elliptique* : dans les descriptions-croquis, dans les phrases exclamatives, avec **voici, voilà** :

> **Au fond trois chênes** / qui...; **ici deux pommiers** / que...; **là un rang de peupliers** / dont...
> **Heureux ceux** / qui sont morts pour la terre charnelle (Péguy).
> **Voici** / qui change tout – **Voilà** / qui me surprend...

N.B. Dans la relative, le sujet est souvent *inversé* (§ 517) :

> Ce toit tranquille / où marchent **des colombes** *(Valéry)*.

Son verbe

617. Son **verbe** peut être :

■ à l'**indicatif**, expression du fait réel :

> J'ai aimé le livre / que tu m'**as offert**.

■ au **conditionnel**, expression de l'éventualité, de la condition :

> Voici un livre / qui te **plairait** (qui t'**aurait plu**).

■ au **subjonctif**, expression du but, de la conséquence; après un superlatif; dans les relatives figées « *que je sache, qui vive* » :

> Trouve-moi un coin / où je **puisse** vivre en paix – C'est le meilleur ami / qui **soit** (que je **connaisse**) – Il n'y a ici âme / qui **vive**.

■ à l'**infinitif**, expression d'une possibilité :

> Cherchons un coin / où **passer des** vacances paisibles –
> Ils ont à peine / de quoi **vivre** – Il a trouvé / à qui **parler**.

LES TROIS COMPLÉTIVES

618. La subordonnée complétive se présente sous trois aspects :

■ elle est introduite par la *conjonction de subordination* **que** :

Je veux (*quoi?*) / **que tu sois heureuse.**

■ elle n'a pas de subordonnant et elle est **infinitive** :

J'entends (*quoi?*) **les sirènes hurler.**

■ elle commence par un mot interrogatif et elle est **interrogative** :

Dis-moi (*quoi?*) / **pourquoi tu nous évites.**

La complétive « par que »

Ses fonctions

619. La subordonnée complétive introduite par la conjonction **que**, appelée, par ellipse, « **complétive par que** », joue, comme les deux autres complétives, un rôle essentiel de *complément d'objet* :

J'exige (*quoi?*) / **que tu sois sincère** (= *ta sincérité*).

620. Mais elle peut avoir bien d'autres fonctions :

■ *sujet, sujet inversé, sujet réel* :

Qu'il vienne (= *sa venue*) / me surprendrait (*sujet*).
De toi seule dépend / **qu'il vienne** (= *sa venue*) (*sujet inversé*).
Il faut (*il importe, il est souhaitable*) / **qu'il vienne** (*sujet réel*).

■ *apposée à un nom, à un pronom* (*d'annonce si elle suit, de reprise si elle précède*), ou à **voici, voilà** :

Je constate *une chose,* / **que tu es paresseux.**
Je *le* vois bien, / **que tu nous fais la tête.**
Que tu aies réussi, / *cela* nous comble de joie.
Qu'il ait échoué, / *voilà* une surprise (*voilà qui me surprend*).

■ *complément d'un nom* (§ 555), ou *d'un adjectif,* (§ 562) :

Je garde l'espoir / **qu'elle guérira** (= l'espoir *de sa guérison*).
Je suis certain / **qu'elle guérira** (= certain *de sa guérison*).

621. *Remarques.*

■ Elle suit, précède ou coupe la proposition dont elle dépend :

Je veux / **qu'il revienne** – **Qu'il revienne** / me surprendrait –
L'espoir / **qu'il reviendra** / me soutient le moral.

■ Elle peut être précédée d'un attribut de l'objet, § 585 :

Je tiens *pour sûr* / **qu'il viendra** (= *Je tiens sa venue pour sûre*).

N.B. Attention à l'*équivoque* dans :

Il (neutre, *sujet apparent*) est certain / **que tu mens** (*sujet réel*).
Il (masculin : Paul) est certain / **que tu mens** (*compl. de l'adj. certain*).

Son verbe

622. Le **verbe** de la *complétive par que* se met :

■ à l'**indicatif** (fait réel), après un verbe de déclaration : *dire, affirmer, soutenir...*, d'opinion : *croire, juger, espérer...*, de perception et de connaissance : *voir, entendre, sentir, savoir, constater...*, ou après des locutions verbales comme : *le bruit court, la preuve en est, mon idée est, peut-être, voici, voilà...* :

> On dit en Bretagne / que les goélands **vivent** très vieux (*Le Braz*).

■ au **conditionnel-temps**, c'est-à-dire au *futur du passé* et au *futur antérieur du passé*, § 388 et 389, après un verbe au passé :

> Je savais / qu'il **gagnerait** (cf. Je sais / qu'il gagnera).
> Je savais / que tu **aurais fini** (cf. Je sais / que tu auras fini).

■ au **conditionnel-mode**, avec supposition (exprimée ou non) :

> Je crois / qu'il **réussirait** (s'il travaillait).
> Je crois / qu'il **aurait réussi** (**eût réussi**) (s'il avait travaillé).

■ au **subjonctif** enfin :

• après des *verbes de volonté* (désir, prière, effort, crainte, permission, ordre, défense) comme : *vouloir, souhaiter, obtenir, redouter, permettre, ordonner, interdire...*, et quelques locutions verbales comme : *prendre garde, avoir peur, avoir soin, ma crainte est...* :

> Ma mère veut / que je **me tienne** droit (*Vallès*).

• après un *verbe de sentiment* (joie, douleur, étonnement, regret...) comme : *se réjouir, déplorer, s'étonner, regretter...* :

> Je m'étonne / que vous **l'ignoriez** (*Boylesve*).

• après des *locutions impersonnelles* comme : *il se peut, il est (im)possible, il (n')est (pas) douteux, il faut, il importe, il vaut mieux...* :

> Sa parole est donnée, il faut / qu'il la **maintienne** (*Molière*).

• après des *verbes de déclaration*, d'opinion, de perception exprimant un fait seulement envisagé (non une réalité), ou de *forme négative* ou *interrogative*, comme : *douter, nier, je ne sache pas...* :

> Je ne croyais pas / que l'on **pût** avoir aussi chaud (*de Croisset*).

• quand *elle est lancée en tête* (avec ou sans *pronom de reprise*) :

> Que Jacques **fût** vivant / ne le surprenait pas (*Martin du Gard*).

623. *Remarques*

■ Après un *verbe de crainte*, le verbe de la complétive peut s'accompagner d'un **ne** *explétif*, et non *négatif* (cf. § 467) :

> Je crains / qu'elle **ne** parte / (= Je crains / qu'elle parte).

■ L'emploi du *mode* permet d'exprimer des nuances :

> Je dis / qu'il **vient** (affirmation) – Je dis / qu'il **vienne** (ordre).

■ Elle peut être *elliptique* :

> Je prétends / **que oui**; il affirme / **que non**.

ou dépendre d'une *proposition elliptique* :

Quel dommage / que tu partes si vite !

■ Après certains verbes, **que** *peut* (et parfois *doit*) être remplacé par **à ce que, de ce que** : consentir **que** (ou *à ce que*), veiller **à ce que**, s'indigner **que** (ou **de ce que**), se glorifier **de ce que**, s'affliger **de ce que**... :

Ton père consent / **que (à ce que) tu partes demain.**

■ Le verbe de la *complétive par que* obéit à l'importante règle de la **concordance des temps**, voir § 700-707.

La complétive infinitive

Sa fonction, son aspect

624. Comme la complétive **par que**, la subordonnée infinitive est une **complétive**, qui joue dans la phrase un rôle de *complément d'objet* :

J'entends (*quoi?*) / **sangloter les fontaines** *(P. Fort)*.
(= *J'entends* (*quoi?*) **le sanglot des fontaines.**

mais, à la différence de la complétive **par que** (§ 619), elle ne peut être que *complément d'objet*.

625. On la rencontre essentiellement :

• après des *verbes de sensation* : entendre, voir, sentir... :
Je sens / la colère me gagner.

• après des *semi-auxiliaires*, faire, laisser; après **voici** :
Faites / **sortir les élèves** – Laissons / **passer ce vieillard** –
Voici / **venir l'hiver**, tueur de pauvres gens *(J. Richepin)*.

• après des *verbes d'affirmation* : dire, croire, savoir..., lorsque son sujet est le pronom relatif **que**; voir ci-après § 629 :
Je défends ce garçon / **que** vous dites **être un traître.**

626. *Remarques*

■ Elle n'est introduite par *aucun mot de subordination* :
J'entends / les sirènes mugir sinistrement.

■ Pour qu'elle existe, il faut que son verbe ait *un sujet propre*, sans autre fonction dans la phrase; ce sujet est souvent inversé :
Je sens / **mes honneurs** croître / et tomber **mon crédit.**

■ Son verbe est surtout à l'*infinitif présent actif*, quel que soit le temps du verbe dont il dépend :
Ils écoutent (écoutaient, écouteront) / le bon pain **cuire**
(Rimbaud).

N.B. L'*infinitif pronominal* y prend même parfois l'aspect d'un *actif*, § 411 :
Faites donc / **taire** ces bavards (= *ces bavards* **se taire**).

Son sujet

627. Sa nature. Le sujet de la complétive infinitive peut être :

- un *nom*, ou son groupe, un groupe de l'*adverbe de quantité* :

> Je vis / **la silhouette de mon ami** se détacher sur le fond clair.
> Je n'ai jamais vu / **tant de gravité** paraître sur ce visage.

- un *pronom*, ou son groupe, un *adjectif numéral*, ou son groupe :

> Je vois / **certains d'entre vous** s'agiter sur leur siège.
> Il entendit / rire **deux de ses plus sages élèves.**

Sa place

628. ■ Généralement il précède ou suit son verbe :

> On entendit / **minuit** sonner (ou *sonner* **minuit**).
> J'ai vu / **quelqu'un** sortir (ou *sortir* **quelqu'un**);

■ Mais quand le sujet est un *pronom personnel, interrogatif* ou *relatif*, ce sujet précède aussi le verbe qui gouverne la complétive :

> Je **la** vois *passer* – **Qui** entend-on *crier?* – Voilà le rossignol / **que** nous avons entendu *chanter* l'autre nuit.

■ Avec **faire** et **voici**, le nom sujet est toujours inversé :

> Faites / venir **le coupable** – Voici / venir **le coupable.**

mais avec un *pronom personnel* on doit dire :

> Faites-**le** venir – **Le** voici venir.

629. *Remarques*

■ Le sujet de la complétive infinitive est parfois omis :

> J'entends / **rire** – Entends-tu / **crier**? (sujet omis : *quelqu'un*).

■ Le pronom relatif **que** sujet de complétive infinitive a, nous l'avons vu § 303, double fonction :

> L'homme / **que** tu vois venir / est un ami.

Que est complément d'objet de *vois* et sujet de *venir*. Il est difficile de dissocier la relative et l'infinitive : on peut dire que le groupe **que tu vois venir** est une *relative doublée d'une infinitive.*

N.B. Noter l'*équivoque* possible d'une phrase comme :

> Laissez / **gronder les méchants.**

Méchant est soit *sujet inversé* de l'infinitive (= Laissez / les méchants gronder), soit *complément d'objet* avec *sujet omis* (= Laissez / (quelqu'un) gronder les méchants).

Ses divers équivalents

630. La complétive infinitive a plusieurs **équivalents** possibles :

■ la *complétive par que* :

> Je sens / approcher l'orage = Je sens / *que l'orage approche.*

■ un *complément d'objet*, enrichi soit d'une relative, soit d'un participe présent, soit du semi-auxiliaire *en train de* :

> Je sens l'orage (Je le sens) *qui approche* = Je le sens *approchant* = Je sens l'orage (Je le sens) *en train d'approcher.*

■ enfin, et avant tout, un *simple groupe du nom, complément d'objet*, § 623 :

> Je sens / approcher l'orage = Je sens *l'approche de l'orage.*

La complétive interrogative

Ses fonctions

631. Comme la complétive par que, et la complétive infinitive, la **complétive interrogative** joue un rôle essentiel de *complément d'objet* :

> Dis-moi (quoi?) / **qui tu hantes** (= *tes fréquentations*).
> Je te dirai (quoi?) / **qui tu es** (= *ta personnalité*).

Mais, comme la complétive par que, elle peut être également *sujet* :

> **Pourquoi il a agi ainsi** / ne nous regarde pas.

et même *sujet réel* d'un verbe passif en emploi impersonnel :

> **Il** m'a été souvent demandé / **pourquoi tu avais agi ainsi.**

Interrogation directe et indirecte

632. La langue française peut interroger soit *directement*, en indépendante ou principale interrogative, soit *indirectement*, en complétive interrogative.

■ **L'interrogation directe** peut se présenter sous deux aspects :

• ou bien *elle contient un mot interrogatif* : pronom, *qui? que? quoi? lequel?;* adjectif, *quel?;* adverbe : *où? quand? comment? pourquoi?...* :

> **Qui** es-tu? – **Quel** temps fait-il? – **Comment** vas-tu?

• ou bien *elle ne contient pas de mot interrogatif*, l'interrogation se marquant par : l'inversion du sujet, l'emploi du gallicisme « *est-ce que* », la simple intonation (style familier) :

> Viendras-tu demain? – Est-ce que tu viendras? – Tu viendras?

■ **L'interrogation indirecte** modifie ces six façons d'interroger :

> Je me demande (proposition principale) / **qui** tu es, **quel** temps il fait, **comment** tu vas, **si** tu viendras demain; **si** tu viendras; **si** tu viendras.

633. *Remarques*

■ Dans le passage de l'interrogation *directe* à l'interrogation *indirecte*, on voit que l'*inversion du sujet* disparaît, généralement :

> Dis-moi / où *tu* vas (mais : Dis-moi / d'où vient *ce bruit*).

■ De même le *point d'interrogation* disparaît, sauf si la principale est elle-même interrogative :

> Dis-moi / quelle heure il est. (Me diras-tu / quelle heure il est?)

■ Les trois nuances : inversion, gallicisme, intonation, donnent le même *adverbe interrogatif* **si** :

> Je me demande / **si** tu viendras demain.

■ Les *mots interrogatifs* restent tels quels, sauf : le pronom neutre **que**, qui devient **ce qui** ou **ce que**, selon sa fonction, de même que les pronoms neutres composés **qu'est-ce qui?** et **qu'est-ce que?** :

> **Que** se passe-t-il? (**Qu'est-ce qui** se passe) –
> Dis-moi / **ce qui** se passe.
> **Que** regardes-tu? (**Qu'est-ce que** tu regardes) –
> Dis-moi / **ce que** tu regardes.

N.B. L'adverbe **comment** peut être remplacé par l'adverbe **comme** :

> Regarde / **comme** (= comment) je fais.

■ **Attention !** Ne pas confondre les *pronoms interrogatifs* qui, ce qui, ce que, et les *pronoms relatifs* qui, (ce) qui, (ce) que, § 864 :

> Dis-moi / **qui** a crié; **ce qui** se passe; **ce que** tu fais *(interrog.)*.
> C'est lui / **qui** a crié. **Ce** / **qui** se passe / est grave. **Ce** / **que** tu fais / est dangereux *(relatifs)*.

Sa place, son aspect

634. Elle suit généralement la proposition dont elle dépend; mais elle peut la précéder : quand elle est *sujet*, ou quand elle est lancée en tête, avec *pronom de reprise* :

> Pourquoi il a agi ainsi *(sujet)* / ne nous regarde pas.
> Pourquoi il a agi ainsi *(objet)* /, je me **le** demande encore.

635. Elle peut prendre une valeur *exclamative* :

> Tu sais / **combien** (comme) j'aime la musique.
> Vous imaginez / **quelle frayeur nous avons éprouvée**.

636. *Interrogative* ou *exclamative*, elle peut être *elliptique* :

> Ils ne sont pas venus; je n'ai jamais su / **pourquoi** –
> Je laisse à penser / **quelle joie** (La Fontaine).

Cela est très fréquent dans l'*interrogation double* :

> J'ignore / si elle a dit vrai / **ou menti** – Dis-nous / quand tu pars / **et comment** – Dis-nous / si tu viens demain / **ou non**.

637. Elle est parfois seule exprimée, la principale étant omise, dans les titres de chapitres d'un livre, ou dans les dialogues :

> Ce qui se passa le lendemain – A quoi pensait notre héros –
> « Vous aimez la poésie? – Si je l'aime ! »

638. Essentiellement complétive d'objet, on peut la rencontrer accompagnant un *complément d'objet* ou une *complétive par que* :

> J'ignore *ses intentions* **et quand il partira**.
> Je sais / *que tu l'as dit* / **et pourquoi tu l'as dit**.

Son verbe

639. Le **verbe** de la complétive interrogative se met :

■ à l'**indicatif**, quand le fait est envisagé dans sa réalité :

> J'aimerais savoir / ce qu'il **fait** / et comment il **s'appelle**.

■ au **conditionnel-temps**, c.-à-d. au futur du passé ou au futur antérieur du passé, § 388 et 389, après un verbe au passé :

> Je savais / qui **gagnerait** (cf. Je sais / qui gagnera).
> Je savais / qui **aurait gagné** (cf. Je sais / qui aura gagné).

■ au **conditionnel-mode**, s'il y a supposition, exprimée ou non :

> J'ignore / ce qu'elle **ferait** (si tu n'étais pas là).
> J'ignore / ce qu'elle **aurait** (**eût**) **fait** (si tu n'avais pas été là).

■ à l'**infinitif**, quand il exprime délibération, hésitation, cf § 419 :

> Cosette ne savait / que **faire**, / que **devenir**, / où **aller**.

LES SEPT CIRCONSTANCIELLES

La circonstancielle de temps (ou temporelle)

Son rôle, sa valeur

640. La **subordonnée circonstancielle de temps** joue dans la phrase le même rôle qu'un nom, ou son groupe, complément circonstanciel de temps dans la proposition (§ 540-541) :

> Je sortirai / **quand j'aurai fini** (= *après la fin de mon travail*).

Elle précède, suit ou coupe la proposition dont elle dépend :

> **Quand j'aurai fini** / je sortirai.
> Il arriva / **comme la nuit tombait**.
> Ce chien était, / **quand on me l'offrit** /, tout jeune et mal dressé.

N.B. La proposition dont elle dépend est parfois *omise* :

> « Nous partons? – **Quand tu voudras** » *(dialogue)*.
> **Quand je te disais** qu'il trichait ! *(style exclamatif)*.

---

641. La subordonnée *circonstancielle de temps* précise que l'action exprimée par le verbe de la proposition dont elle dépend, principale ou non, a lieu *en même temps que*, *avant* ou *après* une autre action :

■ **en même temps** (action simultanée ou concomitante) : la subordonnée temporelle est introduite alors par les conjonctions ou locutions conjonctives :

• quand, lorsque, en même temps que, au moment où (*moment* de l'action);

- comme, pendant (tandis, tant, aussi longtemps, à mesure) que *(durée)* ;
- quand, toutes les fois que, chaque fois que *(répétition)* :

> **Quand** il miaule, / on l'entend à peine *(Baudelaire).*

■ **avant** (action antérieure) : la temporelle est alors introduite par les locutions conjonctives : avant (en attendant, jusqu'à ce, d'ici) que, jusqu'au moment où :

> Écoutez ce récit / **avant que** je réponde *(La Fontaine).*

■ **après** (action *postérieure*) ; la temporelle est alors introduite par après que, dès (aussitôt, sitôt, depuis, une fois) que :

> Elle se mettait à lire / **dès qu'**elle était rentrée *(Valery-Larbaud).*

N.B. Avec **une fois** (au lieu de *une fois que*), elle est *elliptique* :

> **Une fois dehors,** / elle respira (= *une fois qu'elle fut dehors*).

---

642. *Remarques*

■ Noter les locutions vieillies, parfois encore utilisées par souci d'archaïsme : *lors même que, alors même que, du temps que, cependant que, devant que, d'abord que, durant que* :

> Et ceci se passait / **du temps que** les bêtes parlaient.

■ Avec **avant que**, on peut rencontrer un **ne** *explétif*, non négatif :

> J'irai te voir / avant que tu partes (ou que tu **ne** partes).

■ La temporelle peut commencer par la seule conjonction **que** :

- pour *éviter une répétition* de conjonction ou de locution :

> Dès qu'il fait beau / et **que** (= *dès que*) j'ai le temps, / je sors.

- pour *abréger* **avant que**, après verbe négatif, ou **alors que** :

> Je ne partirai pas / **que** *(avant que)* tu ne m'aies pardonné.
> Je t'ai connu / **que** *(alors que)* tu n'étais qu'un bambin.

- après *une proposition* contenant : à peine, ne pas... plus tôt, (ou plutôt), ne pas encore, ne ... même pas :

> Il ne fut pas **plus tôt** *(plutôt)* parti, / **qu'**elles pouffèrent de rire.

Son verbe

643. Le **verbe** de la subordonnée circonstancielle de temps se met :

■ à l'**indicatif**, s'il exprime un fait simultané ou antérieur à celui de la proposition dont il dépend (fait réel, ou considéré comme tel) :

> Je suis (j'étais) triste / quand je te **vois** (**voyais**) soucieux.
> Il sortit (sortira) / après qu'il **eut** (**aura**) **fini**.

■ au **conditionnel-temps** (futur du passé, futur antérieur du passé, § 388 et 389), après un verbe au passé :

> J'espérais ta visite / dès que tu **recevrais** *(aurais reçu)* ma lettre.
> (cf. J'espère ta visite / dès que tu recevras (auras reçu) ma lettre.)

■ au **conditionnel-mode**, s'il exprime la simultanéité ou l'antériorité par rapport à un autre fait éventuel :

> Cette nouvelle chambre servirait / quand des amis **viendraient.**

■ au **subjonctif**, s'il exprime un fait non encore réalisé, ou simplement envisagé; veiller à la *concordance des temps*, § 705-707 :

> Il part / avant qu'on (ne) le **retienne** *(l'ait retenu).*
> Il partit / avant qu'on (ne) le **retînt** *(l'eût retenu).*

644. *Remarques*

■ Ne pas confondre **après qu'il eut fini**, fait réel *(indicatif passé antérieur)*, et **avant qu'il eût fini**, fait non réalisé *(subjonctif plus-que-parfait).*

■ La temporelle utilise les *temps surcomposés* (style familier) § 321 :

> Quand (après qu') il **a eu fini**, ... – Avant que j'**aie eu fini**, ...

Ses divers équivalents

645. La subordonnée temporelle a de *nombreux équivalents* possibles :

■ le **nom,** ou son groupe, c. circonstanciel de temps, § 540 et 640 :

> **Dès son départ**, elles pouffèrent de rire.

■ un des nombreux **équivalents du nom**, et surtout un **pronom** ou son groupe, un **adverbe de temps**, même au comparatif, au superlatif, et avec complément :

> J'arriverai **après toi**, mais **avant ceux qui flânent en chemin**.
> Il est rentré **avant-hier, plus tôt que prévu.**

■ un **infinitif** précédé de *après, avant de, avant que de* § 422, un **gérondif**, § 435, une **proposition participiale**, § 687-693 :

> Avant que **de combattre**, ils s'estiment perdus *(Corneille)* –
> Tu ronfles **en dormant** – L'homme parti, elles pouffèrent.

■ un **participe apposé**, marquant simultanéité ou antériorité :

> Elle sourit, **saluant** chacun – **Ayant salué** chacun, elle s'en alla.

■ une **relative** à valeur circonstancielle, § 614 :

> Mon père, / **qui allait sortir**, / a reçu une visite.

La circonstancielle de cause (ou causale)

Son rôle, sa valeur

646. La **subordonnée circonstancielle de cause** joue dans la phrase le même rôle qu'un nom, ou son groupe, complément circonstanciel de cause dans la proposition, § 542 :

> Je grelotte / **parce que j'ai froid** (= *de froid, à cause du froid*).

Elle précède, suit ou coupe la proposition dont elle dépend :

> **Parce qu'on le hait** / je défends ce pauvre homme –
> Je le défends cet homme / **parce qu'on le hait** –
> Je défends / **parce qu'on le hait** / ce malheureux.

647. Elle indique pourquoi, pour quelle raison, vraie ou fausse, se fait l'action exprimée par le verbe de la proposition dont elle dépend. Elle est introduite par les conjonctions ou locutions conjonctives : *comme, puisque, parce que, du fait que, vu que, attendu que, étant donné que, sous prétexte que, du moment que* :

> Rodogune est à vous, / **puisque** je vous fais Roi *(Corneille).*

648. *Remarques*

■ Elle peut commencer par le seul **que**, lorsqu'on veut éviter la répétition d'une conjonction ou locution, ou après une proposition interrogative :

> Puisqu'il fait beau / et **que** j'ai un moment de liberté, / sortons –
> Qu'a-t-elle donc, notre amie, / **qu'**elle est si triste?

■ La proposition dont elle dépend peut être omise, dans un dialogue :

> « Pourquoi pleures-tu? – **Parce que je souffre** ».

Elle peut elle-même être *elliptique* de son verbe et de son sujet :

> Elle est aimée de tous / **parce que très gentille**.

ou réduite à **parce que**, dans une réponse brutale et sans réplique :

> Pourquoi as-tu fait cela? – **Parce que** !

■ Ne pas confondre **parce que**, deux mots, et **par ce que**, trois mots :

> Je suis déçu / **parce que tu mens** –
> Je suis déçu **par ce que tu dis**.

Son verbe

649. Le **verbe** de la subordonnée circonstancielle de cause se met :

■ à l'**indicatif** surtout, la cause exprimant généralement le réel :

> Tout vous est pardonné, / puisque je **vois** vos pleurs *(Voltaire).*

■ au **conditionnel**, s'il exprime une possibilité, une éventualité :

> Ne fais pas cela, / parce que tu t'en **repentirais**.

■ au **subjonctif**, s'il exprime une cause présentée comme fausse, avec les locutions négatives non que, non pas que, ce n'est pas que :

> Non qu'elle **cherchât** les compliments : elle les craignait plutôt.
> *(Marcel Arland).*

650. *Remarques*

■ Au *subjonctif*, bien veiller à la concordance des temps : § 705-707 :

Non qu'elle **cherche** (**ait cherché**) les compliments,
elle les craint – Non qu'elle **cherchât** (**eût cherché**)
les compliments, elle les craignait.

■ Si l'on remplace **que** par **parce que** après *non, non pas, ce n'est pas,* on retrouve l'**indicatif** :

Je le ferai, non parce que j'y **serai contraint**, mais par plaisir.

Ses divers équivalents

651. La subordonnée causale a de *nombreux équivalents* possibles :

■ le **nom**, ou son groupe, c. circonstanciel de cause, § 542 et 645.

Elle frissonne **de froid** (= *parce qu'elle a froid*).

■ un des nombreux équivalents du nom, et surtout un **pronom**, ou son groupe, ou un **adverbe interrogatif** à nuance causale :

Il fut puni **à cause de l'un de nous** – **Pourquoi** dis-tu cela?

■ un **infinitif** précédé de : *de, pour, à force de, sous prétexte de,* un **gérondif**, une **proposition participiale**, § 422, 435, 687 sq. :

Elle a les yeux rouges **d'avoir pleuré** –
Il a provoqué un accident **en roulant trop vite** –
Les vacances s'achevant, songeons au retour.

■ une **apposition**, *participe, adjectif* ou *nom* :

Épuisé par cet effort, il s'assit un moment –
Très grand, il sera peut-être basketteur –
Armateur richissime, il peut jouer les mécènes.

■ un **attribut** sorti de sa proposition, avec **que** ou **comme** :

Malin comme tu es, tu réussiras dans la vie –
Elle se traîne, **épuisée qu'elle est** par cette maladie.

■ une **relative** à valeur circonstancielle, § 614 :

Cet homme, / **qui se surmenait**, / est devenu cardiaque.

La circonstancielle de conséquence (ou consécutive)

Son rôle, sa valeur

652. La **subordonnée circonstancielle de conséquence** joue dans la phrase le même rôle qu'un nom, ou son groupe, complément circonstanciel de conséquence dans la proposition, § 549 :

Il a gagné / **de sorte que chacun est heureux**
(= *à la joie générale*).

653. Elle indique le résultat de l'action exprimée par le verbe de la proposition dont elle dépend. Elle est introduite :

■ par les **locutions conjonctives** : *de* (telle) *sorte que, de* (telle) *manière que, de* (telle) *façon que, en sorte que, au point que, si bien que, à telle(s) enseigne(s) que* :

Elle fut surprise, / **si bien qu'**elle garda le silence.

■ par la **conjonction** *que,* annoncée, de près ou de loin, par les adverbes ou locutions adverbiales : *tant, tellement, si, si bien, à ce point, à tel point,* ou par l'adjectif *tel, telle, tels, telles :*

> Tu es **si** pâle / **que** je m'inquiète – Le froid est **tel** / **qu'**on grelotte.

■ par la **locution conjonctive** *pour que,* annoncée par les verbes impersonnels *il faut, il suffit,* par les adverbes *assez, trop, trop peu, (in)suffisamment,* par l'adjectif *(in)suffisant(e)(s),* ou par une interrogation :

> Il suffit d'un geste / **pour qu'il revienne** – Il est trop menteur / **pour qu'on le croie** – Que t'ai-je fait / **pour que tu m'évites?**

■ par la **locution conjonctive** *sans que* (= *de façon que ne pas*) :

> Il disparut / **sans qu'on s'en aperçût**
> (= *de façon si discrète qu'on ne s'en aperçut pas...*).

654. *Remarques*

■ La subordonnée consécutive suit toujours la proposition dont elle dépend, sauf avec « pour que », où elle peut la précéder ou la couper :

> **Pour que cela se fasse,** / il suffit d'un peu d'entraide.
> Il suffit, / **pour que cela se fasse,** / d'un peu d'entraide.

■ Elle peut commencer par le seul **que**, pour éviter une répétition de locution, ou pour abréger une locution, ex. : *au point que :*

> J'agis ainsi / de façon que tu reviennes / et **que** tu retrouves ta place parmi nous – Elle est bavarde / **que** c'en est épuisant.

■ La locution **si bien que** peut se trouver tout entière dans la subordonnée, ou coupée en deux (*si bien* dans la 1ère, et *que* dans la 2e) :

> Il travaille dur, / **si bien qu'**il connaît la réussite.
> Il travaille **si bien** / **qu'**il connaît la réussite.

N.B. ■ Avec **sans que**, le puriste évite l'emploi d'un **ne** *explétif :*

> Cela se fit / sans qu'elle en sût rien (et non *n'en sût rien*).

■ **Attention.** Ne pas confondre **pour que** *consécutif* et **pour que** *final,* § 657, **sans que** *consécutif* et **sans que** *concessif,* § 663 :

> Nous la soignons / **pour qu'elle guérisse vite** (*but*).
> Il travaille dur, / **sans qu'il y paraisse** (*concession*).

Son verbe

655. Le **verbe** de la subordonnée consécutive se met :

■ à l'**indicatif**, s'il exprime un fait réel, un résultat atteint :

> Le vent a soufflé si fort / qu'il **a déraciné** le grand chêne.

■ au **conditionnel**, s'il exprime une possibilité, une éventualité :

> Le vent souffle si fort / qu'il **déracinerait** un chêne.

■ au **subjonctif**, s'il exprime un fait pensé : avec *pour que, sans que,*

que (= sans que), après une proposition négative ou interrogative, après les verbes *faire, faire en sorte* :

> Le vent souffle trop peu / pour que ce chêne **soit déraciné** – Elle partit / sans qu'on **s'en aperçût** – Tu n'es pas si fort / qu'on ne **puisse** te vaincre – Est-il paresseux / qu'il **faille** le punir? – Faites (en sorte) / que nous n'en **sachions** rien.

N.B. Au subjonctif, bien veiller à la *concordance des temps* (§ 705-707).

Ses divers équivalents

656. La subordonnée consécutive a plusieurs équivalents possibles :

■ le **nom** ou son groupe, c. circonstanciel de conséquence, § 651 :

> Il a gagné, **à la surprise générale**
> (*pour notre plus grande joie*).

■ un **infinitif** précédé de *à, au point de, de manière à, jusqu'à, assez... pour, trop... pour* :

> Il rit à (au point d') **en perdre** le souffle – Il gèle à pierre **fendre** – Elle chante **à ravir** – Il mangea **jusqu'à en être malade** – Tu es assez leste **pour sauter** cette barrière – Il est trop poli **pour être honnête**.

■ deux **indépendantes**, coordonnées ou juxtaposées :

> Je pense, **donc** je suis – Il fait jour, éteignons – Tu as réussi, **aussi** je suis heureux – Ce vantard échoua, **et** tous de rire.

■ une **relative** à valeur circonstancielle, § 614 :

> Elle rêve d'un amour / qui **durerait** toujours (*v. au conditionnel*).
> Il rêve d'une moto / qui **fasse de** la vitesse (*v. au subjonctif*).

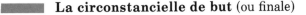 **La circonstancielle de but** (ou finale)

Son rôle, sa valeur

657. La **subordonnée circonstancielle de but**, ou *finale*, joue dans la phrase le même rôle qu'un nom (ou son groupe), complément circonstanciel de but dans la proposition, § 549 :

> Il œuvre / **pour que tu sois heureuse** (= *pour ton bonheur*).

Elle suit, coupe ou précède la proposition dont elle dépend :

> Jean lui donnait le bras / **pour qu'elle ne tombât pas.**
> Jean, / **pour qu'elle ne tombât pas,** / lui donnait le bras.
> **Pour qu'elle ne tombât pas,** / Jean lui donnait le bras.

658. Elle indique dans quel dessein, dans quelle intention se fait l'action exprimée par le verbe de la proposition dont elle dépend.

Elle est introduite :

■ par les locutions conjonctives *pour que, afin que, à seule fin que,* lorsqu'elle est **affirmative** :

> Donnez / **afin qu'on dise** : il a pitié de nous *(Hugo).*

■ par les locutions conjonctives *pour que (afin que, à seule fin que)... ne... pas, de peur que, de crainte que, crainte que, dans la crainte que,* lorsqu'elle est **négative** :

> Donnez / **afin qu'on ne dise pas** : il est égoïste.
> Prends ton parapluie, / **de peur qu'il pleuve.**

659. *Remarques*

■ Elle peut commencer par la seule conjonction **que** :

• pour éviter une *répétition* :

> Je t'écris / **pour que** tu viennes / et **que** tu passes un moment ici.

• après un verbe principal à *l'impératif*, ou *interrogatif* :

> Viens, / **que** je t'embrasse – Qui a fait cela, / **que** je le rosse?

■ La locution **à seule fin que** est une altération de l'ancienne locution *à celle fin que* (à *cette* fin que) :

> Il gesticule beaucoup / **à seule fin qu'on prenne garde à lui.**

■ Avec *de peur que, de (dans la) crainte que, crainte que,* on peut rencontrer un **ne** *explétif*, et non pas négatif :

> Prends ton parapluie, / de peur (de crainte) qu'il **ne** pleuve.

Mais, attention, **ne** est bien *négatif* dans des phrases comme :

> Sors vite, / que je **ne** te rosse – Avoue, / qu'on **ne** puisse te punir.

■ La subordonnée de but se rencontre *sans principale* dans le *dialogue* :

> « Pourquoi ce mensonge? – **Pour qu'on ne me punisse pas** ».

Son verbe

660. Le verbe de la subordonnée finale se met *toujours* au **subjonctif.** Le but est une fin voulue, au résultat incertain, d'où le subjonctif :

> Il marchait à pas feutrés / pour qu'on ne **pût** l'entendre.

Ce verbe obéit à la *concordance des temps* (§ 705-707).

661. Attention !

Les locutions consécutives « **de manière que** », « **de façon que** », construites avec l'*indicatif*, prennent une nette valeur de but quand on les construit avec le *subjonctif* :

> Il parle distinctement, / de manière qu'on l'**entend** bien
> *(conséquence).*
> Il parle distinctement, / de manière qu'on l'**entende** bien *(but).*

Ses divers équivalents

662. La *subordonnée finale* a plusieurs équivalents possibles :

■ le **nom**, ou son groupe c. circonstanciel de *but*, § 656 et 549 :

> Il lutte **pour la liberté** – Tu vises **à la perfection** –
> Agissons **dans l'intérêt des nôtres** –
> Il œuvre **en vue du succès.**

■ l'**infinitif** précédé de *pour, afin de, en vue de, de peur de*, et, familièrement, *histoire de* :

> Il lutte **pour assurer ton bonheur** –
> Elle se hâtait, **de peur d'arriver en retard** –
> Faisons-lui une farce, **histoire de rire.**

■ l'**infinitif** sans *pour*, après un verbe de mouvement :

> Je viens **vous rendre ce livre** – Sortons **nous promener.**

■ une **relative** à valeur circonstancielle, § 614 :

> Appelons un plombier / **qui nous fasse vite cette réparation.**

La circonstancielle de concession (ou concessive)

Son rôle, sa valeur

663. La **subordonnée circonstancielle de concession,** ou *concessive*, qu'on appelle aussi d'**opposition,** ou *oppositive*, joue dans la phrase le même rôle qu'un **nom**, ou son groupe, complément de concession, ou d'opposition, dans la proposition : § 549 :

> Elle ne pleurait pas / **bien qu'elle souffrît** (= *malgré son mal*).

Elle précède, suit ou coupe la proposition dont elle dépend :

> **Bien qu'elle souffre,** / la fillette ne pleure pas –
> La fillette ne pleure pas, / **bien qu'elle souffre** –
> La fillette, / **bien qu'elle souffre,** / ne pleure pas.

664. Elle marque une opposition entre un fait principal et un fait subordonné. Elle est introduite :

■ par les conjonctions ou locutions conjonctives *quoique, bien que, encore que*, quand le fait concédé porte sur un fait réel :

> Il était généreux, / **quoiqu'il fût économe** *(Hugo).*

■ par les conjonctions ou locutions conjonctives *si, même si, quand, quand bien même, alors même que*, quand le fait concédé est supposé :

> **Quand vous me haïriez,** / je ne me plaindrais pas *(Racine).*

■ par les locutions *si (aussi)... que, pour... que, quelque... que, tout... que*, quand la concession porte sur un adjectif ou un adverbe :

> Pour **grands** que soient les rois, / ils sont ce que nous sommes
> (*Corneille*) (= *si grands, quelque grands, tout grands que...*).
> Si **loin** que tu sois, / je pense à toi (*quelque loin, tout loin que...*).

- par les relatifs indéfinis *qui (quoi) que, quel(le)(s) que, (d')où que* :

  > **Qui que tu sois... – Quoi que tu fasses... – Quels que soient ses dons... – Où qu'il aille... – D'où qu'elle vienne...**

- par la locution *sans que* (= *bien que... ne... pas*) : cf § 653-654 :

  > Il est intelligent, / **sans que cela se voie tout de suite.**

- par les locutions *tandis que, alors que, pendant que, au lieu que, loin que, bien loin que* (où l'opposition l'emporte sur la concession) :

  > Tu te prélasses, / **alors (tandis, pendant) que je m'échine** – **Bien loin qu'elle reprît des forces,** / son état empirait.

665. *Remarques*

- Elle peut commencer par le seul **que** pour éviter une répétition :

  > Bien que... et **que**...; quoique... et **que**...; alors que... et **que**...

- **Malgré que, en dépit que** sont incorrects, sauf avec **avoir** :

  > J'obéirai, / **malgré que (en dépit que) j'en aie.**

- **Attention !** Ne pas confondre :

  - **quoique** (1 mot = bien que) et *quoi que* (= quelle que soit la chose que) :

    > **Quoique triste,** / elle souriait – **Quoi qu'il fasse,** / il perdra.

  - **quelque... que** (adjectif, variable); **quelque... que** (adverbe, invariable), et **quel(le)(s) que** (adjectif variable). Voir § 875 :

    > **Quelques** (grandes) précautions **que** tu prennes... – **Quelque** grandes **qu'elles** soient... – **Quelles que** soient tes précautions...

666. La *circonstancielle de concession* est souvent *elliptique*, avec un attribut du sujet, ou un participe apposé :

> Il était, / **quoique riche,** / à la justice enclin *(Hugo).*
> **Quoique ayant lutté vaillamment,** / il dut s'incliner.

N.B. Dans la locution **si... que**, **que** peut être omis, mais sa disparition est compensée par une inversion du sujet :

> **Si faible qu'il fût** (= *Si faible fût-il*), / il résista longtemps.

Son verbe

667. Le **verbe** de la subordonnée concessive se met :

- au **subjonctif,** essentiellement, avec *quoique, bien que, encore que (malgré que, en dépit que), sans que;* avec *si (pour, quelque)... que;* avec *qui (quoi, quel, où) que* :

  > Il travaille / **sans qu'il y paraisse** – Quoi que tu **dises,** / je pars.

N.B. Au subjonctif, bien veiller à la concordance des temps (§ 705-707).

■ au **conditionnel,** avec *quand, quand bien même, alors même que* (fait *supposé*); *tandis que, alors que, pendant que* (fait éventuel) :

> Quand il me **ferait** des excuses, / je ne lui pardonnerais pas.
> Tu perds ton temps, / alors que tu **devrais** travailler.

■ à l'**indicatif,** avec *si, même si :* fait supposé, dont on admet un instant la réalité; avec *tandis que, alors que, pendant que :* opposition entre deux faits réels :

> Si cet homme **est** riche, / il n'est guère généreux –
> Tu t'amuses, / alors que nous **trimons.**

668. *Remarques*

■ La locution **tout... que** hésite entre l'indicatif et le subjonctif :

> Tout Picard que j'**étais**... *(Racine)* –
> Tout sourd qu'il **fût**... *(Suarès).*

■ La locution **au lieu que** peut régir les trois modes :

> Tu rêves, au lieu que je **travaille** – Tu rêves, au lieu que tu **devrais** travailler – Au lieu que tu **fasses** des progrès, tu baisses.

Ses divers équivalents

669. La *subordonnée concessive* a de nombreux équivalents possibles :

■ le **nom,** ou son groupe complément circonstanciel de concession :

> **Avec ses richesses,** il végète – **Sans grands moyens,** il a réussi – Sortons **malgré** *(nonobstant, en dépit de)* **la pluie.**

■ un équivalent de nom : **pronom** ou **groupe de l'adverbe :**

> Il part **malgré nous** –
> Il échoua **en dépit de beaucoup d'efforts.**

■ un **infinitif** précédé de : *pour,* (bien) *loin de, au lieu de :* § 422, un **gérondif :** § 435, une **proposition participiale :** § 687-693 :

> **Pour être riche,** tu n'es guère généreux – Réfléchis, **au lieu de rire** – Il réussit bien, **en travaillant peu** –
> **Son mal empirant,** il garde bon moral.

■ une **apposition** nom, adjectif, participe, avec ou sans *quoique, bien que :*

> **Savant professeur,** il reste modeste –
> **Pauvre,** elle est généreuse –
> **Ruiné et abandonné de tous,** il reste optimiste.

■ une **relative** à valeur circonstancielle, § 614 :

> Cet homme, **qui est surmené et cardiaque,** refuse tout repos.

■ deux **indépendantes** juxtaposées ou coordonnées :

> Il est au bord de la faillite, *(et, mais)* il joue au mécène.

■ deux **indépendantes** dont la 1ère contient les verbes *pouvoir* ou *avoir beau :*

> **Tu peux (tu as beau) le jurer,** je ne te crois pas.

■ deux **indépendantes** dont la 1ère a son verbe au conditionnel, au subjonctif, à l'impératif, et dont la 2e peut commencer par un **que** *explétif* :

> Le **jurerais-tu,** *(que)* je ne te croirais pas –
> **Dussé-je** en mourir, / *(que)* je lutterai –
> **Luttez, niez, débattez-vous,** la vérité éclatera.

████████ **La circonstancielle de condition** (ou conditionnelle)

Son rôle, sa valeur

670. La **subordonnée circonstancielle de condition,** ou *conditionnelle* joue dans la phrase le même rôle qu'un nom, ou son groupe, complément circonstanciel de condition dans la proposition, § 549 :

> Je le referais / **si j'avais à le faire** (= *en cas de nécessité*).

Elle précède, suit ou coupe la proposition dont elle dépend :

> **S'il le voulait,** / Jean réussirait mieux – Jean réussirait mieux, **s'il le voulait** – Jean, / **s'il le voulait,** / réussirait mieux.

Elle indique à quelle condition se fait l'action exprimée par le verbe de la proposition dont elle dépend :

> Viens n'importe quand, / **à condition que tu nous préviennes.**

Son subordonnant, son verbe

671. La subordonnée conditionnelle est introduite soit par la conjonction **si,** soit par diverses conjonctions ou locutions.

■ *Introduit* par diverses conjonctions ou locutions, son **verbe** est :

● au **subjonctif,** avec *pourvu que, à condition que, à supposer (en supposant; en admettant) que, à moins que, si tant est que;* et avec les locutions parallèles marquant une alternative : *soit que... soit que, que... (ou) que :*

> Je partirai / **pourvu que (à supposer qu')**il **fasse** beau.
> **Qu'**il fasse beau, / **(ou)** qu'il pleuve, / nous partirons.

● au **conditionnel,** avec *au cas où, quand, quand (bien) même, alors même que, dans (pour) le cas où,* pour exprimer un fait éventuel :

> **Au cas où tu aurais** un empêchement, / préviens-nous.

● à l'**indicatif,** avec les locutions parallèles marquant une alternative *selon que... ou (que), suivant que... ou (que);* avec *même si,* cf. § 664 :

> **Selon que** vous **serez** puissant / **ou** misérable, /
> Les jugements de cour vous rendront blanc ou noir *(La Fontaine).*

■ *Introduit* par **si,** son verbe est à l'**indicatif;** mais **attention,** il faut bien distinguer deux cas très différents, selon que le verbe de la proposition dont il dépend est à l'*indicatif* ou au *conditionnel* :

672. *Quand le verbe* dont dépend la conditionnelle introduite par **si** est à l'*indicatif,* il s'agit d'une **hypothèse simple** *(si = si vraiment).*

■ Les *deux verbes sont souvent parallèles*, et au même temps de l'indicatif :

> Si tu **veux,** / tu **peux** – S'il **a dit** cela, / il **a eu** tort.

■ *Quand le verbe principal est au futur,* ou au futur antérieur, le verbe subordonné est, curieusement, au *présent*, mais à valeur de futur, ou au *passé composé*, mais à valeur de futur antérieur : § 370, 377 :

> Si tu **finis** (ou **as fini**) à temps, / nous **irons** au cinéma.
> Si tu **finis** (ou **as fini**) à temps, / tu **auras bien travaillé**.

N.B.   ■ Le verbe principal peut être à l'*impératif* ou au *subjonctif* :
> Si tu veux réussir, / **travaille** – S'il veut réussir, / **qu'il travaille**.

■ Noter les *subordonnées figées,* au présent ou au passé simple :
> Un brave homme / s'il en **est** – Un brave homme / s'il en **fut**.

---

673.   *Quand le verbe* dont dépend la conditionnelle introduite par **si** est au *conditionnel,* trois cas peuvent se présenter :

■ la *chose est possible,* elle porte sur l'avenir : c'est le **potentiel** :

> Je le ferais encore, / si on me le demandait (plus tard).

■ elle *n'est pas réalisée,* dans le présent : c'est l'**irréel du présent** :

> Je le ferais encore, / si je le pouvais (maintenant).

■ elle n'*a pas été réalisée,* dans le passé : c'est l'**irréel du passé** :

> Je l'aurais encore fait, / si je l'avais pu (hier).

N.B.   **Attention.** Après si, donc, pas de conditionnel, n'en déplaise au célèbre :
« **Si j'aurais su, j'aurais pas venu** » de Tigibus, l'un des héros de *La Guerre des Boutons* de Pergaud. Chacun connaît la formule *mnémotechnique « Les si n'aiment pas les* **ré** *(-rais) »* de l'école d'autrefois...

---

674.   *Remarques*

■ Les deux nuances, pourtant différentes du potentiel et de l'irréel du présent s'expriment de la même façon (mêmes modes, mêmes temps). Gare à l'équivoque (veiller au contexte) :

> Si **j'avais** un bateau, je **serais** heureux (plus tard? maintenant?).

■ L'irréel du passé au contraire, grâce au passé 2e forme, peut s'exprimer de plusieurs façons :

> Si j'**avais eu** un bateau, j'**aurais été** (ou j'**eusse été**) heureux.
> Si j'**eusse eu** un bateau, j'**eusse été** (ou j'**aurais été**) heureux.

et même grâce à l'indicatif imparfait dans la principale, § 373 :

> Si tu n'**avais été** (si tu n'**eusses été**) là, / il **se noyait**.

■ Irréel du présent et du passé peuvent coexister :

> S'il m'**avait écouté** *(naguère; irréel du passé),* il n'en **serait** pas là *(maintenant; irréel du présent).*

■ Pour éviter la répétition de **si**, on emploie souvent **que** (+ *subjonctif*) :

> *Si* tu viens (venais) et *que* je **sois** (**fusse**) absent, attends-moi.

N.B. **Attention.** Ne pas confondre **si** *conjonction* de la conditionnelle et **si** *adverbe* de la complétive interrogative, § 632-633 :

> Dis-moi / **si tu aimes la musique** – **Si tu aimes la musique**, / bravo !

Son aspect

675. La subordonnée conditionnelle est parfois seule exprimée (principale omise), dans le dialogue ou pour exprimer un souhait, un regret :

> « Tu viens? – **Si tu veux !** » – **Pourvu qu'il gagne !** –
> Ah ! **si tu étais là !** – Ah ! **si j'avais su !**

676. Elle est parfois *elliptique*:

- avec des verbes comme n'*était*, n'*eût été, fût-ce, dût-il...* :

  > **N'était sa timidité**, il serait brillant –
  > Il sort sans manteau, / **fût-ce en plein hiver.**

- dans le deuxième terme d'une *alternative* :

  > Que tu le veuilles / **ou non** / je partirai.

- surtout avec *sinon, autrement, sans cela, sans quoi* :

  > Va-t'en, / **sinon** (**autrement, sans quoi**), / je ne réponds de rien.

N.B. Elle est même parfois *totalement omise* :

> Ne force pas; **tu le regretterais** (sous-entendu : *si tu forçais*).

Ses divers équivalents

677. La subordonnée conditionnelle a de nombreux équivalents :

■ le **nom**, ou son groupe, c. circonstanciel de condition, § 549 :

> **En cas de besoin**, appelle-moi –
> **Sauf contrordre**, j'arrive demain –
> **Sans la lecture**, elle s'ennuierait.

■ un équivalent de nom, **pronom** ou **groupe de l'adverbe** :

> **Sans toi**, je tombais – **Avec plus d'application**, il réussirait.

■ un **infinitif** précédé de : *à, de, à condition de, sans, à moins (que) de* § 422, un **gérondif**, § 435, une **proposition participiale**, § 687-693 :

> **A l'en croire**, il te surpasse – Il échouera, **à moins de travailler** – **En t'appliquant**, tu progresserais –
> **Le tyran tué**, la liberté reviendrait.

■ une **apposition**, nom, adjectif, participe ou un **groupe du nom** : ce sont en réalité des subordonnées très *elliptiques* :

> **Plus prudent,** tu aurais évité cet accident – **A votre place,** je réfléchirais – **Un mètre de plus,** elle tombait dans le ravin.

■ une **fausse indépendante**, précédant la vraie principale :

> **Tu n'étais pas là,** elle tombait – **Aperçois-je une rivière,** je la côtoie – **Répète-le,** je te gifle – **Dites blanc,** il dira noir – **Survienne un incident,** elle boude – **N'était ce rhumatisme,** je trotterais comme un jeune homme...

■ une **relative à valeur circonstancielle** (§ 614) :

> Quelqu'un / **qui ferait cela** / serait un héros.

La circonstancielle de comparaison (ou comparative)

Son rôle, sa valeur

678. La **subordonnée circonstancielle de comparaison**, ou *comparative*, joue dans la phrase le même rôle qu'un **nom** (ou son groupe) complément circonstanciel de *comparaison* dans la proposition (§ 546-547) :

> Il parle / **comme parle un maître** (= *Il parle en maître*).

679. Elle indique un rapport de ressemblance, d'égalité, de différence ou de proportion entre le fait principal et le fait subordonné.

■ Elle est introduite par *comme, de même que, ainsi que*, quand elle exprime la **ressemblance** :

> Je t'attendais / **ainsi qu'on attend les navires** (*R.G. Cadou*).

■ Elle est introduite par *que*, annoncé par un *corrélatif*, pour exprimer :

• **l'égalité**, avec *tel, le même, aussi, si, tant, autant* :

> Leur amitié fut courte **autant** / **qu'elle était rare.**

• **la différence**, avec *autre, meilleur, pire, plus, plutôt, moins, mieux* :

> Il parle **plus (moins, autrement)** / **que son frère ne le fait.**
> Il est **plus (moins)** courageux / **que n'est sa sœur.**

• **la proportion**, avec *d'autant plus, d'autant moins, à mesure, au fur et à mesure, selon, suivant*; et avec *dans la mesure où* :

> Elle est **d'autant plus** irritable / **qu'elle est malade.**

680. *Remarques*

■ Pour exprimer une différence, elle prend souvent un **ne** *explétif* :

> Il est plus (moins) sot / qu'on **ne** le pense.

■ Ne pas confondre le **comme** de *comparaison* avec les autres *comme*, voir Appendices, § 867.

681. Elle est souvent *elliptique*, et se confond alors :

■ avec le **complément de comparaison**, § 547 :

Tu es malin / **comme un singe** – Il est bête /**comme une oie.**

■ avec le **complément du comparatif** : de l'adjectif, § 563, ou de l'adverbe, § 444 :

Elle est **plus (aussi, moins) sage / que son frère** –
Il se conduit **plus (aussi, moins) sagement / que sa sœur.**

682. *Remarques*

■ Principale et subordonnée peuvent être toutes deux *elliptiques* :

Rien de charmant / comme ce petit village montagnard.

■ *Très elliptique*, réduite à **comme** ou **que**, elle fusionne :

● avec une *conditionnelle*, **comme / si, que / si** :

Il est **inquiet / comme si** (plus inquiet / **que si**) un grand malheur le menaçait.

● avec une *temporelle*, **comme / quand, que / quand** :

Elle est **gentille / comme quand** (aussi gentille / **que quand**) elle était enfant.

● avec un *infinitif de but*, **comme / pour, que / pour** :

Tu courais / **comme pour nous fuir** (plus / **que pour fuir**...).

■ Le groupe **tel (le)(s) quel(lle)(s)** est une locution *comparative* :

Je vous rends cette marchandise **telle quelle.**

■ On peut employer **tel** (§ 876) au lieu de **tel que**, ou de **comme** :

Il court **tel** un zèbre (**tel qu'**un zèbre, **comme** un zèbre).

683. La *subordonnée comparative* (complète ou elliptique) précède, coupe, ou suit la proposition dont elle dépend :

Comme sa mère, / Perrine est grande – Perrine, / comme sa mère, / est grande – Perrine est grande, / comme sa mère.

684. *Remarques*

■ Dans la *comparaison oratoire*, majestueuse *(homérique)*, la subordonnée est souvent en tête : avec **comme, de même que, ainsi que, autant que...**; et la principale est alors introduite par un *corrélatif* : **ainsi, de même, autant...** :

Autant que de David la race est respectée, /
Autant de Jézabel la fille est détestée *(Racine).*

■ La subordonnée comparative est parfois seule exprimée : dans le *dialogue*, ou avec un **comme si** *exclamatif* :

Comme tu voudras ! –
Comme si je n'avais pas deviné son manège !

Son verbe

685. Le **verbe** de la subordonnée comparative (du moins lorsqu'il est exprimé !) se met :

- à *l'***indicatif**, quand il exprime un fait réel :

  Ce nom vous plaît-il autant qu'il nous **plaisait**? (*Giraudoux*).

- au **conditionnel**, quand il exprime une éventualité :

  Tu as agi comme nous l'**eussions** (**aurions**) **fait** à ta place.

- rarement au **subjonctif**, sauf avec **autant que**, **pour autant que**, et avec le verbe **pouvoir** :

  Elle était blonde autant que je **sache** (autant qu'il m'en **souvienne**) – Il est retors autant qu'on **puisse** l'être.

N.B.   Pour éviter dans la comparative de *répéter* le verbe de la principale, ou bien on le *supprime*, ou bien on le *remplace* par le verbe **faire** :

J'aime les bonbons / comme toi les gâteaux – Tu vaincras / comme j'**ai fait** – Il la souleva / comme il **eût fait** d'un brin d'herbe.

Ses divers équivalents

686. La subordonnée comparative a de nombreux équivalents possibles :

- le **nom**, ou son groupe, complément circonstanciel de comparaison, ou complément du comparatif (d'adjectif ou d'adverbe), § 680 :

  Il agit **en chef** – Tu es plus (*aussi, moins*) gentil **que ta sœur** – Elle réagit plus (*aussi, moins*) intelligemment **que son mari**.

- un équivalent du nom, **pronom** ou **groupe de l'adverbe** :

  Il est plus doué / **que moi (que chacun de nous)** – Elle est bavarde / **comme tant d'élèves d'aujourd'hui**.

- un **complément** introduit par **à** : complément d'adjectifs comme *supérieur, antérieur...*, § 565, ou complément du verbe *préférer* :

  Tu es supérieure **à la plupart de tes amies** – Je préfère Molière **à Marivaux** – **A vivre infirme**, elle préféra mourir.

- deux **indépendantes elliptiques** et **parallèles** dont la 1ère est une véritable subordonnée comparative, et la 2e la principale :

  Tel père, tel fils – **Autant d'hommes**, autant d'avis. (Le fils est / *comme le père*; il y autant d'avis / *qu'il y a d'hommes*).

- l'**adjectif** ou l'**adverbe**, précédés de **trop**, qui sont comme des comparatives elliptiques : § 242, 444 :

  Tu es **trop taquin** – Vous habitez **trop loin**. (= *plus taquin / qu'il ne faut; plus loin / qu'il ne conviendrait*).

N.B.   ■ La *langue parlée* fourmille de comparaisons usées, clichées :

Malin comme un singe, bête comme une oie, gai comme un pinson, fier comme un pou (**attention** : pou = vieux français *poul = jeune coq*)...

■ La *langue écrite* doit rechercher la comparaison neuve, originale :

> Sa barbe était d'argent **comme un ruisseau d'avril** *(Victor Hugo).*
> Oh ! je voudrais m'étirer **comme un arbre** *(Max Jacob).*

LA SUBORDONNÉE PARTICIPIALE

Son aspect, sa place

687. La **proposition participiale**, comme la *complétive infinitive*, n'est introduite par aucun mot de subordination :

> **Le repas terminé,** / on se leva de table.

On la reconnaît à deux signes : son verbe est au mode *participe*, et ce participe a un *sujet propre*, sans autre rôle dans la phrase. Il ne faut donc pas le confondre avec le *participe apposé*, § 431, qui n'a pas de sujet propre :

> **Le corbeau trompé (ayant été trompé),** / le renard ricana.
> Le corbeau, **trompé par le renard,** s'envola piteusement.

Dans la 1ère phrase, il y a proposition *participiale*; dans la 2e, un simple *participe apposé*, apposé au sujet du verbe principal.

688. La proposition participiale précède, suit, ou coupe la proposition dont elle dépend :

> **Le rideau tombé,** / il se fit un grand silence *(Henri Bosco).*
> Il se fit un grand silence, / **le rideau tombé** –
> Il se fit, / **le rideau tombé,** / un grand silence.

Son verbe, son sujet

689. Le **verbe** de la proposition participiale peut être :

■ au **participe présent**, actif, passif, pronominal :

> L'hiver **se retirant,** / le printemps **revenant,** / la nature renaît.

■ au **participe passé**, actif, passif, pronominal, simple, composé :

> Le printemps **ayant chassé** l'hiver (l'hiver **s'étant retiré**; l'hiver **chassé** ou **ayant été chassé**), la nature ressuscita.

690. Son **sujet** peut être un *nom*, un *pronom*, un *adverbe de quantité* :

> **Les vacances de Noël** terminées, / nous retournâmes en classe.
> **Chacun de nous** s'étant démené, / la besogne fut vite achevée.
> **Trop d'élèves** n'ayant pas compris, / le maître reprit son exposé.

691. *Remarques*

■ Le **sujet** peut être *inversé* :

> Passé **le pont** (= **le pont** passé), / vous tournez à gauche.

■ **Certaines participiales** sont devenues des *expressions figées* :

> Le cas échéant, séance tenante, toutes affaires cessantes, cela dit, cela fait, cela étant, ce nonobstant, moi vivant, dimanches exceptés... (cf. l'été durant; durant l'été, § 472 N.B.)

■ Si courte soit-elle généralement, elle peut encore être *elliptique* :

> Sa femme préférant le théâtre / **et lui le cinéma,** / les disputes ne manquent pas – **Son frère une fois soldat,** / il resta seul.

Son rôle, sa valeur

692. La subordonnée participiale joue le rôle d'une véritable *circonstancielle*, qui serait comme elliptique; mais elle n'a que quatre des sept nuances circonstancielles exposées ci-dessus : le *temps*, la *cause*, la *concession*, la *condition* :

> **Les parts faites**, le lion prit la parole
> (= *quand les parts eurent été faites...*).
> **Son départ approchant**, je devins triste
> (= *parce que son départ approchait...*).
> **Son mal empirant**, elle espérait encore
> (= *bien que son mal empirât...*).
> J'irai te voir, **le temps le permettant**
> (= *si le temps le permet*).

N.B. La nuance temporelle peut s'accompagner de **une fois** *explétif* :

> Les parts **une fois** faites, ... – Le café **une fois** bu, ...

---

693. *Remarques*

■ *Les deux nuances de temps et de cause* sont souvent intimement mêlées :

> **Lui parti**, elle retrouva le calme (*temps + cause = quand* il fut parti et *parce qu'il* était parti...).

■ *Une même participiale* peut, selon le contexte, exprimer les quatre nuances :

> **Le tyran tué,** / l'on pavoisa (*temps + cause*).
> **Le tyran tué,** / rien n'alla mieux dans le pays (*concession*).
> **Le tyran tué,** / tout irait mieux,
> pensaient les conjurés (*condition*).

Conclusions sur la syntaxe

DE QUELQUES PROBLÈMES

694. Nous venons d'étudier la *syntaxe* du français, et d'exposer successivement l'*analyse de la proposition* et celle de *la phrase*. Pour des révisions de synthèse, voir Appendices, § 845-877. Rappelons ici quelques **problèmes d'analyse**, qui peuvent surgir, et qu'il faut maîtriser, pour une pleine compréhension de la langue.

La proposition

695. Une phrase peut contenir une ou plusieurs propositions *elliptiques*; d'autre part les propositions ne se suivent pas toujours sagement : telle proposition peut être coupée en deux ou plusieurs tronçons. Soit le célèbre vers de *du Bellay :*

Heureux qui comme Ulysse **a fait** un beau voyage.

Il ne contient, apparemment, qu'un verbe, et il a 3 propositions :

- **Heureux** : *principale, très elliptique* (= *il est heureux celui*).
- **qui... a fait un beau voyage** : *subordonnée relative*, coupée en deux tronçons.
- **comme Ulysse** : *subordonnée circonstancielle de comparaison elliptique* (= *comme Ulysse en a fait un*).

Le verbe

696. Le verbe, mot roi de la proposition, doit être parfaitement maîtrisé. Dans l'analyse d'une phrase il ne suffit pas :

■ de compter les *verbes* : il en est de sous-entendus, voir § précédent :

Tu préfères la musique, / **moi la peinture**
(un verbe, deux propositions).

■ de compter les *verbes à un mode personnel* : ce serait oublier les propositions *infinitives* et les propositions *participiales :*

Je vois / **la lune se lever – Les parts faites,** / le lion parla.

■ de compter les *verbes ayant un sujet* : ce serait faire fi de *l'impératif* et du *gérondif*, qui n'ont jamais de sujet :

Entrez, / que nous bavardions – Il ronfle / **en dormant.**

Les subordonnants

697. Le *subordonnant*, mot qui introduit une proposition subordonnée, est très important, mais, **attention** :

■ Certaines subordonnées, les *infinitives* et les *participiales*, ne commencent pas par un *subordonnant*, voir § 695.

■ Il en est de même quand, pour alléger la phrase, on évite la *répétition* **d'un subordonnant** :

J'aime les élèves **qui** écoutent / et s'appliquent
(= *et qui s'appliquent*)

■ Il faut se méfier des subordonnants les plus fréquents, aux sens variés et aux rôles différents. Voir Appendices, § 862-870 :

qui, que, quand, où, comme, si.

Les équivalents de propositions

698. Dans l'analyse d'une phrase, il ne faut pas oublier (voir § 858) les trois *équivalents de propositions* que sont :

■ **l'infinitif-verbe,** ou *infinitif prépositionnel* :

Il court / **pour arriver à temps** (*équivalent d'une circ. de but*).

■ **le participe-verbe,** ou *participe apposé* :

Épuisé par son travail, / il a dû prendre un congé (*équivalent d'une circonstancielle de cause*).

■ **le gérondif :**

Ils sifflent / **en travaillant** (*équivalent d'une circ. de temps*).

Bivalences

699. Comme dans l'analyse grammaticale (voir *Fonctions du nom*, § 550), on peut rencontrer des *bivalences* dans l'analyse de telle ou telle proposition :

• **quand** (= *même si)* : introduit une subordonnée marquant à la fois la *condition* et l'*opposition :*

Car / **quand tu serais sac** / je n'approcherais pas (*La Fontaine*).

• **comme si** : introduit *comparaison + condition*, § 870 :

Il sort sans manteau / **comme si c'était l'été.**

• une **participiale** peut mêler *temps* et *cause*, § 693 :

Le printemps revenu, / elle se sentit mieux.

DE LA CONCORDANCE DES TEMPS

700. Dans notre étude de la phrase et de ses diverses propositions, nous avons senti, chemin faisant, que *le verbe de la subordonnée* varie selon la nuance qu'il exprime par rapport au verbe dont il dépend.

Récapitulons :

VERBE SUBORDONNÉ À L'INDICATIF

701. *Lorsque le verbe principal* est au **présent** de l'indicatif, le *verbe subordonné*, par exemple dans une complétive (*par que* ou *interrogative*) prend le temps de l'indicatif voulu par le sens, selon qu'on veut exprimer le présent, le passé ou l'avenir, comme dans la simple indépendante à l'indicatif. Comparons, en effet :

> Il lutte, il luttait, il a lutté, il luttera, il aura lutté...
> Je crois / **qu'**il lutte, luttait, a lutté, luttera, aura lutté...
> Je sais / **qui** lutte, luttait, a lutté, luttera, aura lutté...

702. *Lorsque le verbe principal* est à un **temps du passé**, de l'indicatif, le *verbe subordonné*, par exemple en *complétive*, se met :

■ à l'**imparfait**, pour exprimer la simultanéité, la concomitance, par rapport au verbe principal :

> Je croyais *(je crus, j'ai cru, j'avais cru)* / qu'il **luttait**.
> Je savais *(je sus, j'ai su, j'avais su)* / qui **luttait**.

■ au **plus-que-parfait**, pour exprimer le passé (l'antériorité) :

> Je croyais / qu'il **avait lutté** – Je savais / qui **avait lutté**.

■ au **futur du passé** (conditionnel-temps) pour exprimer la postériorité :

> Je croyais / qu'il **lutterait** – Je savais / qui **lutterait**.

■ au **futur antérieur du passé** (conditionnel-temps) pour exprimer un *futur antérieur :*

> Je croyais / qu'il **aurait lutté** – Je savais / qui **aurait lutté**.

703. *Remarques*

Après un verbe principal au passé, le *verbe subordonné* peut se mettre :

■ au **présent**, au lieu de l'*imparfait*, s'il exprime une vérité générale, ou bien un fait qui dure encore au moment où l'on parle :

> Tu savais bien / que la paresse **est** un vilain défaut.
> J'ai appris hier / que tu **vis** désormais au Canada.

■ au **passé simple** ou au **passé composé**, au lieu du *plus-que-parfait*, s'il exprime un fait terminé à un moment déterminé ou indéterminé du passé :

> Il arriva / qu'il **reconnut** ses torts.
> J'ai appris / qu'elle **a surmonté** son chagrin.

■ au **futur** ou au **futur antérieur**, au lieu du *futur du passé* ou du *futur antérieur du passé,* quand on présente les faits à venir comme certains :

> J'ai appris avec plaisir / que les peintres **commenceront** leur travail lundi et qu'ils **auront terminé** samedi.

704. Rappel. N'oublions pas que les huit, ou mieux les dix temps, de l'**indicatif,** § 368, vont deux par deux : un *temps simple* et *un temps composé,* le second marquant l'antériorité par rapport au premier :

> Je lutte *(présent)* et j'ai lutté *(passé composé).*
> Je luttais *(imparfait)* et j'avais lutté *(plus-que-parfait).*
> Je luttai *(passé simple)* et j'eus lutté *(passé antérieur).*
> Je lutterai *(futur)* et j'aurai lutté *(futur antérieur).*
> Je lutterais *(futur du passé)* et j'aurais lutté *(futur antérieur du passé).*

VERBE SUBORDONNÉ AU SUBJONCTIF

705. *Lorsque le verbe principal* est au **présent** ou au **futur** de l'indicatif, le verbe **subordonné au subjonctif,** par exemple dans une complétive *par que,* se met :

■ au **présent,** pour exprimer le présent, la simultanéité, la concomitance, ou l'avenir, par rapport au verbe principal :

> Je souhaite / qu'il **lutte** *(maintenant, ou plus tard).*

■ au **passé,** pour exprimer l'antériorité par rapport au verbe principal :

> Je souhaite / qu'il **ait lutté** *(hier, auparavant).*

706. *Lorsque le verbe principal* est à un temps du **passé** de l'indicatif, le verbe **subordonné au subjonctif** se met :

■ à l'**imparfait,** pour exprimer le présent, la simultanéité, la concomitance, ou l'avenir, par rapport au verbe principal :

> Je souhaitais *(hier)* / qu'il **luttât** *(hier, ou plus tard).*

■ au **plus-que-parfait,** pour exprimer une antériorité :

> Je souhaitais *(hier)* / qu'il **eût lutté** *(avant-hier, auparavant).*

707. *Remarques*

■ Cette règle, respectée scrupuleusement par les auteurs classiques, et aujourd'hui encore par les *puristes,* s'appelle, scolairement parlant, **la règle 1-3, 2-4 :** le *subjonctif présent,* 1er des quatre temps, fait équipe avec le *passé*, 3e temps; l'*imparfait*, 2e temps, avec le *plus-que-parfait*, 4e, selon le schéma suivant :

Je souhaite   →qu'il **comprenne** :   1 *(présent)*
            →qu'il **comprît** :   2 *(imparfait)*
Je souhaitais   →qu'il **ait compris** :   3 *(passé)*
            →qu'il **eût compris** :   4 *(plus-que-parfait)*

■ Cette **règle 1-3, 2-4** régit aussi bien, nous l'avons vu, les *relatives* et les *circonstancielles* au subjonctif que les *complétives* :

Je veux des élèves / qui **comprennent** (qui *aient compris*), 1-3.
Je voulais des élèves / qui **comprissent** (qui *eussent compris*), 2-4.
Je lui pardonne / bien qu'il **mente** (bien qu'il *ait menti*), 1-3.
Je lui pardonnai / bien qu'il **mentît** (bien qu'il *eût menti*), 2-4.

■ Après le *conditionnel* dit *présent*, qui est, nous l'avons dit, § 345 et 388, étymologiquement un *temps du passé*, la langue classique utilise très logiquement la règle **2-4** et non **1-3** :

Je voudrais bien / que vous l'**excusassiez** ! *(Molière)*
Ne vaudrait-il pas mieux / que nous **devinssions** frères *(Hugo)*
Il faudrait sur le champ / que je me l'**amputasse** *(E. Rostand)*.

Mais aujourd'hui le *conditionnel* **présent** est bien senti comme tel, et la règle **1-3** tend à triompher. L'on dit, et écrit, plutôt :

        J'aimerais / que vous **fassiez** (*ayez fait*) ce travail, 1-3,
que : J'aimerais / que vous **fissiez** (*eussiez fait*) ce travail, 2-4

■ La *langue parlée*, d'ailleurs, tend à généraliser **la règle 1-3**, même après un verbe principal *au passé;* il faut reconnaître que certaines formes du subjonctif, à l'imparfait surtout, sauf à la 3e personne du singulier, sont facilement cacophoniques, cocasses, voire ridicules :

Il exigeait / que nous **écoutassions** / et que nous **sussions** bien nos leçons...

Pour les scrupuleux, qui hésitent tout de même à utiliser la *règle fautive* **1-3**, après un verbe au *passé*, mais qui reculeraient devant certaines formes *pures*, mais cocasses de la règle **2-4**, nous conseillons des *équivalences* qui sauvent la face, et qui ont le mérite d'être correctes, sobres et élégantes. Au lieu de :

        Il fallut / que nous la **reçussions** (*correct, mais cocasse*).
ou   Il fallut / que nous la **recevions** (*euphonique, mais incorrect*).

mieux vaut dire et écrire :

Il nous fallut la recevoir.

Au lieu de :

        Elle souhaitait / que vous **triomphassiez** (*correct, mais pédant*)
ou   Elle souhaitait que vous **triomphiez** (*euphonique, mais incorrect*).

mieux vaut dire et écrire :

Elle souhaitait votre triomphe (votre victoire).

DES TROIS STYLES

708. Les paroles et les pensées s'expriment de trois façons possibles :

■ soit en **style direct**, sans subordonnants, et avec guillemets :

« Que vous êtes joli ! que vous me semblez beau ! » *(La Fontaine).*
« Arrêtons-nous, dit-il, car cet asile est sûr.
Restons-y. Nous avons du monde atteint les bornes » *(Hugo).*

■ soit en **style indirect,** c'est-à-dire à l'aide d'une subordonnée complétive, *par que,* ou interrogative *indirecte :*

Dites-leur / **qu'ils se couchent** *(R. Martin du Gard).*
Je lui demandai / **s'il souffrait** *(Cl. Aveline).*
Les femmes étaient belles et j'ai demandé à Marie / **si elle le remarquait.** Elle m'a dit / **que oui** / et / **qu'elle me comprenait** *(A. Camus).*

■ soit en **style indirect libre** ou **semi-direct,** c'est-à-dire avec omission de la principale et du subordonnant, plus léger, plus alerte que le style indirect, et très fréquent chez les conteurs :

Les oiseaux se moquèrent d'elle :
Ils trouvaient aux champs trop de quoi *(La Fontaine).*
(sous entendu : *ils disaient / qu'...).*
Le moine disait son bréviaire :
Il prenait bien son temps ! Une femme chantait :
C'était bien de chansons qu'alors il s'agissait
(La Fontaine).
Il avait fini par céder : il **serait** du voyage de Pâques, il **verrait** la Tour Eiffel, les Invalides, le musée du Louvre *(M. Genevoix).*

709. *Remarque*

Le passage du *style direct* aux *styles indirect,* ou *semi-direct,* entraîne des changements : de *modes,* de *temps,* de *personnes :*

« **Va-t'en** » – (impér. prés. 2e p. s.)
Je lui dis / qu'il (elle) **s'en aille** (de **s'en aller**) (subj. prés. 3e p. m. ou f. s.; ou infin. prés.).
« **Je vous pardonne** » – (indic. prés. 1e p. s. + 2e p. pl. de politesse)
Il (elle) déclara / qu'il (elle) **lui (leur) pardonnait** (ind. impft. 3e p. m. ou f. s. + 3e p. s. m. ou f.).

Grammaire et langue

USURE DE LA LANGUE, GALLICISMES

710. La **langue** est un *outil* qui sert beaucoup, et qui s'use; c'est ainsi que certains mots, certaines locutions, ont, au cours des siècles, perdu de leur valeur initiale, se sont atténués, au point que, *grammaticalement*, il ne saurait être question d'analyser isolément des mots tels que :

- **y** dans : il **y** a, je m'**y** connais, tu n'**y** es pas.
- **en** dans : je m'**en** vais, je m'**en** tiens là, je n'**en** peux mais.
- **ce** *(c')* dans : vouloir **c**'est pouvoir, qu'est-**ce** que tu dis? c'est lui qui a parlé, jusqu'à **ce** que...

Nous avons là des emplois *usés* de mots ou de locutions propres à la langue française (**gallique**, *gauloise*), sans équivalents exacts dans les autres langues, pratiquement *intraduisibles*, et qu'on appelle des **gallicismes** : *gallicismes d'expression* d'une part, *gallicismes de syntaxe* d'autre part.

Gallicismes d'expression

711. On appelle gallicismes d'*expression,* de vocabulaire, des mots ou des groupes éloignés de leur sens premier, comme :

> Un beau jour, de bon matin, dans une bonne heure,
> monter sur ses grands chevaux, s'en laver les mains, se mettre en quatre, être sur les dents, jouer des coudes, faire long feu, avoir beau, avoir le bras long...

Gallicismes de syntaxe

712. On appelle gallicismes de *syntaxe,* ou de construction, des mots ou des tours qui relèvent plus de la grammaire que du vocabulaire. Sont considérés comme gallicismes de syntaxe :

■ des **mots** ou **locutions** dont la valeur initiale s'est atténuée :

- **il**, neutre, sujet *apparent* (ou *grammatical*) :

  > **Il** y a du soleil – **Il** est urgent de réagir.

- **en, y,** atténués :

  > Tu t'**y** connais; elle nous **en** veut; il s'**en** va; il **y** va de ton avenir.

- **c'est, ce sont**, avec ou sans *relative* :

    C'est Paul; **c'est** Paul **qui** arrive – **Ce sont** mes amis...
    C'est demain **que** je pars (= je pars demain).

- **voici, voilà, il y a**, avec un complément de temps, avec ou sans *que* :

    Voici (voilà, il y a) *deux heures* **que** je t'attends.
    Elle est partie **il y a (voici, voilà)** *trois ans*.

- les *locutions interrogatives renforcées* **est-ce que? qui est-ce qui?** (ou **que**)? **qu'est-ce qui** (ou **que**), § 288 :

    Est-ce que tu viens? (= viens-tu?) – **Qui est-ce qui** parle?
    (= *qui parle?*) – **Qu'est-ce que** tu dis? (= *que dis-tu?*).

- les *locutions verbales* et les *semi-auxiliaires*, § 326-329 :

    Rendre compte, tenir tête, avoir l'air, prendre garde...
    Il va sortir, il vient de sortir, il doit rentrer bientôt...

- les *locutions indéfinies* **n'importe qui (quoi, quel, où, quand...)**, **je ne sais qui (quoi, quel, où, quand...)** :

    Tu dis **n'importe quoi** – Vous pouvez venir **n'importe quand** –
    Il est parti **je ne sais où**; il reviendra **je ne sais quand**.

- de **nombreuses expressions** issues d'*ellipses* de toutes sortes :

    Faire des siennes, y mettre du sien, l'échapper belle, la bailler belle,
    s'habiller à la diable (à la va-vite), il fait [*un temps*] beau, bon,
    froid, chaud, sec...

- et, phénomène contraire aux ellipses, où l'on sent qu'il manque un ou plusieurs mots, des **mots explétifs**, où l'on sent qu'il y a des mots en trop, pratiquement inutiles, donc sans rôle grammatical :

- le **pronom**, *personnel, démonstratif* :

    Paul viendra-t-**il**? – Chassez-**moi** donc ce chien – Il **l'**emporte sur
    toi – Partir **c'**est mourir un peu – Vouloir **c'**est pouvoir...

- la **préposition**, § 482 :

    La ville **de** Paris – Passer **pour** sot – Quoi **de** neuf? – Aimer **à** rire.

- l'**adverbe** *ne*, § 467, et la **locution adverbiale** *ne ... que* :

    Je crains qu'elle **ne** parte – Tu nies de peur qu'on **ne** te gronde –
    Il est plus fin que tu **ne** crois – Partons avant qu'il **ne** rentre –
    Il **n'**aime **que** la peinture; elle **ne** fait **que** lire.

- les **conjonctions** *que* et *comme* :

    Que si ! – Bêtise **que** cela ! – On le considère **comme** fou.

- **tout**, devant un *gérondif*; **une fois**, dans une *participiale* :

    Elle rêve **tout** en marchant – Paul **une fois** parti, elle resta seule.

- l'**article élidé** devant *on*, § 283, et le **t euphonique**, § 347 et 362 :

    Ici **l'**on danse – Viendra-**t**-il? Pense-**t**-elle. Dira-**t**-on.

RECHERCHE DE L'EXPRESSIVITÉ

713. Si la langue est un outil qui s'use, elle est aussi, et essentiellement, un *moyen de communication* : entre le sujet parlant et son auditeur, entre l'auteur et son lecteur.

Et l'être qui parle, ou qui écrit, a le souci majeur d'éveiller, de capter *l'intérêt* de son interlocuteur, immédiat, ou éventuel. D'où, dans la langue, écrite autant qu'orale, un souci à peu près constant de **recherche d'expressivité**, et l'emploi de divers procédés qui modifient *l'ordre logique* de la syntaxe.

En voici quelques exemples :

■ *l'inversion du sujet* :

> Le long d'un clair ruisseau buvait **une colombe** *(La Fontaine)*.
> *Soit* **un triangle ABC** – Survient **un bolide** – Es-**tu** bête !...

■ *le lancement en tête* d'un *attribut*, d'un *complément* :

> **Dure** est la côte – **Quel temps** nous avons ! –
> L'**été**, je vais en Bretagne.

■ le *pronom de reprise* ou, inversement, le *pronom d'annonce* :

> Ton mensonge, **il** éclate – **Il** éclate, ton mensonge.
> Cet homme, je **l'**admire – Je **l'**admire, cet homme.

■ *le gallicisme* **c'est**, **c'est... qui**, **c'est... que** (qui reprend ainsi de la vigueur) :

> **C'est** lui le chef; **c'est** toi **qui** obéis – **C'est** demain **que** je pars.

■ *la mise en relief de l'épithète* (§ 581).

> Un **coquin** d'enfant; une **horreur** de robe; un **chameau** de chef.
> Une **drôle** d'idée; cette **diable** de fille; ce « **salaud** » de Léon...

■ *la recherche d'élégance*, par déplacement de mots, en poésie :

> **De ce palais** j'ai su trouver l'entrée *(Racine)*.
> Il était, quoique riche, **à la justice** enclin *(Hugo)*.

■ *divers bouleversements syntaxiques*, dans l'expression d'une émotion forte, où le rythme se précipite, où la syntaxe vole en éclats :

> Nous séparer? Qui? Moi? Titus de Bérénice? *(Racine)*.
> Au voleur ! au voleur ! A l'assassin ! au meurtrier ! *(Molière)*.

■ *l'insistance*, obtenue de diverses façons : emploi de pronoms toniques et renforcés, répétitions, accumulations, gallicismes, pléonasmes voulus :

> Fais-le **toi** *(toi-même)* – Les **voilà** ! les **voilà** ! – **Oui, oui** ! – **Non, non** ! – **C'est qu'**il ment bien, le bougre ! –
> **Femmes, moine, vieillards,** tout était descendu *(La Fontaine)*.
> Je l'ai **vu**, dis-je, **vu**, de mes propres yeux **vu**.
> Ce qui s'appelle **vu** *(Molière)*.

Figures de style

714. Font enfin partie des recherches d'expressivité, surtout dans la langue écrite, divers procédés qu'on appelle *figures de style*. Il ne saurait être question, ici, de détailler ce vaste problème, qui nécessiterait tout un ouvrage, et qui relève de la **rhétorique**, discipline jadis très cultivée, et que certains linguistes modernes tentent de remettre en honneur. Disons simplement qu'on peut distinguer :

- les *figures de* **grammaire** et *de* **vocabulaire**.
- les *figures de* **pensée** et *de* **rhétorique** (raisonnement et passion).

715. Certaines figures de style portent des noms étranges et cocasses, comme *catachrèse, hypotypose, paronomase*, ou *synecdoque* !... Renvoyons le lecteur curieux aux ouvrages spécialisés et aux dictionnaires encyclopédiques, qui éclaireront sa lanterne, et citons seulement les principales figures :

- **figures de grammaire** : *anacoluthe, ellipse* (et *asyndète*), *inversion, pléonasme* (voulu), *syllepse*...

- **figures de vocabulaire** : *comparaison, image (métaphore, métonymie), antiphrase, euphémisme, litote, hyperbole, périphrase, alliance de mots* (et *zeugma*), *chiasme, allitération*...

- **figures de raisonnement** : *réticence, correction, prétérition, parallèle, prosopopée*...

- **figures de passion** : *apostrophe, exclamation, interrogation, obsécration, ironie* (en particulier dans les *épigrammes*)...

716. Bornons-nous aux quelques exemples suivants :

- La lune nous regarde avec son monocle *(Jules Renard)* : *image*.
- Elle a vécu (= elle est morte) : *euphémisme*.
- Je ne la déteste pas (= je l'aime) : *litote*.
- La dame au nez pointu (= la belette) *(La Fontaine)* : *périphrase*.
- Mme Caron, en chair, en os, et en fureur *(Paul Guimard)* : *zeugma*.
- Leurs jambes (1) pour toutes montures (2);
Pour tous biens (2) l'or de leurs regards (1) *(Verlaine)* : *chiasme* (1-2, 2-1).
- Les gonds rouillés criaient sur la ferrure ancienne *(F. Gregh)* : *allitération* grinçante (abondance de **r**).
- « On vient de me voler... – Que je plains ton malheur !
Tous mes vers manuscrits. – Que je plains ton voleur ! »
(Ecouchard-Lebrun) : *ironie* (épigramme).

717. La langue, *parlée* ou *écrite*, possède donc des ressources variées pour capter l'attention de l'auditeur ou du lecteur. Elle peut jouer de tous les **tons**, de tous les **rythmes**, de tous les **styles**.
Selon son tempérament, selon le genre qu'il traite, selon la situation, le sujet *parlant*, ou *écrivant*, adopte :

- tel ou tel **ton**, du plus désespéré au plus drôle, en passant par toutes les subtilités de la sensibilité, de l'esprit, de l'humour.

■ tel ou tel **rythme**, selon qu'il s'agit d'exprimer le calme, la sérénité, la majesté (penser aux périodes oratoires d'un *Bossuet* ou d'un *Chateaubriand*), ou l'émotion (joyeuse ou douloureuse), l'exaltation, l'ironie, etc. Le rythme se fait, alors, rapide, haché, nerveux, elliptique.

■ tel ou tel **style** enfin, qu'il peut varier à l'infini :

• en modifiant l'*ordre des mots*.

• en usant des *divers tours* : affirmatif, négatif, interrogatif, interro-négatif, exclamatif.

• en jouant des *styles direct, indirect, semi-direct*.

• en utilisant, à bon escient, les diverses *figures de style*.

EXPRIMONS-NOUS CORRECTEMENT

718. Sans vouloir jouer les grands écrivains, sans vouloir jongler systématiquement avec les diverses figures de style, chacun de nous se doit de respecter, du mieux qu'il peut, le bel outil dont il dispose et qui s'appelle **la langue française**. C'est une question d'honnêteté, de politesse à l'égard de son interlocuteur, et surtout de son lecteur.
La *langue parlée* peut se permettre quelques négligences; il n'en est pas de même de la *langue écrite*, qui nécessite plus de correction : le téléphone, nous le disions dans notre préface, doit parfois céder la place à la lettre, et les pièges grammaticaux surgissent aussitôt.
Il n'est pas question, pour Monsieur Tout-le-Monde, de se montrer dans l'art épistolaire l'émule d'une *Sévigné* ou d'un *Voltaire,* surtout s'il s'agit d'une lettre d'affaires, ou d'un rapport quelconque. Il reste que la correction, celle de l'*orthographe* comme celle de la *syntaxe* est nécessaire, de même que la clarté dans l'exposé :

> Ce qui se conçoit bien s'énonce clairement *(Boileau).*

719. Tout au long de cet ouvrage, nous avons, à l'occasion, donné des conseils, fait des mises en garde contre tel ou tel danger qui nous guette dès que nous devons prendre la plume. Bornons-nous ici à quelques rappels essentiels :

• *genre et nombre* du **nom**, § 135 sq., et de l'**adjectif**, § 223 sq.

• **pronom relatif** et *correction*, § 308.

• **infinitif** et *correction*, § 422.

• **gérondif** et *correction*, § 436.

• **adverbe de quantité** et *correction*, § 450.

• **négation** et *correction*, § 467, et surtout N.B.

• **préposition** et *correction*, § 483.

• **subordonnée interrogative** et *correction*, § 633-634.

720. Quelle que soit la lettre qu'on ait à rédiger : lettre d'amitié ou d'amour, administrative ou commerciale, de vœux ou de remerciements, de félicitations ou de condoléances..., la première règle est la politesse, politesse vis-à-vis de soi et de son destinataire. Et cela consiste à respecter, avant tout :

● l'**orthographe**, *orthographe d'usage* et *orthographe grammaticale*. Ne pas hésiter à consulter son dictionnaire ou sa grammaire. Bien distinguer :

> Au dire de *(singulier) et* aux dépens de *(pluriel)*; il va chanter *et* il a chanté; elle m'éblouit *et* elle m'a ébloui(e); ce *et* se, ces *et* ses, c'est *et* s'est; leur, pronom personnel, invariable *et* leur, adjectif possessif, variable (ils aiment *leurs* parents et *leur* obéissent), si *et* s'y; ni *et* n'y; quand, qu'en, quant à; parce que *et* par ce que; quelque(s) *et* quel(le)(s) que...

● l'**accentuation**, trop souvent négligée et anarchique :

> On n'écrit pas **pere*, **pére*, mais **père**.
> Ne pas oublier les points sur les **i** et sur les **j** minuscules.

● l'**emploi correct** de la *majuscule* et de la *minuscule* (§ 733-4) :

> Distinguer : le Français *(le citoyen)* et le français *(la langue)*.

● la **ponctuation** enfin, si importante pour éclairer le lecteur :

> Paul dit : « Pierre est idiot » – « Paul, dit Pierre, est idiot »;

La ponctuation : « une politesse à l'égard du lecteur » *(A. Dauzat)*. Ou encore : « la respiration de la phrase » *(F. Gregh)*.

N.B. Ne pas oublier la **cédille** ! Si on l'omet dans un mot comme « maçonnerie », c'est, pour le moins, un peu... gênant !

---

721. Méfions-nous aussi du **vocabulaire**. On est sans cesse à la merci d'un *faux sens*, d'un *contresens*, d'un *non-sens* (admirer l'orthographe différente de ces trois mots !), sans parler du barbarisme affreux, du néologisme négligé, du *franglais* envahissant. On pourrait écrire tout un volume, un gros volume, sur le sujet; bornons-nous à quelques remarques :

Cernons bien le sens exact de :

> *achalandé, agapes, alternative, ambiance, avatar, avérer, conséquent, dilemme, émérite, ingambe, jovial, mappemonde, mélancolie, miniature, nostalgie, péripétie, périple, rutilant, sidéré...*
> Distinguons bien entre **frères** et **sœurs** *consanguins, utérins, germains, jumeaux, de lait...*
> Prière de consulter son dictionnaire, étymologique si possible.

Ne confondons pas :

> achalandé et *approvisionné*, acquis et *acquit*, agonir et *agoniser*, bagage et *baguage*, balade et *ballade*, bimensuel et *bimestriel*, censé et *sensé*, cétacé et *sétacé* (et *c'est assez !*), collision et *collusion*, conjecture et *conjoncture*, cultuel et *culturel*, décade et

décennie, détoner et *détonner*, éminent et *imminent*, filtre et *philtre*, impropre et *malpropre*, justesse et *justice*, notable et *notoire*, mettre à jour et *mettre au jour*, nommé et *promu*, tendresse et *tendreté*, (en) plein champ et (le) *plain-chant*, rebattre (les oreilles) et *rabattre* (le caquet), médire et *calomnier*...

Consulter son dictionnaire !

Il faut dire, et écrire :

Amener *(un être vivant)*, mais *apporter (une chose)*. Prendre parti, mais *prendre à partie*. Un soi-disant champion, mais *un prétendu record*. Des allées et venues, mais *des aller et retour*. Rouvrir, mais *réouverture*. Commémorer un événement, mais *célébrer une fête (un anniversaire)*. Agir de concert, mais *naviguer de conserve* (et, par extension, « aller » de conserve = de compagnie; si bien qu'on peut aller de conserve... au concert !). Monter le coup à quelqu'un (l'abuser), mais *se monter le cou* (s'exalter, se hausser du « col »). Réussir grâce à son travail, mais *échouer à cause de* (et non *grâce à*) *sa paresse*. Un ordre exprès (une défense expresse), mais *un (train) express*...

Dites bien, et écrivez :

saupoudrer, et non *soupoudrer*; pantomime, et non *pantomine*; rémunération, et non *rénumération*; fruste, et non *frustre*; se fonder sur, et non *se baser sur*; repartir de zéro, et non *à zéro*; en définitive, et non *en définitif*; une situation importante, et non *conséquente*; une taie d'oreiller, et non une *tête*; mou comme une chiffe, et non comme *une chique*; une espèce de vaurien, et non *un espèce*; poser des briques de chant, et non *de champ*; de plain-pied, et non *de plein pied*; à court (et non *à cours*) d'argent; entrer en contact, et non *contacter*; excusez-moi, et non *je m'excuse*; au temps pour moi ! (pour les crosses !), et non *autant* (cf. italien « al tempo ! »); à tant faire, et non *tant qu'à faire*; pécuniaire, et non *pécunier*; tant pis, et non *tant pire*; expédier un courrier par exprès, et non par *express*; recouvrer la santé, et non *retrouver*...

Évitons les négligences de toutes sortes :

- **Pour éviter** les affreux *le combien, *le combientième, et pour laisser de côté « le quantième » (quelque peu archaïsant), usons de tours plus longs certes, mais corrects : « *Quel jour sommes-nous? »*, « *Quelle place as-tu? »*, « *À quel étage vous arrêtez-vous? »*...

- **Écartons** des expressions de la *langue familière* comme : *en rouler une* (cigarette; partie de boules), *en pousser une* (chanson), *à la prochaine, à la revoyure, qu'est-ce qu'elle est lourde !* (dire : comme elle est lourde !), *quand est-ce que tu viens?* (dire : quand viens-tu?), *comme qui dirait, comme dirait l'autre, c'est fait pour, c'est étudié pour, tâchez moyen de...*

- **Évitons** les horreurs comme : *s'avérer faux* (dans avérer, il y a *vérité* !).

- **Attention** à l'abréviation **etc.** (du latin « et cetera » = et les autres choses) : c'est un *neutre*. On ne peut donc l'employer qu'après une énumération de *choses* (et l'on ne peut dire : « Pierre, Paul, Jacques, Jean, Étienne, *etc.*; dire plutôt *et autres*).

Méfions-nous de certaines locutions courantes, souvent mal comprises :

- *Faire des coupes sombres* : expression forestière, signifiant qu'on épargne assez d'arbres pour conserver *du sombre*, de l'ombre. L'expression contraire est *coupe claire* ! (le *beau contresens que voilà* !)

- *Tirer les marrons du feu,* c'est courir un risque dont profite autrui, et non, comme on croit souvent, *tirer avantage* !

- *Se porter comme un charme* : le charme dont il s'agit est l'arbre (qui vit vieux). On dit aussi : *comme un chêne;* gare au contresens !

- *Tomber dans le lacs* (prononcer « *la* ») : *lacs* = lacet, filet, piège; et non « *dans le lac* » !...

N.B. On écrit : *laisser* (rester) *en plan* (et non *en plant,* malgré la recommandation de Littré), *de but en blanc* (alors qu'on devrait écrire « de butte en blanc » : de la butte de tir au blanc de la cible); *sens dessus dessous* (au lieu de *c'en* – ou mieux, *cen* – dessus dessous; § 273 N.B.).

Attention, enfin, aux pléonasmes :

plus ou moins sournois ou stupides, si fréquents dans la langue parlée, à ne pas confondre avec les pléonasmes voulus : § 713, 715 :

> *Monter en haut, descendre en bas, sortir dehors. Grand maximum. Faux prétexte. Comme par exemple. Mais cependant. Emmener avec soi. Les orteils des pieds. Une hémorragie de sang. Des paroles verbales. Saupoudrer de sel,* § 108. *Panacée universelle* (panacée, du grec pan : tout + akè : remède, signifie déjà « remède universel »). *Secousse sismique* (sismique signifie : « secouante » ! cf. séisme). *Voler en l'air. Réunir ensemble. Commencer d'abord. Pour finir enfin. Le but final. Car en effet. Marcher à pied. Ajouter en plus. Prévoir d'avance. Répéter deux fois. S'entraider mutuellement. Assez satisfaisant...*

N.B. Un dictionnaire étymologique prouve que sont également *pléonastiques* : *Un pauvre hère, au fur et à mesure, aujourd'hui* (hui, du latin *hodie,* = ce jour-ci; donc, a fortiori, *au jour d'aujourd'hui* !), *se suicider* (§ 773)...

---

722. Attention ! surtout, à **la morphologie** et à **la syntaxe** :

■ *Maîtrisons la nature et la forme* des neuf espèces de mots; évitons les horreurs :

Il *met impossible (m'est);* elle *si rend (s'y)...*

■ *Respectons les accords* fondamentaux. Voir Index et Appendices.

■ *Veillons bien aux formes verbales,* sources si fréquentes de fautes d'orthographe ou de syntaxe, et même, hélas ! de barbarismes :

• Ne confondons pas *les temps :*

J'arrivais, j'arrivai; j'arriverai, j'arriverais.

N.B. Gare aux *barbarismes* du passé dit *simple* (par ironie?) :
Ils *vivèrent, *naissèrent, *fuyèrent (vécurent, naquirent, fuirent).

- Ne confondons pas *les modes*. Ex. : indicatif et subjonctif présents :
Que le nouvel an *voie* (et non *voit*) vos espoirs comblés !

N.B. Distinguons bien *participe présent* et *gérondif* :
Je l'ai vu(e) **sortant** de l'école – Je l'ai vu(e) en **sortant** de l'école.
(dans le 1er cas, c'est *lui (elle)* qui sort; dans le 2ème, c'est *moi* qui sors).

- Attention à l'emploi correct *de l'auxiliaire* (avoir ou être) :
Votre bail **est** expiré *(et non *a expiré).*
- Ne confondons pas *les verbes* :
Je vous **saurais** gré *(et non *serais gré)* –
Il **vaut** mieux *(et non *il faut mieux),*

mais distinguons bien le sens différent des deux phrases :
Il **faut** / mieux travailler – Il **vaut mieux** / travailler.

N.B. Évitons les affreux : *émotionner, confusionner, ovationner, solutionner...;*

- **Attention** à la terrible *concordance des temps*, surtout au subjonctif, voir § 705-707; penser aux équivalents discrets et élégants.

N.B. **Après que** est suivi de l'*indicatif*, malgré l'attraction de *avant que* + subj. :
après que (= *quand*) j'ai *(j'avais, j'eus, j'aurai)* fini,
mais : avant que j'aie *(que j'eusse)* fini.

- **Attention** *à des constructions fautives*, et fréquentes, comme :
  - *entrer et sortir du jardin* (dire : entrer dans le jardin et en sortir);
  - *s'accaparer d'une chose* (dire : accaparer une chose);
  - *ses sœurs sont gentilles, *lui ne l'est pas;*
  - *se rappeler de quelqu'un, *de quelque chose :*
  On se **rappelle** un être, une chose; on dit donc : je me **le (la, les) rappelle**. Voilà l'être, la chose **que** je me rappelle;
  On se **souvient d'**un être, **d'**une chose. **En** étant réservé aux choses (§ 260), on dit : je me souviens **de lui, d'elle, d'eux, d'elles** (pour les êtres) et je m'**en** souviens (pour les choses).

N.B. ■ On peut dire :
Cet accident, je m'**en** rappelle les circonstances.
■ *Se souvenir* a d'abord été impersonnel :
Il me souvient, il m'en souvient... § 827 N.B.

- *dis-moi *où vas-tu; dis-moi *quelle heure est-il (*quelle heure qu'il est)* (on dit : dis-moi où tu vas, quelle heure il est; voir § 634)
- *adressez-vous à un autre *qu'à moi* (dire : que moi); *c'est ici *où nous habitons* (dire : que nous habitons);
- *tu lui ressembles comme deux gouttes d'eau* (dire : comme une goutte d'eau à une autre; ou encore : vous vous ressemblez comme deux gouttes d'eau);
- de manière (de façon) *à ce que (dire : de manière, de façon que)

N.B. ■ Distinguons bien l'emploi *du verbe* **stupéfier** et de l'*adjectif* **stupéfait** :

Cela m'a *(beaucoup)* stupéfié(e), j'en suis encore *(tout)* stupéfait(e).

de même que celui du *verbe* **se fatiguer** et de l'*adjectif* **fatigué** :

Elle s'est *beaucoup* fatiguée; elle est *très* fatiguée.

■ **Très** et **si** ne peuvent accompagner un nom ou un verbe, § 455. Ne dites pas :

*J'ai eu *très (*si) plaisir à vous rencontrer,* mais :
J'ai eu grand (tellement de) plaisir à vous rencontrer.

■ **Attention** aux tours elliptiques si fréquents dans le *style commercial* :

Suite à votre lettre (dire : à la suite de, en réponse à...).
Courant avril (dire : dans le courant d'avril), *retour de voyage* (dire : de retour de...), *question transport* (dire : pour le transport, pour le problème du transport), *mangez léger* (dire : mangez légèrement).

723. Pour conclure, intéressons-nous aux **formules de politesse,** en tête et surtout en fin de lettre :

■ *Ne jamais dire,* ni écrire ! :
- *Messieurs dames,* **mais** : Mesdames, Messieurs.
- *Mon bon souvenir à votre *dame,* **mais** : à votre femme.
- *Mon cher monsieur, *ma chère madame* (pléonasmes : deux fois *mon,* deux fois *ma*), **dire** : Cher monsieur, chère madame.

■ *Ne jamais parler* de *malpolitesse, mais d'impolitesse, § 79.

■ *Selon la nature de votre lettre* : intime ou solennelle, joyeuse ou triste, affectueuse ou grinçante, vous pouvez jouer d'une gamme richissime de formules finales :

Je t'embrasse affectueusement (sur les deux joues). Mille et une caresses. Je te serre la main (Je te broie la dextre, et la senestre. Je te presse phalanges, phalangines et phalangettes). Je suis (je reste) tien(ne) (vôtre), fidèlement (pour la vie, à jamais).
Veuillez agréer, Monsieur (Messieurs) mes salutations (ma considération distinguée). Veuillez croire à l'assurance de ma considération. Je vous prie de croire, Monsieur, ...
Veuillez agréer, Madame, mes très respectueux hommages.
Je vous prie, monsieur le Président, de bien vouloir agréer l'assurance de mon profond respect...

N.B. ■ Il y a une différence de sens entre :

Je vous prie de *bien vouloir...* et : Je vous prie de *vouloir bien...*

Bien vouloir contient une nuance de respect, de déférence, de sollicitation.
Vouloir bien exprime une nuance d'ordre plus ou moins impérieux;
l'un demande, l'autre exige...
■ **Attention** aux *incorrections* si fréquentes lorsque la formule finale débute par un complément circonstanciel, ou un participe apposé, ou un gérondif :

> Dans l'espoir d'une prompte réponse (Espérant une prompte réponse; en espérant une prompte réponse), *veuillez agréer...; il faut dire :
> Dans l'espoir... (Espérant...; En espérant...), *je* vous prie, d'agréer

(c'est **je,** sujet du verbe principal qui espère, qui est dans l'espoir.).

---

724. Une **lettre,** *personnelle* ou *administrative, intime* ou *commerciale,* peut être le reflet d'une personnalité : celui qui écrit, même s'il s'agit d'une humble carte postale, souvenir de voyage, a à sa disposition tous les *tons,* tous les *rythmes,* tous les *styles,* bref cet outil merveilleux et subtil qui s'appelle la langue française. N'oublions pas la formule célèbre de *Buffon* :

> « Le style, c'est l'homme » (*et, bien entendu,* la femme !)

HISTOIRE DE LA LANGUE FRANÇAISE

725. En parcourant *vocabulaire, morphologie, syntaxe,* nous avons senti que le **mot** est un *être vivant* il est né, s'est transformé, puis stabilisé; mais tous les jours il se crée pour tel ou tel mot des sens nouveaux; enfin, si constamment il se crée des mots nouveaux, il en est qui tombent en désuétude, et qui *meurent.*
Les mots ont donc une *histoire*; il en est de même de la **langue.** Tout au long de ce livre, nous avons perçu que la *syntaxe* d'aujourd'hui peut différer de celle du XVIIe siècle *classique*; par exemple :

> ● la place du *pronom personnel complément* n'était pas la même qu'aujourd'hui (§ 263);
> ● l'emploi de *l'infinitif prépositionnel* complément circonstanciel, de même que celui du *gérondif* était plus lâche que de nos jours où leur *sujet* (non exprimé) doit être *le même* que celui du verbe dont ils dépendent (cf. § 422 et 436) :
> Rends-le-moi **sans te fouiller** *(Molière)* –
> Vous m'êtes **en dormant** un peu triste apparu *(La Fontaine)*;
> ● l'emploi de *l'auxiliaire* dans les *temps composés* a longtemps été hésitant :
> Le traître **est** expiré *(Racine)* –
> Je n'**ai** point sorti *(Mme de Sévigné).*

Notre propos n'est pas ici d'entrer dans le détail d'une *grammaire,* d'une *syntaxe* et d'une *morphologie* historiques. Bornons-nous à jalonner à grands traits les *étapes* de l'histoire de notre langue.

726. ■ *La période de formation*

● **La conquête romaine** (César, Ier siècle av. J.-C.). – Les Gaulois peu à peu, mais à leur façon (et avec certaines *tendances*, cf. § 35-37), adoptent le latin, le *latin vulgaire*. C'est l'époque, peut-on dire, **gallo-romaine** de la langue. C'est dès cette période que la langue, de *synthétique* et *flexionnelle* qu'elle était, devient *analytique* et se crée une syntaxe nouvelle, et déjà très moderne :

> ● **amentur** (1 seul mot, le latin est une langue *synthétique*) se traduit en français moderne par : *qu'ils soient aimés* (4 mots; le français est une langue *analytique*);
> ● **rosae pulchritudo** (2 mots) = *la beauté de la rose* (5 mots), la disparition progressive des *flexions*, des *cas*, a amené le français à fabriquer des *articles*, à multiplier l'emploi des *prépositions*, à modifier *l'ordre des mots*, l'ordre *syntaxique* (en particulier à placer le *déterminant* – complément ou épithète – *après* le nom déterminé, le sujet *devant* le verbe, les compléments *après* le verbe...).

● **La période franque** (VIe-Xe siècles). – Les invasions germaniques ont non seulement teinté le vocabulaire, mais contrecarré l'évolution du *gallo-romain*, par des habitudes propres aux idiomes *germaniques* :

> ● l'*inversion* du sujet;
> ● le déterminant *précédant* le déterminé : cf. les *toponymes* comme *Francour-ville* = domaine des Francs,
> ● l'*antéposition* de l'épithète conservée dans d'*anciens composés* ou des *expressions clichées* : le vif-argent, le haut-mal... (cf. § 580)

Et c'est l'influence germanique (surtout *franque* : *Clovis* puis *Charlemagne*) qui, jointe aux vivaces survivances gauloises, achève de rendre notre « *langue vulgaire* » originale par rapport aux autres langues « latines ». La nouvelle langue s'allège, s'organise, se personnalise : la *déclinaison* se réduit à 2 cas :

> cas *sujet* : *li murs* (sing.), *li mur* (plur.),
> cas *régime* : *lo (le) mur* (sing.), *les murs* (plur.).

et c'est elle (et non plus le latin) qu'on va utiliser dans le célèbre *Serment de Strasbourg* (en 842) : premier monument littéraire *français* !

727. ■ *L'ancien français* (Xe-XIVe siècles)

Cette « langue vulgaire » n'était pas unique; elle variait selon les régions : d'où un certain nombre de *dialectes* (émiettement linguistique favorisé par l'*anarchie féodale* qui a suivi la fin de la dynastie carolingienne) : on distinguait deux groupes principaux, le *groupe Nord* ou **langue d'oïl**, et le *groupe Sud* ou **langue d'oc**, ainsi appelés d'après leur façon de prononcer ce qui deviendra le « oui » français;
● la langue d'oïl groupait 4 dialectes principaux : le *francien* de l'Ile-de-France, le *picard*, le *normand*, le *bourguignon*;
● la langue d'oc groupait : l'*auvergnat*, le *limousin*, le *gascon*, le *catalan*, le *Provençal*.

Mais la dynastie des Capétiens, avec surtout Philippe-Auguste, Saint Louis et Philippe le Bel, va donner un essor décisif au *dialecte de l'Ile-de-France* qui ira croissant avec les progrès de l'unité nationale. Du XIe au XVe, Paris commence à rayonner : son Université s'impose dès le XIIe siècle. Et ce dialecte, le *« francien »*, va non seulement supplanter peu à peu tous les autres dialectes, mais le *français naissant* va rayonner hors des frontières nationales :

- La *conquête de l'Angleterre*, en 1066, introduira le français pour quelques siècles à la cour et dans l'aristocratie *anglaises;*
- Une autre dynastie *normande* s'installe dans les *Deux-Siciles;*
- L'état chrétien fondé en *Palestine* après la 1ʳᵉ croisade y transporte le français (c'est en cette langue en effet que sont rédigées les *Assises de Jérusalem*);
- Un écrivain italien du XIIIe siècle, *Brunetto Latini*, dédaignant sa propre langue, opte pour le français, qu'il dit *« parleure plus délitable et plus commune à toutes gens ».*

La langue continue cependant son *évolution :* la *déclinaison* à 2 cas se maintient (du moins dans la langue écrite), mais dans la *conjugaison,* par exemple, la création d'un *conditionnel* calqué sur le curieux *futur* français (voir § 343 et 345) contribue au recul du *subjonctif.* Quant aux tendances *germaniques* (inversion, déterminant + nom), elles s'estompent mais laissent de traces suffisantes pour permettre des *nuances d'expression* intéressantes (§ 581).

Un sire *triste,* un *triste* sire; une femme *sage,* une *sage*-femme.

728. ■ *Le moyen français* (XIVe-XVIe siècles)

La fin du Moyen Age est une période *troublée :* les Valois n'ont pas la sagesse des Capétiens, mais quelques grands rois : Charles V, Louis XI, François Ier, poursuivent heureusement leur tâche en vue de *l'unité :* la menace anglaise est écartée (Jeanne d'Arc et Charles VII), la puissante maison de Bourgogne s'effondre (Louis XI), et, par un mariage, Charles VIII annexe la Bretagne. L'unité est accomplie. L'évolution de la langue vers son aspect *moderne* se précipite : la *déclinaison à 2 cas* disparaît au cours de la Guerre de Cent Ans et c'est le *cas régime* qui triomphe : singulier : *le mur,* pluriel : *les murs* (c'est ainsi que l's est devenu la marque du *pluriel !*); la *conjugaison* aussi se simplifie; l'emploi de l'*article* s'étend encore... etc.
La Renaissance et les efforts de la Pléiade font faire à la *langue* un pas décisif (tandis que le *vocabulaire* s'enrichit considérablement).

729. ■ *Le français classique* (1610-1789)

Période d'ordre, de stabilisation. La langue, en réaction contre l'effervescence du XVIe, s'épure (« Enfin Malherbe vint »... *Boileau*) :

- Les *évolutions phonétiques* s'arrêtent;
- La *morphologie*, grâce aux efforts des grammairiens, se stabilise;
- La *place des mots,* encore flottante chez Corneille, va se fixer au XVIIe et surtout au XVIIIe : la place de l'*épithète* va permettre des distinctions intéressantes *(un brave homme* et *un homme*

brave; le même courage et *le courage même); et l'on ne pourra plus placer les *pronoms personnels compléments* à façon d'un Corneille : *Va, cours, vole et nous venge;* ou d'un La Fontaine : *Jamais, s'il me veut croire, il ne se fera peindre* (sauf par souci d'*archaïsme*).

La langue française atteint la perfection chez les grands *classiques* du XVIIe et du XVIIIe siècle, et rayonne sur toute l'Europe intellectuelle; c'est ainsi que l'Académie de Berlin avait, tout naturellement, mis au concours pour le prix de l'année 1784 les questions suivantes :

> « *Qu'est-ce qui a rendu la langue française universelle? Pourquoi mérite-t-elle cette prérogative? Est-il à présumer qu'elle la conserve?* »

On sait que le lauréat fut Rivarol, pour son fameux *Discours sur l'universalité de la langue française.* Le français ne se contente pas de ce *rayonnement européen,* il triomphe peu à peu des *dialectes régionaux :* dans les pays *d'oïl* au XVIIe, dans les pays *d'oc* au XVIIIe. Et, triomphe définitif, il supplante le *latin* dans les domaines qui lui étaient jusque-là réservés : la *philosophie* (Descartes écrit son *Discours de la méthode* en français), les *sciences* (Pascal, Fontenelle, Buffon...). La *poésie en latin,* encore pratiquée au XVIIe, meurt au XVIIIe. Et le français gagne de plus en plus dans les collèges et universités.

730. ■ *Le français moderne* (1789-1914)

La Révolution n'a guère ébranlé les traditions grammaticales. A part quelques prononciations populaires, adoptées par la bourgeoisie parisienne (*oi* triomphe de *oué,* et Louis XVIII fait sourire à son retour d'exil en disant : « C'est moué le Roué »), la langue ne diffère guère de celle du XVIIIe siècle; mais l'*orthographe* se fait impérieuse et devient signe de bonne éducation et d'instruction. Quant au *vocabulaire* il continue de s'enrichir (*emprunts* anglais, allemands, exotiques, savants avec les progrès techniques, argotiques...), mais on note déjà une tendance à l'*ellipse* (raccourcissement des mots et des phrases; condensation de l'expression). A noter que la Révolution a lutté contre les *dialectes,* parce qu'elle voyait en eux un obstacle à l'unification de la France; il est certain qu'en 1914, avec l'école obligatoire, le nombre des Français ignorant la langue française s'était singulièrement amoindri; et les autorités peuvent désormais tolérer sans crainte l'étude si attachante des *dialectes* et des *langues régionales.* Quant à l'illustration de la langue française du XIXe siècle, il suffit, pour se rassurer, d'évoquer quelques noms prestigieux : les Chateaubriand, les Hugo, les Balzac, Stendhal, Flaubert..., les Baudelaire, Mallarmé, Verlaine, Rimbaud..., les Zola, Maupassant, Daudet... et tant d'autres...

731. ■ *Le français contemporain* (XXe siècle)

La langue a résisté aux deux guerres mondiales, mais la langue *parlée* fait preuve de *négligences* inquiétantes (abus d'*adjectifs* comme « formidable », de *mots passe-partout* comme « chose, machin, truc », de la simple *intonation* dans l'interrogation : « Tu viens? », et même « Quand tu pars? » ou « Quand que tu pars? »; répugnance à employer correctement le *subjonctif, ellipses abusives,* etc.); et certains écrivains, pour faire « *vrai* », malmènent la *syntaxe officielle.* Il ne s'agit pas pour le grammairien, le linguiste, de contrecarrer systématiquement toute évolution : une langue est un *être vivant,* il ne sied pas d'en faire une *langue morte !* Mais il faut défendre la *pureté,* la *clarté,* l'*harmonie* de cette belle langue; et nous souscrivons pleinement à l'appel d'Albert Dauzat qui écrivait naguère : « Il importe de renforcer dans les écoles et les lycées l'enseignement de la grammaire française, car les négligences, les ignorances, les incorrections se multiplient dans les copies, jusque dans les examens de licence ès lettres ».

ANTHOLOGIE GRAMMATICALE
(ou **la grammaire « muse » de l'écrivain**)

732. Terminons, en guise de détente récréative, par une petite « anthologie » où l'on peut voir que les écrivains s'accommodent fort bien de cette maîtresse tyrannique, la grammaire, font très bon ménage avec elle, dans l'harmonie, la joie, l'humour; puissions-nous tous en faire autant !...

▬▬▬ **De la phonétique...**

■ **Comptines et fantaisies :**

> • *Am stram gram*
>   *Pic et pic et colégram*
>   *Bour et bour et ratatam*
>   *Am stram gram*
>   *Pic.*   (Anonyme)

> • *Mirlababi surlababo*
>   *Mirliton ribon ribette;*
>   *Surlababi mirlababo*
>   *Mirliton ribon ribo.*
>   (Victor Hugo)

■ **Des lettres... et des couleurs**

• Tout le monde connaît le fameux sonnet « Voyelles » de *Rimbaud,* qui a suscité et suscite tant de commentaires (génial? canularesque?) :

> *A noir, E blanc, I rouge, U vert, O bleu : voyelles...*

• On connaît peut-être moins ce quatrain ironique :

> *Rimbaud, fumiste réussi,*
> *Dans un sonnet que je déplore,*
> *Veut que les lettres O, E, I*
> *Forment le drapeau tricolore... (François Coppée)*

De la morphologie...

■ Du genre et du nombre des noms

• Du masculin et du féminin :

Il y a perdreau et perdrix...

– *... Pourquoi le loup a-t-il une louve, lorsque le kangourou n'a point de kangourelle, quand le perdreau...*

– *... a la perdrix ! dit étourdiment Mme Baramel.*

– *Hélas ! Madame, je croyais en mon enfance, et beaucoup de personnes font encore le même songe, que le rat épousait la souris. Je rêvais que la barbue était l'épouse du barbeau; je pensais que les crevettes étaient les jeunes enfants du homard et de la langouste, et que ce couple avait une nièce, l'écrevisse, retirée aux eaux douces de la province. Votre union de la perdrix et du perdreau ne se montre pas moins fabuleuse, car il n'est de perdrix qui n'ait été perdreau...*

Tristan Derème, *L'Onagre orangé* (Grasset, éditeur).

N.B. Saluons les *féminins* et « *masculins* » du cancre (de service) :

Un musulman, une **musulwoman*; une Mexicaine, un **mec si c...* (sic !)

• Du singulier et du pluriel :

Il y a moineau et moineaux...

Aimez-vous les moineaux? Je ne dis pas : aimez-vous le moineau? Je n'ai garde d'oublier que le singulier évoque parfois la gourmandise, et le pluriel une manière d'amitié. Rémy de Gourmont l'a fort bien noté, qui déclarait qu'aimer les pigeons n'était pas du tout la même chose qu'aimer le pigeon; et je n'ai pas besoin de vous dire que je ne songeais guère à vous demander s'il vous est agréable de manger des moineaux. Pauvres moineaux !

Tristan Derème, *Patachou petit garçon* (Émile-Paul, éditeur).

N.B. Saluons les *pluriels* du cancre (de service) :

un voleur, **des valises* (parce qu'un voleur... dévalise !);
un bock, **des haltères* (parce qu'un book... désaltère !)...

■ Du verbe et de la conjugaison

● Être et avoir :

Le Français crible d'épigrammes surtout ce qu'il voudrait être *:
député, et ce qu'il voudrait* avoir *: le ruban rouge (Jules Renard).*

● Verbe d'état :

– *Il est grave : il est maire et père de famille... (Paul Verlaine).*
– *Son père est caissier et sa mère est charmante (Giraudoux).*

● Actif et passif :

– Une épigramme

*Non. La Harpe au serpent n'a jamais ressemblé :
Le serpent* siffle *et La Harpe est* sifflé *(Ecouchard-Lebrun).*

– Un ménage uni

*Un soir de juin... le père Volcan... fumait délicieusement sa pipe.
Je me fais mal comprendre en disant qu'il* fumait sa pipe. *Je
devrais plutôt dire que sa pipe* était fumée *par lui : car, dans le
ménage, excellent d'ailleurs, que faisaient ensemble le père
Volcan et sa pipe, c'était évidemment celle-ci qui était la personne la plus considérable de l'association, et qui, si j'ose
m'exprimer ainsi, portait la culotte...*
                    (François Coppée, *Contes tout simples*).

● Verbe et définitions (ou jeux de mots, anonymes) :

– La dot : « *Un* présent *fait à un* futur *pour un* imparfait ».
– L'amour : « *On se veut, et puis on s'en veut* »...
                « *On s'enlace, et puis on s'en lasse* »...
– Regrets éternels : « *La vache est morte; elle ne* paîtra *plus* ».

�▬▬▬ De la syntaxe...

■ Accords

*Dans une famille où tout le monde s'accorde, même les participes,
Berthe se sent heureuse de partout (Jules Renard).*

■ Analyse grammaticale

● *Ainsi parla Minerve, dans son langage froid sur lequel ne prend
ni l'épithète ni la métaphore, sur lequel meurt l'exclamation,
hoquet de l'affection (Jean Giraudoux).*
● « *Et nous, cher Euryloque, découvrons le second et l'empêchons
de nuire* ». *Car il ne reculait pas devant l'inversion du pronom
complément quand les mouvements de son âme étaient rapides
                    (Jean Giraudoux).*

■ **Analyse... logique:**

- *Il y avait dans la petite ville de Nangicourt un percepteur nommé Gauthier-Lenoir / qui avait du mal à payer ses impôts (Marcel Aymé).*
- *Le saumon a la chair rose / parce qu'il se nourrit de crevettes (Max Jacob).*
- *La mort est si ancienne / qu'on lui parle latin (Jean Giraudoux).*

■ **Du zeugma**

- *Je prends mon courage à deux mains et ma malle par l'anse (Jules Vallès).*
- *Ils chantaient, ils allaient, l'âme sans épouvante Et les pieds sans souliers (Victor Hugo).*
- *En achevant ces mots, Damoclès tira de sa poitrine un soupir et de sa redingote une enveloppe jaune et salie (André Gide).*

▰▰▰▰ **De l'orthographe...**

Tout le monde connaît la célèbre « dictée de Mérimée », sans doute apocryphe, qui aurait servi de divertissement à la cour de Napoléon III (l'impératrice aurait fait 62 fautes, l'empereur 45, un académicien 24, un autre 19, le vainqueur, le prince de Metternich, fils du Chancelier, seulement 3 fautes).
Il existe plusieurs versions de ladite dictée; en voici la plus courante, que nous livrons à la sagacité des amateurs de chausse-trapes.

Pour parler sans ambiguïté, ce dîner à Sainte-Adresse, près du Havre, malgré les effluves embaumés de la mer, malgré les vins de très bons crus, les cuisseaux de veau et les cuissots de chevreuil prodigués par l'amphitryon, fut un vrai guêpier.

Quelles que soient, quelque exiguës qu'aient pu paraître, à côté de la somme due, les arrhes qu'étaient censés avoir données la douairière et le marguillier, il était infâme d'en vouloir pour cela à ces fusiliers jumeaux et malbâtis, et de leur infliger une raclée, alors qu'ils ne songeaient qu'à prendre des rafraîchissements avec leurs coreligionnaires.

Quoi qu'il en soit, c'est bien à tort que la douairière, par un contre-sens[1] exorbitant, s'est laissé entraîner à prendre un râteau, et qu'elle s'est crue obligée de frapper l'exigeant marguillier sur son omoplate vieillie.

Deux alvéoles furent brisés, une dysenterie se déclara, suivie d'une phtisie.

« Par saint Martin, quelle hémorragie ! » s'écria ce bélître.

A cet événement, saisissant son goupillon, ridicule excédant[2] de bagage, il la poursuivit dans l'église tout entière.

1. **contre-sens** : aujourd'hui s'écrit en un seul mot : *contresens*;
2. **excédant**, comme nom, s'écrit aujourd'hui avec un e : *excédent*, ce qui le distingue du participe présent du verbe *excéder*.

Du vocabulaire...

■ Richesse du français

Concluons sur de longs extraits d'une longue lettre de Voltaire à un Italien qui lui semblait mésestimer la langue française : un bel exemple d'ironie voltairienne !

*Je suis très sensible, monsieur, à l'honneur que vous me faites de m'envoyer votre livre de l'*Excellence de la langue italienne...

Permettez-moi cependant quelques réflexions en faveur de la langue française, que vous paraissez mépriser un peu trop [...]

Vous vantez, monsieur, et avec raison, l'extrême abondance de votre langue; mais permettez-nous de n'être pas dans la disette [...]

Vous faites un catalogue en deux colonnes de votre superflu et de notre pauvreté; vous mettez d'un côté orgoglio, alterigia, superbia, *et de l'autre* orgueil *tout seul. Cependant, monsieur, nous avons* orgueil, superbe, hauteur, fierté, morgue, élévation, dédain, arrogance, insolence, gloire, gloriole, présomption, outrecuidance. *Tous ces mots expriment des nuances différentes, de même que chez vous* orgoglio, alterigia, superbia, *ne sont pas toujours synonymes.*

Vous nous reprochez, dans votre alphabet de nos misères, de n'avoir qu'un mot pour signifier vaillant. *Je sais, monsieur, que votre nation est très vaillante quand elle veut, et quand on le veut... Mais, si vous avez* valente, prode, animoso, *nous avons* vaillant, valeureux, preux, courageux, intrépide, hardi, animé, audacieux, brave, *etc. Ce courage, cette bravoure, ont plusieurs caractères différents, qui ont chacun leurs termes propres* [...]

Vous nous insultez, monsieur, sur le mot de ragoût; *vous vous imaginez que nous n'avons que ce terme pour exprimer nos* mets, *nos* plats, *nos* entrées de table, *et nos* menus. *Plût à Dieu que vous eussiez raison, je m'en porterais mieux ! mais malheureusement nous avons un dictionnaire entier de cuisine.*

Vous vous vantez de deux expressions pour signifier gourmand; *mais daignez plaindre, monsieur, nos* gourmands, *nos* goulus, *nos* friands, *nos* mangeurs, *nos* gloutons.

Vous ne connaissez que le mot de savant; *ajoutez-y, s'il vous plaît,* docte, érudit, instruit, éclairé, habile, lettré; *vous trouverez parmi nous le nom et la chose* [...]

Je finis cette lettre trop longue par une seule réflexion. Si le peuple a formé les langues, les grands hommes les perfectionnent par les bons livres; et la première de toutes les langues est celle qui a le plus d'excellents ouvrages.

J'ai l'honneur d'être, monsieur, avec beaucoup d'estime pour vous et pour la langue italienne, etc.

Voltaire.

E

SYNTHÈSES
ET
TABLEAUX

Orthographe et prononciation
Tableaux de conjugaison
Synthèses d'analyse

Orthographe et prononciation

■ La majuscule

733. Il faut réagir contre le laisser-aller grandissant en ce qui concerne l'emploi correct de la majuscule.

■ La majuscule est nécessaire (voir § 3) en tête de *phrase*, dans les *noms propres*, et en tête de chaque *vers* d'un poème (malgré la tendance de certains poètes modernes à ne pas respecter la règle) :

> *C'est ainsi que Roland épousa la belle Aude. (Hugo)*

■ La majuscule s'emploie dans les *lettres*, quand on s'adresse à une ou plusieurs personnes (avec ou sans le titre du ou des destinataires) :

> *Madame, Mademoiselle, Monsieur, Monsieur le Président,*
> *Monsieur le Maire, Mesdames et Messieurs les Jurés...*

■ La majuscule s'emploie dans les *noms d'habitants* :

> *un Français, des Allemands; un Breton, des Alsaciens.*

■ La majuscule s'emploie dans les noms propres *géographiques* :

> *la France, l'Europe, la Chine, l'Asie; la Seine, le Rhône, le Danube, le Nil;*
> *le Jura, les Alpes, l'Oural, les Andes...*

■ La majuscule s'emploie dans les *personnifications* :

> *le Bien, le Mal; la Vie, la Mort; la Vérité, le Mensonge...*

■ La majuscule s'emploie pour désigner un être, une entité *uniques* :

> *le Créateur, Dieu, le Tout-Puissant, l'Être suprême, le Très-Haut;*
> *l'État, l'Église, le Sénat; le Soleil, la Lune, la Terre...*

■ La majuscule s'emploie dans des termes *historiques* ou *géographiques* :

> *l'Antiquité, le Moyen Age, la Renaissance, la Révolution, l'Empire;*
> *le Val de Loire, le Ballon d'Alsace, le Mont-Saint-Michel.*

■ La majuscule s'emploie dans les noms d'*édifices*, de *rues*, de *bateaux* :

> *le Panthéon, les Invalides, l'Arc de Triomphe, les Tuileries;*
> *la rue de la Paix, la rue des Favorites, le quai des Orfèvres;*
> *la Belle-Poule, le Terrible, le Saphir...*

734. ■ **Dans certaines désignations** *géographiques* c'est, bizarrement *l'adjectif seul* qui prend la majuscule (c'est lui, en quelque sorte, le « nom » propre !) :

> *le mont Blanc, (mais : le massif du Mont-Blanc);*
> *les montagnes Rocheuses; le cap Vert; l'océan Atlantique;*
> *la mer Morte; la mer Rouge; la mer Méditerranée; le lac Majeur;*
> *la rue Nationale; la place Royale; la bibliothèque Mazarine;*
> *la république Argentine (ou l'Argentine; mais : la République française !)...*

■ **Dans les noms propres composés** formant un tout, l'*adjectif* comme le *nom* prend la majuscule :

> *les États-Unis, la Grande-Bretagne, la Nouvelle-Calédonie;*
> *la Haute-Marne, le Bas-Rhin, les Pyrénées-Orientales;*
> *Alexandre le Grand, Charles le Téméraire, Jean le Bon...*

■ **Dans les points cardinaux,** il faut utiliser les *minuscules :*

> *le nord, le sud, l'est, l'ouest, le nord-ouest, le sud-est...*

mais la majuscule s'emploie quand on parle de *régions :*

> *habiter dans le Nord; passer ses vacances dans l'Ouest*

(mais : *le nord de la France; l'ouest de la Bretagne*)

N.B. Même remarque pour les mots « *midi* » et « *centre* »; on écrit, en effet :
le midi, le centre de la France; mais vivre dans le Midi, dans le Centre

---

■ **Dans les noms de mois et de jours,** il faut utiliser les *minuscules :*

> *janvier, février, mars ...; lundi, mardi ...; le jeudi 9 avril ...*

■ **Dans les noms de saints,** il faut distinguer plusieurs cas :

• saint prend la minuscule, sans trait d'union, quand on *nomme* le saint :

> *saint Pierre, saint Paul, saint Jean, saint Antoine...*

sauf pour *Saint Louis (Louis IX) :* majuscule, et pas de trait d'union

• dans les noms de *rues,* d'*églises,* de *fêtes,* de *villes,* saint s'écrit avec majuscule, en toutes lettres, et avec trait d'union :

> *rue Saint-Antoine; église Saint-Pierre; chapelle Saint-Michel;*
> *à la Saint-Michel; à la Saint-Médard; à la Saint-Jean;*
> *vivre à Saint-Brieuc; aller à Saint-Nazaire, à Saint-Denis...*

• dans les expressions religieuses diverses, on note un certain flottement :

> *les saints apôtres* (mais *les Apôtres*), *la sainte Bible,*
> *le Saint-Esprit* (ou *l'Esprit-Saint*), *le Saint-Siège, la Sainte-Vierge,*
> *la Sainte-Trinité, notre saint-père le pape* (mais *le Saint-père*).

• dans les trois mots suivants : *saint-bernard* (nom d'un chien), *saint-honoré* (nom d'un gâteau), *saint-cyrien* (nom d'un élève officier), pas de majuscule, un trait d'union, et, au pluriel, *saint* reste invariable !

> *deux splendides saint-bernards; de savoureux saint-honorés;*
> *le casoar des saint-cyriens.*

■ **Dans les titres d'ouvrages** on met une majuscule :

• à tous les noms propres et aux noms d'êtres ou de choses personnifiés :

> *Paul et Virginie, le Loup et l'Agneau, le Rouge et le Noir,*
> *la Belle et la Bête, les Rayons et les Ombres.*

• au *premier nom commun :*

> *la Mousson, les Fleurs du mal, la Légende des siècles.*

• au *deuxième élément* après « *ou* » (comme s'il y avait deux titres) :

> *Emile ou De l'éducation; Dom Juan ou le Festin de pierre.*

• à l'*adjectif* aussi, s'il *précède* le nom :

> *les Pauvres Gens, les Deux Orphelines, la Divine Comédie...*

mais, s'il le *suit* on écrit :

> *le Pain noir, les Femmes savantes, le Canard enchaîné...*

• au seul *premier mot* si le titre forme une *proposition :*

> *Les dieux ont soif, Autant en emporte le vent...*

▬▬ Le trait d'union

735. On emploie le trait d'union :

- entre le verbe et le pronom *sujet inversé :*

    dis-je, savais-tu? croit-il? est-ce? vient-on?

- entre le verbe à l'*impératif* et les pronoms *compléments* qui le suivent et qui forment un tout avec lui :

    crois-moi, dis-le-lui, donnez-la-leur, allez-vous-en.

- avant et après le *t euphonique* (§ 347, 362, 712) :

    viendra-t-il? dira-t-on; aime-t-elle?

- entre le pronom personnel *tonique* et l'adjectif *même :*

    moi-même, nous-mêmes, eux-mêmes.

- dans les adjectifs et pronoms *démonstratifs composés :*

    ce garçon-ci, ces femmes-là; celui-ci, celles-là.

- dans les *nombres composés* inférieurs à cent (et n'utilisant pas « *et* ») :

    cinquante-quatre, soixante-huit, quatre-vingt-treize.
    (mais : *vingt et un, cinquante et une, soixante et onze*)

- dans les noms propres employés comme noms de *rues*, d'*écoles*... :

    rue Jean-Jaurès, avenue Jean-Moulin, place Anatole-France,
    école Jules-Ferry, lycée Saint-Louis (cf. le roi Saint Louis, § 734).

- dans de nombreux *mots composés* (noms, adjectifs, adverbes..., § 91-92) :

    arc-en-ciel, reine-claude, eau-de-vie; sourd-muet, nouveau-né;
    sur-le-champ, peut-être, là-bas...

736. ■ La plupart des mots composés avec « **contre** » ont un trait d'union :

   contre-amiral, contre-appel, contre-attaque, contre-visite...

mais beaucoup se soudent en un mot :

   contrebande, contrecœur, contredire, contrepartie, contresens,
   contrefaçon, contremaître, contremarche, contretemps, contrevérité...

dont quelques-uns avec élision de l'e final :

   contravis, contrescarpe, contrordre.

■ Même remarque pour les mots composés avec « **entre** » :
- pour les *verbes*, cf. § 28 et 772 (trait d'union, ou un seul mot, ou élision) :

    s'entre-déchirer; s'entrebattre; s'entr'aimer; s'entraider.

- même triple possibilité pour les *noms* :

    – *entre-deux, entre-ligne, entre-nœud, entre-temps, entre-voie.*
    – *entrebâillement, entrechat(s), entrecôte, entrefaite(s), entregent,*
    entrejambe, entrelacs, entremets, entrepont, entrevue...
    – *entracte, entraide, entrouverture.*

■ Pour les mots composés avec « **non** »,
- s'il s'agit d'un *nom*, on met un trait d'union :

    non-agression, non-combattant, non-lieu, non-paiement, non-sens...

- s'il s'agit d'un *adjectif*, pas de trait d'union :

    non compris, (nul et) non avenu, non recevable, non rentable...

- quant à « **nonpareil** », il s'écrit en un seul mot :

  un teint nonpareil, une frayeur nonpareille.

■ Pour les mots composés à l'aide de « **quasi** » (pron. ka-zi, § 745) :
- s'il s'agit d'un *nom*, on met un trait d'union :

  quasi-contrat, quasi-certitude, quasi-délit, quasi-possession, quasi-rente.

- s'il s'agit d'un *adjectif* ou d'un *adverbe*, pas de trait d'union :

  quasi certain(e)(s), quasi désert(e)(s), quasi mort(e)(s);
  quasi jamais, quasi sûrement...

- quant à « **Quasimodo** », il s'écrit en un seul mot :

  à Quasimodo, la Quasimodo, le dimanche de Quasimodo.

■ Un changement de *catégorie grammaticale* (voir § 94) peut se signaler par l'emploi du trait d'union; comparer, en effet :

  sur le champ et *sur-le-champ; à côté* et *un à-côté; à peu près* et *un à-peu-près; je ne sais quoi* et *un je-ne-sais-quoi; qu'en dira-t-on?* et *le (les) qu'en-dira-t-on...*

■ La fantaisie, *l'anarchie*, est telle, bien souvent, qu'il est prudent de consulter son dictionnaire; on écrit, par exemple :

  antimilitariste, antimite, mais *anti-infectieux, anti-sous-marin;*
  autocritique mais *auto-allumage;*
  postscolaire mais *post-scriptum;*
  compte rendu, compte courant mais *compte-gouttes, compte-tours;*
  un chef d'entreprise mais *un chef-d'œuvre, un chef-lieu;*
  les arts d'agrément mais *les beaux-arts;*
  faux col, faux jour mais *faux-fuyant, faux-semblant;*
  grand officier, grand prix mais *grand-père, grand-mère, grand-rue;*
  des gravures hors texte mais *des hors-texte;*
  hors d'âge, hors d'haleine mais *les hors-d'œuvre, les hors-la-loi;*
  nouveau(x) marié(s) mais *nouveau-né(s);*
  se rendre au lieu dit mais *un lieu-dit (de la commune);*
  un opéra bouffe mais *un opéra-comique;*
  quatre cents ans mais *quatre-vingts ans;*
  une eau de rose mais *une eau-de-vie;*
  un coup de poing mais *un coup-de-poing (nom d'arme);*
  un coup de pied mais *un cou-de-pied;*
  un cul de bouteille mais *un cul-de-sac;*
  un portefeuille mais *un porte-clés; etc. etc.*

N.B. Noter l'emploi du trait d'union dans des *noms propres* comme :
Alain-Fournier, Valery-Larbaud, Joliot-Curie...

En conclusion, ne soyons pas « *de parti pris* » (sans trait d'union !) devant ce problème capricieux; consultons modestement un dictionnaire.

Et constatons, ô ironie, que ce nom composé « *trait d'union* » ne prend pas lui-même,... de trait d'union; un comble !...

- **Rappel** – Ne confondons pas *trait d'union* et *tiret* (voir § 21).
- **Conseil** – Ne pas couper un mot *en fin de ligne* à la dernière syllabe : soit le mot « *charitable* »; on peut couper : cha-ritable, chari-table (mais pas charita-ble).

737. Bien accentuer, quand on écrit, c'est respecter l'orthographe et la grammaire, mais aussi son lecteur. En cas de doute, consulter son dictionnaire.

738. L'accent circonflexe

■ Voici quelques mots qui provoquent souvent une faute. S'écrivent :

<table>
<tr><td>avec l'accent circonflexe</td><td>sans l'accent circonflexe</td></tr>
<tr><td>● sur a : âge, âme, âtre, bâton, bâtir, flâner, hâler (brunir), bâbord, hâve, blanchâtre, mâcon (vin), pâture, râle, râpe, emplâtre...</td><td>age (flèche de charrue), bateau, chalet, haler (tirer), havre, maçon, paturon, pédiatre, psychiatre, racler...</td></tr>
<tr><td>● sur e : (le saint) chrême, extrême, suprême, rêve, poêle...</td><td>crème, crèche, interprète, poète, poème...</td></tr>
<tr><td>● sur i : abîme, dîme, épître, gîte, île, îlot, la boîte (emboîter), bélître, huître, aîné, puîné, traîner, traître...</td><td>cime, chapitre, pupitre, ruine, boiter (il boite, boiteux), toit, drainer, faine, gaine, goitre...</td></tr>
<tr><td>● sur o : côlon (partie de l'intestin), dôme, fantôme, hôte, hôtel, hôpital, icône, impôt...</td><td>atome, colon (cf. colonie), chrome, cotre, cyclone, dévot, fibrome, gnome, hoplite, idiome, zone, zona...</td></tr>
<tr><td>● sur u : bûche, flûte, piqûre, goût, ragoût, dégoût, soûl, soûler, (ou saoul, saouler)...</td><td>chute, ruche, ru, cruche, moutier, égout, dessouler...</td></tr>
</table>

■ **Attention** aux *mots de même famille,* où le mot de base prend l'accent circonflexe et où dérivés et composés le perdent souvent; par exemple :

arôme (aromatique, aromate); *câble* (encablure); *cône* (conifère, conique); *côte, côtoyer* (coteau); *diplôme, diplômer* (diplomate, diplomatique); *drôle* (drolatique); *extrême* (extrémiste, extrémité); *fantôme* (fantomatique); *grâce, disgrâce* (gracier, gracieux, disgracieux); *infâme* (infamant, infamie, diffamer); *jeûne, jeûner* (à jeun, déjeuner); *tâter* (tatillon); *symptôme* (symptomatique)...

■ **L'accentuation** permet de distinguer des *homographes-homophones :*

âge et *age* (voir ci-dessus); *hâler* et *haler* (id); *boîte* et *boite* (id); *côlon* et *colon* (id); *bailler* (donner) et *bâiller* (ouvrir la bouche); *côte* (pente) et *cote* (appréciation); *mâter* (un bateau) et *mater* (un adversaire); *mur* et *mûr; pêcher* et *pécher; rôder* (errer) et *roder* (user par frottement); *crû* (participe passé de croître), *cru* (antonyme de cuit, ou participe passé de croire) et *un grand cru* (de vin); *recrû* (de recroître) et *recru* (= très las); *tâche* (travail) et *tache* (souillure); *rôt* (= rôti) et *rot* (cf. roter); *prêteur* (cf. prêt, prêter) et *préteur* (magistrat romain; cf. propréteur); *sûr* (= certain), *sur* (= aigre; cf. saur) et *sur* (préposition); *mâtin* (gros chien) et *matin* (cf. matinée); *mâtinée* et *matinée;* un *gène* (élément de chromosome) et une *gêne* (contrainte)...

■ **Attention !** surtout, à l'accent circonflexe des *formes verbales,* et si important dans :

- les 1re et 2e personnes du pluriel des *passés simples :*

  nous fûmes (eûmes, aimâmes, finîmes, courûmes, vînmes...)
  vous fûtes (eûtes, aimâtes, finîtes, courûtes, vîntes...)

Distinguez : *vous dites*, présent, et *vous dîtes*, passé simple (§ 818 N.B.).

- la 3e personne du singulier des *subjonctifs imparfaits :*

  qu'il ou *qu'elle fût (eût, aimât, finît, courût, vînt...)*

ce qui la distingue de la 3e p. sing. de l'indicatif *passé simple :*

  il ou *elle fut (eut, aima, finit, courut, vint...)*

- certains *participes passés* (voir § 355) :

  dû, mû, crû (croître); mais *indu, ému, accru.*

739. L'accent aigu et l'accent grave

Distinguons bien accent aigu, accent grave et absence d'accent.

- Prennent l'accent *aigu,* par exemple :

  alléger (et même allégement), événement, sécréter, sécrétion...

- Prennent l'accent *grave,* par exemple :

  avènement, où (où?), pèlerin, pèlerine, pèlerinage...

- Ne prennent *pas d'accent* (sur les lettres en gras) les mots :

  *rec**e**leur, égr**e**ner, **e**nivrer, **e**namourer, **e**norgueillir, cel**a** (ça), **o**u (= ou bien)...*

N.B. ■ On peut écrire aujourd'hui (voir dictionnaires récents) :

asséner, à côté de *assener; liseré,* à côté de *liséré;*
réfréner, à côté de *refréner; recéler,* à côté de *receler;*
réviser, à côté de *reviser; révision,* à côté de *revision...*

■ On écrit :

allègre, mais *allégrement; reclus,* mais *réclusion;*
tenace, mais *ténacité; religieux, coreligionnaire,* mais *irréligieux;*
replet, mais *réplétion; remède,* mais *irrémédiable;*
revers, mais *réversible...*

■ On écrit :

la Bohême (le pays), mais *un bohème, la bohème, la vie de bohème;* et *un bohémien, une bohémienne.*

■ Attention à certains noms propres; on écrit :

Chateaubriand (François-René), mais *Châteaubriant* (Alphonse de) et *Châteaubriant* (ville de Loire-Atlantique); *Heredia* (sans accents, malgré la prononciation); *Valery-Larbaud,* mais *Paul Valéry; Clemenceau* (le « Tigre »), sans accent sur la 1re syllabe, malgré la prononciation...

■ Attention aux mots *latins,* qui tantôt prennent, tantôt ne prennent pas l'accent :

credo, nota bene, a priori, a posteriori...
alinéa, mémento, spécimen, palmarès, référendum...

■ Attention aux mots commençant par le *préfixe* **re-**; on écrit :

repartir (partir de nouveau; répondre vivement, cf. une repartie) et *répartir* (partager); *recréer* (cf. recréation) et *récréer* (cf. récréation); *rechaper* et *réchapper; resonner* et *résonner; ranimer* et *réanimation; récrire* mais *réédifier; rabattre* (le caquet) mais *rebattre* (les oreilles)...

■ **Consonnes doubles**

Le redoublement des consonnes ne se fait plus guère sentir dans la prononciation courante; d'où un certain nombre de *pièges*.

740. Il faut se méfier : de certains **préfixes** (suivis de consonne *simple* ou *double*) :

■ Exemple : **ad-** (cf. § 77) :

– devant **g** :

> *agglomérer, agglutiner, aggraver (et leurs dérivés);*
> *agréger, agresser, agréer, agrandir, agripper, aguerrir...;*

– devant **l** :

> *allonger, alléger, allécher, alléguer, allaiter, allier...;*
> *aligner, alourdir, alanguir...;*

– devant **p** :

> *apparaître, apparenter, appliquer, apporter, apposer...;*
> *apercevoir, apitoyer, aplanir, aplatir, apeurer, apurer...;*

– devant **r** :

> *arriver, arrondir, arroser, arroger...;*
> *araser;*

– devant **t** :

> *attarder, attendre, attendrir, attrouper, atterrir, atterrer...;*
> *atermoyer, atourné (atour, atours, atourneur, atourner).*

■ Exemple : **re-** devant un **s** suivi de *voyelle* (et qui reste sourd) :

> *ressaisir, ressasser, ressauter, ressembler, ressemeler, ressemer,*
> *ressentir, resserrer, resservir, ressortir, ressouvenir, ressuer, ressusciter;*
> *resurgir, resaler, resaluer, resécher, resonner...*

Tous ces mots (qu'ils prennent un ou deux s) doivent se prononcer en « re- » et non en « ré- » (sauf *re̦ssusciter :* « ré-ssusciter ») :

> *re-ssembler, re-ssemeler, re-ssortir; re-saler, re-sonner...*

741. Il faut se méfier de certains **suffixes** :

■ de *noms* ou d'*adjectifs* féminins, qui doublent ou ne doublent pas le **t** ou le **n** final du masculin :

> **-et :** *inquiète, désuète,* mais : *muette, cadette, sujette...*
> **-ot :** *dévote, falote, idiote,* mais : *pâlotte, sotte, vieillotte...*
> **-at :** *candidate,* mais : *chatte.*
> **-an :** *persane, sultane, faisane,* mais : *paysanne.*

N.B. Attention aux *noms* en **-otte** ou en **-ote**; on écrit :
> *bouillotte, marcotte, calotte, carotte, menotte...;*

mais : > *parlote, paillote, despote, litote, compote, échalote...*

■ de *verbes*; on distingue, par exemple :

● **-onner** (plus fréquent) et	● **-oner** (plus rare) :
détonner (sortir du ton),	*détoner* (exploser), *téléphoner,*
chantonner, mâchonner...	*dissoner, ramoner...*

N.B. On écrit : *étonné,* mais *erroné.*

● **-opper** (plus fréquent) et ● **-oper** (plus rare) :
envelopper, développer... mais *écoper, écloper, galoper...*

● **-otter** (plus rare)   et   ● **-oter** (plus fréquent) :
ballotter, grelotter, mais   *cahoter, clignoter, clapoter,*
marmotter, crotter, mais   *sangloter, vivoter, grignoter,*
calotter, garrotter... mais   *chuchoter, ravigoter...*

742. Il faut se méfier de l'**analogie**; on écrit, par exemple :

siffler, souffler, insuffler, mais : *persifler, boursoufler.*
collet, mais : *accolade, accoler, encolure.*
imbécillité, mais : *imbécile.*
nullité, mais : *annuler.*
follement, mais : *affolement.*
mammifère, mais : *mamelle.*
bonhomme, prud'homme, mais : *bonhomie, prud'homie.*
monnaie, mais : *monétaire.*
honneur, déshonneur, mais : *honorer, déshonorer.*
consonne, mais : *consonance, assonance.*
rationnel, mais : *rationaliste.*
sonner, mais : *résonance.*
trappe, trappeur, mais : *attrape, chausse-trape.*
barrique, mais : *baril.*
charrette, mais : *chariot.*
combattant, battu, mais : *combatif, courbatu (courbature).*
cotte (jupe), mais : *cotillon...*

743. ■ La consonne *simple* ou *double* permet de distinguer des **homophones** comme :

pallier (déguiser, remédier), et : *un palier (plate-forme, degré);*
il souffre, et : *le soufre;*
ballade (sorte de poème), et : *balade (promenade, en style familier);*
butter (des pommes de terre) (vient de « butte »), et : *buter (appuyer, étayer, se heurter), se buter (s'entêter; un enfant buté);*
goutter (cf. une « goutte »), et : *goûter (discerner les saveurs);*
annal (= qui dure un an; cf. des annales; une location annale), et : *anal (qui concerne l'anus; cf. une fistule anale);*
hallage (droit perçu aux halles), et : *halage (cf. un chemin de halage);*
marri (= fâché, attristé), et : *mari (= époux) :*

« *Oui, son mari, vous dis-je, et mari très marri* »
(Molière, Sganarelle ou le Cocu imaginaire, scène IX)

744. ■ S'il est vrai que, le plus souvent, la *prononciation* ne distingue pas consonne simple et consonne double, il arrive qu'on soit amené à faire sentir le doublement :

● soit par respect de l'*orthographe* :

illogique, illimité, allègre.

● soit par souci d'*insistance* :

immense, terrible, horrible.

● soit par souci de *clarté* :

mari, marri (§ 743); cane, canne; aurifié, horrifié; il a vu, il l'a vue(e);
il mourait (imparfait), il mourrait (conditionnel présent)...

N.B.   *Rappel.* **Attention** à certaines *formes verbales* (voir § 774) :

attraper (2 t, 1 p); interpeller (2 l) et appeler (1 l); canonner (2 n) et canoniser (1 n)...

La prononciation

Dans les Préliminaires (§ 8), nous avons évoqué un certain nombre de curiosités et d'anomalies dans la prononciation du français. Il convient de se montrer vigilant en ce domaine capricieux; ne pas hésiter, en cas de doute, à consulter son dictionnaire.

745. **Prononçons bien :**

aérodrome (et non *aréodrome); *aréopage* (et non *aéropage).
amygdale (avec le g prononcé) et non *amydale.
aiguiser (ai-gu-iser, cf. aigu, aiguille; et non *ai-ghi-ser).
arguer (ar-gu-er, cf. argument; et non comme narguer, larguer).
antienne (an-ti-enne, comme ti-rage, et non comme ancienne).
astérisque (et non *astérique... ou Astérix !).
automne et automnal (avec m muet, même dans l'adjectif);
benêt (*be-nè et non *bé-nè); *carrousel* (*ka-rou-zel, et non *ka-rou-ssel).
caparaçon (et non *carapaçon; rien à voir avec carapace).
cresson (*krè-son) et non *kre-son (à la parisienne).
dompter, sculpter, promptement, exempter, baptiser (p non prononcé).
dégingandé (*dé-jin-gandé, et non comme dans guindé).
désuet, désuétude (avec s dur, cf. suer; et non *dé-zuet, *dé-zuétude).
disert (*di-zert, comme *diseur* et non comme *disserter).
encoignure (*en-ko-gnure, malgré coin; cf. *oignon : *o-gnon).
exsangue (*ks- comme excellent, et non *egz- comme exempt).
fat (« un air fat »; t final prononcé); *fatras* (et non *fra-tra).
fruste (et non *frus-tre); *geôle, geôlier, geôlière* (pron. *jo-).
faisons, faisais, faisions, faisant, faisable, faiseur... (de faire) : (fai- se
prononce fe-, comme dans *je ferai*).
faisan, faisane, faisandé (fai- se prononce fe-).
filigrane (et non *filigramme !); *pantomime* (et non *pantomine !).
gageure, mangeure, rongeure, vergeure (pron. *gajure, *manjure, *ronjure,
*verjure, cf. § 8 N.B.).
gong (g final prononcé; cf. *gond*, avec d final muet).
gestion, question, suggestion (bien prononcer s et t, au lieu de *gé-syon,
*ké-syon, *suggé-syon, ou même *su-jé-tion, comme *sujétion*).
hypnotiser (et non *hynoptiser !); *infarctus* (et non *infractus !).
jungle (pron. *jon-gle); *lumbago* (pron. *lon-bago); *layette* (pr. lè-yèt).
oedème (pron. *é-dèm); *oecuménique* (pron. *é-cuménique).
paon, faon, taon (pron. *pan, *fan, *tan; o muet).
prestidigitateur (et non *prestigiditateur; preste + digitus = doigt).
quasi (pron. *ka-zi, et non *koua-zi); *retable* (et non *ré-table).
rasséréner (et non *rassénérer; penser à *serein, sérénité*).
rémunérer (et non *ré-numérer !), *rémunération* (et non *ré-numération !).
saupoudrer (et non, comme trop souvent *sou-poudrer ! voir § 108).
succion (pron. *suk-syon, et non *su-ssion).
vaisselier (malgré *vaisselle*); *zinc* (c final prononcé g)...

746. **Distinguons bien :**

abbaye (prononcer *a-bé-i, cf. *abbé*) et *abeille*.
Achille (ch- chuinté) et *achillée* (pron. *a-ki-lée).
août (pron. *ou, t final muet) et *aoûtien* (*a-ou-syen), *aoûtat* (*a-ou-ta);
aqueduc (pron. *a-ke-duc) et *aquarium* (*a-koua-riom).
brun et *brin, emprunt* et *empreint* (souvent mal différenciés).
catéchisme (avec -ch- chuinté) et *catéchumène* (pron. *caté-ku-mèn !).
cassis (arbuste, fruit, liqueur), où l's final sonne (*ka-siss), et *cassis* (rigole
en travers de route), où il est muet (*ka-si).

cerf (f final prononcé, sauf en vénerie où il est muet) et *cerf-volant* (f final muet, comme dans le pluriel : *des cerfs*).

égayer (pron. *é-gai-ier) et *égailler* (pron. *é-ga-ier).
équi- prononcé *kui- dans : *équidés, équidistant, équilatéral...* et prononcé *ki- dans : *équilibre, équinoxe, équitable, équitation...*

fainéant et *feignant* (ou *faignant*), plus populaire et familier.
fusillé et *un fusilier marin* (pron. *fu-zi-lié).
un gars (où les 2 consonnes finales sont muettes) et son féminin *garce*.
immangeable, immanquable (*in-) et *immaculé, immanent* (*im-)
magnum, magnat, magnificat (pron. à la latine en séparant g et n), et *magnanime, magnifier, magnifique...* (-gn- comme dans *agneau*).

marc (de raisin, de café) (avec c final muet) et l'empereur *Marc Aurèle, le roi Marc*, le prénom *Marc* (avec c final prononcé).

oignon (oi- prononcé o, comme dans *rognon*) et *moignon* (pron. *moua-gnon).
ignoble, gagnant, agneau... et *igné, ignifuge, stagnant, stagnation...*
un croc (avec c final muet) et *un croc-en-jambe* (c final prononcé).
cf. *accroc, raccroc, broc, escroc* (c final muet).
cf. *bloc, de bric et de broc, choc, estoc, foc, froc, roc, soc, toc, troc* (c final prononcé).

un porc (avec c final muet) et *un porc-épic* (c final prononcé).
quadragénaire, quadrilatère, quadrature, quatuor, quadrige, quadruple, quadrupède.... (*qua-* prononcé *koua-) et *quadrille, quadriller, quadrillage, quadrette, quarté* (*qua-* pron. *ka-)

quinquagénaire (*kuin-koua-), *quinquennal* (*kuin-kué-) et *quint, quinte, quintessence, quinze, quinconce* (*kin-).

trachée (-ch- chuinté, comme dans *bouchée*) et *trachéite* (*tra-ké-ite).

chuinté dans : *archevêque, chétif, chiné, choqué, chute...*
*k- dans : *archange, chélidoine, chiromancie, chiropractie, chorale, chronomètre, chrome, chrysanthème...*

papille, pupille (pr. *pa-pil, *pupil) et *papillon, pillage...*
question (pron. *kes-) et *questeur, questure* (pron. *kues-)
rechaper (un pneu) (sans accent, un seul p) et *réchapper* (accent, 2 p),
le sieur (monosyllabe) *Un tel* et *le scieur* (2 syllabes) *Un tel*.

N.B. **Attention** au groupe **-ti-; distinguons bien :**
- nous *portions* (pron. -ti-) et des *portions* (pr. -si-);
- *garantie* (-ti-) et *facétie* (-si)...

---

747. Hésitations. Double, triple prononciation :

La prononciation hésite parfois entre deux et même trois solutions (et les dictionnaires ne sont pas forcément d'accord !); c'est ainsi que :

cheptel hésite entre le p prononcé et le p muet.

mœurs hésite entre s final prononcé ou non (la prononciation *meur est considérée aujourd'hui comme vieillie).

loquace hésite entre -*koua- et *-ka-; *quidam* entre *kui- et *ki-.

ouate hésite entre l'ouate et la ouate (§ 154 N.B. et 163), mais on dit plutôt un *paquet (un tampon) d'ouate* (que « de ouate »).

tandis que hésite entre s final prononcé ou non.

chenil, baril, nombril, gril... hésitent entre l final *muet* ou *prononcé* (alors que l final est bien *muet* dans : *fusil, outil, persil, sourcil, gentil...*).

but hésite entre t muet ou prononcé (on le prononce surtout devant voyelle).

granit a les deux prononciations (à noter que les Bretons, surtout les marins, tendent à prononcer la consonne finale : un *canott* plutôt qu'un *cano; un *boutt*, plutôt qu'un *bou, pour désigner un cordage, une amarre).

soit a le t final *muet* dans « *qu'il soit* », *prononcé* dans l'interjection « *soit* »

fait a le t muet dans « *un fait certain* », *prononcé* dans « *le fait est que...* », « *en fait* », « *venons-en au fait* ».

tous a l' s final muet devant consonne : « *tous les jours* »; le son z devant voyelle : « *à tous égards* » (*touzégar); le son dur en emploi de pronom : « *Ils ne mouraient pas tous mais tous étaient frappés...; « tous sont là* ».

plus a 3 prononciations : s final muet (« *plus sage* », « *non plus* »);
son z (« *plus ou moins* », « *plus aimable* », « *sans plus attendre* »);
s dur (« *plus-que-parfait* »); hésitation devant « que » et en fin de phrase (« *pluss que » ou « *plu que »; « *je n'en demande pas* *pluss ou *plu »).

748. ■ Attention aux emprunts !

Deux tendances s'affrontent dans ce problème délicat : ou l'on prononce à la française, ou l'on imite (tant bien que mal) la prononciation de la langue d'origine.

● Les *noms propres*

On dit plus volontiers *Londres* que London, *Cologne* que Köln, *Florence* que Firenze.
Mais comment prononcer *Buenos Aires?* à la française (*Bu-é-no-z-Air) ou à l'espagnole (*Bou-é-noss A-ï-rès)?
Comment prononcer *Castiglione?* avec ou sans le g interne?
Faut-il prononcer le *Groenland* à la danoise (*Greun-land), à l'anglaise (Greenland, *Grinn-land) ou à la française (*Gro-in-lan)?
Dit-on *Anvers* à la wallonne (avec s final prononcé), ou *Antwerpen* (à la flamande)?
Bruxelles doit se prononcer *Brussel (et non *Bruksel ou *Brugsel);
Bonn (Allemagne) ne se prononce pas comme *Bône* (Algérie) ou *Beaune* (France).
Les *Boers* de l'Afrique du Sud (cf. la guerre des Boers) doivent se prononcer *Bour.
Les mots allemands en W se prononcent *v* : *Wagner, Wagram;* mais *Waterloo,* *Ouaterloo (à la flamande, ou à l'anglaise)...

● *Les noms communs*

● *imbroglio* (italien) se prononce sans le g (à l'italienne), mais plus souvent avec (à la française).

● *cow-boy* (anglais, ou américain) a 2 prononciations *ko-boÿ ou *kao-boÿ;

● il y a 2 mots « *punch* » (tous deux anglais), qui se prononcent très différemment :
– l'un (pron. *ponche), emprunté à une langue de l'Inde : « *pânch* » = cinq, parce que le breuvage en question comprend 5 ingrédients : thé, sucre, cannelle, citron, eau-de-vie ou rhum.
– l'autre (pron. *peunnch), signifiant coup, attaque (issu, d'ailleurs, du français *poinçon* !).

● on dit *football* à l'anglaise (*fout-bol) mais *hand-ball* à l'allemande (*hand-bal), le premier étant anglais, le second allemand.

● le *hamburger* se prononce *hamburjèr ou *hambourguèr.

- *gas-oil* (ou *gasoil*) hésite entre *ga-zoal et *ga-zoual.
- *yacht* (du néerlandais) « nage » entre *iak, *iakt, *iot.
- *ski* vient du norvégien (où il se prononce *chi); mieux vaut le prononcer à la française, surtout pour le verbe « *skier* »... qui, prononcé à la norvégienne, entraînerait une **homophonie** pour le moins gênante !
- le *farniente* (italien *far niente* = ne rien faire) hésite entre *far-ni-èn-té (à l'italienne) et *far-ni-ante (à la française)...

N.B. C'est pour railler certains excès du *snobisme* imitateur que certains écrivains humoristes inventent des orthographes cocasses et savoureuses comme :
Nouillorque (New-York), le Tchicago Tribioune (Chicago Tribune), le briquefaste (breakfast), les coboïlles (cow-boys), un oldupe (hold-up), les ouatères, les vatères, les vécés (W.C.), un bloudjine (blue jean)...

---

749. *Remarque*

Même dans le domaine français, certains *noms propres* posent problème :

Dans les noms de *lieux* (toponymes), par exemple :
- *Reims* fait sonner l's final, mais pas *Amiens*, ni *Nevers*.
- *Metz* se prononce *Mess (cf. les Messins); *Craon*, *Cran (o muet).
- On dit *Megève* (et non *Mégève); *Gérardmer* se dit *Gérarmé.
- *Enghien* hésite entre *En-gain et *En-ghi-en.
- *Sainte-Menehould* se dit, sur place, *Sainte-Menou; *Belfort*, *Béfort; *Graulhet*, *Gro-yé, *Entraygues*, *Entrailles...

Dans les noms de *familles* (anthroponymes), citons :
- *Talleyrand*, prononcé *Tal-ran ou *Ta-ÿ-ran; *de Broglie*, *de Breuil; *Guise* *Gu-iz (qu'il s'agisse de la famille du célèbre duc, ou de la ville de l'Aisne), et non comme « *guise* » dans « *à ta guise* ».
- *Villon*, le grand poète du Moyen Âge, qui se prononce comme dans « *pavillon* » (et non comme dans « *ville* »).
- le mécène *Aimé Maeght* qui se prononce *Maght (sans e), *Maeterlinck* *Materlinck (à la flamande) (malgré l'absence de tréma).

N.B. Le prénom *Ghislaine* se prononce *gui-laine...

---

750. ■ **Attention** à l'e muet !

Nous avons vu (Préliminaires, § 27) que la voyelle e **s'élide** parfois :

Tu m'aimes, je t'aime, nous l'aimons, ils s'aiment.

Mais même écrite, il arrive qu'on ne le prononce pas : on parle alors de « **l'e muet** ».
On ne prononce pas l'e :

■ en *fin de mot* (sauf si la finale porte l'accent de la voix) :

Madam(e); une bell(e) ros(e).
mais : *sors-le, puisqu*e *le temps est beau.*

■ à l'*intérieur d'un mot* (sauf après 2 consonnes prononcées) :

Mad(e)moiselle; sag(e)ment.
mais : *armement; gouvernement...*

- à l'intérieur de certaines *formes verbales* (quand il suit une voyelle) :

  > *il (elle) cré(e)ra, appréci(e)ra, pai(e)ra, nettoi(e)ra, avou(e)ra...*

- devant le suffixe *-ment* de certains noms dérivés de verbes du 1er groupe :

  > *balbuti(e)ment, remerci(e)ment, dévou(e)ment, dénou(e)ment,*
  > *dénu(e)ment, éternu(e)ment, gré(e)ment, larmoi(e)ment, aboi(e)ment,*
  > *bégai(e)ment, pai(e)ment...*

- dans : *gai(e)té, gai(e)ment* (qu'on n'écrit plus « *gaîté* », *gaîment* »);

  > *rou(e)rie, sci(e)rie, soi(e)rie* (mais « *voirie* s'écrit sans e, malgré « *voie* » !).

- dans certaines formes du verbe « avoir » :

  > *j'eus..., j'eusse..., eu (eue, eus, eues).*

751. *Remarques*

■ A propos de l'e « à l'intérieur d'un mot », se méfier des abus de la prononciation trop rapide et *familière* (voir Préliminaires, § 29) :

> *un p(e)tit ch(e)val, et même *un tit chval.*
> **mamzel (pour mademoiselle); *ousqu'il est? (où est-ce qu'il est?)...*

cf. les nombreuses fantaisies d'un Verlaine :

> *J'crach' pas sur Paris, c'est rien chouett !*

■ Le nom *bonneterie* (qui s'écrit avec un seul t) se prononce *bonn't'ri, et non *bonèt'ri; même remarque pour *briqueterie* (pron. *brik't'ri).
Le nom *papeterie* hésite entre *pap't'ri et *papèt'ri.
Quant à *marqueterie*, il se prononce *markèt'ri.

■ Quand deux **e** se suivent de près, c'est tantôt le 1er, tantôt le 2e qui s'élide dans la prononciation familière :

> *je l(e) sens bien ou j(e) le sens bien.*
> *je n(e) vois rien ou j(e) ne vois rien.*

C'est plutôt le second qui s'élide (prononciation plus facile).

■ Ne pas oublier l'importance capitale de l'e muet en *versification :*

> *Je song(e) à ce villag(e) assis au bord des bois. (Moréas).*
> *L'ombr(e) était nuptial(e), august(e) et solennell(e). (Hugo)*

Noter la *diérèse* de nup-ti-al(e), et non nup-tial(e);

■ **Rappel** – L'e est muet (§ 8 et 749) dans :

> *Staël, Saint-Saëns; Maeght, Maeterlinck...*

752. ■ **Attention** au h aspiré !

Parmi les « liaisons dangereuses » que nous avons évoquées dans les Préliminaires (§ 26), signalons celles qui touchent au h aspiré. On dit :

- un hareng, des harengs (et non un **naran, des *zaran*),
  des filets de hareng (et non *des filets *d'aran*),
  un vieux hareng saur (et non *un *vieil aran saur*, même pour justifier le jeu
  de mots bien connu « *un vieillard en sort* » !).
- un hasard, des hasards (et non **un nazar, des zazar*); un « *nasard* » est
  quelqu'un qui parle du nez, qui nasille !); ne pas dire, donc : « *son *nasar-
  deuse déduction* », mais « *sa hasardeuse déduction* ».
- le handicapé, les handicapés (et non **l'andicapé, les zandicapés*).

- le haricot, les haricots (et non *l'haricot, les *zarico; sauf dans l'expression populaire « *courir sur l'haricot* »).
- le Hollandais, les Hollandais *(et non *l'Hollandais, les *Zollandais).*

N.B. Le mot « **hiatus** », officiellement avec *h muet*, se comporte parfois comme s'il avait un *h aspiré*; on doit dire :

> *l'hiatus, cet hiatus, le problème de l'hiatus.*

mais on entend bien souvent :

> *le hiatus, ce hiatus, le problème du hiatus.*

---

753. ■ *Remarque* sur la dénasalisation.

Nous avons vu (formation des féminins § 136 N.B.) qu'un son nasal final se dénasalise quand on lui ajoute un suffixe :

> *gamin, gamine; paysan, paysanne (cf. vin, vinaigre § 108).*

mais dans certaines régions (du sud de la France) cette dénasalisation ne se produit pas toujours, et l'on y entend :

> *un an, une *an-née (et non une *a-née), grammaire,* prononcée
> *gran-maire* (comme « *grand-mère* »), ce qui éclaire le jeu de mots célèbre de *Molière* dans *les Femmes savantes* (acte II, scène 6) :
> – *Veux-tu toute ta vie offenser la grammaire?*
> – *Qui parle d'offenser grand-mère ni grand-père?*

N.B. Enivrer, enamourer (cf. § 739) ont une prononciation *nasale* à l'initiale :

> *en-(n)ivrer, *en-(n)amourer

et non, comme on l'entend parfois :

> *é-nivrer, é-namourer.

---

754. Rappel.

En cas de doute, consulter un bon dictionnaire qui, avec l'aide précieuse, entre crochets, de l'*alphabet phonétique* (§ 9 et 759-760), donne la prononciation exacte des mots.

▬▬▬ La virgule

755. La **virgule** (du latin *virgula* : petite verge, petit bâton) marque l'arrêt le plus faible, le plus bref, parmi les signes de ponctuation (cf. § 21). Elle sépare :

■ des *mots, groupes* de mots, *propositions* de même nature, *juxtaposés :*

> Adieu **veau, vache, cochon, couvée.** *(La Fontaine)*

■ les mots ou groupes de mots mis en *apostrophe* ou en *apposition :*

> *Je te salue,* **vieil océan** *(Lautréamont) – Ne fais pas l'idiot,* **Olivier.**
> *Il lisait tout :* **histoire, philosophie, poètes décadents.** *(R. Rolland)*

■ les propositions *incises* (ou *intercalées*) :

> *Tiens,* **dit-elle en ouvrant les rideaux,** *les voilà ! (Hugo)*

■ les *compléments circonstanciels*, les *subordonnées* lancés *en tête :*

> **Demain, dès l'aube, à l'heure où blanchit la campagne,**
> *Je partirai... (Hugo).*

■ des éléments *coordonnés* (mots, groupes, propositions) :

> **Miraut était honteux,** *car les chiens connaissent la honte.*
>
> *(Pergaud)*

N.B. Avec les conjonctions **et, ou, ni,** *pas de virgule* habituellement; mais on l'utilise en cas de *répétition* ou de *mise en relief :*
> Je plie, **et** ne romps pas *(La Fontaine)* – Je romps, **et** ne plie pas *(Lamennais)* –
> **Ou** tu travailleras, **ou** tu te passeras de pain *(Giraudoux)* –
> Ayant pour maxime de me montrer tel que je suis, **ni** meilleur, **ni** pire. *(Rousseau)*

■ une *circonstancielle* qui *précède* ou *coupe* une autre proposition :

> *Il était,* **quand je l'eus,** *de grosseur raisonnable. (La Fontaine)*

■ une subordonnée *participiale :*

> **Le café bu,** *nous nous levons de table –* **Lui parti,** *elle pleura.*

756. ■ La subordonnée *complétive* (par que, infinitive ou interrogative) n'est jamais séparée par une virgule de la proposition dont elle dépend :

> *Je crois /* **qu'on a sonné** *– J'entends /* **quelqu'un sonner** *–*
> *Dis-moi /* **qui a sonné.**

■ La subordonnée *relative* « adjective » n'est pas isolée par une virgule :

> *Je connais l'homme /* **qui passe** *– L'homme /* **qui passe** */ est un ami;*

mais elle prend la virgule quand elle a valeur *circonstancielle* (§ 613) :

> *Cet homme,* **qui travaille trop,** *court un danger* (cause).

■ La présence ou l'absence de virgule donne une valeur différente à l'*adjectif* (attribut ou apposé) en fin de phrase :

> *Il vint à nous rapide et sombre – Il vint à nous, rapide et sombre.*

■ Il en est de même pour l'*adverbe :*

> *Il subit le choc imperturbablement – Il subit le choc, imperturbablement.*

■ **Comme,** avec ou sans virgule(s), entraîne une différence de sens (cf. § 832) :

> *Pierre,* **comme Paul,** *est un ami* (il y a sub. comparative elliptique),
> *Pierre* **comme Paul** *sont mes amis* (comme atténué = et).

Les numéraux et les chiffres

757. Les **numéraux** (à ne pas confondre avec les *numéros !*) s'écrivent (nous l'avons dit § 220) soit en toutes lettres, soit en chiffres arabes, soit en chiffres romains. Chacun maîtrise bien les chiffres arabes, mais les chiffres romains nous sont moins familiers; voici un petit tableau pour nous aider à nous rafraîchir la mémoire :

1 I	11 XI	21 XXI	40 XL	500 D
2 II	12 XII	22 XXII	50 L	600 DC
3 III	13 XIII	23 XXIII	60 LX	700 DCC
4 IV	14 XIV	24 XXIV	70 LXX	800 DCCC
5 V	15 XV	25 XXV	80 LXXX	900 CM
6 VI	16 XVI	26 XXVI	90 XC	1 000 M
7 VII	17 XVII	27 XXVII	100 C	2 000 $\overline{\text{MM}}$
8 VIII	18 XVIII	28 XXVIII	200 CC	10 000 $\overline{\text{X}}$
9 IX	19 XIX	29 XXIX	300 CCC	100 000 $\overline{\text{C}}$
10 X	20 XX	30 XXX	400 CD	1 000 000 $|\overline{\text{M}}|$

758. *Remarques*

■ Ne pas confondre **chiffre** et **nombre** : le *chiffre* est un signe, un caractère qui sert à noter un *nombre*.

■ L'emploi des chiffres arabes est très fréquent : dates, heures, mesures, poids, toutes opérations mathématiques, statistiques, numéros divers :

> *Le 14 juillet 1789. Le train de 8 h 47. Un hercule de 2 m 09 et 156 kg.*
> *Le 120 de la rue Jean-Jaurès...*

■ L'emploi des chiffres romains est plus limité : parties d'ouvrages (livres, chapitres; psaumes), noms propres de souverains, années du calendrier républicain, avec les mots millénaire et siècle, dates sur plaques commémoratives :

> *livre III, chapitre VII; psaume XXXVII, Henri IV, Louis XIV, Charles IX; les soldats de l'an II; le IIIᵉ millénaire, les XVIIIᵉ et XIXᵉ siècles;* MDCCLXXXIX (1789); MDCCCLXX (1870); MCMXIV-MCMXVIII (1914-1918).

■ Un chèque se rédige en chiffres arabes et en toutes lettres :

> *1 946 francs 50; mille neuf cent quarante-six francs cinquante.*
(le mot *chèque* vient de l'anglais, qui vient lui-même du français *échec !*)

■ Se rattachent aux adjectifs numéraux :
● les « multiplicatifs » (employés comme noms ou adjectifs qualificatifs) :

> *simple, double, triple, quadrule, quintuple, sextuple, septuple, octuple, nonuple, décuple, centuple.*

● des dérivés en -ain, -aine, -aire :

> *quatrain, dizain; dizaine; vingtaine; quadragénaire, quinquagénaire, sexagénaire, septuagénaire, octogénaire, nonagénaire, centenaire.*

N.B. ■ Attention au mot « **trentain** », devenu, par étymologie populaire « **trente et un** » dans l'expression *stupide*, « se mettre sur son trente et un » (au lieu de « se mettre sur » = « mettre sur soi » son trentain); le *trentain* : ancien tissu de luxe dont la chaîne était composée de trente fois cent fils, et employé dans la confection des vêtements de cérémonie.

■ Attention au mot « **décade** » qui, étymologiquement, signifie simplement « *dizaine* » (dizaine de n'importe quoi : d'enfants, de livres, d'œufs, etc.).
C'est sous l'influence du calendrier républicain qu'il a pris le sens de « dix jours »; on l'emploie même dans le sens de « dix ans » (où il vaut mieux dire « **décennie** »).

759. Pour rendre les sons du langage parlé, les linguistes, les phonéticiens ont été amenés à inventer (à côté de l'alphabet normal un peu déficient, voir Préliminaires, § 9) un alphabet phonétique, préconisé par l'Association phonétique internationale. C'est un ensemble de signes et de symboles qu'il est bon de connaître; en voici le tableau, concernant le français :

Sons	Exemples	Lettres
■ Voyelles orales (simples ou composées) :		
[a] *a* bref	lac, patte, mangea, moi, moyen, moelle	a, (e)a; oi, oy, oe (= oua)
[ɑ] *a* long	bas, pâte, paille, douceâtre, froid, poêle	a, â, a(i), (e)â; oi, oe (= oua)
[e] *é* fermé	été, chanter, pays, je chantai, je mangeai, œdème	é, er, ay, ai, (e)ai, oe
[ɛ] *è* ouvert	sec, mère, même, Noël, peine, aime, fraîche, j'aimais, jamais	e, è, ê, ë, ei, ai, aî, ais
[i] *i* bref ou long	si, île, cyprès, naïf	i, î, y, ï
[ɔ] *o* ouvert	note, or, bonne, robe, Paul	o, au
[o] *o* fermé	chose, vôtre, autre, eau	o, ô, au, eau
[u] *ou*	fou, outil, goût, août	ou, oû, aoû
[y] *u*	rue, mur, mûr, il eut, il a eu	u, û, eu
[œ] *eu* ouvert	peuple, jeune, bœuf, œil, seuil	eu, oeu, oe(i), eu(i)
[ø] *eu* fermé	peu, aveu, jeûne, nœud	eu, eû, oeu
[ə] *e*	me, remis, brebis, tu seras	e
■ Voyelles nasales :		
[ɑ̃] *a* nasalisé	an, champ, en, emballé, engeance, paon, taon, faon	an, am, en, em, ean, aon
[ɛ̃] *è* nasalisé	fin, brin, impur, bien, main, faim, saint, dessein, syntaxe, nymphe	in, im, en, ain, aim, ein, yn, ym
[ɔ̃] *o* nasalisé	son, nom, ombre, unguifère, jungle	on, om, un
[œ̃] *eu* nasalisé	un, brun, parfum, à jeun	un, um, eun
■ Semi-voyelles :		
[j] *i*	pied, aïeul, yeux, bail, maille	i, ï, y, il, ill
[ɥ] *u*	lui, nuit, huit, puits, huée	u
[w] *ou*	oui, fouet, ouest, roi, squale	ou, oi(= oua), u(a)
■ Consonnes :		
[p] *pe*	peu, père, prendre, apporter	p, pp
[t] *te*	tête, toi, théâtre, athée, attente	t, th, tt
[k] *ke*	cas, cinq, que, squelette, kilo, accent, archaïque, bacchante	c, q, qu, k, cc, ch, cch

Sons	Exemples	Lettres
[b] *be*	baba, bébé, bonbon, abbé, abbatiale, abbesse	b, bb
[d] *de*	dur, dedans, addition, adducteur	d, dd
[g] *gue*	goût, vogue, guêpe, gnome, diagnostic	g, gu, g(n)
[f] *fe*	fer, fable, phare, physique	f, ph
[v] *ve*	valve, verve, aviver, wagon, Wisigoth	v, w
[s] *se*	se, ce, leçon, six, ration, rassis, science, sceau	s, c, ç, x, t(i), ss, sc
[z] *ze*	azur, zèbre, raison, hasard, sixième	z, s, x
[ʒ] *je*	jeu, âge, rangeons, genou, gîte	j, g
[ʃ] *che*	chat, chou, archives, shah, schéma	ch, sh, sch
[l] *le*	le, la, bal, sale, salle	l, ll
[r] *re*	rare, rire, arrêt, terrain	r, rr
[m] *me*	me, maman, grammaire, mammifère	m, mm
[n] *ne*	ne, ni, non, nenni, naine, canne	n, nn
[ɲ] *gne*	digne, peigne, agneau, baignade, besogne	gn

760. *Remarques*

■ L'alphabet phonétique est plus riche que l'alphabet officiel du français : 36 signes, au lieu de 26 lettres.

■ Les signes phonétiques se présentent obligatoirement entre crochets droits; il en est de même pour les mots entiers reproduits en transcription phonétique; en voici quelques exemples :

> *grammaire* [gramɛr]; *préface* [prefas]; *épigraphe* [epigraf];
> *préliminaires* [preliminɛr]; *phonétique* [fɔnetik];
> *vocabulaire* [vɔkabylɛr]; *morphologie* [mɔrfɔlɔʒi];
> *syntaxe* [sɛ̃taks]; *appendices* [apɛ̃dis]; *index* [ɛ̃dɛks];
> *table des matières* [tabl de matjɛr]

■ Les bons dictionnaires modernes donnent pour chaque mot la transcription phonétique, bien utile par exemple :

● pour distinguer les *semi-voyelles* i [j], u [ɥ], ou [w] des simples *voyelles* i [i], u [y], ou [u] :

> *pied* [pje], *sire* [sir]; *nuit* [nɥi], *rue* [ry]; *ouest* [wɛst], *outil* [uti];

● pour connaître la *prononciation* exacte de tel ou tel mot (§ 745 sq) :

> ex. : **ch** dans *archive* [arʃiv] et *archaïque* [arkaik];
> ex. : **gn** dans *peigne* [pɛɲ] et *ignifuge* [ignifyʒ].

N.B. On peut s'amuser à donner la transcription phonétique des mots dont la *prononciation* pose un problème, et signalés ci-dessus, § 745 et suivants.

Tableaux de conjugaison

761. ▬▬▬ **Voix, modes, temps (tableau et rappel)**

	Actif	Passif		Pronominal
● Indicatif				
Présent	je lave	je suis	lavé(e)	je me lave
Imparfait	je lavais	j' étais	lavé(e)	je me lavais
Passé simple	je lavai	je fus	lavé(e)	je me lavai
P. composé	j' ai lavé	j' ai été	lavé(e)	je me suis lavé(e)
P. antérieur	j' eus lavé	j' eus été	lavé(e)	je me fus lavé(e)
Pl.-q.-parfait	j' avais lavé	j' avais été	lavé(e)	je m' étais lavé(e)
Futur simple	je laverai	je serai	lavé(e)	je me laverai
Fut. antérieur	j' aurai lavé	j' aurai été	lavé(e)	je me serai lavé(e)
Fut. du passé	je laverais	je serais	lavé(e)	je me laverais
F. ant. du passé	j' aurais lavé	j' aurais été	lavé(e)	je me serais lavé(e)
● Conditionnel				
Présent	je laverais	je serais	lavé(e)	je me laverais
P. 1re forme	j' aurais lavé	j' aurais été	lavé(e)	je me serais lavé(e)
Passé 2e forme	j' eusse lavé	j' eusse été	lavé(e)	je me fusse lavé(e)
● Impératif				
Présent	lave	sois lavé(e)		lave-toi
Passé	aie lavé	(inusité)		(inusité)
● Subjonctif				
Présent	que je lave	que je sois	lavé(e)	que je me lave
Imparfait	que je lavasse	que je fusse	lavé(e)	que je me lavasse
Passé	que j' aie lavé	que j'aie été	lavé(e)	que je me sois lavé(e)
Pl.-q.-parfait	que j' eusse lavé	que j'eusse été	lavé(e)	que je me fusse lavé(e)
● Infinitif				
Présent	laver	être lavé(e)(s)		se laver
Passé	avoir lavé	avoir été lavé(e)(s)		s'être lavé(e)(s)
● Participe				
Présent	lavant	étant lavé(e)(s)		se lavant
Passé	ayant lavé	ayant été lavé(e)(s) ou lavé(e)(s)		s'étant lavé(e)(s)
● Gérondif				
Présent	en lavant	en étant lavé(e)(s)		en se lavant

762. ■ L'indicatif est riche de 8, de 10, et même de 18 temps (cf. § 319, 367-368).

Futur prochain	je vais laver	je vais être lavé(e)	je vais me laver
F. pr. du passé	j'allais laver	j'allais être lavé(e)	j'allais me laver
Passé récent	je viens de laver	je viens d'être lavé(e)	je viens de me laver
P. ré. du passé	je venais de laver	je venais d'être lavé(e)	je venais de me laver

Passé surc.	j'ai eu lavé	j'ai eu été lavé(e)	je me suis eu lavé(e)
Pl. q. pft. surc.	j'avais eu lavé	j'avais eu été lavé(e)	je m'étais eu lavé(e)
Fut. ant. surc.	j'aurai eu lavé	j'aurai eu été lavé(e)	je me serai eu lavé(e)
F. a. du pas. surc.	j'aurais eu lavé	j'aurais eu été lavé(e)	je me serais eu lavé(e)

763. ■ **Voix** – Un verbe « normal » peut exister aux 3 voix mais :
- avoir et être, et certains verbes d'action n'ont que la voix active :

arriver, venir, partir, décéder...; sembler, paraître, devenir...;

- certains verbes n'existent qu'à la voix pronominale (§ 772).

764. ■ **Tours** (ou **formes**) :
- Au tour *négatif,* ne pas oublier le *n'* devant voyelle :

on n'entend rien; on n'entend pas bien.

- Au tour *interrogatif,* le gallicisme « est-ce que » remplace souvent l'inversion du sujet, surtout à la 1re pers. du sing. de l'indicatif présent :

rêvé-je? aimé-je? chanté-je? ... = est-ce que je rêve (j'aime, je chante)?

Ce remplacement est obligatoire aux 2e et 3e groupes (par *euphonie*) :

est-ce que je blanchis? est-ce que je pars? est-ce que je cours?...

sauf pour quelques verbes (dont avoir et être) :

ai-je? suis-je? fais-je? vais-je? sais-je? vois-je? dois-je? dis-je? puis-je?
(mais : « est-ce que je peux? » et non « *peux-je? »)

765. ■ Pour éviter les **barbarismes verbaux** :
- bien maîtriser les *trois groupes* : 1er : -er; 2e : -ir; 3e : -ir, -oir, -re;
- bien maîtriser le parallélisme *passé simple* et *subjonctif imparfait* :

1er groupe		2e groupe				3e groupe			
-ai	-asse	-is	-isse	-is	-isse	-us	-usse	-ins	-insse
-as	-asses	-is	-isses	-is	-isses	-us	-usses	-ins	-insses
-a	-ât	-it	-ît	-it	-ît	-ut	-ût	-int	-înt
-âmes	-assions	-îmes	-issions	-îmes	-issions	-ûmes	-ussions	-înmes	-inssions
-âtes	-assiez	-îtes	-issiez	-îtes	-issiez	-ûtes	-ussiez	-întes	-inssiez
-èrent	-assent	-irent	-issent	-irent	-issent	-urent	-ussent	-inrent	-inssent

- bien maîtriser les *futurs,* parfois capricieux (§ 344 et ci-après passim) :

il courra, il pourra, il acquerra, il conclura, il pourvoira, il bouillira...

766. ■ Veiller à l'emploi correct de l'**auxiliaire** dans les *temps composés* (voir § 324-325; § 722; § 781 sq., passim).
Le seul vrai problème relève des verbes *intransitifs* :

- les uns prennent toujours l'auxiliaire **être** :

aller, venir, arriver, partir, rester, tomber, naître, décéder, mourir, devenir
(il est allé, venu, arrivé, parti, resté, tombé, né, mort, décédé, devenu)

- les autres prennent tantôt **être,** tantôt **avoir** :
– selon qu'ils sont en emploi *intransitif* ou *transitif* (cf. § 325) :

Il **est rentré** tard; il **a rentré** sa voiture au garage;

– selon qu'ils indiquent un *état* ou une *action* :

L'été **est passé** *(état);* l'été **a passé** vite *(action);*

– selon le *sens* :

Il **est demeuré** pantois. Il **a demeuré** longtemps en banlieue.

767. AVOIR

INDICATIF

Présent

j'	ai				
tu	as				
il	a				
ns	avons				
vs	avez				
ils	ont				

Passé composé

j'	ai	eu
tu	as	eu
il	a	eu
ns	avons	eu
vs	avez	eu
ils	ont	eu

SUBJONCTIF

Présent

que j'	aie	
que tu	aies	
qu' il	ait	
que ns	ayons	
que vs	ayez	
qu' ils	aient	

Imparfait

j'	avais
tu	avais
il	avait
ns	avions
vs	aviez
ils	avaient

Plus-que-parfait

j'	avais	eu
tu	avais	eu
il	avait	eu
ns	avions	eu
vs	aviez	eu
ils	avaient	eu

Imparfait

que j'	eusse
que tu	eusses
qu' il	eût
que ns	eussions
que vs	eussiez
qu' ils	eussent

Passé simple

j'	eus
tu	eus
il	eut
ns	eûmes
vs	eûtes
ils	eurent

Passé antérieur

j'	eus	eu
tu	eus	eu
il	eut	eu
ns	eûmes	eu
vs	eûtes	eu
ils	eurent	eu

Passé

que j'	aie	eu
que tu	aies	eu
qu' il	ait	eu
que ns	ayons	eu
que vs	ayez	eu
qu' ils	aient	eu

Futur

j'	aurai
tu	auras
il	aura
ns	aurons
vs	aurez
ils	auront

Futur antérieur

j'	aurai	eu
tu	auras	eu
il	aura	eu
ns	aurons	eu
vs	aurez	eu
ils	auront	eu

Plus-que-parfait

que j'	eusse	eu
que tu	eusses	eu
qu' il	eût	eu
que ns	eussions	eu
que vs	eussiez	eu
qu' ils	eussent	eu

Futur du passé

j'	aurais
tu	aurais
il	aurait
ns	aurions
vs	auriez
ils	auraient

Fut. antér. du passé

j'	aurais	eu
tu	aurais	eu
il	aurait	eu
ns	aurions	eu
vs	auriez	eu
ils	auraient	eu

IMPÉRATIF

Présent

aie, ayons, ayez

Passé

aie (ayons, ayez) eu

CONDITIONNEL

Présent
cf. **Futur du passé** :

j'aurais, tu aurais...

Passé 1re forme
cf. **Futur antér. du passé** :

j'aurais eu, tu aurais eu...

Passé 2e forme
cf. **Subj. pl.-q-pft.** (sans « que »).

j'eusse eu, tu eusses eu...

INFINITIF

Présent	**Passé**
avoir	avoir eu

PARTICIPE

Présent	**Passé**
ayant	ayant eu

GÉRONDIF

en ayant

INDICATIF

Présent

je	suis
tu	es
il	est
ns	sommes
vs	êtes
ils	sont

Passé composé

j'	ai	été
tu	as	été
il	a	été
ns	avons	été
vs	avez	été
ils	ont	été

Imparfait

j'	étais
tu	étais
il	était
ns	étions
vs	étiez
ils	étaient

Plus-que-parfait

j'	avais	été
tu	avais	été
il	avait	été
ns	avions	été
vs	aviez	été
ils	avaient	été

Passé simple

je	fus
tu	fus
il	fut
ns	fûmes
vs	fûtes
ils	furent

Passé antérieur

j'	eus	été
tu	eus	été
il	eut	été
ns	eûmes	été
vs	eûtes	été
ils	eurent	été

Futur

je	serai
tu	seras
il	sera
ns	serons
vs	serez
ils	seront

Futur antérieur

j'	aurai	été
tu	auras	été
il	aura	été
ns	aurons	été
vs	aurez	été
ils	auront	été

Futur du passé

je	serais
tu	serais
il	serait
ns	serions
vs	seriez
ils	seraient

Fut. antér. du passé

j'	aurais	été
tu	aurais	été
il	aurait	été
ns	aurions	été
vs	auriez	été
ils	auraient	été

SUBJONCTIF

Présent

que je	sois
que tu	sois
qu' il	soit
que ns	soyons
que vs	soyez
qu' ils	soient

Imparfait

que je	fusse
que tu	fusses
qu' il	fût
que ns	fussions
que vs	fussiez
qu' ils	fussent

Passé

que j'	aie	été
que tu	aies	été
qu' il	ait	été
que ns	ayons	été
que vs	ayez	été
qu' ils	aient	été

Plus-que-parfait

que j'	eusse	été
que tu	eusses	été
qu' il	eût	été
que ns	eussions	été
que vs	eussiez	été
qu' ils	eussent	été

IMPÉRATIF

Présent

sois, soyons, soyez

Passé

aie (ayons, ayez) été

CONDITIONNEL

Présent
cf. **Futur du passé** :
je serais, tu serais...

Passé 1ʳᵉ forme
cf. **Fut. antér. du passé** :
j'aurais été, tu aurais été...

Passé 2ᵉ forme
cf. **Subj. pl.-q-pft.** (sans « que ») :
j'eusse été, tu eusses été...

INFINITIF

| **Présent** | **Passé** |
| être | avoir été |

PARTICIPE

| **Présent** | **Passé** |
| étant | ayant été |

GÉRONDIF

en étant

769. **PREMIER GROUPE (ex.: aimer,** voix active**)**

INDICATIF		SUBJONCTIF
Présent	**Passé composé**	**Présent**
j' aime	j' ai aimé	que j' aime
tu aimes	tu as aimé	que tu aimes
il aime	il a aimé	qu' il aime
ns aimons	ns avons aimé	que ns aimions
vs aimez	vs avez aimé	que vs aimiez
ils aiment	ils ont aimé	qu' ils aiment
Imparfait	**Plus-que-parfait**	**Imparfait**
j' aimais	j' avais aimé	que j' aimasse
tu aimais	tu avais aimé	que tu aimasses
il aimait	il avait aimé	qu' il aimât
ns aimions	ns avions aimé	que ns aimassions
vs aimiez	vs aviez aimé	que vs aimassiez
ils aimaient	ils avaient aimé	qu' ils aimassent
Passé simple	**Passé antérieur**	**Passé**
j' aimai	j' eus aimé	que j' aie aimé
tu aimas	tu eus aimé	que tu aies aimé
il aima	il eut aimé	qu' il ait aimé
ns aimâmes	ns eûmes aimé	que ns ayons aimé
vs aimâtes	vs eûtes aimé	que vs ayez aimé
ils aimèrent	ils eurent aimé	qu' ils aient aimé
Futur	**Futur antérieur**	**Plus-que-parfait**
j' aimerai	j' aurai aimé	que j' eusse aimé
tu aimeras	tu auras aimé	que tu eusses aimé
il aimera	il aura aimé	qu' il eût aimé
ns aimerons	ns aurons aimé	que ns eussions aimé
vs aimerez	vs aurez aimé	que vs eussiez aimé
ils aimeront	ils auront aimé	qu' ils eussent aimé
Futur du passé	**Fut. antér. du passé**	

Futur du passé	**Fut. antér. du passé**	
j' aimerais	j' aurais aimé	IMPÉRATIF
tu aimerais	tu aurais aimé	**Présent**
il aimerait	il aurait aimé	aime, aimons, aimez
ns aimerions	ns aurions aimé	**Passé**
vs aimeriez	vs auriez aimé	aie (ayons, ayez) aimé
ils aimeraient	ils auraient aimé	

CONDITIONNEL	INFINITIF	
Présent	**Présent**	**Passé**
cf. **Futur du passé :**	aimer	avoir aimé
j'aimerais, tu aimerais...		
Passé 1ʳᵉ forme	PARTICIPE	
cf. **Futur antér. du passé :**	**Présent**	**Passé**
j'aurais aimé, tu aurais aimé...	aimant	ayant aimé
Passé 2ᵉ forme	GÉRONDIF	
cf. **Subj. pl.-que-pft.** (sans « que »).	en aimant	
j'eusse aimé, tu eusses aimé...		

770. PREMIER GROUPE (ex.: aimer, voix passive)

INDICATIF						SUBJONCTIF		
Présent			**Passé composé**			**Présent**		
je	suis	aimé(e)	j'	ai	été aimé(e)	que je	sois	aimé(e)
tu	es	aimé(e)	tu	as	été aimé(e)	que tu	sois	aimé(e)
il[1]	est	aimé(e)	il[1]	a	été aimé(e)	qu' il[1]	soit	aimé(e)
ns	sommes	aimé(e)s	ns	avons	été aimé(e)s	que ns	soy.	aimé(e)s
vs	êtes	aimé(e)s	vs	avez	été aimé(e)s	que vs	soy.	aimé(e)s
ils[2]	sont	aimé(e)s	ils[2]	ont	été aimé(e)s	qu' ils[2]	soient	aimé(e)s
Imparfait			**Plus-que-parfait**			**Imparfait**		
j'	étais	aimé(e)	j'	avais	été aimé(e)	que je	fusse	aimé(e)
tu	étais	aimé(e)	tu	avais	été aimé(e)	que tu	fusses	aimé(e)
il[1]	était	aimé(e)	il[1]	avait	été aimé(e)	qu' il[1]	fût	aimé(e)
ns	étions	aimé(e)s	ns	avions	été aimé(e)s	que ns	fuss.	aimé(e)s
vs	étiez	aimé(e)s	vs	aviez	été aimé(e)s	que vs	fuss.	aimé(e)s
ils[2]	étaient	aimé(e)s	ils[2]	avaient	été aimé(e)s	qu' ils[2]	fuss.	aimé(e)s
Passé simple			**Passé antérieur**			**Passé**		
je	fus	aimé(e)	j'	eus	été aimé(e)	q. j'	aie	été aimé(e)
tu	fus	aimé(e)	tu	eus	été aimé(e)	q. tu	aies	été aimé(e)
il[1]	fut	aimé(e)	il[1]	eut	été aimé(e)	q. il[1]	ait	été aimé(e)
ns	fûmes	aimé(e)s	ns	eûmes	été aimé(e)s	q. ns	ay.	été aimé(e)s
vs	fûtes	aimé(e)s	vs	eûtes	été aimé(e)s	q. vs	ayez	été aimé(e)s
ils[2]	furent	aimé(e)s	ils[2]	eurent	été aimé(e)s	q. ils[2]	aient	été aimé(e)s
Futur			**Futur antérieur**			**Plus-que-parfait**		
je	serai	aimé(e)	j'	aurai	été aimé(e)	q. j'	eusse	été aimé(e)
tu	seras	aimé(e)	tu	auras	été aimé(e)	q. tu	eusses	été aimé(e)
il[1]	sera	aimé(e)	il[1]	aura	été aimé(e)	q. il[1]	eût	été aimé(e)
ns	serons	aimé(e)s	ns	aurons	été aimé(e)s	q. ns	euss.	été aimé(e)s
vs	serez	aimé(e)s	vs	aurez	été aimé(e)s	q. vs	euss.	été aimé(e)s
ils[2]	seront	aimé(e)s	ils[2]	auront	été aimé(e)s	q. ils[2]	euss.	été aimé(e)s
Futur du passé			**Fut. antér. du passé**					
je	serais	aimé(e)	j'	aurais	été aimé(e)	IMPÉRATIF		
tu	serais	aimé(e)	tu	aurais	été aimé(e)	**Présent**		
il[1]	serait	aimé(e)	il[1]	aurait	été aimé(e)	sois aimé(e),		
ns	serions	aimé(e)s	ns	aurions	été aimé(e)s	soyons (soyez) aimé(e)s		
vs	seriez	aimé(e)s	vs	auriez	été aimé(e)s	**Passé**		
ils[2]	seraient	aimé(e)s	ils[2]	aur.	été aimé(e)s	(inusité)		

CONDITIONNEL	INFINITIF	
Présent	**Présent**	**Passé**
cf. **Futur du passé** :	être aimé(e)(s)	avoir été aimé(e)(s)
je serais aimé(e)...		
Passé 1ʳᵉ forme	PARTICIPE	
cf. **Fut. antér. du passé** :	**Présent**	**Passé**
j'aurais été aimé(e)...	étant aimé(e)(s)	ayant été aimé(e)(s)
		ou aimé(e)(s)
Passé 2ᵉ forme		
cf. **Subj. pl.-que-pft.** (sans « que ») :	GÉRONDIF	
j'eusse été aimé(e)...	en étant aimé(e)(s)	

1. Il ou elle. – 2. Ils ou elles.

771. PREMIER GROUPE (ex. : se laver, voix pronominale)

INDICATIF

Présent			Passé composé			
je	me	lave	je	me	*suis*	lavé(e)
tu	te	laves	tu	t'	*es*	lavé(e)
il[1]	se	lave	il[1]	s'	*est*	lavé(e)
ns	ns	lavons	ns	ns	*sommes*	lavé(e)s
vs	vs	lavez	vs	vs	*êtes*	lavé(e)s
ils[2]	se	lavent	ils[2]	ils	*sont*	lavé(e)s

Imparfait			Plus-que-parfait			
je	me	lavais	je	m'	*étais*	lavé(e)
tu	te	lavais	tu	t'	*étais*	lavé(e)
il[1]	se	lavait	il[1]	s'	*était*	lavé(e)
ns	ns	lavions	ns	ns	*étions*	lavé(e)s
vs	vs	laviez	vs	vs	*étiez*	lavé(e)s
ils[2]	se	lavaient	ils[2]	s'	*étaient*	lavé(e)s

Passé simple			Passé antérieur			
je	me	lavai	je	me	*fus*	lavé(e)
tu	te	lavas	tu	te	*fus*	lavé(e)
il[1]	se	lava	il[1]	se	*fut*	lavé(e)
ns	ns	lavâmes	ns	ns	*fûmes*	lavé(e)s
vs	vs	lavâtes	vs	vs	*fûtes*	lavé(e)s
ils[2]	se	lavèrent	ils[2]	se	*furent*	lavé(e)s

Futur			Futur antérieur			
je	me	laverai	je	me	*serai*	lavé(e)
tu	te	laveras	tu	te	*seras*	lavé(e)
il[1]	se	lavera	il[1]	se	*sera*	lavé(e)
ns	ns	laverons	ns	ns	*serons*	lavé(e)s
vs	vs	laverez	vs	vs	*serez*	lavé(e)s
ils[2]	se	laveront	ils[2]	se	*seront*	lavé(e)s

Futur du passé			Fut. ant. du passé			
je	me	laverais	je	me	*serais*	lavé(e)
tu	te	laverais	tu	te	*serais*	lavé(e)
il[1]	se	laverait	il[1]	se	*serait*	lavé(e)
ns	ns	laverions	ns	ns	*serions*	lavé(e)s
vs	vs	laveriez	vs	vs	*seriez*	lavé(e)s
ils[2]	se	laveraient	ils[2]	se	*seraient*	lavé(e)s

SUBJONCTIF

Présent			
que	je	me	lave
que	tu	te	laves
qu'	il[1]	se	lave
que	ns	ns	lavions
que	vs	vs	laviez
qu'	ils[2]	se	lavent

Imparfait			
que	je	me	lavasse
que	tu	te	lavasses
qu'	il[1]	se	lavât
que	ns	ns	lavassions
que	vs	vs	lavassiez
qu'	ils[2]	se	lavassent

Passé			
q. je	me	*sois*	lavé(e)
q. tu	te	*sois*	lavé(e)
q. il[1]	se	*soit*	lavé(e)
q. ns	ns	*soyons*	lavé(e)s
q. vs	vs	*soyez*	lavé(e)s
q. ils[2]	se	*soient*	lavé(e)s

Plus-que-parfait			
q. je	me	*fusse*	lavé(e)
q. te	te	*fusses*	lavé(e)
q. il[2]	se	*fût*	lavé(e)
q. ns	ns	*fussions*	lavé(e)s
q. vs	vs	*fussiez*	lavé(e)s
q. ils[2]	se	*fussent*	lavé(e)s

IMPÉRATIF

Présent
lave-toi
lavons-nous, lavez-vous

Passé
(inusité)

CONDITIONNEL

Présent
cf. **Futur du passé :**
je me laverais...

Passé 1ʳᵉ forme
cf. **Futur antér. du passé :**
je me *serais* lavé(e)...

Passé 2ᵉ forme
cf. **Subj. pl.-que-pft.** (sans « que ») :
je me *fusse* lavé(e)...

INFINITIF

Présent	Passé
se laver	s'être lavé(e)(s)

PARTICIPE

Présent	Passé
se lavant	s'étant lavé(e)(s)

GÉRONDIF

en se lavant

1. Il ou elle. – 2. Ils ou elles.

772. Le verbe pronominal (nous l'avons vu, § 315) a 4 valeurs possibles :

■ le **sens réfléchi,** où le pronom personnel complément représente le *sujet* :

> *Je me lave; tu te blesses; il se trahit...*

■ le **sens réciproque,** où le pronom personnel complément représente 2 ou plusieurs êtres (dont le sujet); le verbe est au *pluriel* (sauf avec « on ») :

> *Nous nous aimons; vous vous souriez; ils se détestent (mutuellement).*

■ le **sens passif,** où la voix pronominale est plus élégante que la passive :

> *Les fruits se vendent cher cette année (= sont vendus cher).*

■ le **sens vague,** où l'on ne perçoit aucune des 3 nuances précédentes (si faciles à cerner), et où l'on trouve 2 sortes de verbes :

● ceux qui n'existent plus (dans la langue actuelle) qu'à la voix pronominale et qu'on appelle « **essentiellement pronominaux** » :

> – (1ᵉʳ gr.) *s'absenter, s'accouder, s'adonner, s'agenouiller, s'arroger, s'écrier, s'écrouler, s'esclaffer, s'exclamer, s'évader, s'extasier, s'immiscer, s'insurger, se méfier, se raviser, se rebiffer, se renfrogner...;*
> – (2ᵉ gr.) : *s'accroupir, se blottir, s'évanouir.*
> – (3ᵉ gr.) : *s'abstenir, se dédire, s'enfuir, s'enquérir, s'éprendre, se méprendre, se repentir, se souvenir.*

● ceux qui existent aussi à la voix active et dont le pronom personnel complément a une valeur très atténuée; on peut les appeler « *non réfléchis* » :

> *s'enfuir = fuir; se mourir = mourir...*

N.B.   Ces pronominaux de sens *vague* sont de simples *équivalents* de verbes ordinaires : s'apercevoir de = *constater;* s'emparer de = *prendre;* se faire vieux = *devenir* vieux; se trouver là = *être* là; s'en aller = *partir...*

---

773. ■ Un même verbe pronominal peut avoir les 4 nuances, les 4 sens :

> *Il s'aperçoit dans la glace (réfléchi) – Ils s'aperçoivent dans la rue (réciproque) – Le clocher s'aperçoit de loin (=* est aperçu : *passif) – Il s'aperçoit de son erreur (=* il constate : *vague).*

■ Le sens réciproque est souvent précisé par le *préfixe* **entre** (cf. § 736).

> *S'entrechoquer; s'entr'aimer; s'entre-dévorer.*

■ Au pluriel il peut y avoir *équivoque* entre sens réfléchi et réciproque :

> *Ils se sont blessés (eux-mêmes? mutuellement?).*

■ Le verbe **s'appeler** suivi d'un *nom propre* attribut a le sens *passif* :

> *Il s'appelle Jean (= il est appelé Jean par tout le monde).*

■ Les verbes **se suivre, se succéder** n'ont que le sens vague :

> *Les jours se suivent, les années se succèdent.*

■ Un verbe pronominal peut perdre son pronom complément et prendre l'apparence (fausse !) d'un verbe *actif* ou d'un verbe *d'état* :

● à l'**infinitif,** après faire, envoyer, mener, laisser :

> *Faites taire cet enfant (= se taire) – Je l'ai envoyé(e) promener (se pr...).*

● au **participe** (présent ou passé) dans, par exemple :

> *Un homme méfiant; une femme accoudée (agenouillée)...*

■ Pour l'*accord du participe passé* dans les pronominaux, cf. § 839-843).

■ « **Se suicider** » est un *pléonasme*, devenu correct (se = sui !) – « Les jours **allongent** » (pour « **s'allongent** ») est critiqué par les puristes.

Premier groupe : particularités

774.

	-cer	-ger	-yer		
Présent	je lance	je mange	je balaie	je broie	j' essuie
	ns lançons	ns mangeons	ns balayons	ns broyons	ns essuyons
Imparfait	je lançais	je mangeais	je balayais	je broyais	j' essuyais
	ns lancions	ns mangions	ns balayions	ns broyions	ns essuyions
P. simple	je lançai	je mangeai	je balayai	je broyai	j' essuyai
	ns lançâmes	ns mangeâmes	ns balayâmes	ns broyâmes	ns essuyâmes
Futur	je lancerai	je mangerai	je balaierai	je broierai	j' essuierai
	ns lancerons	ns mangerons	ns balaierons	ns broierons	ns essuierons

■ Les verbes en **-cer** prennent une cédille devant a et e.

■ Les verbes en **-ger** prennent un e après le g devant a et o.

■ Les verbes en **-yer** (**-ayer, -oyer, -uyer**) changent l'y en i devant un e muet; seuls les verbes en -ayer peuvent le garder, d'où les « doublets » :

je balaie, je balaye; je balaierai, je balayerai...

Quant aux rares verbes en **-eyer** (brasseyer, grasseyer, langueyer, susseyer; prière de consulter un dictionnaire !), ils conservent toujours l'y :

je grasseye, je grasseyais, je grasseyai, je grasseyerai...

■ Attention aux verbes en **-ier, -iller, -gner** (voir § 348) :

ns copi-ons, fouill-ons, cogn-ons (présent); ns copi-ions, fouill-ions, cogn-ions (imparfait; et subjonctif présent : que ns copi-ions, fouill-ions, cogn-ions).

	-eler	-eter		-e muet ou fermé	
Présent	j' appelle	je jette	j' achète	je sème	j' espère
	ns appelons	ns jetons	ns achetons	ns semons	ns espérons
Imparfait	j' appelais	je jetais	j' achetais	je semais	j' espérais
	ns appelions	ns jetions	ns achetions	ns semions	ns espérions
P. simple	j' appelai	je jetai	j' achetai	je semai	j' espérai
	ns appelâmes	ns jetâmes	ns achetâmes	ns semâmes	ns espérâmes
Futur	j' appellerai	je jetterai	j' achèterai	je sèmerai	j' espérerai
	ns appellerons	ns jetterons	ns achèterons	ns sèmerons	ns espérerons

■ Les verbes en **-eler** redoublent le l devant une syllabe contenant un e muet, sauf : celer, ciseler, congeler, déceler, dégeler, démanteler, écarteler, geler, marteler, modeler, peler, regeler, surgeler, qui changent l'e en è :

je cèle, je démantèle, je gèle, je pèle...

■ Les verbes en **-eter** redoublent le t devant une syllabe contenant un e muet, sauf acheter, racheter, bégueter (cri de la chèvre), corseter, crocheter, fileter, fureter, haleter :

je crochète, je furète, je halète...

N.B. **Harceler** hésite entre *je harcèle* (cf. harcèlement) et *je harcelle*.
Pour **interpeller** et **regretter,** voir § 337.

■ Les verbes ayant un **e** ou un **é** à l'avant-dernière syllabe changent cet e ou
é (fermé) en **è** (ouvert) quand la finale contient un e muet :

- *semer, peser, lever, crever, graver... : je sème, nous semons;*
- *espérer, céder, aérer, célébrer, exagérer... : j'espère, nous espérons...*

775. De plus, le 1ᵉʳ groupe a 2 verbes *irréguliers :* **aller** et **envoyer** :

	Aller	**Envoyer**
Indic. présent	je vais, tu vas, il va, nous allons, vous allez, ils vont.	j'envoie, tu envoies, il envoie, nous envoyons, vous envoyez, ils envoient.
Ind. impft	j'allais, nous allions.	j'envoyais, nous envoyions.
Ind. p. simple	j'allai, nous allâmes.	j'envoyai, nous envoyâmes.
Ind. futur	j'irai, nous irons.	j'enverrai, nous enverrons.
Subj. présent	que j'aille, q. nous allions.	q. j'envoie, q. nous envoyions.
Impér. présent	va, allons, allez.	envoie, envoyons, envoyez.
Partic. passé	allé, étant allé.	envoyé, ayant envoyé.

776. ■ **Envoyer** (verbe en -oyer, voir ci-contre : broyer) *n'est irrégulier* qu'au
futur (et donc au « *futur du passé* » ou au « *conditionnel présent* ») :

> *j'enverrai, ns enverrons; j'enverrais, ns enverrions.*

Il en est de même pour son composé **renvoyer** :

> *je renverrai, ns renverrons; je renverrais, ns renverrions.*

Il s'agit là d'une influence « *analogique* » de **voir** (je verrai); mais les deux
autres composés **convoyer** et **dévoyer** sont réguliers (comme broyer) :

> *je convoierai, je convoierais; je dévoierai, je dévoierais.*

■ **Aller** (souvent rangé dans le 3ᵉ groupe) est bien plus *irrégulier :*

● Il utilise *3 radicaux* différents : va-, all- (aill-), ir- :

> *tu va-s; tu all-ais (que tu aill-es); tu ir-as (tu ir-ais).*

● Il utilise, comme quelques autres verbes intransitifs (§ 324), *l'auxiliaire*
être (et non avoir) aux temps composés :

> *Je suis allé(e); être allé(e)(s); étant allé(e)(s)...*

● Il est parfois remplacé par le verbe **être** (surtout dans la langue familière,
cf. § 323), particulièrement au passé simple et aux temps composés :

> *je fus (j'ai été, j'avais été, j'aurais été...) au cinéma*
> *(au lieu de : j'allai, je suis allé, j'étais allé, je serais allé...)*
> *nous fûmes nous promener; ils ont été à Venise...*

● Avec « **en** », il prend la *voix pronominale* (avec le sens de « partir ») :

> *Je m'en vais, tu t'en allais, il s'en ira, s'en aller...*

– attention à son *impératif* (voir § 347) :

> *Va-t'en (t' et non t euphonique).*

– attention à la *place de l'auxiliaire* aux temps composés (entre *en* et *allé*).

> *Je m'en suis allé(e); elle s'en était allée; s'en être allé(e)(s).*

mais, sous l'influence de « **s'enfuir** » (« *il s'en est fui* » devenu par la suite « *il*
s'est enfui »), on rencontre (même chez les bons auteurs) :

> *Il s'est en allé; quand elle se fut en allée; un espoir en allé...*

Devant cette hésitation (« *je m'en suis allé* », « *je me suis en allé* »), on dit
plutôt, tout simplement, « *je suis parti(e)* »...

777. DEUXIÈME GROUPE (ex. : finir, voix active)

INDICATIF		SUBJONCTIF
Présent	**Passé composé**	**Présent**
je finis	j' ai fini	que je fin-**iss**-e
tu finis	tu as fini	que tu fin-**iss**-es
il finit	il a fini	qu' il fin-**iss**-e
ns fin-**iss**-ons	ns avons fini	que ns fin-**iss**-ions
vs fin-**iss**-ez	vs avez fini	que vs fin-**iss**-iez
ils fin-**iss**-ent	ils ont fini	qu' ils fin-**iss**-ent
Imparfait	**Plus-que-parfait**	**Imparfait**
je fin-**iss**-ais	j' avais fini	que je fin-isse
tu fin-**iss**-ais	tu avais fini	que tu fin-isses
il fin-**iss**-ait	il avait fini	qu' il fin-ît
ns fin-**iss**-ions	ns avions fini	que ns fin-issions
vs fin-**iss**-iez	vs aviez fini	que vs fin-issiez
ils fin-**iss**-aient	ils avaient fini	qu' ils fin-issent
Passé simple	**Passé antérieur**	**Passé**
je fin-is	j' eus fini	que j' aie fini
tu fin-is	tu eus fini	que tu aies fini
il fin-it	il eut fini	qu' il ait fini
ns fin-îmes	ns eûmes fini	que ns ayons fini
vs fin-îtes	vs eûtes fini	que vs ayez fini
ils fin-irent	ils eurent fini	qu' ils aient fini
Futur	**Futur antérieur**	**Plus-que-parfait**
je finirai	j' aurai fini	que j' eusse fini
tu finiras	tu auras fini	que tu eusses fini
il finira	il aura fini	qu' il eût fini
ns finirons	ns aurons fini	que ns eussions fini
vs finirez	vs aurez fini	que vs eussiez fini
ils finiront	ils auront fini	qu' ils eussent fini
Futur du passé	**Fut. antér. du passé**	
je finirais	j' aurais fini	IMPÉRATIF
tu finirais	tu aurais fini	**Présent**
il finirait	il aurait fini	finis, fin-**iss**-ons,
ns finirions	ns aurions fini	fin-**iss**-ez
vs finiriez	vs auriez fini	**Passé**
ils finiraient	ils auraient fini	aie (ayons, ayez) fini

CONDITIONNEL	INFINITIF	
Présent	**Présent**	**Passé**
cf. **Futur du passé :**	finir	avoir fini
je finirais...		
Passé 1ʳᵉ forme	PARTICIPE	
cf. **Futur antér. du passé :**	**Présent**	**Passé**
j'aurais fini...	fin-**iss**-ant	ayant fini
Passé 2ᵉ forme		
cf. **Subj. pl.-q-pft.** (sans « que »).	GÉRONDIF	
j'eusse fini...	en fin-**iss**-ant	

Deuxième groupe : particularités

778. **Les verbes du 2ᵉ groupe** prennent à certains temps une *syllabe intercalaire* **-iss-** entre radical et terminaison : à l'indicatif présent et imparfait, à l'impératif présent, au subjonctif présent, au participe présent, au gérondif :

> *nous fini-iss-ons, vous fin-iss-iez, fin-iss-ons, (en) fin-iss-ant...*

Cette syllabe provient du latin **-esc-** qui indiquait un début d'action, sens bien perceptible dans notre conjugaison *« inchoative »* (du latin « inchoare » = commencer) (cf. § 312, 321, 327) :

> *nous blanch-iss-ons, vieill-iss-ons (= nous* devenons *blancs, vieux...)*

et mieux encore dans des mots comme :

> *adol-***esc***-ent, sén-***esc***-ent, flav-***esc***-ent, tum-***esc***-ent, turg-***esc***-ent*
>
> (adolescent = qui *devient* adulte; sénescent = qui *devient* sénile, vieux)...

N.B. Cette syllabe intercalaire *se réduit* au singulier de l'indicatif présent (d'où la confusion, *apparente*, avec le passé simple) :
Je *fin-iss-s : je fin-is (tu fin-is, il fin-it);
Quant à la « similitude » des subjonctifs présent et imparfait (sauf à la 3ᵉ p. du sing.), elle n'est également qu'apparente : au présent, entre radical et terminaison, il y a la syllabe -iss-, tandis qu'à l'imparfait il n'y a que radical + terminaison :
que je fin-iss-e, que tu fin-iss-es, que ns fin-iss-ions (présent);
que je fin-isse, que tu fin-isses, que ns fin-issions (imparfait)

---

779. ■ **Attention**! au verbe **haïr** qui prend partout un *tréma* sur l'i, *sauf au singulier de l'indicatif présent et à la 2ᵉ p. du sing. de l'impératif présent* :

> *je hais, tu hais, il hait (le mensonge); hais (le mensonge).*

La présence du tréma exclut l'*accent circonflexe* traditionnel des 1ʳᵉ et 2ᵉ p. du plur. du passé simple et de la 3ᵉ p. du sing. du subjonctif imparfait :

> *Nous haïmes, vous haïtes; qu'il (qu'elle) haït.*

780. **Autres curiosités.**

■ Le verbe **fleurir** a une conjugaison normale, mais au sens *figuré* (= prospérer) *il prend le radical* **flor-** à l'indicatif imparfait et au participe présent :

> *je flor-iss-ais, il(s) flor-iss-ai(en)t; flor-iss-ant.*

■ Le verbe **bénir** a 2 participes passés :

> *béni, bénie (soyez bénie, madame); bénit (pain), bénite (eau).*

■ Le verbe **maudire,** composé de *dire* (3ᵉ groupe), est passé au 2ᵉ groupe, alors que son doublet *« médire » est resté du 3ᵉ groupe :*

> *nous maudissons, vous maudissiez (cf. nous médisons, vous médisiez).*

■ Il en est de même pour **asservir,** composé de *servir* (3ᵉ groupe) :

> *nous asserv-iss-ons, en asserv-iss-ant (cf. nous serv-ons, en serv-ant)*

■ Il en est de même pour **répartir, impartir,** composés de *partir* (3ᵉ gr.).

■ Le verbe **ressortir,** au sens de « sortir de nouveau », est du 3ᵉ groupe, comme *sortir;* au sens de « appartenir à, être du ressort de », il est du 2ᵉ.

■ Ne pas confondre **agonir :** accabler (2ᵉ gr.), et agoniser (1ᵉʳ) :

> *ils agon-iss-ent; ils agonis-ent...*

■ **Saillir** (défectif, § 782, 829) hésite entre 2ᵉ et 3ᵉ gr.

781. **TROISIÈME GROUPE (ex.: servir,** voix active)

Présent

je	sers
tu	sers
il	sert
ns	servons
vs	servez
ils	servent

Passé composé

j'	ai	servi
tu	as	servi
il	a	servi
ns	avons	servi
vs	avez	servi
ils	ont	servi

Imparfait

je	servais
tu	servais
il	servait
ns	servions
vs	serviez
ils	servaient

Plus-que-parfait

j'	avais	servi
tu	avais	servi
il	avait	servi
ns	avions	servi
vs	aviez	servi
ils	avaient	servi

Passé simple

je	servis
tu	servis
il	servit
ns	servîmes
vs	servîtes
ils	servirent

Passé antérieur

j'	eus	servi
tu	eus	servi
il	eut	servi
ns	eûmes	servi
vs	eûtes	servi
ils	eurent	servi

Futur

je	servirai
tu	serviras
il	servira
ns	servirons
vs	servirez
ils	serviront

Futur antérieur

j'	aurai	servi
tu	auras	servi
il	aura	servi
ns	aurons	servi
vs	aurez	servi
ils	auront	servi

Futur du passé

je	servirais
tu	servirais
il	servirait
ns	servirions
vs	serviriez
ils	serviraient

Fut. antér. du passé

j'	aurais	servi
tu	aurais	servi
il	aurait	servi
ns	aurions	servi
vs	auriez	servi
ils	auraient	servi

Présent

que je	serve
que tu	serves
qu' il	serve
que ns	servions
que vs	serviez
qu' ils	servent

Imparfait

que je	servisse
que tu	servisses
qu' il	servît
que ns	servissions
que vs	servissiez
qu' ils	servissent

Passé

que j'	aie	servi
que tu	aies	servi
qu' il	ait	servi
que ns	ayons	servi
que vs	ayez	servi
qu' ils	aient	servi

Plus-que-parfait

que j'	eusse	servi
que tu	eusses	servi
qu' il	eût	servi
que ns	eussions	servi
que vs	eussiez	servi
qu' ils	eussent	servi

Présent

sers, servons, servez

Passé

aie (ayons, ayez) servi

Présent
cf. **Futur du passé :**

je servirais...

Passé 1ʳᵉ forme
cf. **Futur antér. du passé :**

j'aurais servi...

Passé 2ᵉ forme
cf. **Subj. pl.-q-pft.** (sans « que ») :

j'eusse servi...

| **Présent** | **Passé** |
| servir | avoir servi |

| **Présent** | **Passé** |
| servant | ayant servi |

en servant

782. La **particularité** première des verbes du troisième groupe, c'est qu'ils sont tous plus ou moins *irréguliers;* d'où leur déclin et leur recul (voir § 312).

- **Avoir** et **être** (nous l'avons dit) sont eux-mêmes du 3ᵉ groupe.
- **Aller** (avec ses 3 radicaux différents) est souvent rangé dans le 3ᵉ groupe.
- On distingue au 3ᵉ groupe les verbes en **-ir**; en **-oir**; en **-re**.

Les verbes en -ir

783. **Certains verbes en -ir** ont des terminaisons du *1ᵉʳ groupe* (§ 336) :

- **couvrir, ouvrir** (et leurs composés) **offrir, souffrir** : à l'indicatif présent et à l'impératif présent :

  > *je couvre, tu couvres, il couvre...; couvre, couvrons, couvrez.*
  > *j'offre, tu offres, il offre; offre, offrons, offrez.*

- **cueillir** (et ses composés **accueillir, recueillir**) : à l'indicatif présent, futur, futur du passé (ou conditionnel présent), à l'impératif présent :

  > *je cueille, tu cueilles, il cueille, nous cueillons...*
  > *je cueillerai, tu cueilleras...; je cueillerais, tu cueillerais...*
  > *cueille, cueillons, cueillez (mais p. simple : je cueillis, tu cueillis...).*

- **assaillir, tressaillir, défaillir** : à l'indicatif et à l'impératif présents :

  > *j'assaille, tu assailles, il assaille...; assaille, assaillons, assaillez.*

N.B. **assaillir** est souvent remplacé par *attaquer;* **tressaillir** par *sursauter;* **défaillir** par *s'affaiblir* ou *s'évanouir* (2ᵉ gr.); **faillir** et **saillir** sont *défectifs* (§ 829);

---

784. ■ **Servir** (tableau ci-contre) sert de modèle à ses composés **desservir** et **resservir;** mais **asservir** est passé au 2ᵉ groupe (§ 780);

785. ■ **Les verbes en -tir,** assez nombreux, se conjuguent comme **sentir** :

> *je sens, je sentais, je sentis, je sentirai...*

citons : **mentir, partir, se repentir, sortir** (et leurs composés);

- **Attention à vêtir,** qui tend à passer au 2ᵉ groupe; on rencontre :

  > *je vêtis, à côté de je vêts; je vêtissais, à côté de je vêtais.*

mais ses *composés* (**dévêtir** et **revêtir**) restent régulièrement du 3ᵉ :

> *je revêts, je dévêts; je revêtais, je dévêtais...*

Vêtir est souvent remplacé, prudemment, par **habiller** !

- **Attention à partir** *et à ses composés :*

  — **partir,** aujourd'hui *intransitif*, avec auxil. *être (je pars, je suis parti(e)),* était autrefois *transitif*, avec auxiliaire *avoir*, au sens de « *partager »;* cf. *j'ai eu maille à partir avec lui* (= *pièce à partager;* cf. *ni sou ni maille).*
  — **répartir** et **impartir** sont passés au 2ᵉ groupe (§ 779).
  — **repartir** et **départir** restent du 3ᵉ groupe : **départir** est surtout *pronominal* : il ne se départ (départait, départit, départira) jamais de son flegme; mais il tend à passer au 2ᵉ gr.; **repartir** a deux sens : *retourner* (auxiliaire *être*) : il repart; il est reparti – *répondre sur-le-champ* (auxiliaire *avoir*) : *il repartait vivement à sa mère.*

786. **TROISIÈME GROUPE (ex.: acquérir,** voix active)

INDICATIF				SUBJONCTIF	
Présent		**Passé composé**		**Présent**	
j' acquiers	j'	ai	acquis	que j'	acquière
tu acquiers	tu	as	acquis	que tu	acquières
il acquiert	il	a	acquis	qu' il	acquière
ns acquérons	ns	avons	acquis	que ns	acquérions
vs acquérez	vs	avez	acquis	que vs	acquériez
ils acquièrent	ils	ont	acquis	qu' ils	acquièrent
Imparfait		**Plus-que-parfait**		**Imparfait**	
j' acquérais	j'	avais	acquis	que j'	acquisse
tu acquérais	tu	avais	acquis	que tu	acquisses
il acquérait	il	avait	acquis	qu' il	acquît
ns acquérions	ns	avions	acquis	que ns	acquissions
vs acquériez	vs	aviez	acquis	que vs	acquissiez
ils acquéraient	ils	avaient	acquis	qu' ils	acquissent
Passé simple		**Passé antérieur**		**Passé**	
j' acquis	j'	eus	acquis	que j' aie	acquis
tu acquis	tu	eus	acquis	que tu aies	acquis
il acquit	il	eut	acquis	qu' il ait	acquis
ns acquîmes	ns	eûmes	acquis	que ns ayons	acquis
vs acquîtes	vs	eûtes	acquis	que vs ayez	acquis
ils acquirent	ils	eurent	acquis	qu' ils aient	acquis
Futur		**Futur antérieur**		**Plus-que-parfait**	
j' acquerrai	j'	aurai	acquis	que j' eusse	acquis
tu acquerras	tu	auras	acquis	que tu eusses	acquis
il acquerra	il	aura	acquis	qu' il eût	acquis
ns acquerrons	ns	aurons	acquis	que ns eussions	acquis
vs acquerrez	vs	aurez	acquis	que vs eussiez	acquis
ils acquerront	ils	auront	acquis	qu' ils eussent	acquis

Futur du passé		**Fut. antér. du passé**		
j' acquerrais	j'	aurais	acquis	
tu acquerrais	tu	aurais	acquis	
il acquerrait	il	aurait	acquis	
ns acquerrions	ns	aurions	acquis	
vs acquerriez	vs	auriez	acquis	
ils acquerraient	ils	auraient	acquis	

IMPÉRATIF

Présent

acquiers, acquérons,
acquérez

Passé

aie (ayons, ayez) acquis

CONDITIONNEL

Présent
cf. **Futur du passé :**
j'acquerrais...

Passé 1re forme
cf. **Futur antér. du passé :**
j'aurais acquis...

Passé 2e forme
cf. **Subj. pl.-q-pft.** (sans « que »).
j'eusse acquis...

INFINITIF

Présent **Passé**
acquérir avoir acquis

PARTICIPE

Présent **Passé**
acquérant ayant acquis

GÉRONDIF

en acquérant

787. ■ Le *défectif* **quérir** (§ 829), remplacé par **chercher**, a des composés vivaces : **acquérir** (voir ci-contre), **conquérir, reconquérir, requérir, s'enquérir;** noter l'*alternance* **-quier-, -quér-;** noter aussi les 2 r du futur et du futur du passé (ou conditionnel présent) :

j'acquerrai, j'acquerrais; je conquerrai, je conquerrais...

788. ■ Le verbe **courir** *et sa famille* : **accourir, concourir, discourir, encourir, parcourir, recourir, secourir,** prennent 2 r au futur et au futur du passé (ou conditionnel présent) :

je courrai, je concourrai, je discourrai, j'encourrai, je parcourrai...
je courrais, je parcourrais, je recourrais, je secourrais...

■ **Mourir** est proche de la famille de **courir** :

je mourrai, tu mourras...; je mourrais, tu mourrais...

Noter l'*alternance* **meur-, mour-** du présent indicatif et subjonctif :

je meurs, ns mourons; que je meure, que ns mourions.

Noter qu'il utilise l'*auxiliaire* **être** (et non **avoir**) aux *temps composés* :

il est mort; il serait mort; qu'il soit mort...

789. ■ **Tenir** *et ses composés* (**s'abstenir, appartenir, contenir, détenir, entretenir, maintenir, obtenir, retenir, soutenir**); **venir** *et ses composés* (**advenir, circonvenir, contrevenir, convenir, devenir, disconvenir, intervenir, obvenir, parvenir, provenir, redevenir, se ressouvenir, revenir, se souvenir, subvenir, survenir**) appellent quelques remarques :

● *alternance* de radical à l'indicatif, à l'impératif, au subjonctif présents :

je tiens, ns tenons; que je tienne, que ns tenions; tiens, tenons.
je viens, ns venons; que je vienne, que ns venions; viens, venons.

● futur et futur du passé (conditionnel présent) à *radical déformé* :

je tiendrai, je tiendrais; je viendrai, je viendrais.

● passé simple et subjonctif imparfait en **-ins** (au lieu de **-is**) :

je tins, tu tins, il tint...; que je tinsse, que tu tinsses, qu'il tînt
je vins, tu vins, il vint...; que je vinsse, que tu vinsses, qu'il vînt

Venir et ses **composés** prennent l'auxiliaire **être** (sauf : *contrevenir, subvenir, circonvenir et prévenir*) qui utilisent **avoir;** quant à *convenir,* il peut utiliser les 2 auxiliaires, cf. § 325).

790. ■ **Attention !** à **bouillir** :

Je bous, tu bous, il bout, ns bouillons, vs bouillez, ils **bouillent;**
Je bouillais; je bouillis; je bouillirai; que je bouille;
bous, bouillons, bouillez; bouillant, bouilli (qui devient **bouillu* dans le dicton populaire : « *café *bouillu, café foutu* »)

791. ■ **Ouïr** et **gésir** sont *défectifs* (§ 829).

792. ■ **Attention !** à **fuir** et **s'enfuir,** sources de *barbarismes* (surtout au passé simple); radical fui-, fuy-, fu- :

je fui-s, ns fuy-ons; je fuy-ais, ns fuy-ions; que je fui-e; fui-s;
passé simple : *je fu-is, tu fu-is, il fu-it, ns fu-îmes, vs fu-îtes, ils fu-irent.*

Dire (et écrire) : *ils fuirent, s'enfuirent* (et non **fuyèrent, *s'enfuyèrent* !)

792. TROISIÈME GROUPE (ex. : **recevoir,** voix active)

INDICATIF			SUBJONCTIF		
Présent	**Passé composé**		**Présent**		
je reçois	j' ai	reçu	que je reçoive		
tu reçois	tu as	reçu	que tu reçoives		
il reçoit	il a	reçu	qu' il reçoive		
ns recevons	ns avons	reçu	que ns recevions		
vs recevez	vs avez	reçu	que vs receviez		
ils reçoivent	ils ont	reçu	qu' ils reçoivent		
Imparfait	**Plus-que-parfait**		**Imparfait**		
je recevais	j' avais	reçu	que je reçusse		
tu recevais	tu avais	reçu	que tu reçusses		
il recevait	il avait	reçu	qu' il reçût		
ns recevions	ns avions	reçu	que ns reçussions		
vs receviez	vs aviez	reçu	que vs reçussiez		
ils recevaient	ils avaient	reçu	qu' ils reçussent		
Passé simple	**Passé antérieur**		**Passé**		
je reçus	j' eus	reçu	que j' aie	reçu	
tu reçus	tu eus	reçu	que tu aies	reçu	
il reçut	il eut	reçu	qu' il ait	reçu	
ns reçûmes	ns eûmes	reçu	que ns ayons	reçu	
vs reçûtes	vs eûtes	reçu	que vs ayez	reçu	
ils reçurent	ils eurent	reçu	qu' ils aient	reçu	
Futur	**Futur antérieur**		**Plus-que-parfait**		
je recevrai	j' aurai	reçu	que j' eusse	reçu	
tu recevras	tu auras	reçu	que tu eusses	reçu	
il recevra	il aura	reçu	qu' il eût	reçu	
ns recevrons	ns aurons	reçu	que ns eussions	reçu	
vs recevrez	vs aurez	reçu	que vs eussiez	reçu	
ils recevront	ils auront	reçu	qu' ils eussent	reçu	
Futur du passé	**Fut. antér. du passé**				
je recevrais	j' aurais	reçu	IMPÉRATIF		
tu recevrais	tu aurais	reçu	**Présent**		
il recevrait	il aurait	reçu	reçois, recevons, recevez		
ns recevrions	ns aurions	reçu	**Passé**		
vs recevriez	vs auriez	reçu	aie (ayons, ayez) reçu		
ils recevraient	ils auraient	reçu			

CONDITIONNEL	INFINITIF	
Présent	**Présent**	**Passé**
cf. **Futur du passé :**	recevoir	avoir reçu
je recevrais...		
Passé 1ʳᵉ forme	PARTICIPE	
cf. **Futur antér. du passé :**	**Présent**	**Passé**
j'aurais reçu...	recevant	ayant reçu
Passé 2ᵉ forme		
cf. **Subj. pl.-q-pft.** (sans « que »).	GÉRONDIF	
j'eusse reçu...	en recevant	

Les verbes en -oir (ils ont tous un *radical variable*).

794. ■ **Le verbe recevoir** (tableau ci-contre) sert de modèle à :
percevoir, apercevoir, entr'apercevoir, concevoir, décevoir;
ne pas oublier la *cédille* devant un *o* ou un *u* :

> *je perçois; je conçus; que j'aperçoive; elle m'a déçu...*

■ **Devoir** (radical dev-, doiv-, doi-, et même d-) est proche de *recevoir* :

> *je doi-s; ns dev-ons; ils doiv-ent; je d-us, que je d-usse.*

Au *participe passé* seul le masc. sing. prend l'*accent circonflexe* :

> *dû, due, dus, dues.*

■ **Mouvoir** (radical mouv-, meuv-, meu-, et m-) et ses composés **émouvoir,
promouvoir**, sont également proches de *recevoir* :

> *je meu-s; ns mouv-ons; ils meuv-ent; je m-us, que je m-usse.*
> *je mouvrai, je mouvrais; j'émouvrai(s); je promouvrai(s).*

Attention aux participes passés :

> *mû, mue, mus, mues;* mais *ému(e)(s)* et *promu(e)(s).*

N.B. **Mouvoir** est souvent remplacé par *actionner, mettre en mouvement;* **émouvoir,** par *toucher* (et même par l'affreux **émotionner !*).

---

795. ■ **Pouvoir, vouloir, valoir** ont des *ressemblances* et des *différences* :

• *Indicatif présent* en -x, -x, -t (au lieu de -s, -s, -t) :

> *je (tu) peux, il peut; je (tu) veux, il veut; je (tu) vaux, il vaut*

mais *je peux* est souvent remplacé par *je puis* (cf. *puis-je?* et non **peux-je?*)

• *Futur* et *futur du passé* (ou *conditionnel présent*) avec *r* redoublé pour pouvoir, *-d-* intercalé pour vouloir et valoir :

> *je pourrai(s); je vou-d-rai(s); je vau-d-rai(s).*

• *Subjonctif présent « mouillé »* :

> *que je (que tu, qu'il, que ns, que vs, qu'ils) :*
> *puisse, puisses, puisse, puissions, puissiez, puissent;*
> *veuille, veuilles, veuille, voulions, vouliez, veuillent;*
> *vaille, vailles, vaille, valions, valiez, vaillent.*
> *(cf. la locution célèbre « vaille que vaille », § 408).*

• Attention à leur *impératif* :

– *il est régulier* (quoique rare) pour valoir : *vaux, valons, valez.*

– *il n'existe pas* pour pouvoir, où il est remplacé par un subj. de souhait :

> *puisses-tu, puissions-nous, puissiez-vous.*

– *il est double* pour vouloir :

> *veux, voulons, voulez* (encouragement à une ferme volonté);
> *veuille, veuillons, veuillez* (invitation polie; cf. *veuillez agréer*)...

796. ■ **Savoir** a un *radical* très variable : sai-, sav-, sau-, sach-, s-) :

> *je sai-s; ns sav-ons, je sau-rai, que je sach-e; je s-us, s-u(e)(s).*

« Je ne sais » est curieusement remplacé par *« je ne sache »* dans *« je ne sache pas que »* (+ subj.), pour exprimer une *affirmation atténuée* (voir § 408); cf. la *relative figée « que je sache »* (§ 617).

797. TROISIÈME GROUPE (ex. : asseoir, voix active)

INDICATIF		SUBJONCTIF
Présent	**Passé composé**	**Présent**
j' assieds[1]	j' ai assis	que j' asseye[1]
tu assieds	tu as assis	que tu asseyes
il assied	il a assis	qu' il asseye
ns asseyons	ns avons assis	que ns asseyions
vs asseyez	vs avez assis	que vs asseyiez
ils asseyent	ils ont assis	qu' ils asseyent
Imparfait	**Plus-que-parfait**	**Imparfait**
j' asseyais[1]	j' avais assis	que j' assisse
tu asseyais	tu avais assis	que tu assisses
il asseyait	il avait assis	qu' il assît
ns asseyions	ns avions assis	que ns assissions
vs asseyiez	vs aviez assis	que vs assissiez
ils asseyaient	ils avaient assis	qu' ils assissent
Passé simple	**Passé antérieur**	**Passé**
j' assis	j' eus assis	que j' aie assis
tu assis	tu eus assis	que tu aies assis
il assit	il eut assis	qu' il ait assis
ns assîmes	ns eûmes assis	que ns ayons assis
vs assîtes	vs eûtes assis	que vs ayez assis
ils assirent	ils eurent assis	qu' ils aient assis
Futur	**Futur antérieur**	**Plus-que-parfait**
j' assiérai[1]	j' aurai assis	que j' eusse assis
tu assiéras	tu auras assis	que tu eusses assis
il assiéra	il aura assis	qu' il eût assis
ns assiérons	ns aurons assis	que ns eussions assis
vs assiérez	vs aurez assis	que vs eussiez assis
ils assiéront	ils auront assis	qu' ils eussent assis
Futur du passé	**Fut. antér. du passé**	
j' assiérais[1]	j' aurais assis	IMPÉRATIF
tu assiérais	tu aurais assis	**Présent**
il assiérait	il aurait assis	assieds, asseyons, asseyez[1]
ns assiérions	ns aurions assis	**Passé**
vs assiériez	vs auriez assis	
ils assiéraient	ils auraient assis	aie assis, ayons (ayez) assis

CONDITIONNEL	INFINITIF	
Présent	**Présent**	**Passé**
cf. **Futur du passé** :	asseoir	avoir assis
j'assiérais...[1]		
Passé 1ʳᵉ forme	PARTICIPE	
cf. **Futur antér. du passé** :	**Présent**	**Passé**
j'aurais assis...	asseyant[1]	ayant assis
Passé 2ᵉ forme		
cf. **Subj. pl.-q-pft.** (sans « que ») :	GÉRONDIF	
j'eusse assis...	en asseyant[1] 1. cf. § 798	

798. ■ **Asseoir** est un verbe important, à bien maîtriser (tableau ci-contre) :

● Certains de ses temps ont *double forme* : en **-oi** / **-oy** et en **-ié, -ied** / **-ey**; ce sont : l'indicatif présent, imparfait, futur, futur du passé (ou le conditionnel présent), le subjonctif présent, l'impératif présent, le participe présent et le gérondif (voir le tableau ci-contre, notes 1) :

> *j'assois* ou *j'assieds; j'assoyais* ou *j'asseyais; j'assoirai(s)* ou *j'assiérai(s);*
> *assois* ou *assieds; que j'assoie* ou *que j'asseye; (en) assoyant* ou *asseyant...*

● Les formes en **-ié, -ied** / **-ey** sont les plus couramment utilisées (d'où la présentation du tableau ci-contre); quant aux formes en **-oi** / **-oy**, notons qu'elles perdent l'**e** *intérieur* de l'infinitif; on écrit, en effet :

> *asseoir,* mais : *j'assois, j'assoyais, j'assoirai, j'assoirais, que j'assoie...*

N.B.   Le *futur* et le *futur du passé* avaient même une 3ᵉ forme (aujourd'hui abandonnée) :
j'asseyerai, tu asseyeras...; j'asseyerais, tu asseyerais...

● Il s'emploie surtout à la *voix pronominale* (cf. § 771) :

> *je m'assieds* (ou *je m'assois*); *assieds-toi* (ou *assois-toi*)...
> *je me suis (je m'étais, je me fus, je me serai...) assis(e).*

● C'est (avec *préfixe ad-*) un composé de « **seoir** », verbe archaïque et *défectif*, qui a 2 sens : « *convenir* » et « *être situé* » (voir § 829).

■ **Rasseoir** se conjugue comme *asseoir;* pour **rassir,** voir § 829.

■ **Messeoir** (= *ne pas convenir*) est archaïque et *défectif* (voir § 829).

■ **Surseoir** (= *remettre à plus tard*) se conjugue sur « *asseoir* » (mais uniquement sur les formes en **-oi/-oy**); et, au futur et au futur du passé ou au conditionnel présent, il conserve l'**e** *interne* de l'infinitif !) :

> *je sursois, je sursoyais, je* **surseoirai,** *je* **surseoirais,** *que je sursoie...*

799. ■ **Voir** a pour radicaux **voy-, voi-, v-** :

> *je voy-ais; je voi-s, que je voi-e, je v-is, que je v-isse, v-u(e)(s)...*

Au *futur* et au *futur du passé* (ou au *conditionnel présent*) il fait :

> *je verrai, tu verras, il verra...; je verrais, tu verrais, il verrait...*

Attention à ses *composés* :

● **revoir, entrevoir, prévoir** se conjuguent comme voir, mais **prévoir** fait son futur et son futur du passé (ou son conditionnel présent) en **-oir-** :

> *je reverrai, j'entreverrai...;* mais *je* **prévoirai,** *je* **prévoirais...**

● **pourvoir** (comme *prévoir*) a son futur et son futur du passé en **-oir-** :

> *je pourvoirai, tu pourvoiras... je pourvoirais, tu pourvoirais...*

et ses *passé simple* et *subjonctif imparfait* sont en **-u-** (et non en **-i-**) :

> *je pourv-us, tu pourv-us...; que je pourv-usse, que tu pourv-usses...*

● son composé **dépourvoir** est rare et défectif :

> *il est dépourvu de tout; prendre au dépourvu* (participe substantivé).

800. ■ **Pleuvoir** et **falloir** sont *impersonnels* (ou unipersonnels) (§ 823 sq.).

801. ■ **Choir, déchoir, échoir** sont *défectifs* (§ 829).

802. TROISIÈME GROUPE (ex. : **tendre,** voix active)

INDICATIF			SUBJONCTIF
Présent	**Passé composé**		**Présent**
je tends	j' ai	tendu	que je tende
tu tends	tu as	tendu	que tu tendes
il tend	il a	tendu	qu' il tende
ns tendons	ns avons	tendu	que ns tendions
vs tendez	vs avez	tendu	que vs tendiez
ils tendent	ils ont	tendu	qu' ils tendent
Imparfait	**Plus-que-parfait**		**Imparfait**
je tendais	j' avais	tendu	que je tendisse
tu tendais	tu avais	tendu	que tu tendisses
il tendait	il avait	tendu	qu' il tendît
ns tendions	ns avions	tendu	que ns tendissions
vs tendiez	vs aviez	tendu	que vs tendissiez
ils tendaient	ils avaient	tendu	qu' ils tendissent
Passé simple	**Passé antérieur**		**Passé**
je tendis	j' eus	tendu	que j' aie tendu
tu tendis	tu eus	tendu	que tu aies tendu
il tendit	il eut	tendu	qu' il ait tendu
ns tendîmes	ns eûmes	tendu	que ns ayons tendu
vs tendîtes	vs eûtes	tendu	que vs ayez tendu
ils tendirent	ils eurent	tendu	qu' ils aient tendu
Futur	**Futur antérieur**		**Plus-que-parfait**
je tendrai	j' aurai	tendu	que j' eusse tendu
tu tendras	tu auras	tendu	que tu eusses tendu
il tendra	il aura	tendu	qu' il eût tendu
ns tendrons	ns aurons	tendu	que ns eussions tendu
vs tendrez	vs aurez	tendu	que vs eussiez tendu
ils tendront	ils auront	tendu	qu' ils eussent tendu
Futur du passé	**Fut. antér. du passé**		
je tendrais	j' aurais	tendu	IMPÉRATIF
tu tendrais	tu aurais	tendu	**Présent**
il tendrait	il aurait	tendu	tends, tendons, tendez
ns tendrions	ns aurions	tendu	**Passé**
vs tendriez	vs auriez	tendu	aie (ayons, ayez) tendu
ils tendraient	ils auraient	tendu	

CONDITIONNEL	INFINITIF	
Présent cf. **Futur du passé :** je tendrais...	**Présent** tendre	**Passé** avoir tendu
Passé 1ʳᵉ forme cf. **Futur antér. du passé :** j'aurais tendu...	PARTICIPE	
Passé 2ᵉ forme cf. **Subj. pl.-q-pft.** (sans « que ») : j'eusse tendu...	**Présent** tendant	**Passé** ayant tendu
	GÉRONDIF en tendant	

803. **Verbes à radical** *invariable* (1) :

■ Se conjuguent sur **tendre** (tableau ci-contre) :

Les verbes en **-endre** (sauf **prendre** et ses *composés*; voir § 807) :
– composés de *tendre :* **attendre, détendre, distendre, entendre, étendre, prétendre, retendre, sous-entendre, sous-tendre.**
– **défendre** (qui n'a pas la même étymologie que **fendre** !).
– **descendre** et ses *composés :* **condescendre** et **redescendre.**
– **fendre** et ses *composés :* **pourfendre** et **refendre.**
– **pendre** et ses *composés :* **appendre, dépendre, rependre, suspendre.**
– **rendre.**
– **vendre** et ses *composés :* **mévendre** et **revendre.**

● Les verbes en **-andre :** **épandre** et **répandre.**

● Les verbes en **-ondre :**
– **fondre** et ses *composés :* **confondre, morfondre** (se), **parfondre, refondre;**
– **pondre;**
– **répondre** et **correspondre;**
– **tondre** et **retondre.**

● Les verbes en **-erdre :** **perdre** et **reperdre :**

● Les verbes en **-ordre :**
– **mordre** (**démordre, remordre**);
– **tordre** (**détordre, distordre, retordre**).

N.B. ■ Le **d final** du radical entraîne la *suppression* du -t caractéristique de la 3ᵉ personne du singulier de l'indicatif présent (aux 2ᵉ et 3ᵉ gr. : **-s, -s, -t**) :

j'attend-s, tu attend-s, il attend...; il défend; il descend; il fend; il pend; il rend; il vend; il épand; il répond; il mord...

■ Attention aux verbes en **-ompre : rompre, corrompre, interrompre,** dont le radical se termine par un **-p** (et non un **-d**); d'où la réapparition normale du **-t** final à la 3ᵉ p. du sing. de l'indicatif présent :

il romp-t; il corromp-t; il interromp-t.

---

804. ■ **Battre** *et ses composés :* **abattre, combattre, contrebattre, débattre, (s')ébattre, embattre** (ou **embatre**), **rabattre, rebattre,** dont le radical se termine par -tt-, perdent un t au singulier de l'indicatif présent et de l'impératif présent :

je bat-s, tu bat-s, il ba-t; bat-s (ns batt-ons, vs batt-ez, ils battent).

(on peut même dire qu'il en perd 2 à la 3ᵉ personne du singulier : *il ba-t*).

■ **Mettre** *et ses composés :* **admettre, commettre, compromettre, démettre, émettre, (s')entremettre, omettre, permettre, promettre, réadmettre, remettre, retransmettre, soumettre, transmettre,** sont proches de *battre :*

● radical terminé par 2 t (réduit à un à l'indic. et à l'impér. présent sing. :

je met-s, tu met-s, il me-t (cf. il ba-t); met-s (mett-ons, mett-ez).

● mais radical *réduit* aux passé simple, subjonctif imparfait, participe passé :

je m-is, que je m-isse; m-is (m-ise, m-is, m-ises).

805. **TROISIÈME GROUPE** (ex. : **peindre,** voix active)

<table>
<tr><td colspan="3">INDICATIF</td><td colspan="2">SUBJONCTIF</td></tr>
<tr><td>Présent</td><td colspan="2">Passé composé</td><td colspan="2">Présent</td></tr>
<tr><td>je peins</td><td>j' ai</td><td>peint</td><td colspan="2">que je peigne</td></tr>
<tr><td>tu peins</td><td>tu as</td><td>peint</td><td colspan="2">que tu peignes</td></tr>
<tr><td>il peint</td><td>il a</td><td>peint</td><td colspan="2">qu' il peigne</td></tr>
<tr><td>ns peignons</td><td>ns avons</td><td>peint</td><td colspan="2">que ns peignions</td></tr>
<tr><td>vs peignez</td><td>vs avez</td><td>peint</td><td colspan="2">que vs peigniez</td></tr>
<tr><td>ils peignent</td><td>ils ont</td><td>peint</td><td colspan="2">qu' ils peignent</td></tr>
<tr><td>Imparfait</td><td colspan="2">Plus-que-parfait</td><td colspan="2">Imparfait</td></tr>
<tr><td>je peignais</td><td>j' avais</td><td>peint</td><td colspan="2">que je peignisse</td></tr>
<tr><td>tu peignais</td><td>tu avais</td><td>peint</td><td colspan="2">que tu peignisses</td></tr>
<tr><td>il peignait</td><td>il avait</td><td>peint</td><td colspan="2">qu' il peignît</td></tr>
<tr><td>ns peignions</td><td>ns avions</td><td>peint</td><td colspan="2">que ns peignissions</td></tr>
<tr><td>vs peigniez</td><td>vs aviez</td><td>peint</td><td colspan="2">que vs peignissiez</td></tr>
<tr><td>ils peignaient</td><td>ils avaient</td><td>peint</td><td colspan="2">qu' ils peignissent</td></tr>
<tr><td>Passé simple</td><td colspan="2">Passé antérieur</td><td colspan="2">Passé</td></tr>
<tr><td>je peignis</td><td>j' eus</td><td>peint</td><td>que j' aie</td><td>peint</td></tr>
<tr><td>tu peignis</td><td>tu eus</td><td>peint</td><td>que tu aies</td><td>peint</td></tr>
<tr><td>il peignit</td><td>il eut</td><td>peint</td><td>qu' il ait</td><td>peint</td></tr>
<tr><td>ns peignîmes</td><td>ns eûmes</td><td>peint</td><td>que ns ayons</td><td>peint</td></tr>
<tr><td>vs peignîtes</td><td>vs eûtes</td><td>peint</td><td>que vs ayez</td><td>peint</td></tr>
<tr><td>ils peignirent</td><td>ils eurent</td><td>peint</td><td>qu' ils aient</td><td>peint</td></tr>
<tr><td>Futur</td><td colspan="2">Futur antérieur</td><td colspan="2">Plus-que-parfait</td></tr>
<tr><td>je peindrai</td><td>j' aurai</td><td>peint</td><td>que j' eusse</td><td>peint</td></tr>
<tr><td>tu peindras</td><td>tu auras</td><td>peint</td><td>que tu eusses</td><td>peint</td></tr>
<tr><td>il peindra</td><td>il aura</td><td>peint</td><td>qu' il eût</td><td>peint</td></tr>
<tr><td>ns peindrons</td><td>ns aurons</td><td>peint</td><td>que ns eussions</td><td>peint</td></tr>
<tr><td>vs peindrez</td><td>vs aurez</td><td>peint</td><td>que vs eussiez</td><td>peint</td></tr>
<tr><td>ils peindront</td><td>ils auront</td><td>peint</td><td>qu' ils eussent</td><td>peint</td></tr>
<tr><td>Futur du passé</td><td colspan="2">Fut. antér. du passé</td><td colspan="2"></td></tr>
<tr><td>je peindrais</td><td>j' aurais</td><td>peint</td><td colspan="2">IMPÉRATIF</td></tr>
<tr><td>tu peindrais</td><td>tu aurais</td><td>peint</td><td colspan="2">Présent</td></tr>
<tr><td>il peindrait</td><td>il aurait</td><td>peint</td><td colspan="2">peins, peignons, peignez</td></tr>
<tr><td>ns peindrions</td><td>ns aurions</td><td>peint</td><td colspan="2">Passé</td></tr>
<tr><td>vs peindriez</td><td>vs auriez</td><td>peint</td><td colspan="2">aie (ayons, ayez) peint</td></tr>
<tr><td>ils peindraient</td><td>ils auraient</td><td>peint</td><td colspan="2"></td></tr>
</table>

CONDITIONNEL	INFINITIF	
Présent cf. **Futur du passé :** je peindrais...	**Présent** peindre	**Passé** avoir peint
Passé 1ʳᵉ forme cf. **Futur antér. du passé :** j'aurais peint...	PARTICIPE	
	Présent peignant	**Passé** ayant peint
Passé 2ᵉ forme cf. **Subj. pl.-q-pft.** (sans « que ») : j'eusse peint...	GÉRONDIF	
	en peignant	

806. ■ **Vaincre** a son radical terminé par un **c**; ce c devient **qu-** devant une voyelle (sauf **-u**); à la 3ᵉ p. du sing. de l'indicatif présent, ce -c entraîne la chute de la terminaison -t :

> *je vainc-s, tu vainc-s, il vainc, ns vainqu-ons, vs vainqu-ez, ils vainquent;*
> *je vainqu-ais...; je vainqu-is...; je vainc-rai; que je vainqu-e;*
> *vainqu-ant; en vainqu-ant; mais : vainc-u(e)(s).*

N.B. **Vaincre** a un composé : **convaincre,** qui a les mêmes caractéristiques; bien distinguer son participe présent de l'adjectif verbal correspondant :

> *convainqu-ant; convainquant(e)(s) : des paroles convaincantes;*

---

807. **Verbes à radical** *variable* (2) :

Prendre *et ses composés* : **apprendre, comprendre, (se) déprendre, désapprendre, entreprendre, (s')éprendre, (se) méprendre, réapprendre** (ou **rapprendre**), **reprendre, surprendre,** ont le radical **prend-** devant consonne, **prenn-** ou **pren-** devant voyelle, **pr-** au passé simple, au subjonctif imparfait et au participe passé (à la 3ᵉ p. s. de l'indicatif présent le -d final du radical entraîne la chute de la terminaison -t) :

> *Je prend-s, tu prend-s, il prend, ns pren-ons, vs pren-ez, ils prenn-ent;*
> *Je pren-ais...; je prend-rai...; que je prenn-e; prend-s; pren-ant;*
> *Je pr-is, tu pr-is...; que je pr-isse, que tu pr-isses...; pr-is(e)(s).*

808. ■ Les verbes en **-eindre, -aindre, -oindre** se conjuguent comme **peindre** (tableau ci-contre), ils ont le radical en **-eind-** (**-aind-, -oind-**), en **-ein-** (**-ain-, -oin-**), ou en **-eign-** (**-aign-, -oign-**); ce sont :

● les verbes en **-eindre : peindre, dépeindre, repeindre;** — **astreindre, étreindre, restreindre;** — **atteindre;** — **ceindre, enceindre;** — **empreindre;** — **enfreindre;** — **éteindre;** — **feindre;** — **geindre;** — **teindre, déteindre, reteindre :**

> *Je teind-rai; je tein-s; je teign-ais, je peign-is; teint(e)(s);*

● les 3 verbes en **-aindre : craindre, contraindre** et **plaindre :**

> *Je craind-rai; je contrain-s; je plaign-ais, je plaign-is; crain-t(e)(s);*

● les verbes en **-oindre :**
– **joindre** et ses *composés* : **adjoindre, conjoindre, disjoindre, enjoindre, rejoindre;**
– **-oindre** (= frotter d'huile), **poindre** (= piquer) : *défectifs* (§ 829) :

> *je joind-rai; je join-s; je joign-is; join-t(e)(s)*
> *« Oign-ez vilain, il vous poind-ra; poign-ez vilain, il vous oind-ra »*

809. ■ Les verbes en **-soudre** ont le radical en **-soud, -sou-, solv-, -sol-;** ce sont : **absoudre, dissoudre, résoudre :**

> *je résou-s, tu résou-s, il résou-t, ns résolv-ons, vs résolv-ez, ils résolv-ent;*
> *je résoud-rai; je résol-us; résol-u(e)(s).*

Attention à leur *participe passé* (cf. § 355) :

> *absous, absoute (cf. absolu); dissous, dissoute (cf. dissolu);*
> *résous, résoute (cf. résolu).*

810. TROISIÈME GROUPE (ex. : **connaître,** voix active)

INDICATIF

Présent

je	connais			
tu	connais			
il	connaît			
ns	connaissons			
vs	connaissez			
ils	connaissent			

Passé composé

j'	ai	connu
tu	as	connu
il	a	connu
ns	avons	connu
vs	avez	connu
ils	ont	connu

SUBJONCTIF

Présent

que je	connaisse
que tu	connaisses
qu' il	connaisse
que ns	connaissions
que vs	connaissiez
qu' ils	connaissent

Imparfait

je	connaissais
tu	connaissais
il	connaissait
ns	connaissions
vs	connaissiez
ils	connaissaient

Plus-que-parfait

j'	avais	connu
tu	avais	connu
il	avait	connu
ns	avions	connu
vs	aviez	connu
ils	avaient	connu

Imparfait

que je	connusse
que tu	connusses
qu' il	connût
que ns	connussions
que vs	connussiez
qu' ils	connussent

Passé simple

je	connus
tu	connus
il	connut
ns	connûmes
vs	connûtes
ils	connurent

Passé antérieur

j'	eus	connu
tu	eus	connu
il	eut	connu
ns	eûmes	connu
vs	eûtes	connu
ils	eurent	connu

Passé

que j'	aie	connu
que tu	aies	connu
qu' il	ait	connu
que ns	ayons	connu
que vs	ayez	connu
qu' ils	aient	connu

Futur

je	connaîtrai
tu	connaîtras
il	connaîtra
ns	connaîtrons
vs	connaîtrez
ils	connaîtront

Futur antérieur

j'	aurai	connu
tu	auras	connu
il	aura	connu
ns	aurons	connu
vs	aurez	connu
ils	auront	connu

Plus-que-parfait

que j'	eusse	connu
que tu	eusses	connu
qu' il	eût	connu
que ns	eussions	connu
que vs	eussiez	connu
qu' ils	eussent	connu

Futur du passé

je	connaîtrais
tu	connaîtrais
il	connaîtrait
ns	connaîtrions
vs	connaîtriez
ils	connaîtraient

Fut. antér. du passé

j'	aurais	connu
tu	aurais	connu
il	aurait	connu
ns	aurions	connu
vs	auriez	connu
ils	auraient	connu

IMPÉRATIF

Présent

connais, connaissons,
connaissez

Passé

aie (ayons, ayez) connu

CONDITIONNEL

Présent
cf. **Futur du passé :**

je connaîtrais...

Passé 1ʳᵉ forme
cf. **Futur antér. du passé :**

j'aurais connu...

Passé 2ᵉ forme
cf. **Pl.-que-pft.** (sans « que »).

j'eusse connu...

INFINITIF

Présent	**Passé**
connaître	avoir connu

PARTICIPE

Présent	**Passé**
connaissant	ayant connu

GÉRONDIF

en connaissant

811. ■ **Coudre** et ses composés **découdre, recoudre**, ont 2 radicaux : **coud-** à l'infinitif prés., au futur et au fut. du passé (condit. prés.), au sing. de l'indic. prés.; **cous-** partout ailleurs. **Attention** ! passé simple et subj. impft sont en **-i-**, mais le part. passé est en **-u** :

> **coud-** : *coud-re, je coud-rai, je coud-rais; coud-s; je coud-s, tu coud-s, il coud.*
> **cous-** : *ns cous-ons...; je cous-ais...; cous-ons, cous-ez; que je cous-e...; je cous-is, que je cous-isse; cous-u(e)(s).*

812. ■ **Moudre** et ses composés **émoudre, remoudre** ont (comme *coudre*) 2 radicaux : **moud-** (aux mêmes formes que coud-), **moul-** partout ailleurs (le p. simple et le subj. impft étant en **-u-**, comme le part. passé) :

> **moud-** : *moud-re, je moud-rai(s), moud-s, je (tu) moud-s, il moud.*
> **moul-** : *ns moul-ons...; je moul-ais, que je moul-e, (en) moul-ant, je moul-us, que je moul-usse, moul-u(e)(s).*

813. ■ Les verbes en **-aître** se conjuguent comme **connaître** (cf. tableau) :

● ses *composés* : **méconnaître** et **reconnaître**;

● **paraître** et ses *composés* : **apparaître, comparaître, disparaître, réapparaître, recomparaître, reparaître, transparaître.**

Leur radical, terminé par un -t à l'infinitif *(connaît-)*, perd ce t devant s ou t *(connai-)*, devient -ss- devant voyelle *(connaiss-)*, sauf au p. simple, au subj. impft. et au part. passé où il s'abrège *(conn-)* :

> *connaît-re, je connaît-rai(s); je connai-s, il connaî-t.*
> *je connaiss-ais, que je connaiss-e, (en) connaiss-ant.*
> *je conn-us, que je conn-usse, conn-u(e)(s).*

Noter l'*accent circonflexe* sur le **i** précédant un **t** :

N.B. ■ **Naître** et son composé **renaître** se conjuguent comme *connaître*, mais ils ont un radical irrégulier **(naqu-)** au p. simple et au subj. impft.; le part. passé de naître est « *né* » (celui de renaître n'existe pas, sauf dans le prénom **René** = re-né, « né une 2ᵉ fois » !) :
> *je nai-s, il naî-t, je naiss-ais, il naqu-it, qu'il naqu-ît, né(e)(s).*

■ **Paître** est *défectif* (§ 829), mais son composé *pronominal* **se repaître** est complet :
> *je me repai-s, je me repaiss-ais, je me rep-us, (s'étant) repu(e)(s).*

---

814. ■ Les verbes en **-oître** sont proches des verbes en **-aître**; ce sont :

● **croître** (souvent remplacé par *pousser, grandir*) et ses *composés* **accroître** (= augmenter), **s'accroître** (= grandir), **décroître** (= diminuer, baisser), **recroître** (rare); radical : **croît-, croî-, croiss-, cr-** :

> *croît-re, je croît-rai(s); je croî-s; je croiss-ais; je cr-ûs.*

Attention à l'*accent circonflexe*, qui se met non seulement sur **i** devant **t**, mais aussi dans toutes les formes qui pourraient se confondre avec des formes *homophones* du verbe **croire** (voir ci-après § 821) :

> *je croîs, tu croîs, il croît (ns croissons...); croîs (croissons...)*
> *je crûs, tu crûs, il crût, ns crûmes, vs crûtes, ils crûrent*
> (noter la similitude avec *croire* aux 1ᵉ et 2ᵉ p. du plur.).
> *que je crûsse, que tu crûsses, qu'il crût, que ns crûssions...*
> (noter la similitude avec *croire* à la 3ᵉ p. du sing.).

815. ▪ **Suivre** et ses composés **poursuivre et s'ensuivre** ont le radical terminé par un v; ce v se maintient partout, sauf devant -s et -t :

    je sui-s, il sui-t (ns suiv-ons); sui-s (suiv-ons); je suiv-ais;
    je suiv-is; je suiv-rai(s); suiv-i(e)(s).

816. ▪ **Vivre** et ses composés **revivre, survivre,** ont, comme *suivre,* le radical terminé par un -v; ce v se maintient partout, sauf devant -s et -t :

    je vi-s, il vi-t (ns viv-ons); vi-s (viv-ons, viv-ez); je viv-ais;
    je viv-rai(s); que je viv-e, que ns viv-ions...

Attention. Au passé simple, au subj. impft., au part. passé, ils ont un *radical irrégulier* (**véc-, revéc-, survéc-**) :

    je véc-us, ns véc-ûmes; que je véc-usse...; vécu(e)(s).

817. ▪ Les verbes en **-uire,** qu'on peut répartir en verbes :

  • en **-duire** comme : **conduire, déduire, éconduire, enduire, induire, introduire, produire, reconduire, réduire, réintroduire, reproduire, retraduire, séduire, traduire.**

  • en **-struire** comme : **construire, détruire, instruire, reconstruire.**

  • **cuire** et **recuire;** •**luire** et **reluire;** •**nuire** et **s'entre-nuire,**
ont un radical *abrégé,* terminé par -i, devant une consonne; mais devant une voyelle, ce i est suivi d'un -s :

    je condui-rai(s), je condui-s; je conduis-ais, je conduis-is
    j'instrui-rai(s), j'instrui-s; j'instruis-ais, j'instruis-is;
    je cui-s, je cuis-is; je nui-s, je nuis-is; je lui-s, je luis-is...

818. Les verbes en **-ire** (sauf *écrire*, voir § 817 NB) se répartissent ainsi :

● **Lire** et ses *composés* **relire, élire, réélire** (ces 2 derniers retrouvant le sens étymologique de lire : « *choisir* »); radical *li-, lis-*, réduit à *l-* au passé simple, au subj. impft. et au participe passé :

> *je li-s, je lis-ais, que je lis-e; je l-us, que je l-usse, l-u(e)(s)*

● **Dire** et ses *composés* **contredire, dédire, interdire, médire, prédire, redire;** radical *di-, dis-, d- :*

> *je di-s, ns dis-ons; je dis-ais; je d-is, ns d-îmes, que je d-isse*

● **Rire** et son composé **sourire;** radical *ri-, r- :*

> *je ri-s, ns ri-ons; je ri-ais, ns ri-ions; que je ri-e, que ns ri-ions; je r-is, ns r-îmes; que je r-isse, qu'il r-ît...*

leur participe passé : *ri, souri*, est *invariable;*

● **Suffire** et quelques verbes rares : **confire, déconfire, circoncire,** et **frire** (*défectif*, voir § 829); radical terminé en *-i, en -is*, ou élidé :

> *je suffi-s, ns suffis-ons; je suff-is, ns suff-îmes; suffis-ant, suff-i*

---

819. ■ Les verbes en **-aire** peuvent se répartir comme suit :
● **Plaire** et ses composés **complaire** et **déplaire** + **taire**; radical terminé en *ai-, ais-*, ou élidé :

> *je plai-s; je plais-ais; je pl-us, ns pl-ûmes;*
> *je (me) tai-s; je (me) tais-ais; je (me) t-us, ns (ns) t-ûmes.*

● **Traire** et ses *composés* **abstraire, distraire, extraire, retraire, soustraire** + **braire** (*défectif*, voir § 829); radical terminé en *ai* ou *ay* :

> *je trai-s, ns tray-ons; que je soustrai-e, que ns soustray-ions;*
> *distrai-s, distray-ons, distray-ez.*

820. TROISIÈME GROUPE (ex. : faire, voix active)

INDICATIF				SUBJONCTIF		
Présent		**Passé composé**		**Présent**		
je	fais	j'	ai fait	que	je	fasse
tu	fais	tu	as fait	que	tu	fasses
il	fait	il	a fait	qu'	il	fasse
ns	faisons	ns	avons fait	que	ns	fassions
vs	faites	vs	avez fait	que	vs	fassiez
ils	font	ils	ont fait	qu'	ils	fassent
Imparfait		**Plus-que-parfait**		**Imparfait**		
je	faisais	j'	avais fait	que	je	fisse
tu	faisais	tu	avais fait	que	tu	fisses
il	faisait	il	avait fait	qu'	il	fît
ns	faisions	ns	avions fait	que	ns	fissions
vs	faisiez	vs	aviez fait	que	vs	fissiez
ils	faisaient	ils	avaient fait	qu'	ils	fissent
Passé simple		**Passé antérieur**		**Passé**		
je	fis	j'	eus fait	que	j'	aie fait
tu	fis	tu	eus fait	que	tu	aies fait
il	fit	il	eut fait	qu'	il	ait fait
ns	fîmes	ns	eûmes fait	que	ns	ayons fait
vs	fîtes	vs	eûtes fait	que	vs	ayez fait
ils	firent	ils	eurent fait	qu'	ils	aient fait
Futur		**Futur antérieur**		**Plus-que-parfait**		
je	ferai	j'	aurai fait	que	j'	eusse fait
tu	feras	tu	auras fait	que	tu	eusses fait
il	fera	il	aura fait	qu'	il	eût fait
ns	ferons	ns	aurons fait	que	ns	eussions fait
vs	ferez	vs	aurez fait	que	vs	eussiez fait
ils	feront	ils	auront fait	qu'	ils	eussent fait
Futur du passé		**Fut. antér. du passé**				
je	ferais	j'	aurais fait			
tu	ferais	tu	aurais fait	IMPÉRATIF		
il	ferait	il	aurait fait	**Présent**		
ns	ferions	ns	aurions fait	fais, faisons, faites		
vs	feriez	vs	auriez fait	**Passé**		
ils	feraient	ils	auraient fait	aie (ayons, ayez) fait		

CONDITIONNEL

Présent
cf. **Futur du passé :**
je ferais...

Passé 1ʳᵉ forme
cf. **Futur antér. du passé :**
j'aurais fait...

Passé 2ᵉ forme
cf. **Pl.-q-pft.** (sans « que »).
j'eusse fait...

INFINITF

Présent	**Passé**
faire	avoir fait

PARTICIPE

Présent	**Passé**
faisant	ayant fait

GÉRONDIF

en faisant

• **Faire** (le plus employé des verbes du 3ᵉ groupe, un des plus *fréquents* de la langue française, et ses *composés :* **contrefaire, défaire, redéfaire, refaire, satisfaire** (et quelques autres plus ou moins *défectifs :* **forfaire, malfaire, méfaire** et **parfaire**); radical **fai-, fais-, fass-, f-** :

> *je fai-s, tu fai-s, il fai-t, ns fais-ons, vs fai-tes, ils f-ont;*
> *je fais-ais...; je fe-rai...; je fe-rais...; que je fass-e...;*
> *je f-is, ns f-îmes; que je f-isse, qu'il f-ît, que ns f-issions...;*
> *fais-ant; en fais-ant; fai-t(e)(s); fai-s, fais-ons, fai-tes.*

N.B. ■ Noter (comme dans **dire** : *vs dites, dites) les terminaisons curieuses* en **-tes** des 2ᵉ p. pl. de l'indicatif et de l'impératif présent :

> *vous faites, faites* (sans accent circonflexe);

■ Veiller à la *prononciation* en e muet de **-ai-** dans :

> *ns faisons; faisons; je faisais, tu faisais, il faisait...; faisant, en faisant.*

---

821. Les verbes en **-oire** sont proches des verbes en **-aire**; ce sont : **boire** et **croire** (2 verbes très fréquents); le radical de **boire** est : **boi-, boiv-, buv-, b-;** celui de **croire** est : **croi-, croy-, cr-** :

> *je boi-s, tu boi-s, il boi-t, ns buv-ons, vs buv-ez, ils boiv-ent;*
> *je buv-ais...; je boi-rai(s)... que je boiv-e, que ns buv-ions;*
> *je b-us, ns b-ûmes; que je b-usse, qu'il b-ût, que ns b-ussions;*
> *bu-(e)(s); buv-ant; en buv-ant;*
>
> *je croi-s, tu croi-s, il croi-t, ns croy-ons, vs croy-ez, ils croi-ent;*
> *je croy-ais...; je croi-rai(s)...; que je croi-e, que ns croy-ions;*
> *je cr-us, ns cr-ûmes; que je cr-usse, qu'il cr-ût, que ns cr-ussions;*
> *cr-u(e)(s); croy-ant; en croy-ant.*

822. Pour « conclure » et pour « clore » cet examen des capricieux verbes du 3ᵉ groupe, saluons, précisément, les verbes **conclure** et **clore** :

■ **Conclure** et les verbes de sa famille : **exclure, inclure, occlure** (rare) et **reclure** (défectif) ne devraient pas poser de problèmes ; leur radical est *invariable* (**conclu-, exclu-, inclu-**) sauf au *passé simple,* au *subj. imparfait* et au *participe passé,* où il est *élidé* (**concl-, excl-, incl-**) :

> *je conclu-s, je conclu-ais, je conclu-rai, que je conclu-e, conclu-s;*
> *je concl-us, ns concl-ûmes, que je concl-usse, concl-u(e)(s).*

Mais ils ont une fâcheuse tendance à « se prendre » pour des verbes du 1ᵉʳ groupe, comme s'il s'agissait de *concluer (cf. muer, tuer, ruer, huer, puer...); d'où les *barbarismes* fréquents :

> *je *conclue-rai, je *conclue-rais,* au lieu des formes normales et correctes *je* **conclu-rai,** *ns* **conclu-rons...,** *je* **conclu-rais,** *ns* **conclu-rions...**

Attention à leur **participe passé** capricieux; on écrit :

> **conclu**(e)(s) et **exclu**(e)(s) *mais* **inclus**(e)(s), **occlus**(e)(s), **reclus**(e)(s).

■ **Clore,** enfin, est rare et *défectif* (voir § 829); on le remplace, prudemment, par un verbe du 1ᵉʳ groupe : *terminer, fermer, clôturer* :

> *je clos, tu clos, il clôt, ils closent; je clorai; je clorais; que je close; j'ai (j'avais, j'aurai, j'aurais, que j'aie, que j'eusse) clos; clos (impér.); clos (close, clos, closes); closant.*

Ses *composés* **déclore, éclore, enclore, forclore,** sont *défectifs* (§ 829).

823. IMPERSONNELS (ex. : neiger, 1er groupe)

INDICATIF		SUBJONCTIF
Présent	**Passé composé**	**Présent**
il neige	il a neigé	qu'il neige
Imparfait	**Plus-que-parfait**	**Imparfait**
il neigeait	il avait neigé	qu'il neigeât
Passé simple	**Passé antérieur**	**Passé**
il neigea	il eut neigé	qu'il ait neigé
Futur	**Futur antérieur**	**Plus-que-parfait**
il neigera	il aura neigé	qu'il eût neigé
Futur du passé	**Fut. ant. du passé**	IMPÉRATIF
il neigerait	il aurait neigé	(inusité)

CONDITIONNEL	INFINITIF	
Présent	**Présent**	**Passé**
il neigerait	neiger	avoir neigé
Passé 1re forme	PARTICIPE	
il aurait neigé	**Présent**	**Passé**
Passé 2e forme	neigeant	ayant neigé
il eût neigé	GÉRONDIF : en neigeant	

824. IMPERSONNELS (ex. : pleuvoir, 3e groupe)

INDICATIF		SUBJONCTIF
Présent	**Passé composé**	**Présent**
il pleut	il a plu	qu'il pleuve
Imparfait	**Plus-que-parfait**	**Imparfait**
il pleuvait	il avait plu	qu'il plût
Passé simple	**Passé antérieur**	**Passé**
il plut	il eut plu	qu'il ait plu
Futur	**Futur antérieur**	**Plus-que-parfait**
il pleuvra	il aura plu	qu'il eût plu
Futur du passé	**Fut. ant. du passé**	IMPÉRATIF
il pleuvrait	il aurait plu	(inusité)

CONDITIONNEL	INFINITIF	
Présent	**Présent**	**Passé**
il pleuvrait	pleuvoir	avoir plu
Passé 1re forme	PARTICIPE	
il aurait plu	**Présent**	**Passé**
Passé 2e forme	pleuvant	ayant plu
il eût plu	GÉRONDIF : en pleuvant	

825. Les *véritables* verbes **impersonnels** (ou mieux **unipersonnels**) n'existent qu'à la 3ᵉ personne du singulier de la voix *active* (avec auxiliaire avoir), à tous les modes et à tous les temps (sauf à l'impératif qui n'a pas de 3ᵉ personne). Sauf **falloir** (§ 829), ils expriment des *phénomènes de la nature* :

> *neiger, venter, tonner, brumer, bruiner, geler* (1ᵉʳ gr.); *pleuvoir* (3ᵉ gr.).

Ils peuvent s'employer *personnellement*, mais avec un sens *figuré* :

> Les pétales **neigeaient** sur le tapis. Les obus **pleuvaient** sur la cité.

826. Certains verbes, habituellement **personnels**, peuvent s'employer *impersonnellement* (ou unipersonnellement); ce sont :

- le verbe **être** et les verbes d'*état*, ainsi que le gallicisme « **il y a** » :

> *Il* **est** *des parfums frais comme des chairs d'enfants* (Baudelaire).
> *Il* **est** *(il* **existe***, il* **y a***) des malheureux* – *Il* **semble** *(il* **paraît***) que...*

- des verbes *actifs intransitifs* (avec l'auxiliaire adéquat) :

> *Il* **est arrivé** *un malheur* – *Il* **a couru** *des bruits fâcheux.*

- des verbes *passifs* (surtout dans le style *administratif*) :

> *Il* **a été perdu (trouvé)** *un porte-monnaie* – *Il* **sera procédé** *à un vote*
> – *Il* **est rappelé** *au public que...* – *Il* **est défendu** *aux élèves de...*

- des verbes *pronominaux* :

> *Il* **se peut** *que...; il* **se trouve** *que...; il* **s'agit** *de...; il* **s'ensuit** *que...*

- le verbe **faire** (suivi d'un *adjectif* ou d'un *nom* en fonction d'*attribut*) :

> *Il* **fait** *beau; il* **fait** *soleil* – *Il* **faisait** *sombre; il* **faisait** *nuit...*

N.B. Ces verbes (comme les véritables impersonnels se conjuguent à tous les modes et à tous les temps (sauf l'*impératif* qui n'a pas de 3ᵉ p.)
ex. : **arriver** (actif intransitif à auxiliaire être); **s'agir** (pronominal du 2ᵉ groupe) :

- il arrive, il arrivait, il arriva, il arrivera... il est arrivé, il était arrivé...; qu'il arrive, qu'il soit arrivé...;
- il s'agit, il s'agissait, il s'agira...; il s'est agi...; qu'il s'agisse; qu'il s'agît, qu'il se soit agi, qu'il se fût agi... (je doute qu'il **s'agisse** de toi; je doutais qu'il **s'agît** de toi).

---

827. Dans l'emploi des verbes impersonnels le *pronom personnel* « **il** » est *neutre* et seulement sujet « **apparent** » (ou *grammatical*); le vrai sujet (ou sujet « **réel** ») est placé derrière : nom ou équivalents :

> Il pleuvait sur la rade **un silencieux crachin breton** *(groupe du nom).*
> Il s'est trouvé, à point nommé, **quelqu'un de nos amis** *(gr. du pronom).*
> Il est tombé hier **beaucoup de gros flocons** *(gr. de l'adv. de quantité).*
> Il faut (il convient de) **réagir** – Il fait bon **vivre** *(infinitifs).*
> Il est nécessaire **que tu lui fasses des excuses** *(subord. complétive).*

N.B. ■ L'omission du sujet apparent n'empêche pas l'existence du sujet « réel » :

> Inutile **de nier** – Impossible **de dormir** (il est inutile, il est impossible...)

■ **Se souvenir,** devenu personnel, a d'abord été *impersonnel :* il me (te, lui, nous vous, leur) souvient (souvint, souviendra...); autant qu'il m'en souvienne :

> Un soir, t'en **souvient-il,** nous voguions en silence. *(Lamartine).*
> Faut-il qu'**il m'en souvienne.** *(Apollinaire).* Voir § 22.

■ **Cuire** peut devenir *impersonnel :* il t'en cuira...

Les verbes défectifs

828. **Le 1er groupe n'a guère que deux verbes défectifs,** qu'on ne rencontre qu'à l'infinitif dans : **bayer** aux corneilles; **ester** en justice :

- **bayer** a un doublet : **béer** (cf. *béant; bouche bée*); ne pas le confondre avec **bâiller** (accent circonflexe sur a et non sur i) : *bâiller d'ennui, de fatigue;* ni avec *bailler* (sans accent) = donner (cf. *bail, bailleur de fonds, vous me la baillez belle* = vous voulez me tromper, m'en faire accroire).

- **ester** (latin *stare* : se tenir debout) = intenter, suivre, soutenir une action devant les juges (ester en justice).

829. ■ **Les verbes défectifs des 2e et 3e groupes** sont plus nombreux :

- **accroire** = croire ce qui n'est pas; n'existe qu'à l'infinitif :

   en faire accroire (= essayer de tromper).

- **apparoir** = apparaître avec évidence n'existe qu'à la 3e p. sing. de l'indicatif présent (langue juridique) en emploi impersonnel : *il appert.*

- **braire** (en parlant de l'âne), à ne pas confondre avec le verbe populaire *brailler*, ne se conjugue qu'aux 3e p. sing. et plur. (cf. § 819) :

   il brait, brayait, braira...; ils braient, brayaient, brairont...
   il a (avait, eut, aura...) brait; ils ont (avaient, eurent...) brait...

- **bruire** (menacé par le barbarisme **bruisser* et le néologisme *bruiter*) ne s'emploie plus guère qu'à l'infinitif, aux 3e p. sing. et pl. du présent et de l'imparfait de l'indicatif et au participe présent :

   il bruit, ils bruissent; il bruissait, ils bruissaient (qui ont éliminé *bruyait, bruyaient); bruissant* (qui a éliminé *bruyant,* devenu adjectif).

- **chaloir** (cf. nonchaloir, nonchalant...) = importer, n'existe plus que comme impersonnel à l'indicatif et au subjonctif présents :

   peu me (te, lui, nous, vous, leur) chaut (avec un t et non un d, malgré « ni chaud ni froid » !); *pour peu qu'il vous en chaille.*

N.B. Le participe présent « **chalant** » s'est substantivé et est devenu « **chaland** » (avec un d) = qui a de l'intérêt pour → ami → client (cf. *achalandé* = qui a des clients, § 721).

- **choir** (en recul devant *tomber*) ne s'emploie plus qu'à l'infinitif *(choir, faire choir, laisser choir);* les formes *il choit, il chut, il cherra* (« la bobinette cherra ») et le participe passé *chu,* sont devenus rares (sauf dans certains patois : *il a chu, tu vas choir...).*

— **déchoir** (composé de *choir*) est moins défectif; il a le présent *(je déchois, tu déchois...)* le futur *(je déchoirai* ou *je décherrai...),* le conditionnel présent *(je déchoirais* ou *je décherrais...)* les subj. présent et imparfait *(que je déchoie... que je déchusse...)* et le participe passé *(déchu).*

— **échoir** (autre composé de *choir*) a les formes suivantes : *il échoit* ou *échet, ils échoient* ou *échéent; il échoira* ou *écherra; il échoirait* ou *écherrait; il échut, ils échurent; échéant* (cf. la participiale figée : « *le cas échéant »); échu;* auxiliaire être aux temps composés

   Cela nous est échu en partage – Votre terme est échu depuis hier.

- **clore** (voir § 822) ne s'emploie ni à l'imparfait ni au passé simple (ni donc au subjonctif imparfait); quant à ses *composés* :
- **déclore** et **forclore** n'ont que l'infinitif et le participe passé :

    déclos, déclose; forclos, forclose (langue juridique).
- **enclore** est le moins défectif (voir *clore*).
- **éclore** n'a que les 3ᵉ personnes *(il éclot, ils éclosent; il éclora, ils écloront...)* et le participe passé *(éclos);* ses temps composés utilisent les 2 auxiliaires : (les fleurs *ont éclos,* ou les fleurs *sont écloses*).

N.B. Selon l'Académie on doit écrire : *il éclot, il enclot* (sans accent), mais l'usage est d'écrire : *il éclôt, il enclôt (*comme *il clôt).*

- **emboire** (composé de *boire)* n'existe qu'au participe passé *(un tableau* ***embu),*** parfois substantivé *(l'****embu*** *rend ce tableau terne);* ne pas confondre avec « **embué** » (du verbe *embuer)* : *des yeux* ***embués*** *de larmes.*

- **faillir** s'emploie comme *semi-auxiliaire (il a failli tomber),* ou *absolument (il est sujet à faillir* = à commettre une faute), ou *avec complément (faillir à l'honneur* = manquer) : à l'indic. présent 3ᵉ p. sing. (faut : *le cœur me faut),* au passé simple, au futur, au conditionnel, au subj. impft complets *(je faillis...; je faillirai...; je faillirais...; que je faillisse...)* et au participe passé *(failli).*

- **falloir**, doublet de *faillir* (au sens de manquer, faire défaut; d'où être nécessaire) est devenu *impersonnel* (§ 825) : *il faut, il fallait, il fallut, il faudra, il faudrait, qu'il faille...*

N.B. Avec « en », il prend la *voix pronominale* :
    il s'en faut, il s'en fallut...; peu s'en fallait, peu s'en faudra...

- **férir** (= frapper) ne s'emploie qu'à l'infinitif (cf. *sans coup férir)* et au participe adjectivé *(féru* = frappé, épris; *féru de musique, de poésie).*

- **forfaire** (= agir en dehors, manquer à; cf. **fors** : § 472) existe à l'infinitif et aux temps composés : *forfaire, il a (avait, aura...) forfait à l'honneur;* son part. passé est devenu nom commun : *un forfait.*

- **frire** (cf. § 817) existe au sing. du présent, au futur et au conditionnel complets *(je fris, tu fris, il frit; je frirai..., je frirais...),* à l'impératif sing. *(fris),* aux temps composés *(j'ai, j'avais... frit);* le participe passé peut se substantiver *(une frite, des frites, un cornet de frites).*

N.B. En emploi transitif on dit : je *fais frire* du poisson, plutôt que : je *fris* du poisson; en emploi intransitif, on dit : le poisson *est en train de frire,* plutôt que : le poisson *frit.*

- **gésir** (= être étendu) n'existe qu'au présent *(je gis...;* cf. *ci-gît, ci-gisent),* à l'impft. *(je gisais...),* au part. présent *(gisant;* parfois substantivé : *un gisant, des gisants).*

• **imboire** (doublet d'*emboire*) n'existe qu'au participe adjectivé (**imbu**; *cet homme est imbu de préjugés*).

• **impartir** (= accorder, donner en partage) s'emploie surtout au participe passé et au passif *(les délais impartis; le temps qui nous est imparti)*.

• **issir** (= sortir) n'existe qu'au participe passé (**issu**; cf. *une issue*).

• **occire** (= tuer) n'existe qu'au participe passé et aux temps composés, dans un sens ironique *(j'ai occis une puce)*.

• **oindre** (= frotter d'huile, puis d'huile sainte) se conjugue sur *joindre* (§ 808) : *j'oins, j'oignais, j'oignis, j'oindrai...*; cf. *l'Oint du Seigneur* = le Christ; cf. le dicton : *Oignez vilain, il vous poindra; poignez vilain, il vous oindra)*.

• **ouïr** (= entendre) s'emploie à l'infinitif et au participe passé dans la langue judiciaire *(ouïr des témoins; ouï ce dernier témoin)*; aux temps composés avec un infinitif *(j'ai ouï dire)*; cf. *par ouï-dire*.

• **paître** (conjugué sur *connaître*, § 813) a 2 sens : *brouter* et *garder (les moutons paissent; le berger paît son troupeau)*; il n'a ni passé simple ni subj. impft., ni participe passé (ni donc temps composés).

• **poindre** n'existe qu'à l'infinitif, ainsi qu'au présent, au futur *(l'aube point, poindra, va poindre)* et à l'impératif *(poignez* = piquez; voir le dicton ci-dessus à *oindre)*.

• **quérir** ou **querir** (= chercher) (cf. § 787) n'a que l'infinitif (dans les patois) : *va-t'en quérir les bêtes*.

• **rassir** est un verbe dans la langue parlée formé sur le participe passé de *rasseoir* (§ 798) : *rassis, rassise* (et non **rassie)*.

• **saillir** (lat. *salire* = sauter) est vieilli et peu usité (infinitif et 3e pers. sing. et plur.) :
– au sens de *jaillir* (bien plus employé que lui), il est du 2e gr. (finir) : *l'eau saillit, saillissait, saillira, saillirait...*;
– au sens de *faire saillie, déborder*, il se conjugue comme son composé *assaillir* (3e gr.), sauf au futur et futur du passé : *il (elle) saille, saillait, saillera* (et non *saillira)*, *saillerait* (et non *saillirait)...*; son participe présent *adjectivé* est fréquent : *saillant, un fait saillant;*
– au sens de *couvrir une femelle* (langue de l'élevage), il est du 2e gr. et non défectif; son participe passé substantivé est courant : une *saillie* (d'étalon, de taureau...); cf. le sens figuré : *une saillie = un trait d'esprit.*

• **seoir** : Au sens de *situer* n'existe qu'au part. passé (*sis, sise;* langue juridique). Au sens de *convenir*, existe aux formes : *sied, siéent; seyai(en)t; siéra, siéront; siérai(en)t; qu'il siée (siéent); séant* (ou *seyant)*; son composé **messeoir** (= ne pas convenir) a les mêmes formes *(messied, messiéra...)*; part. prés. : *messéant.*

• **traire** (= tirer; dans certaines régions on dit « *tirer les vaches* » plutôt que « *traire* ») et ses *composés* **abstraire, distraire, extraire, retraire, soustraire** (voir § 819) n'existent ni à l'indicatif passé simple, ni au subjonctif imparfait; ils sont donc un peu *défectifs.*

N.B. Attention à **s'ensuivre** (§ 815 N.B.), souvent *impersonnel : il s'ensuit (il s'ensuivra, il s'ensuivit)* que..., mais plutôt *défectif :*
    des ennuis s'ensuivirent, s'ensuivront, s'ensuivraient...

Accord du verbe avec son sujet

830. Règle. Le verbe s'accorde en *nombre* et en *personne* avec son sujet :

> *Tu marches vite (2ᵉ p. s.) – Les chevaux galopent (3ᵉ p. pl.).*

Pour les *temps composés*, il y a de plus accord en *genre* :

> *Elles sont revenues hier (3ᵉ p. du fém. pl.).*

Remarques sur l'accord en nombre

831. Lorsqu'il y a un seul sujet, et que ce sujet est :

■ un **nom collectif** (foule, troupe, bande, horde, nuée, armée, multitude...),
● si ce nom est *seul*, sans complément, le verbe est au *singulier* :

> *La foule s'écoule. Une horde fonça. Tout le monde va bien* (et non **vont*)

● si ce nom est suivi d'un *complément au pluriel*, l'accord est plus délicat : c'est le sens qui commande (selon qu'on insiste sur l'*ensemble* ou sur le *complément*, le verbe est au *singulier* ou au *pluriel*) :

> *Un troupeau de vaches* **retarda** *notre allure (on insiste sur le* troupeau*)*
> *Une foule de touristes* **visitent** *Paris (on insiste sur les visiteurs)*

N.B. ■ Dans certains cas l'accord est *indifférent :*
> *Une foule de spectateurs* **fait** *(ou* **font***) la queue.*

■ Si le collectif est précédé de l'*article défini* ou d'un adjectif *démonstratif* ou *possessif*, le verbe reste au *singulier* :
> *La (cette, notre) foule de spectateurs* **attendait** *patiemment.*

■ un **pronom neutre** :

● **« il »**, sujet *apparent* (grammatical) d'un verbe *impersonnel* (ou unipersonnel), le verbe reste au *singulier* (même si le sujet « réel » est un pluriel) :

> *Il tombe (tombait, tombera...) de très gros grêlons.*

● **« ce »** (**« c' »**), le verbe est également au *singulier* :

> *C'est un homme; c'est moi (toi, lui, elle); c'est nous (vous, eux, elles).*

Cependant, avec *eux, elles*, et un *nom pluriel*, le pluriel est préférable (surtout dans la langue écrite) :

> *Ce* **sont** *(c'étaient) eux – Ce* **furent** *(ce seront) des disputes sans fin.*

■ un **adverbe de quantité** (beaucoup, peu, assez, moins, trop, tant, combien...), avec ou sans complément, le verbe est au *pluriel* :

> *Beaucoup d'enfants* **sont** *étourdis; combien* **devraient** *mieux faire !*

N.B. ■ Avec « *la moitié* », « *le tiers* », « *le quart* »...; « *une dizaine* », « *une douzaine* », « *une centaine* »..., c'est *le sens* qui commande le singulier ou le pluriel :
> *La douzaine d'œufs* **vaut** *huit francs; une douzaine de devoirs* **valent** *la moyenne.*
> *La moitié des élèves* **se sont trompés**; *la moitié des députés* **a voté** *pour ce projet.*

■ Après « *plus d'un* », le verbe est au singulier; après « *moins de deux* », il est au pluriel :
> *Plus d'un (plus d'une) ici* **a regretté** *votre départ.*
> *Moins de deux jours* **se sont écoulés** *depuis votre départ.*

■ une **locution** voisine de l'adverbe de quantité (ou d'un collectif) (la plupart, nombre de, quantité de, force...), le verbe est aussi au *pluriel* :

> *La plupart des accidents* **sont dus** *à l'imprudence; quantité d'entre eux* **pourraient** *être évités* – *Force bêtises* **ont été dites** *ici ce soir.*

832. **Lorsqu'il y a plusieurs sujets,** et que ces sujets sont :

■ *juxtaposés* ou *coordonnés* par **et,** le verbe est au *pluriel* :

> *Mon oncle, ma tante et mes cousins* **arrivent** *demain.*

N.B.   Avec *comme, de même que, ainsi que,* au lieu de *et,* le verbe est tantôt au singulier, tantôt au pluriel (noter la *ponctuation,* cf. § 756) :
> Pierre, comme Paul, **est** mon ami – Pierre comme Paul **sont** mes amis.

■ *juxtaposés,* mais repris par un *pronom singulier* (**tout, rien, personne**), le verbe est au *singulier* :

> *Livres, jouets, friandises, tout le* **laisse** *indifférent (rien ne l'*attire*).*

■ *coordonnés* par **ni,** le verbe se met :

• au *pluriel* quand il n'y a pas d'**exclusive** :

> *Un effort ou une émotion* **peuvent** *mettre sa vie en danger.*
> *Ni l'or ni la grandeur ne nous* **rendent** *heureux. (La Fontaine)*

• au *singulier* s'il y a **exclusive** :

> *Pierre ou Paul* **a menti** *(c'est l'un, ou l'autre).*
> *Ni Pierre ni Paul* **n'est** *mon préféré.*

■ « **l'un(e) et l'autre** », le verbe est généralement au *pluriel* :

> *L'un et l'autre* **sont** *mes amis*

Noter cependant l'anecdote attribuée à un grammairien sur son lit de mort :
> *« Je m'en vais ou je m'en vas,* car l'un et l'autre **se dit** ou **se disent** ».

■ « **l'un(e) ou l'autre** », le verbe est au *singulier* :

> *L'un ou l'autre m'*a trahi*.*

mais, en cas d'*apposition* au sujet, le verbe est au *pluriel* :

> *Ils m'*ont trahi*, l'un ou l'autre. L'un ou l'autre, ils m'*ont trahi*.*

■ « **ni l'un(e) ni l'autre** », le verbe est au *singulier* ou au *pluriel* :

> *Ni l'un ni l'autre* **n'a (n'ont) trahi.**

mais, en cas d'*apposition* au sujet, le verbe est au *pluriel* :

> *Ils n'*ont trahi *ni l'un ni l'autre. Ni l'un ni l'autre, ils n'*ont trahi*.*

Remarque sur l'accord en personne

833. **Lorsqu'il y a un seul sujet,** le verbe a la même personne que son sujet :

> *Je chante; il siffle; nous rions; notre voisine est gentille.*

Attention ! Quand le sujet est le *pronom relatif* **qui,** le verbe prend la personne de l'antécédent du relatif :

> *C'est* moi *qui* **répondrai***; c'est* toi *qui* **posteras** *la lettre.*

Quand l'antécédent est un mot exprimant une *pluralité,* et *attribut* d'un **nous** ou d'un **vous,** l'accord se fait avec ledit pronom personnel :

> **Vous** êtes nombreux *(dix, vingt, des douzaines...)* qui *comprenez bien.*

et quand cet antécédent attribut est *le premier, le seul...,* le verbe peut rester à la 3ᵉ personne, ou s'accorder avec le pronom personnel sujet :

> Tu es le premier *(le seul)* qui **ait compris** (ou qui **aies compris**) :

834. Lorsqu'il y a plusieurs sujets :

Si les sujets sont de *personnes différentes,* le verbe prend la personne d'un seul d'entre eux (la 2ᵉ l'emporte sur la 3ᵉ, la 1ᵉ sur les 2 autres) :

> Paul et toi **êtes** mes meilleurs amis *(la 2ᵉ l'emporte sur la 3ᵉ).*
> Paul et moi **sommes** très liés *(la 1ʳᵉ l'emporte sur la 3ᵉ).*
> Toi et moi **avons** les mêmes goûts *(la 1ʳᵉ l'emporte sur la 2ᵉ).*
> Paul, toi et moi **aimons** le sport *(la 1ʳᵉ l'emporte sur les 2ᵉ et 3ᵉ).*

N.B. Avec « on » (style familier, § 260), accord selon le contexte :
Est-on prêtes, mesdemoiselles? – Dix ans qu'on ne s'était pas vu(e)s !

◼◼◼◼ **Accord du participe passé**

Employé seul

835. Le participe passé employé seul, comme *verbe* ou *adjectif* (épithète, attribut ou apposé), s'accorde en *genre* et en *nombre* avec le nom :

> *Un ami* **dévoué** *(masc. sing.), des serviteurs* **dévoués** *(masc. plur.).*
> *Une mère* **dévouée** *(fém. sing.), des infirmières* **dévouées** *(fém. plur.).*

Remarque – Sont *invariables* :

• les *locutions figées* du style juridique : « **lu et approuvé** », « **vu** ».

• les *participes* suivants, lorsqu'ils *précèdent* un nom : **approuvé, attendu, certifié, communiqué, entendu (ouï), étant donné, excepté, ôté, passé, lu, reçu, supposé, vu;** ainsi que les *locutions :* **non compris, y compris, mis à part,** lorsqu'elles *précèdent* le nom :

> **Attendu** *(vu) les conséquences;* **entendu** *(ouï) les témoins;*
> **passé** *huit heures;* **passé** *la frontière;* **y compris** *les femmes;*
> **étant donné** *les conditions;* **mis à part** *ces déclarations...*

Mais s'ils *suivent* le nom, ils redeviennent de vrais participes et *s'accordent* :

> *les témoins* **entendus (ouïs)***; les femmes* **y comprises***; les conditions*
> **étant données***; ces déclarations* **mises à part.**

N.B. **Ci-inclus, ci-joint, ci-annexé,** sont un peu plus délicats d'emploi :

• ils sont *invariables :* en tête de phrase, ou précédant immédiatement un nom sans article :
   Ci-joint une quittance – Vous trouverez **ci-joint** copie de cette lettre.

• ils sont *variables :* quand ils suivent le nom, ou quand ils le précèdent (et que ledit nom est lui-même précédé d'un article ou d'un adjectif numéral) :
   Copie(s) **ci-jointe(s)** – Vous trouverez **ci-jointes** les *(deux)* copies du projet.

Avec l'auxiliaire être

836. Le participe passé des verbes conjugués avec **être** (verbes *passifs*, certains *intransitifs*) s'accorde en *genre* et en *nombre* avec le *sujet* :

> *Elles seront* **punies** *(fém. pl.); elle était* **partie** *(fém. sing.).*

Remarques.

■ Pour les verbes *pronominaux*, voir ci-après § 839 sq.

■ Pour les *impersonnels* à auxiliaire être, le participe reste *invariable* :

> *Il est* **arrivé** *une catastrophe, il était* **tombé** *de gros grêlons.*

■ Avec « nous » (= je) et « vous » (pluriel de politesse), participe au *singulier*...

> *Nous sommes* **convaincu(e)** *de votre innocence –*
> *Vous êtes* **prié(e)** *de venir...*

Avec l'auxiliaire avoir

837. ■ S'il n'y a **pas de complément d'objet** (direct), il n'y a *pas d'accord* :

> *Elles ont* **mangé***; elles avaient* **rougi***; elles auront* **déçu...**

■ S'il y a complément d'objet (direct), *après* le verbe, *pas d'accord* non plus :

> *Elles ont* **mangé** *des cerises; elles auront* **déçu** *nos espoirs.*

■ Si le complément d'objet (direct) est *avant* le verbe, il y a *accord* :

> *Quels fruits as-tu* **achetés?** *(nom masc. pl.; interrogation).*
> *Quelle belle* **exposition** *nous avons* **vue** *! (nom fém. s.; exclamation).*
> *Ces framboises, je les ai* **cueillies** *hier (pronom personnel, fém. pl.).*
> *Admirez les truites que j'ai* **attrapées** *ce matin (pron. relatif, fém. pl.)*
> *Voyez les dégâts qu'ont* **provoqués** *ces inondations (pron. rel.; m. pl.)*

Cas particuliers

838. ■ Avec un nom *collectif* suivi d'un complément au pluriel et repris par un pronom (relatif), **accord selon le sens** (cf § 831) :

> *La foule de personnes que j'ai* **fendue** *(que = la foule, fém. sing.).*
> *La foule de personnes que j'ai* **saluées** *(que = personnes, fém. pl.).*

■ Avec un *adverbe de quantité* suivi d'un *nom pluriel*, accord avec ce nom :

> *Combien de cerises j'ai* **mangées** *! – Combien de personnes as-tu* **vues?**

■ Avec le *pronom personnel* **en** :

• si **en** est *seul* (avec nuance *partitive*), pas d'accord :

> *Des cerises, j'en ai* **mangé** *– Des nouvelles d'eux, j'en ai* **reçu.**

• si « **en** » est accompagné d'un *adverbe de quantité*, accord facultatif :

> *Des romans policiers, combien elle en a* **dévorés** *(ou* **dévoré***).*

■ Avec le *pronom personnel* « **le** » :

● s'il a le sens *neutre* de « cela », pas d'accord :

> *Elles ont remporté la victoire, comme je l'avais* **espéré** *(l' = cela).*

● s'il remplace *un nom*, accord en genre et nombre avec ce nom :

> *Cette victoire, je l'avais* **espérée** *(l' = la = cette victoire, f. s.)*

● notez l'*invariabilité* dans les expressions clichées :

> *Nous l'avons* **échappé** *belle* – *Il me l'a* **baillé** *belle.*

■ Avec *un infinitif qui suit*, pas d'accord (règle simplifiée) :

> *Je les ai* **fait** *appeler* – *Je les ai* **envoyé** *chercher* – *Voilà la lettre qu'ils ont* **dit** *venir de Rome* – *C'est la route qu'on m'a* **dit** *être la plus courte* – *Cette maison, je l'ai* **vu** *construire...*

● Il en est de même quand l'infinitif qui suit est *sous-entendu :*

> *Elle nous a dit toutes les rosseries qu'elle a* **pu** [*dire*].

● Cependant, quand le pronom qui précède est le *sujet* de l'infinitif qui suit, mieux vaut faire l'accord, ce qui permet de distinguer :

> *Je les ai* **vues** *applaudir (ce sont elles qui applaudissent)* et :
> *Je les ai* **vu** *applaudir (ce sont elles qu'on applaudit).*

cf : *Je les ai* **laissés** *battre* (= gagner); *je les ai* **laissé** *battre* (être battus).

N.B. Avec « **fait** » + infinitif, pas d'accord : *Je les ai* **fait** *venir (parler...; chercher...; arrêter...).*

■ Avec un verbe *impersonnel* à auxiliaire *avoir*, pas d'accord, puisqu'il n'y a pas de complément d'objet, mais *sujet réel :*

> *Quelle patience il nous* **a fallu** *!* – *Quelle chaleur il* **a fait** *hier !...*

■ **Attention** ! Certains verbes *intransitifs* (à auxiliaire *avoir*) : coûter, valoir, peser, marcher, courir, régner, durer, vivre..., sont souvent accompagnés d'un c. circ. de *quantité* (§ 548) ou de *durée* (§ 540), à ne pas prendre pour des c. d'objet; donc pas d'accord de leur participe passé :

> *Les mille francs que m'a* **coûté** *cet achat. Les longs mois qu'a* **duré** *sa maladie. Les douze kilomètres que nous avons* **marché** *hier...*

Mais certains de ces verbes peuvent devenir *transitifs* quand on les prend au *sens figuré;* leur participe est alors variable; comparons en effet :

● *La demi-heure que j'ai* **couru** *hier (sens propre : durée; invar.)* et :
Les dangers que j'ai **courus** *hier (sens figuré : objet; accord).*
● *Les quatre-vingts ans qu'elle a* **vécu** *(s. propre : durée; invar.)* et :
Les belles années qu'elle a **vécues** *(s. figuré : objet; accord).*
● *Elle ne pèse plus les 60 kilos qu'elle a* **pesé** *(s. pr. : poids; invar.)* et
Voici les fruits qu'elle a **pesés** *(s. fig. : objet; accord)...*

N.B. Sont *toujours invariables* les participes passés des verbes *intransitifs* et *transitifs indirects* (puisqu'ils n'ont pas de c. d'objet), ainsi que ceux des *impersonnels*. Citons, par exemple :
abondé, accédé, agi, bavardé, bondi, circulé, dormi, fallu, péché, péri, remédié, réagi, ri, rôdé, rougi, semblé, tonné, toussé...

Avec un verbe pronominal (auxiliaire « être »).

839. Rappel – Il est essentiel de distinguer *les 4 nuances* (§ 772 et 773).

■ Dans les pronominaux de *sens passif* et de *sens vague* (« essentiellement pronominaux » et « non réfléchis »), le participe passé s'accorde simplement en genre et en nombre avec le sujet :

> *Les légumes se sont* **vendus** *cher cette année (sens passif).*
> *Nos voisines se sont* **écriées** *(sens vague, essentiellement pronominal).*
> *Elles se sont* **aperçues** *de leur sottise (sens vague, non réfléchi = ont constaté).*

■ Dans les pronominaux de *sens réfléchi* et de *sens réciproque*, le pronom personnel complément est un vrai c.o.d. et l'auxiliaire *être* a valeur d'auxiliaire *avoir*; il y a donc accord avec ce c.o.d. *placé devant le verbe* :

> *Elle s'est* **blessée** *(sens réfléchi = elle a blessé s' : f. s.; accord).*
> *Ils se sont* **battus** *(s. réciproque = ils ont battu se : m. pl.; accord).*

840. Remarques sur *le sens réfléchi.*

■ Bien cerner le c.o.d. (et sa place), et distinguer :

> *Elle s'est* **coupée** *(elle a coupé qui? se; devant; accord) – Elle s'est* **coupé** *le doigt (c.o.d. doigt; derrière; pas d'accord);*
> *Ils se sont* **assurés** *contre le vol – Ils se sont* **assuré** *mes services;*
> *Elle s'est* **mise** *à la peinture – Elle s'est* **mis** *en tête de peindre...*

■ Avec un infinitif qui suit (cf. § 838), accord ou non :

> *Elle s'est* **laissée** *mourir (partir, aller, tomber...) (s' sujet d'infinitif)*
> *Elle s'est* **laissé** *surprendre (tromper, séduire...) (s' c.o.d. d'infinitif)*
> *Elle s'est* **vue** *gronder son fils – Elle s'est* **vu** *gronder (par son père).*

N.B. ■ **Fait** » suivi de l'infinitif (§ 838 N.B.) reste invariable :
> Elle s'est **fait** teindre – Elle s'est **fait** teindre les cheveux.

■ Avec un *attribut de c. d'objet*, accord :
> Elle s'était **crue** perdue (guérie, malade) – Ils se sont **rendus** coupables d'un larcin –
> Ils se sont **faits** les champions de l'écologie...

Mais dans « **se faire l'écho** », « **se faire fort** » (où *écho* et *fort* sont bel et bien attributs de *se*), « fait » reste invariable :
> Elles se sont **fait** l'écho de cette calomnie – Ils se sont **fait** fort de gagner la partie.

---

841. Remarques sur *le sens réciproque.*

■ Bien cerner le c.o.d. (et sa place), et distinguer :

> *Elles se sont* **disputées** *– Elles se sont* **disputé** *cette part de gâteau.*

■ Bien distinguer le *vrai* c.o.d. (= l'un l'autre, les uns et les autres) et le *faux* c.o.d. (= l'un à l'autre, les uns *aux* autres) :

> *Ils (elles) se sont* **aimé(e)s** *– Ils (elles) se sont* **plu (déplu).**
> *Ils (elles) se sont* **salué(e)s** *– Ils (elles) se sont* **souri.**
> *Ils (elles) se sont* **insulté(e)s** *– Ils (elles) se sont* **dit** *des sottises.*
> *Ils (elles) se sont* **rassemblé(e)s** *– Ils (elles) se sont toujours* **ressemblé...**

N.B. « **Se suivre** » et « **se succéder** » sont de *faux réciproques*; noter leur *accord* différent :
> Les ennuis se sont **suivis** – Les ennuis se sont **succédé.**

842. **Remarques sur** *le sens* « *vague* »

■ Le verbe « **s'arroger** » (= s'attribuer), *essentiellement pronominal,* se conduit comme s'il avait l'auxiliaire *avoir*; son participe s'accorde donc avec le complément d'objet, si celui-ci précède le verbe :

> *Il (elle) s'est (ils, elles se sont)* **arrogé** *des droits exorbitants.*
> *Tels sont les droits qu'il (elle) s'est (qu'ils, elles se sont)* **arrogés.**

■ Le verbe « *non réfléchi* » « **se rire de** » a un participe invariable :

> *Ils (elles)* **se sont ri** *de notre chagrin (cf. ils, elles* **ont ri** *de...).*

Le verbe « **se plaire** » et ses *composés* « **se complaire** » et « **se déplaire** » ont leur participe *invariable,* quel que soit leur sens :

● se plaire à, se complaire à (= *trouver du plaisir à*) :

> *Ils (elles)* **se sont plu** *(***complu***) à me taquiner.*

● se plaire, se déplaire *(se trouver bien, se trouver mal quelque part)* :

> *Ils (elles)* **se sont plu** *(***déplu***) dans cette province.*

■ Voici une liste de verbes de *sens vague* « non réfléchis », dont le participe passé s'accorde donc avec le *sujet* : s'apercevoir (de), s'attaquer (à), s'attendre (à), s'aviser (de), se douter (de), s'échapper (de), se jouer (de), se plaindre (de), se prévaloir (de), se saisir (de), se servir (de), se taire :

> ● *Ils (elles)* **se sont** **aperçu(e)s** *de leur étourderie; ils (elles) se sont* **avisé(e)s** *de notre présence; ils (elles) se sont* **douté(e)s** *de quelque chose; ils (elles) se sont* **échappé(e)s** *de l'école; ils (elles) se sont* **joué(e)s** *de la difficulté; ils (elles) se sont* **plaint(e)s** *du bruit; ils (elles) se sont* **prévalu(e)s** *de leur bon droit; ils (elles) se sont* **saisi(e)s** *d'un outil; ils (elles) se sont* **servi(e)s** *de nous.*
> ● *Ils (elles)* **se sont** **attaqué(e)s** *au problème; ils (elles) se sont* **attendu(e)s** *à la riposte.* ● *Ils (elles) se sont* **tu(e)s.**

■ **Attention** aux temps composés du *défectif* **s'ensuivre** (cf. § 829 N.B.) :

> *il s'est* **ensuivi***; il s'en est* **ensuivi,** *souvent abrégé (à tort) en :*
> « **il s'en est** **suivi** ».

843. **Attention aux équivoques.**

Veillons au contexte pour le sens d'un verbe pronominal; comparons :

> ● *Elles* **se sont plu** *(sens réciproque) et ne se sont plus quittées; et*
> *Elles* **se sont plu** *(sens vague) dans ce village et y sont restées.*
> ● *Ils* **se sont** *toujours* **admirés** *(réciproque), ces deux amis; et*
> *Ils* **se sont** *toujours* **admirés** *(réfléchi), ces prétentieux.*
> ● *Nous* **nous sommes battus** *(sens vague : nous avons combattu); et*
> *Nous* **nous sommes battus** *(réciproque) comme des chiffonniers.*
> ● *Ils* **se sont trompés** *(sens vague : ils ont fait erreur); et*
> *Ils* **se sont trompés** *(réciproque) mutuellement.*
> ● *Des critiques* **se sont faites** *(sens passif : ont été faites);*
> *Des critiques* **se sont fait jour** *(sens vague : ont eu lieu)...*

844. *Conclusion.* Voilà une vue d'ensemble de cette terrible règle de « *l'accord du participe passé* »; au fond, elle n'est pas si redoutable qu'on le dit trop souvent (faute de réflexion). On sent d'ailleurs une tendance à la *simplification* et à certaines *tolérances* (voir çà et là : « *accord facultatif* »); certains grammairiens, et non des moindres, abondent dans ce sens : le grand linguiste *Ferdinand Brunot* n'osait-il pas déjà affirmer : « Le participe passé avec *avoir* est toujours invariable » ! Hélas ! la sacro-sainte Académie française n'a pas encore emboîté le pas. Patience !... et, en attendant, courage !...

Synthèses d'analyse

845. ▭▭▭ **Le nom** (ses principales fonctions)

■ **sujet :** *Le vent se lève.*

inversé : *Le long d'un clair ruisseau buvait une colombe.*

réel : *Il court des bruits fâcheux – Il y a du bruit.*

d'infinitive : *Je sens mes honneurs croître et tomber mon crédit.*

de participiale : *La tanche rebutée, il trouva du goujon.*

■ **complément** d'objet direct : *J'aime le son du cor.*

d'objet indirect : *Tu dois te souvenir de nos jeunes années.*

d'agent : *La cigogne fut invitée à dîner par le renard.*

d'attribution : *Ce qu'on donne aux méchants toujours on le regrette.*

■ **attribut**
du sujet : *Tout vous est aquilon, tout me semble zéphyr.*

du c. d'objet direct : *Je le crois honnête homme.*

■ **complément circonstanciel** de lieu : *Un rat sortit de terre.*

temps (date) : *Le chêne un jour dit au roseau.*

cause : *Tu seras châtié de ta témérité.*

but : *Le paysan prépare la terre pour les semailles.*

manière : *Elle allait à grands pas.*

moyen : *Je vis de bonne soupe et non de beau langage.*

accompagnement : *Elle sort avec ses parents.*

comparaison : *Il parle en maître. Il agit comme un goujat.*

quantité (prix) : *Un tableau de maître se vend plusieurs millions.*

propos : *Que pensez-vous de ce tableau?*

provenance : *J'ai reçu un cadeau de mon oncle.*

concession : *Il sort malgré le mauvais temps.*

condition : *Avec du travail, tu réussirais...*

■ **complément**
du nom : *Le roi des animaux – Le héron au long bec.*

du pronom : *Voilà ceux de l'Escaut, voilà ceux de l'Adour.*

de l'adj. numéral : *Trois de mes amis – Le troisième de mes fils.*

de l'adj. qualificatif : *Ce vase plein de lait, ce panier plein de fleurs.*

de l'adverbe : *Conformément à la loi – Beaucoup d'amis.*

■ **apostrophe :** *Homme libre, toujours tu chériras la mer.*

■ **apposition :** *Le lion, terreur des forêts – La ville de Paris.*

846. Le groupe du nom

Le nom se présente rarement seul. Ses **compagnons** sont :

- l'**article** (*défini, indéfini, partitif*) : *le* pain, *un* pain, *du* pain.
- l'**adjectif qualificatif :** *le beau* pain *appétissant.*
- les **autres adjectifs** (*possessif, démonstratif, indéfini, interrogatif* ou *exclamatif, relatif, numéral*) :

  mon pain, *ce* pain, *chaque* pain,
  quel pain? *quel* pain ! *lequel* pain, *trois* pains.

- le **complément du nom** : *le roi* des animaux.
- l'**apposition** : *le lion,* terreur des forêts.
- la **subordonnée relative** : *J'aime les élèves* qui écoutent.
- la **subordonnée complétive par que :**

  La certitude que tu réussiras *me soutient.*

847. Le pronom

Il *remplace* le nom; il en a toutes les **fonctions**, qu'il soit :

- **personnel** : *je, me, moi, nous; tu, te, toi, vous; il, elle, le, la, lui, ils, eux, elles, les, leur, se, soi, en, y;*
- **possessif** : *le mien, le tien, le sien, le nôtre, le vôtre, le leur, la mienne, la tienne...; les miens, les tiens...; les miennes, les tiennes...;*
- **démonstratif** : *celui, celle, ce (c'), ceux, celles; celui-ci, celle-ci..., celui-là, celle-là..., ceci, cela (ça)...;*
- **relatif** : *qui, que, quoi, dont, où, lequel..., auquel..., duquel...;*
- **interrogatif** : *qui? que? quoi? lequel? auquel? duquel?... qui est-ce qui? (ou que?), qu'est-ce qui? (ou que?);*
- **indéfini** : *personne, rien, nul, aucun, chacun, tous, tout, on, quelqu'un, quelque chose, autrui, certains, plusieurs...*

848. L'adjectif qualificatif

■ **Ses degrés :**

- **positif** : sage;
- **comparatif** : plus sage (*supériorité*), aussi sage (*égalité*), moins sage (*infériorité*);
- **superlatif** : le plus sage, très sage (*supériorité, relatif* ou *absolu*), le moins sage, très peu sage (*infériorité, relatif* ou *absolu*).

  – *Trop sage* exprime une nuance de *comparatif* (§ 242).

■ **Ses 4 fonctions :**

- *épithète* : Une *jeune* fermière.
- *attribut du sujet* : Petit poisson deviendra *grand.*
- *attribut du compl. d'objet direct* : Je le crois *sincère.*
- *apposition* : *Jeune,* elle marchait d'un pas alerte.

849. ■ à   complément du nom : *un vase à long col.*

compl. d'adjectif : *agréable à la vue.*

compl. d'attribution : *donner à un camarade.*

compl. circ. de lieu *(où l'on est)* : *vivre à la campagne.*

compl. circ. de lieu *(où l'on va)* : *aller à la ville.*

compl. circ. de temps : *arriver à l'heure.*

compl. circ. de manière : *aller à grands pas.*

compl. circ. de moyen : *pêcher à l'épuisette.*

compl. circ. de provenance : *acheter du blé à un voisin.*

compl. circ. de but : *viser à la réussite.*

attribut du c.o.d. : *prendre quelqu'un à témoin. Etc.*

850. ■ de   sujet réel : *Il est laid de bâiller.*

compl. de nom : *la maison de Claudine; le pot de fer.*

compl. d'adjectif : *ce vase plein de lait.*

compl. d'adverbe : *beaucoup de pluie.*

compl. de pronom : *certains de nos voisins.*

compl. d'adjectif numéral : *trois de mes concurrents.*

compl. d'objet *(partitif)* : *manger de la viande.*

compl. d'agent : *être aimé de ses amis.*

compl. circ. de lieu *(d'où l'on vient)* : *partir de la maison.*

compl. circ. de temps : *partir de bon matin.*

compl. circ. de manière : *rire de bon cœur.*

compl. circ. de moyen : *vivre de bonne soupe.*

compl. circ. de cause : *grelotter de fièvre.*

compl. circ. de propos : *parler de la pluie et du beau temps.*

apposition : *la ville de Paris.*

attribut du c.o.d. : *traiter quelqu'un de chenapan. Etc.*

851. ■ en   compl. de nom : *une montre en or.*

compl. d'adjectif : *riche en blé.*

compl. circ. de lieu *(où l'on est)* : *séjourner en montagne.*

compl. circ. de lieu *(où l'on va)* : *aller en Italie.*

compl. circ. de temps : *se baigner en été.*

compl. circ. de manière : *avancer en ordre.*

compl. circ. de comparaison : *agir en chef.*

compl. circ. de point de vue : *l'emporter en intelligence.*

gérondif : *siffler en travaillant. Etc.*

852. ■ dans compl. circ. de lieu *(où l'on est)* : *être dans la lune.*

compl. circ. de lieu *(où l'on va)* : *entrer dans l'eau.*

compl. circ. de temps : *partir dans la soirée.*

compl. circ. de but : *agir dans l'intérêt commun. Etc.*

853. ■ **par**　compl. de nom : *un voyage* **par** *mer.*

　　　　compl. d'agent : *être puni* **par** *le maître.*

　　　　compl. circ. de lieu *(par où l'on passe)* : *passer* **par** *la forêt.*

　　　　compl. circ. de temps : *sortir* **par** *un froid glacial.*

　　　　compl. circ. de moyen : *partir* **par** *le train.*

　　　　compl. circ. de manière : *calmer* **par** *la douleur.*

　　　　compl. circ. de cause : *punir* **par** *erreur.*

　　　　compl. circ. de la partie : *saisir le loup* **par** *les oreilles. Etc.*

854. ■ **pour**　compl. de nom : *un coiffeur* **pour** *dames.*

　　　　compl. d'adjectif : *bon* **pour** *les animaux.*

　　　　compl. d'attribution : *cueillir des fleurs* **pour** *sa mère.*

　　　　compl. circ. de lieu *(où l'on va)* : *partir* **pour** *l'Amérique.*

　　　　compl. circ. de temps : *partir* **pour** *trois mois.*

　　　　compl. circ. de but : *lutter* **pour** *le succès.*

　　　　compl. circ. d'échange : *œil* **pour** *œil, dent* **pour** *dent.*

　　　　compl. circ. de cause : *être condamné* **pour** *vol.*

　　　　compl. circ. de proportion : *grand* **pour** *son âge.*

　　　　attribut du sujet : *il passe* **pour** *avare.*

　　　　attribut du c.o.d. : *je le tiens* **pour** *intelligent. Etc.*

855. ■ **avec**　compl. circ. de manière : *travailler* **avec** *ardeur.*

　　　　compl. circ. de moyen : *travailler* **avec** *un tracteur.*

　　　　compl. circ. d'accompagnement : *travailler* **avec** *un ami.*

　　　　compl. circ. d'opposition : *lutter* **avec** *un camarade.*

　　　　compl. circ. de cause : **avec** *son talent, il réussira.*

　　　　compl. circ. de concession : **avec** *tous ses dons, il végète.*

　　　　compl. circ. de condition : **avec** *du travail, tu réussirais. Etc.*

856.　*Parfois le sens de la préposition est très atténué :* aimer à *rire =* aimer rire.
　　Parfois deux prépositions ont des valeurs voisines : rêver à...; rêver de...
　　La préposition **sans** *fait écho à* **avec** *(et ses diverses nuances) :*
　　　　sans ardeur, **sans** tracteur, **sans** ami, **sans** travail.
　　Veiller à l'emploi correct des prépositions (voir § 483); on dit :
　　　　parler **à** *quelqu'un, mais* causer **avec** *quelqu'un;*
　　　　aller **à** *la boucherie, mais* aller **chez** *le coiffeur...*

Les propositions subordonnées

857. ■ *Relatives :* Elles se rattachent à l'antécédent :

> *Cadet Rousselle a trois maisons* / Qui n'ont ni poutres ni chevrons.

■ *Complétives :* Elles répondent à la question « quoi? » :
- *Les complétives par « que » :*

  > *Je veux (quoi?)* / qu'on soit sincère.

- *Les infinitives :*

  > *Je vois (quoi?)* mes honneurs croître *et* tomber mon crédit.

- *Les interrogatives indirectes :*

  > *Dis-moi (quoi?)* / qui tu hantes, *je te dirai (quoi?)* / qui tu es.

■ *Circonstancielles.* Elles marquent :
- *Le temps* (les temporelles) :

  > Quand le chat n'est pas là / *les souris dansent.*

- *La cause* (les causales) :

  > *J'aime l'araignée et j'aime l'ortie* / parce qu'on les hait.

- *Le but* (les finales) :

  > *Donnez* / afin qu'on dise *: il a pitié de nous.*

- *La conséquence* (les consécutives) :

  > *Il pleut tant* / qu'on ne peut faire les semailles.

- *La concession* ou *l'opposition* (les concessives) :

  > *Il était généreux* / quoiqu'il fût économe.

- *La condition* (les conditionnelles) :

  > *Je le ferais encor,* / si j'avais à le faire.

- *La comparaison* (les comparatives) :

  > *Leur amitié fut courte* / autant qu'elle était rare.

N.B. Il n'y a pas de subordonnée circonstancielle de *lieu :*
> Je connais la ville / *où tu habites* (relative).
> Dis-moi / *où tu habites* (complétive interrogative).

■ *Participiales :* Elles équivalent à des circonstancielles de :
- *temps :*   La tanche rebutée, *il trouva du goujon.*
- *cause :*   Le froid persistant, *nous allumâmes le feu.*
- *concession :*   Le remède absorbé, *le malade ne guérit pas.*
- *condition :*   *Nous irons vous voir,* le temps le permettant.

858. ■ Attention aux divers **qui, que, où...** (cf. § 862 sq.);

■ Ne pas oublier, dans l'analyse, les 3 *équivalents* (§ 698) :

- l'**infinitif-verbe** et ses valeurs diverses (cf. § 422) :

- le **participe-verbe** et ses valeurs diverses (cf. § 431) :

- le **gérondif** et ses valeurs *circonstancielles* (cf. § 435) :

859. ■ Aucune difficulté pour la fonction des **circonstancielles :**

La temporelle est *complément circonstanciel de temps* :

Nous irons vous voir (quand?) / dès que nous le pourrons.

La causale est *complément circonstanciel de cause* :

Il garde le lit (pourquoi?) / parce qu'il a un gros rhume.

La finale est *complément circonstanciel de but* :

Je m'efforce (pour quoi?) / pour que tu comprennes.

La consécutive est *complément circonstanciel de conséquence* :

Il est si las (quelle conséquence?) / qu'il a dû se coucher.

La concessive est *c. circ. de concession* (d'*opposition*) :

Je veux bien te pardonner, / bien que tu ne le mérites guère.

La conditionnelle est *complément circonstanciel de condition* :

Je serais heureux (à quelle condition?) / si je pouvais partir.

La comparative est *complément circonstanciel de comparaison* :

Il a fait ce voyage (comment?) / comme on dispute une course.

N.B.   Même remarque pour les **propositions participiales** qui ont 4 valeurs circonstancielles possibles : *temps, cause, concession, condition* (cf. § 857).

---

860. *La subordonnée* **relative** a plusieurs fonctions possibles (§ 612-614) :
■ *adjective* (épithète) : *J'aime les élèves* / qui écoutent (= attentifs).

■ *substantive :*
● sujet : Qui aime bien *châtie bien* – Qui vivra *verra*.

● c. d'objet : *Vous devez aimer* / qui vous aime.

● attribut : *Je ne suis pas* / qui vous croyez.

■ *circonstancielle :*
● de cause : *J'adore mon parrain,* / qui me gâte (= parce que...)

● de concession : *Cet homme,* / qui est mon voisin, / *m'ignore* (= bien que...) etc.

861. **Les complétives :**
■ l'*infinitive* est c.o.d. : *Je regarde (quoi?)* / l'ouvrier travailler.

■ l'*interrogative indirecte* est :
● c.o.d. : *Dis-moi (quoi?)* / si tu m'aimes.

● ou sujet réel : *Il m'a été révélé* / comment tu avais agi.

■ la *complétive par que* peut être :
● c.o.d. : *Je sais* que tu réussiras.

● sujet inversé : *L'ennui est* qu'il ment souvent *(l'ennui : attribut).*

● sujet réel : *Il est bon* que tu viennes *(il : sujet apparent).*

● c. de nom : *L'espoir* qu'il reviendra *la soutient* (= de son retour).

● c. d'adjectif : *Je pars, sûr* que tu guériras (= de ta guérison).

● apposée : *Je constate un fait,* que tu es paresseux.

862. Qui

- **pronom relatif** : Fuyez les camarades *qui* mentent.

- **pronom interrogatif** :
- en interrogation directe : *Qui* a téléphoné? *Qui* hantes-tu?
- en interrogation indirecte : Dis-moi *qui* a téléphoné; *qui* tu hantes.

N.B. *Qui* = si on (archaïsme; cf. § 614 N.B.) :

Tout vient à point *qui* sait attendre. – Comme *qui* dirait...
Il faut avoir de la santé, *qui* peut *(Montaigne)*.

---

863. Que

- **pronom relatif** : Le monsieur *que* j'ai salué est mon maître.
C'était l'année *que* je fus si malade.

- **pronom interrogatif** :
- dans l'interrogation directe : *Que* fais-tu là?
- dans l'interrogation indirecte : Il ne sait *que* faire.

- **adverbe de quantité** (exclamatif) :
Que cet enfant est sage !

- **adverbe d'interrogation** :
Que (= *pourquoi*) n'étiez-vous présent hier?

- **conjonction-particule du subjonctif** :
Qu'il entre ! *Qu'elles* se taisent !

- **conjonction de subordination** :
- dans la complétive : J'espère *que* vous viendrez.
- dans la circonstancielle :
de but : Viens, *que* je te félicite.
de cause : Qu'a-t-il donc *qu'il* est si triste?
de temps : Je ne te lâcherai pas *que* tu n'aies avoué.
de conséquence : Il est timide *que* c'en est une maladie.
de comparaison : Il est plus timide *que* tu ne crois.

N.B. Dans une 2ᵉ circonstancielle, *que* permet d'éviter la répétition de la 1ʳᵉ conjonction :

Comme il fait froid et *que*... – **Si** tu m'appelles et *que*...
Quand je travaille et *que*...   – **Bien** qu'il fasse chaud et *que*...

---

864. Attention ! Ne pas confondre **ce qui** et **ce que**, *relatifs,* avec **ce qui** et **ce que**, *interrogatifs* :

Ce qui m'arrive est grave *(relatif)*.
Ce que tu dis est incroyable *(relatif)*.
Dis-moi *ce qui* t'est arrivé *(interrogatif)*.
Dis-moi *ce que* tu en penses *(interrogatif)*.

865. Où

- **adverbe de lieu,** devenu, par *glissement,* pronom **relatif** :

    Voici la maison où *je suis né.*

- **adverbe interrogatif** :
- – dans l'interrogation directe : Où *es-tu né?*
- – dans l'interrogation indirecte : *Dis-moi* où *tu es né.*

N.B. **Ou** (sans accent) = *ou bien,* **conjonction de coordination** :

    Quelle saison préfères-tu? l'été ou *l'hiver?*

---

866. Quand

- **conjonction** de **subordination** :
- – marquant le temps : *Tu peux venir* quand *tu voudras.*
- – marquant la supposition :

    Quand *tu y consacrerais tes nuits, tu ne trouverais pas la solution de ce problème. (quand = même si).*

- **adverbe interrogatif** :
- – dans l'interrogation directe : Quand *viendras-tu?*
- – dans l'interrogation indirecte :*Dis-moi* quand *tu viendras.*

N.B. **Quant à** (avec un **-t**) est une locution prépositive :

    Quant *à nous, nous préférons cette solution.*

---

867. Comme

- **conjonction de subordination** marquant :
- – la cause : Comme *tu insistes, je te suivrai.*
- – le temps : *Il arriva,* comme *je sortais.*
- – la comparaison : *Il parle* comme *un livre.*
- **adverbe de quantité** (exclamatif) : Comme *tu as grandi !*
- **adverbe de quantité** (interrogatif) :

    Regarde comme (= comment; § 633 N.B.) *je fais.*
    Voici comme *il conta l'aventure à sa mère (La Fontaine).*

- **adverbe de manière** (conjonction atténuée) (= pour ainsi dire) :

    J'entends comme *une plainte – Il était* comme *mort.*

- **conjonction explétive** (devant attribut ou apposition) :

    Je le considère comme *fou –* Comme *chef, il est fort.*

868. *Ne confondez pas*

■ **Parce que** : locution conjonctive de cause (§ 648) :

> *J'ai perdu mon canif* parce que *ma poche est percée.*

et **par ce que** (en trois mots) : relatif avec antécédent :

> *Je suis très surpris* par ce que *tu me racontes là !*

■ **Quoique** : conjonction de concession (§ 665) :

> Quoique *ce livre soit célèbre, il ne me plaît pas.*

et **quoi que** (en deux mots) : pronom relatif indéfini :

> Quoi qu'il *dise, un menteur n'est jamais cru.*

869. Si

• **conjonction de subordination** marquant :

– la condition : Si *j'avais un avion, je serais heureux.*

– la concession (l'opposition) : Si *Paul se dit robuste, il est souvent malade.*

– la cause : *Comment l'aurais-je fait,* si *je n'étais pas né?*

– le temps : Si *je disais blanc, elle disait noir.*

• **adverbe interrogatif** dans l'interr. indirecte (= *est-ce que*) :

> *Dis-moi* si *tu viendras.*

• **adverbe** interrogatif à valeur **exclamative** :

> *Regarde* si *nous sommes contents !*

• **adverbe de quantité** :

> *Je suis* si *content !*

• **adverbe d'affirmation** :

> *« Ne viendras-tu pas? –* Si. *»*

N.B. Ne pas confondre avec *s'y* : Il *s'y* rendit. Elle *s'y* connaît.

---

870. *Bivalence*

– Une subordonnée peut lier *deux nuances* :

– **comme si** marque à la fois la comparaison et la condition :

> *Il agit* comme s'il *était le maître de la maison.*

– **comme quand** marque à la fois la comparaison et le temps :

> *Elle est nerveuse* comme quand *le tonnerre gronde.*

– **comme pour** marque à la fois la comparaison et le but :

> *Il se montrait aimable* comme pour *se faire pardonner.*

– **même si** marque à la fois la condition et la concession :

> *Je ne sortirai pas,* même si *tu me supplies à genoux.*

871. En

- **préposition** (cf. nuances, § 851).
- **adverbe de lieu** = *de là* (nuance « d'où l'on vient ») (cf. § 539).

  > *Connais-tu la Grèce? – J'en reviens.*

- **pronom personnel** (atténuation de l'*adverbe de lieu*; cf. § 260), aux fonctions multiples : complément de nom, d'adjectif, de pronom indéfini, de numéral, d'adverbe, d'objet, d'agent, circonstanciel... :

  > *Il a visité Paris et en connaît les principaux monuments. – J'en suis sûr. – Ces pommes, j'en ai croqué quelques-unes. – J'en ai mangé cinq. – J'en ai pris beaucoup. – Tu en mangeras. – Ce poème, il en est envoûté. – J'en souffre. – Il a un grand fouet et il en menace ses bêtes...*

872. Y

- **adverbe de lieu** :

  > *J'y suis, j'y reste.*

- **pronom personnel** (*par glissement* de sens, cf. § 260) :

  > *J'y songerai. – Qui s'y frotte, s'y pique.*

873. Tout

- **adjectif indéfini** (= chaque) :

  > tout *homme,* toute *femme,* tout *enfant.*

- **adjectif qualificatif** (= entier) :

  > tout *le village,* toute *la ville,* tous *les habitants,* toutes *les rues.*

- **pronom indéfini** (*neutre* singulier; *pluriel* : tous, toutes) :

  > *Tout vous est aquilon, tout me semble zéphyr.*
  > *Ils ne mouraient pas tous, mais tous étaient frappés.*

- **nom commun** (= totalité) :

  > *la partie et le* tout; *le* tout *pour le* tout; *le* tout *fera dix francs.*

N.B. Au pluriel le **t** subsiste : un tout, des *touts* (cf. *tous).*

- **adverbe de quantité** (= entièrement, tout à fait) :

  > *la ville* tout *entière; ils sont* tout *seuls; elles habitent* tout *à côté; ils sont* tout *feu,* tout *flamme; les* tout *petits.*

- **explétif**, devant un **gérondif** :

  > *Tout en marchant, il chantonnait – Elle rêve tout en tricotant.*

Remarques

■ **Tout**, adverbe, *varie* cependant devant un adjectif *féminin* commençant par une consonne ou un h aspiré :

> *elle est toute pâle; elles sont toutes honteuses;*
> *toute hardie qu'elle est; toutes hautaines qu'elles sont.*

■ Attention à **tout** devant l'adjectif **autre** :

• tout est *adjectif*, donc variable, s'il se rapporte au nom qui suit :

> *Il aimerait exercer* **toute** *autre activité (n'importe quelle).*

• tout est *adverbe*, donc invariable, s'il porte sur l'adjectif autre :

> *Il aimerait exercer une activité* **tout** *autre (tout à fait autre).*

■ Attention à **tout** devant un titre d'œuvre littéraire :

• **tout** reste *invariable* quand l'œuvre commence par l'article *le* ou *les* (masculin) ou qu'elle n'a pas d'article :

> *J'ai lu* **tout** *« le Grand Meaulnes »;* **tout** *« les Misérables »;* **tout** *« Madame Bovary »;* **tout** *« Iphigénie »;* **tout** *« Atala »...*

• il varie généralement quand il précède un *la* ou un *les* (féminins) :

> *J'ai lu* toute *« la Mare au Diable »,* toutes *« les Femmes savantes »...*

■ Attention aux sous-entendus *grivois* et *érotiques* qui peuvent s'exprimer selon l'*orthographe* adoptée :

• une femme s'adressant à un homme peut dire :

> *Je suis* **tout** *à vous (politesse, dévouement, amitié), ou :*
> *Je suis* **toute** *à vous (aveu d'amour passion...).*

• un homme peut dire d'une femme :

> *Elle est* **tout** *aimable (= tout à fait, très gentille), ou :*
> *Elle est* **toute** *aimable (= entièrement; sens nettement érotique !)*

■ Noter la différence de *sens* (et de *prononciation*) entre :

> *Elles sont* **toutes** */ habillées et Elles sont /* **tout** *habillées.*
> *Ces robes sont* **toutes** */ neuves et Ces robes sont /* **toutes** *neuves.*

■ Pour « **tout** » devant un nom de *ville*, voir § 145 N.B. :

> **Tout** *Venise (***tout** *Florence) est en fête.*
> *Il fréquente le* **Tout-Paris.**

874. Même

• **adjectif indéfini** (donc variable) :

– placé devant le nom, marque l'*identité* : *les* **mêmes** *idées.*

– placé après le nom, marque l'*insistance* : *les idées* **mêmes.**

– placé après le pronom personnel (et relié à lui par un trait d'union), marque l'*insistance* : *elle-***même,** *eux-***mêmes.**

• **pronom indéfini** (précédé de l'article) :

> *Il est toujours* **le même;** *elles sont toujours* **les mêmes.**

• **adverbe** (donc invariable) :

– devant *adjectif, participe* ou *adverbe (valeur de concession)* :

> **Même** *malade (épuisé), il travaille.*
> **Même** *loin, je pense à vous.*

– devant un *verbe* ou un *nom* (valeur : de *gradation*) :

> *Elles sont heureuses, et* **même** *elles chantent.*
> **Même** *les nuits étaient chaudes.*

Remarque.

Il est parfois difficile de distinguer l'adjectif de l'adverbe :

> Vos idées **mêmes** me rebutent *(= elles-mêmes).*
> Vos idées **même** me rebutent *(= aussi, de plus).*

875. Quelque

- **adjectif indéfini** (au *singulier* ou au *pluriel,* selon le *sens*) :

  > *Elle possède* **quelque bien** – Il a dû lui arriver **quelque accident.**
  > *J'ai reçu* **quelques amis** – Nous avons fait **quelques emplettes.**

N.B. Quelque ne *s'élide* que devant **un** ou **une :**
> **Quelqu'**un de mes amis; **quelqu'**une de mes voisines
> (mais on écrit : **quelque** ami, **quelque** intime, **quelque** héritage...)

- **adverbe de quantité** (devant un *adj. numéral* = environ) :

  > *Il y a* **quelque** *vingt ans... – Nous étions* **quelque** *trois cents...*

Remarque

Dans la locution *concessive* **quelque... que** (+ subj.) (cf. § 665) :
- **quelque** est *adjectif,* donc *variable,* devant un *nom* (précédé ou non d'un adjectif qualificatif) :

  > **Quelques** *(brillantes) idées qu'il exprime, on ne le croit pas.*
  > **Quelques** *(vains) efforts que tu fasses, tu échoueras.*

- **quelque** est *adverbe,* donc *invariable,* devant *adjectif seul* ou *adverbe :*

  > **Quelque** *brillantes que soient ses idées, on ne le croit pas.*
  > **Quelque** *sagement que tu agisses, tu seras critiqué(e)...*

876. Tel

- **adjectif indéfini :**

  > **Telle** *ville me plaît davantage – J'ai lu* **tel** *et* **tel** *livre.*

- **adjectif qualificatif :**

  > **Telle** *est mon opinion –* **Tel** *père,* **tel** *fils.*

- **pronom indéfini :**

  > **Tel** *est pris qui croyait prendre –*
  > **Tel** *qui rit vendredi, dimanche pleurera.*

- précédé de l'*article indéfini,* équivaut à un *nom propre :*

  > *Monsieur* **Un tel** *(ou* **Untel***); Madame* **Une telle** *(ou* **Unetelle***)*

N.B. *Adjectif,* il peut annoncer une *subordonnée :*
> - *consécutive : Le froid est* **tel** */ que je frissonne.*
> - *comparative : Il est* **tel** */ que je l'ai toujours connu.*

■ **Accords**

- **Tel** (seul) s'accorde avec le nom (ou pronom) qui *suit* :

  > **telle** *est mon idée; ils s'égaillèrent,* **telle** *une bande de moineaux*
  > *(***tels** *des moineaux); certains amis,* **tel** *Paul...;* **telle** *une chatte...*

- **Tel que** s'accorde avec le nom qui *précède* :

  > *Certains amis* **tels que** *Paul...; des bêtes* **telles que** *le chat...*

- **Comme tel** s'accorde avec le nom *sous-entendu* :

  > *Ce propos est une infâmie et, comme* **telle,** *blâmable.*

- **Tel quel** (pronom) est variable :

  > *Je te la rends* **telle quelle** *– Il me les a rendu(e)s* **tel(le)s quel(le)s**

N.B.   Éviter la très grave incorrection « **tel que** » pour « **tel quel** » :
   Je te les rendrai *tels que; il faut dire : **tel(le)s quel(le)s.**

---

877. Rappels importants

Évitons, enfin, les confusions graves, les horreurs, si fréquentes sous une plume pour le moins... *inattentive* :

■ **ce** et **se** : *ce :* adj. ou pron. démonstratif; *se :* pronom personnel (me, te, se...) :

  > **ce** *garçon* **se** *blesse;* **ce** *que tu dis* **se** *fera;* **ce** *disant* ≠ **se** *disant.*

■ **ces** et **ses** : *ces :* adj. dém. (pl. de ce, cette); *ses :* adj. poss. (pl. de *son, sa*) :

  > **ces** *garçons,* **ces** *filles;* **ses** *garçons,* **ses** *filles.*

■ **c'est** et **s'est, c'était** et **s'était**...

  > **C'est** *lui qui* **s'est** *trompé;* **c'était** *elle qui* **s'était** *trompée.*

■ **Leur** adj. possessif *(variable)* et **leur** pron. pers. *(invariable)* :

  > *Ils partent avec* **leurs** *amis; je* **leur** *ai dit adieu*
  > *(éviter le pataquès fréquent :* je ***leur** *(z')* ai dit adieu).

■ **Si** et **s'y; ni** et **n'y; sans, s'en, c'en, sens** (dans *sens dessus-dessous,* § 273 N.B); **ça, çà, ç'a; qui, qu'y** :

  > *Je ne sais* **si** *elle* **s'y** *met –* **Ni** *lui* **ni** *moi* **n'y** *pouvons rien.*
  > **Sans** *regret, il* **s'en** *alla;* **c'en** *était fait de nos espoirs mais* **qu'y** *faire?...*

INDEX ALPHABÉTIQUE

Les numéros renvoient aux paragraphes

à (prépos.) : 8, 471, 476, 550, 849
abréviations : 22, 90, 721
absolu, absous : 355, 809
absoudre : 809
abstrait (nom) : 132
abstrait (sens) : 117
accent (de la phrase) : 18
accents, accentuation : 8, 720, 730, 732
accompagnement : 545
accord :
    adjectif **233 sq**
    superlatif **248**
    verbe **299, 332, 413, 533, 830-834**
    participe passé **334, 835-844**
    de *tel* **876**
accroire : 829
achalandé : 721, 829 NB
acquérir : 786-787
acquis, acquit : 110
action : 309-310
active (voix) : 313
ad- (préfixe) : 77, 740
à Dieu vat : 347 NB, 501
adjectif : 174 sq.
    numéral **175, 590**
        cardinal **204 sq.**
        ordinal **313 sq.**
    pronominal **175, 590**
        possessif **176 sq.**
        démonstratif **184 sq.**
        indéfini **188 sq.**
        interrogatif **195 sq.**
        relatif **201 sq.**
    qualificatif **175, 221 sq., 848**
        formes **223 sq.**
        accords **233 sq.**
        composés **237**
        degrés **238 sq.**
        fonctions **238, 575 sq.**
    adverbe **438 sq.**

circonstanciel **439 sq.**
    manière **440 sq.**
    quantité **446 sq.**
    lieu **451 sq.**
    temps **455 sq.**
d'opinion **459 sq.**
    affirmation **460-461**
    doute **462-463**
    négation **464-467**
    interrogation **468-469**
affaiblissement : 117
affirmatif (tour) : 358
affirmative (valeur) : 194, 283, 466
affirmation
    atténuée **408**
    forte **467**
    d'une opinion **600 NB**
    prudente **395**
âge : 548
agent : 316, 524-526
agir (s') : 825
agonir, agoniser : 110, 780
aïeuls, aïeux : 154
ails, aulx : 154
aimer : 769-770
alexandrin : 11 NB
allemand : 46
aller : 326 et NB, 337, 775-776
aller (s'en) : 776
alliance (de mots) : 715
allitération : 7, 715, 716
allô : 501
allonger (s') : 773
alphabet : 1, 732
alphabet phonétique : 9, 759-760
alsacien : 54
altération : 76, 100, 476, 659
alternance : 788
alternative : 489, 676
amour : 154, 732
amphibologie (voir équivoque)
anacoluthe : 607 NB, 715

anacycliques : 127
anagrammes : 127
analogie : 742, 776
analyse
    du verbe **366**
    « grammaticale » **504 sq.**
    « logique » **504, 594 sq.**
    problèmes **694 sq.**
anarchie : 28, 736
ancien français : 727
anglais : 44-45
anomalies : 8
anté-, anti- : 77, 80, 82
antécédent : 297 sq.
antéposition : 236, 580, 726
antériorité : 412, 426
anthologie : 732
anthroponymes : Préf., 40
antienne (pron.) : 745
antiphrase : 715
antonyme : 121, 246
à-peu-près : Préf., 736
aphérèse : 90
apocope : 90
apostrophe (élision) : 27
apostrophe (fonction) : 506, 570, 571, 715, 755
apparences : 109
apparoir : 829
appartenance : 529 NB
appeler (s') (+ attribut) : 572, 773
apposition : 572-574, 587-588, 677, 755
après-midi : 147
après que (+ indic.) : 644, 722 NB
archaïsme : 126, 179, 214, 283, 614 NB, 642, 729
argot(ique) : 26, 30, 55, 90, 577
arguer (prononc.) : 745
arriver : 826 NB
arroger (s') : 842

article (défini, indéfini, partitif, omis) : **156 sq.**
assaillir : **336, 783**
assassin : **100**
asseoir : **797, 798**
asservir : **780, 784**
assise (place) : **529**
astérisque : **21, 143**
asyndète : **715**
atone :
    adj. possessif **176 sq.**
    pron. personnel **258 sq.**
    négation **466**
attention : **8, 79, 82, 109,
111, 192, 333-334, 348,
350, 354, 357, 436, 443,
450, 467, 476, 519, 633
NB, 654, 659, 696 NB,
722, 744 NB, 747 NB, 748,
811, 838**
atténuation : **395, 400, 712**
attribut
    du sujet **517,
531 sq., 583-584**
    de l'objet **535 sq.,
585-586**
attribution : **527-530**
au lieu que : **668**
auvent : **36, 109**
auxiliaires : **312, 322, 722,
766, 760-843, passim**
avant que (+ subj.) : **644, 722**
avec : **471, 476, 855**
avoir : **322, 324-325, 750,
767, 837-838**
avoir ou être? : **325**
avoir beau : **669**
avoir l'air : **236, 310, 329,
583**

bailler : **738**
bâiller, bayer : **828**
balade, ballade : **743**
baragouin : **33, 54**
barbarisme(s) : **124, 722, 765,
822**
bateaux (noms de) : **146, 161
NB, 733**
battre : **804**
béni, bénit : **226, 355, 780**
berbère : **41 NB**
bétail, bestiaux : **154**
bien : **95, 166, 443, 444, 450**
bivalence : **411, 550, 699, 870**
boire : **821**

bougre : **52**
bouillir : **790**
bouleversements : **713**
boustrophédon : **59**
boutique : **103**
brailler : **829**
braire : **819, 829**
breton : **54**
bruire (bruyant) : **829**
brun, brin (pron.) : **5, 746**
bulgare : **52**
bureau : **117**
but : **549, 554, 562, 657 sq.**

ça, ç'a, çà : **8, 273, 378, 501, 877**
cacophonie : **707**
calembour : **Préf., 127**
cancer, cancre : **57, 117 NB**
capitales : **3**
cas : **726**
catégories : **13, 93, 129**
causale : **646 sq.**
cause : **542, 554, 562, 646 sq.**
ce (neutre) : **260, 277**
ce qui, ce que : **633, 864**
cédille : **8, 720 NB**
cent : **206, 209**
cernons (bien) : **721**
c'est, ce sont : **831**
c'est... qui (que) : **299, 833**
chaland, chalant : **829 NB**
chaloir (chaut) : **331, 520, 829**
chameau : **137, 140, 581, 713**
changement
    de catégorie **93-97,
429, 736**
    de sens **117**
chant (de) : **721**
charme : **721**
chausse-trape : **Préf., 151, 742**
chèque : **758**
chiasme : **715, 716**
chiffres : **220, 757-758**
choir : **800, 829**
choral : **154 NB**
choucroute : **54, 101**
chuintante : **7**
ci- (ci) : **454**
ci-inclus... : **835 NB**
ciels, cieux : **154**
circoncire : **817**
circonflexe : **8, 352, 405, 644,
738, 779, 813, 814, 819 NB**
circonstancielles : **640 sq.**
classique : **263, 323, 422 NB,**

494, 707, 725, 729
cliché : **686 NB, 838**
clore (et composés) : **822, 829**
cocasse : **101, 404, 707,
748 NB**
collectif : **831**
combien (*le) : **721**
comme : **450, 633, 680, 712,
756, 832 NB, 867**
comme (explétif) : **532, 536,
583, 585**
comme si (quand, pour) : **682,
684, 699, 870**
comme tel : **876**
commercial (style) : **454, 478,
722**
commun (sujet, objet, attribut...) : **514**
comparaison : **546, 678 sq,
715**
comparaison clichée : **686 NB**
comparatif :
    de l'adjectif **240 sq**
    de l'adverbe **444**
complément :
    circonstanciel **538 sq**
    du numéral **559**
    de l'adjectif **561 sq**
    de l'adverbe **445, 449**
    du comparatif **243,
564-566**
    du superlatif **249,
567-569**
    du nom **552 sq**
    du pronom **278, 286,
292, 556 sq**
complétives : **610, 618 sq**
    par « que » **619 sq**
    infinitive **624 sq**
    interrogative **631 sq**
composés : **92, 237 sq**
composition : **75-86**
comté, vicomté : **147**
concert, conserve (de) : **721**
concession : **407, 549, 663 sq**
conclure (et famille) : **344, 822**
concomitance : **641, 702**
concordance (des temps) : **623,
643, 650, 655, 660, 667,
700 sq, 722**
concret (nom) : **132**
concret (sens) : **117**
condition : **549, 670 sq**
conditionnel : **318, 391 sq**
conditionnel-temps : **390**
conduire : **817**
confondre (ne pas) : **5, 79, 82,**

139, 144, 155 NB, 173 NB, 226 NB, 250, 273, 277, 295, 345, 350, 352, 357, 358, 360, 390, 393, 405, 413, 424, 434, 450, 458, 469, 479, 501, 521, 537, 573, 633 NB, 644, 649, 654 NB, 666, 674, 680, 687, 721, 829 (emboire), 864, 868

conjonction : 484 sq
    de coordination 485 sq
    de subordin. 495 sq
conjugaison
    vivante, morte 312
    tableaux 761-844
connaître : 810, 813
conseil : 395, 401
conséquence (consécutive) : 549, 652 sq
consonnes : 4-8
consonnes doubles : 8, 337, 740-744
constructions fautives : 722
contemporain (français) : 731
contenant : 117
contenu : 118, 555
contexte : 219, 322, 424, 674, 693, 834 NB, 843
contraction : 160, 266, 289, 295
contre (en composition) : 736
contredanse : 101
contresens : 110, 721
convoyer : 776
coordination : 594
coordonné : 520
coordonnées : 596
copule : 322
coquette : 108, 226
correction (figure) : 715
correction (et incorrection) :
    le relatif 308
    l'infinitif 422 NB
    le participe 723 NB
    le gérondif 436, 723 NB
    l'adverbe 450
    la préposition 483
corrélatif : 679, 684
cou, coup : 721, 736
coudre : 811
couleur (adj. de) : 237
coupe (d'un mot en fin de ligne) : 736 (fin)
coupe sombre (claire) : 721
couples : 144
courir (et famille) : 788
courre (= courir) : 344

craindre : 808
cravate : 52 NB
créations (enfantines) : 94, 98
créations (françaises) : 60-86
crochets : 21
croire : 821
croître : 814, 821
cru, crû : 738, 814 NB
cuire : 817, 827 NB
« cuirs » : 26
culs-de-jatte : 124
curiosités : 8-9, 154-155, 226, 228, 236, 441
    dans les créations 87-90
    dans les verbes 411, 429, 780

d (final) : 807
dame : 107, 723
dans (prépos.) : 471, 539, 852
date : 456
de (prépos.) : 164, 166, 172, 471, 850
de explétif : 419, 482, 558, 574, 581 NB
début (d'action) : 327
décade : 758 NB
déchoir : 800, 829
déclinaison : 257, 726, 727
dédoublement : 144
défectif : 312, 331, 828-829
défense : 399, 407, 419
déformations : 52 NB, 90, 99-108, 472
degrés (de signification) : 239 sq, 444, 448, 457
dégingandé (prononc.) : 745
délibération : 419
délice : 154
de manière que : 661
demi (mi, semi) : 236
démonstratif composé : 785, 272, 735
dénasalisation : 24 NB, 136 NB, 753
dentales : 6, 7
de par : 476-477
dérivation : 62-74
dérivé (sens) : 115-117
dérivés : 62 sq
désir : 395, 407
destination : 425, 529
désuet : 21, 226, 745
devoir : 794
dialectes (cf patois) : 727
dialogue : 15, 291, 459, 599,

637, 640 NB, 648, 675
dictionnaire : Préf. (n. 2) 59, 109, 110, 119, 121, 128
diérèse : 11, 127, 751
différence : 548, 679, 680
différent(s) : 192
dimension : 548
diphtongue : 8, 11
dire (et composés) : 818
dire (et non...) : 79, 450, 483, 721, 745 sq
dissolu, dissous : 355, 809
distance : 548
distinguons : 25 NB, 155 NB, 176 NB, 181, 192, 237 NB, 463, 467, 601 NB, 671, 720, 721, 722, 746
distributif (qui) : 302, 616
dont : 295, 306, 616
double fonction : 303, 550, 629
double négation : 467
doublets : 57, 353, 774, 780
douceâtre : 8
doute : 462-463, 622
droit (marcher) : 583 NB
druide : 35
dû (due, dus, dues) : 355, 793
dupe : 105
durée : 425, 465

e muet : 8, 750
échange : 549
échapper belle : 329, 838
écho (se faire l') : 840 NB
écrire (et composés) : 817 NB
écriture : 2
écureuil : 115
effet (de style) : 517
égailler, égayer : 746
égalité (comparatif) : 241
égalité (inégalité) : 562, 679
élégance (de style) : 183, 607 NB, 615 NB, 707
élidé : 159, 163, 822
élision : 27-29, 178, 273, 875 NB
ellipse : 153, 154 NB, 161 NB, 219, 712
elliptique : 21, 173, 200, 291, 302, 304, 306, 596, 599, 606, 616, 623, 636, 641, 648, 666, 676, 680, 682, 686, 691, 695, 722
éloignement : 562
emboire (embu) : 829
emphatique : 153

emprunts : **35-59, 748**
emprunt, empreint (pron.) : **746**
en (prépos.) : **471, 539, 553, 851**
en (pronom) : **60, 260, 838, 871**
en (adverbe) : **260, 871**
enfuir (s') : **776, 792**
enivrer (pron.) : **739, 753 NB**
ensuivre (s') : **815 NB, 829 NB, 842 NB**
en train de : **431**
entre : **475**
entre (en composition) : **28, 736**
envoyer : **775, 776**
épigramme : **715, 716**
épigraphe : **Préface**
épithète : **508, 579-582**
(sa mise en relief : **voir « relief »**)
équivalences : **183, 203, 449 NB, 521, 537, 707**
équivalents :
    du nom **442, 452, 456, 486, 510 sq, 522, 543, 555, 563, 645, 651**
    de l'article **182-183**
    de l'adjectif **576-578**
    du possessif **182-183**
    de propositions **422, 431, 435, 630, 645, 651, 656, 662, 669, 686, 698, 707**
équivoque : **146, 181 NB, 260, 308, 436, 476, 530, 534, NB, 547 NB, 621 NB, 629 NB, 674, 773, 838, 842**
érotique : **126, 873**
ès : **160, 472**
est-ce que ? : **362, 364, 468, 632**
espagnol : **50**
espèce (et genre) : **117**
espèces : **13, 93-129**
espiègle : **100**
ester : **828**
et : **491**
état : **309-310**
etc. : **22, 721**
étrangers (mots) : **152, 741**
être : **309 sq, 322, 324-325, 768**
étymologie : **Préface, 31, 33 sq, 59, 89, 109, 160**
étymologie populaire : **106**
étymologique (sens) : **108**
eu égard à : **483**
euphémisme : **107, 500, 715, 716**
euphonie : **347, 404, 472, 580 NB, 715**
. évidences » : **109**
évolution sémantique : **117**

Europe : **43**
exceptions : **137 sq. 149 sq, 225 sq. 230-232**
exclamatif :
    adjectif **199-200**
    tour **365, 635**
exclamation : **506, 523, 599, 715**
exclamative : **21, 187, 199-200, 275, 365, 635**
exclure : **821**
exergue : **Préface**
exhortation : **401, 407**
exotisme : **42**
explétifs : **(voir pr. pers., de, ne, que, comme), 712**
exprès, express : **721**
expressivité : **713 sq**
extension (de sens) : **117, 118**

faillir : **829**
faire (semi-auxil.) : **326, 329 NB, 628**
faire : **685 NB**
faire (et composés) : **819, 820**
falloir : **331, 799, 825, 829**
familiarité (dans le récit) : **180**
familier (style) : **260, 262, 362, 378, 382, 387, 405, 571, 577, 632, 662, 721, 751**
famille étymologique : **112**
famille sémantique : **122**
famille (même) : **731 NB**
faon : **5, 138**
fausse indépendante : **677**
fautes officielles : **102**
féminin (voir : genre)
férir : **829**
feu (adjectif) : **232, 236**
figée (expression) : **202, 277, 408, 431, 434, 466, 494, 523, 526, 617, 672 NB, 691, 796, 835**
figure (de style) : **714-716**
figuré (sens) : **1, 115, 140, 143, 561, 581, 780, 825**
fin (à seule... que) : **659**
fin prêt(e)(s) : **237**
finale (but) : **657 sq**
finir : **776**
fleurir : **779**
fonctions :
    du nom **514 sq, 845**
    de l'adj. **579 sq, 848**
    du pronom **261-262, 268, 276-277, 284-285, 290-291,**

301-307
    des subordonnées **612-6 619-620, 859-861**
forboire (fourbu) : **472**
force (moutons) : **449, 477**
forfaire : **829**
formation (des mots) : **33-112**
formes (tours) : **358-365**
formules (de politesse) : **723**
fors : **472**
fort (se faire) : **228, 328, 32 840 NB**
fourbu (forboire) : **472**
franc (franque) : **726**
France : **54**
francien : **727**
franglais : **Préface, 721**
fringale : **88**
frire : **818, 829**
fuir : **792**
fusion : **682**
fût-ce : **408**
futur :
    simple **343-344, 383-384**
    Appendices (passim)
    antérieur **385-386**
    antér. surcomposé **387**
    du passé **345, 388**
    antér. du passé **389**
    prochain **326, 368, 425, 762**
    prochain du passé **368, 762**

gageure : **8 NB, 745**
gallicisme : **37, 262, 323, 362, 364, 632, 696, 710-713, 764**
gallo-romain : **726**
gallo-roman : **33**
gascon : **54**
gaulois : **35-37**
gemmail : **149**
genre (et espèce) : **117**
genre :
    des lettres **4 NB, 147**
    du nom **135 sq**
    de l'adj. **224 sq, 248, 569**
    du pronom **252 sq**
germanique : **40**
gérondif : **318, 432 sq, 511, 543 NB, 698**
gens : **154**
gésir : **791, 829**
glissement (de sens) : **117, 589**
grammaire : **Préf. 57, 753**
grand-mère(s) : **151, 228, 736, 753**

gré (savoir) : **722**
grec : **38**
grimoire : **Préf.**, **57**
gros mots : **500**
groupes (du verbe) : **311**
groupe :
    du nom **506 sq**
    de l'adj. **561 sq**
    de l'adv. de quantité **449**
groupe (de mots) : **15, 94**
groupement (de mots) : **91-92**
guillemets : **21**

h (muet, aspiré) : **8, 752**
habitants (noms d') : **89**
habitude : **180**
haïr : **338, 779**
harceler : **774 NB**
harmonie imitative : **7**
hébraïque : **226**
hébreu : **39, 226**
hésitations : **147, 151 NB, 152**
  NB, 419, 747
hiatus : **347, 752 NB**
« histoire de » : **662**
histoire de la langue : **725-731**
holorimes : **127**
homérique : **684**
homographes : **110, 738**
homonymes : **110**
homophones : **110, 144, 738,**
  743, 748
hongrois : **53**
horreurs : **26, 308, 721, 722**
hybrides : **87-88, 347, 501**
hyperbole : **715**
hypocoristique : **180**
hypothétique : **408**

identité : **188, 198**
il y a : **519, 521 NB, 712**
image : **117, 715, 716**
imboire (imbu) : **829**
imparfait :
    indicatif **340, 371-373**
    subj. **351, 404, 706 sq**
impartir : **779, 829**
impératif : **318, 331, 396 sq, 795**
impérative (phrase) : **21 NB**
impersonnel : **331, 653, 823-827**
impoli(tesse) : **79, 723**
imprimerie : **2, 58**
impromptu : **236, 746**

inchoatif : **312, 321, 327, 778**
incise (intercalée) : **517, 600**
inclination : **562**
inclure : **822**
incorrect(ion) : **549, 723,**
  876 NB
indépendante : **595, 597 sq**
indicatif : **318, 597 sq**
    (richesse) : **368, 762**
indignation : **395, 407, 419**
infinitf : **318, 409 sq**
    infin. nom **415-417**
    infin. verbe **418 sq, 698**
insigne : **117**
insistance : **259, 713, 744**
intention : **425**
intercalée : **(voir incise)**
intérêt : **527**
interjection : **499 sq**
interpeller : **337, 744 NB,**
  774 NB
interrogatif :
    tour **361-362, 764**
    adverbe **468-469**
    adjectif : **195 sq**
    pronom **287 sq**
interrogation : **715**
    directe, indir. **632**
    double **636**
interrogative : **631 sq**
interro-négatif : **363**
intonation : **17, 20, 362, 364,**
  594, 632
intransitif : **315, 766**
invariables : **93, 97, 437 sq, 593,**
  734
    (part. passé) **355, 774-829**
    (passim), **838 NB**
inversion : **600, 632-633, 713,**
  715
invitation polie : **401**
ironie : **715, 716**
irréel :
    du présent **394, 673**
    du passé **394, 673**
irréguliers (verbes) : **344, 774 sq**
issir (issu) : **829**
italien : **49, 441**

jadis : **458**
jargon(s) : **33, 55, 478**
Jésus-Christ : **86**
jeux (de mots) : **110, 111, 127,**
  534 NB, 745, 746
joindre : **807**

judiciaire (voir langue)
jungle : **5, 745**
juxtaposé : **520**
juxtaposée(s) : **596**
juxtaposition : **594**

kjoekkenmoedding : **48**

l muet : **8, 747**
labiales : **6, 7**
lacs (prononc.) : **106, 721**
laïc, laïque : **226**
lancement en tête : **713**
langue :
    parlée, écrite **17-19, 30, 375,**
    594
    courante, soutenue **26**
    archaïsante : (voir archaïsme)
    judiciaire **30, 202, 431, 829**
langue d'oc (d'oïl) : **727**
laser (anglais) : **125**
latin : **56-58, 441, 455 NB, 739**
  NB
laudatif (sens) : **161, 187, 199,**
  275
laver (se) : **771**
lettre (missive) : **30, 718 sq**
lettres (et sons) : **1-10**
lettres (genre) : **4 NB, 147**
leur (leurs) : **720, 877**
lez (lès, les) : **472**
liaison : **23-26**
liaisons « dangereuses » : **26**
licence poétique : **11**
lieu : **451 sq, 539**
lieu (au... que) : **668**
liquides : **7**
lire (et composés) : **818**
litote : **467, 715-716**
locutions : **92, 97, 129**
locutions courantes : **721**
locutions françaises : **126**
locutions :
    indéfinies : **282, 712**
    interrog. : **288, 712**
    verbales : **173, 328, 329, 712**
l'on : **283, 285, 712**
loquace (pron.) : **747**
luire : **817**

mais : **97 NB, 492**

majuscule : **3, 733-734**
malgré : **549**
malgré que : **665**
mangé aux mites : **526**
manière : **435, 440 sq, 543**
manière (de... que) : **661**
mari, marri : **743, 744**
masculin : **134 sq, 142 sq**
matière : **553**
maudire : **780, 818 NB**
même : **735, 874**
même si : **664, 671, 699, 870**
-ment (faux suffixe) **70, 440**
mésaventures :
    de l'article **103**
    du possessif **104**
    de la prépos. **105**
messeoir : **798, 829**
mesure (à... que) : **679**
métaphore : **117, 715**
métonymie : **715**
mettre (et composés) : **804**
meurtrir : **117**
mille : **206, 209**
mnémotechnique : **487, 673, 707**
modes (les 7) : **317-318**
mode du verbe : (voir verbe)
moderne (français) : **730**
mœurs (pron.) : **747**
monosyllabe : **12**
morphologie : **14, 129-502**
mot (le) : **12, 15**
mots (les 9 espèces) : **13**
mots croisés : Préface
mots-phrases : **94**
mots voyageurs : **45**
moudre : **811**
« mouillé » : **8, 746, 795**
mourir : **788**
mouvoir : **794**
moyen : **435, 544, 562**
moyen français : **728**
murmure : **36**
muscle : **115**

n' : **467**
nage (en) : **105**
naguère : **458**
naître : **813 NB**
narration :
    présent de : **370**
    infinitif de : **419**
nasales : **5, 7**

nasalité : **24 NB**
ne : **466-467, 659**
ne explétif : **467, 623, 642, 654, 659, 680, 712**
néerlandais : **47**
négatif (tour) : **358-360**
négligences : **29, 478, 481, 721**
neiger : **823**
nenni : **467**
néologismes : **123-125**
ne... que : **467, 712**
neutre : **223, 235, 242 NB, 247, 253, 257 sq, 273 NB, 275, 277, 288 sq, 294 sq, 299**
ni : **467, 494**
Noël : **154**
nom (substantif) :
    commun, propre : **131**
    propre **88, 89, 90, 103, 153, 159, 160 NB, 472, 477, 733, 734, 736 NB, 739 NB, 748, 749**
    concret, abstrait : **132**
    composé : **92, 133, 151**
    fonctions : **506 sq**
nom verbal : **409**
nombre :
    du nom : **148 sq**
    de l'adj. : **229 sq**
nombres composés : **728**
nonobstant : **429, 472, 691**
normand : **54**
normative : Préface
non : **465**
non (en composition) : **465, 736**
non réfléchi : (voir réfléchi) (pronominal) : **772, 839, 842**
nord, Nord : **734**
nouveau : **237**
nu : **236**
nuances :
    c. du nom : **552-555**
    c. de l'adj. : **562**
    v. pronominal : **772-773**
nuire : **817**
numéraux (et chiffres) : **757-758**

ô : **500, 571**
objet (direct, indirect) : **316, 521**
objet de l'action : **554, 562**
objet interne : **528**
objet second : **530**
obligation : **425**

obsécration : **715**
occire : **829**
occlure : **822**
œils (yeux) : **154**
oindre : **829**
omission de :
    adv. « ne » : **466**
    antécédent : **298**
    article : **173, 328-329**
    préposition : **477, 481, 662**
    sujet **262, 629**
    conjonction **490**
    verbe **514**
    complément **568 NB**
    proposition **637, 640, 64: 676**
on : **260, 283, 285, 834 NB**
onomatopée : **12, 94, 98, 50(502 NB**
opposition : **407, 663 sq**
ordre : **399, 407, 419, 506**
orgue : **154**
Orient : **41**
origine (des mots) : **31 sq, 98 sq**
origine : **530, 549, 554, 562**
origine (étrangère) : **159**
orthographe (double) : **353**
ou : **493, 865 NB**
où : **295, 865**
ouate : **159 NB, 163, 747**
oubli (du sens étymol.) : **108**
ouïr : **791, 829**

paître : **813 NB, 829**
palatales : **6, 7**
palindrome : **127**
pallier : **483, 736**
panacée : **721**
panier : **117**
pantomime : **110, 721, 745**
pantorime : **127**
papeterie (pron.) : **751**
Pâques : **154**
par (prép.) : **471, 476, 526, 542, 853**
parallèle : **187, 275, 488, 671, 715**
parallélisme : **765**
parce que (par ce que) : **648, 868**
parenthèses : **21**
paronymes : **110**
participe : **318, 423 sq**
participe-adjectif : **333, 428-429**
participe passé : **334, 354-355,**

426, 794, 809, 822, 835 sq
participe présent : 333, 353, 425
participe-verbe : 430-431, 698
participiale : 687 sq
particularités :
    orthographiques : 335 sq
particularités :
    (les 3 groupes) : 774, 822
partie : 117, 554
partiel : 514
partir : 785
partitif (article) : 162 sq
partitive (nuance) : 246, 306, 554, 557, 559, 560, 569, 577, 616
pas (= point) : 26
passé antérieur : 373
passé composé : 376-377
passé simple : 341-342
passé surcomposé : 378
passé récent : 326, 368, 762
passif impersonnel : 826
passion : 715
passive (voix) : 313
pataquès : 26, 877
patois : 35, 342, 829
pédagogue : Préface
peindre : 805, 808
pingouin : 45
péjoratif : 161, 187, 199, 275
périphrase : 120, 139, 443, 468, 715, 716
perles : Préface : 111, 308
personne (persona) : 256
personnes (du verbe) : 330
phonéticien : 5, 18
phonétique : 1-30
phrase : 16, 594 sq
picard : 54
pied : 112, 116
pire (pis) : 242 et NB, 613
place :
    de l'épithète : 236, 580
    du pron. pers. : 263, 628, 725
plaids (plaies) : 106
plaindre (se) : 842
plaire (et composés) : 819
plaire (se) : 841, 842
plan (plant) : 721 NB
plein : 97, 471
plein (plain) : 110
pléonasme : 108, 713, 715, 721, 773
pleuvoir : 800, 824
pluriel :
    adjectif : 229 sq
    nom : 148 sq

double : 154
politesse : 178, 235, 260, 331, 398
majesté (modestie) : 260
plus (prononc.) : 740
plus d'un : 630, 831 NB
plus-que-parfait :
    indic. : 380-381
    surcomp. : 382
    subj. : 403-404
poids : 548
poindre : 126, 829
point : 21
point d'interrogation : 21
point d'exclamation : 21
point de suspension : 21
points cardinaux : 734
points (deux) : 21
point de vue : 549
politesse : 718, 723
politesse (voir formules; voir pluriel)
polonais : 52
polysémie : 118
polysyllabe : 12
polyvalence : 550
ponctuation : 20-22, 720, 832 NB
pondre : 117, 803
portugais : 51
positif : 239
possession : 553
postériorité : 411
potentiel : 394, 574, 673
pour (prép.) : 471, 529, 532, 854
pour omis : 662
pour + infin. : 422, 656, 662, 698
pour que : 654, 657
pourvu que : 671
pouvoir : 685, 795
préfixes : 75-86, 740
préliminaires : 1-30
premier (sens) : 115
prendre (et composés) : 807
préposition : 470 sq
préposition explétive : 482
préposition omise : 477, 481, 662
près de (prêt à) : 483
présent :
    indic. : 335-339, 369-370
    impér. : 346, 396 sq
    subj. : 349-350, 404
    condit. : 391, 394, 673
    infin. : 410 sq

    partic. : 423 sq
    gérondif : 433 sq
presque : 28
prétérition : 715
prière : 401, 407
prime (adj.) : 214
principale : 595, 604 sq
privation : 562
prix : 548
problèmes (d'analyse) : 694 sq
pronom : 251 sq, 591, 847
    personnel : 255 sq
    personnel explétif : 262, 709-711
    possessif : 264 sq
    démonstr. : 272 sq
    indéfini : 279 sq
    interrog. : 287 sq
    relatif : 293 sq
pronom d'annonce : 518, 620, 713
pronom de reprise : 262, 518, 620, 634, 713
pronominale (voix) : 313, 314, 315, 771-773
prononciation : 8, 24, 36, 155, 176 NB, 342, 733, 736, 737, 745-754, 819 NB, 873
proportion : 679
propos : 549, 554
proposition : 505 sq, 594 sq
proposition sujet : 520, 613, 620, 631
propre (sens) : 115, 581
prosopopée : 715
provenance : 549
provençal : 54
proverbes : 126, 173, 599, 628
proverbes déformés : 127
pseudonymes : 127
puce (à l'oreille) : 126
punch, punch : 748
pure (langue), puristes : Préf., 260, 483 NB, 549, 654 NB, 707, 773

qualité : 553
quand : 866
quant à : 259
quant à explétif : 482 NB, 574, 866
quantième : 721
quantité : 188, 446 sq, 548, 554
quart, quarte : 214
quasi (en composition) : 736

quasi (prononc.) : **745**

quatrain : **758**

que : **863**

que (relatif) : **294 sq, 641, 648, 654, 659, 665, 683**

que (interrog.) : **288 sq, 469, 863**

que (conjonction) : **484 sq, 618 sq, passim**

que explétif : **463, 669**

quelque : **28, 875**

quérir (querir) : **787, 829**

qui (relatif) : **294 sq, 302, 616, 862**

qui (interrog.) : **288 sq, 862**

qui (= si on) : **614 NB, 862 NB**

quiconque : **296**

quint (quinte) : **214**

quoique (quoi que) : **665, 868**

rabattre, rebattre : **110, 721, 739 NB**

raccourcis négligés : **478**

raccourcissement (de mots) : (voir aphérèse, apocope)

radical : **61 sq, 321, 776, 778, 782 sq**

raisonnement : **714, 715**

rappel(s) : **226 NB, 589, 590-593, 704, 719, 744 NB, 751, 761 sq, 877**

rappeler (se) : **308, 521, 722**

rassir (rassis) : **829**

re- (préfixe) : **739 NB, 740**

recevoir : **793, 794**

rechaper, réchapper : **110, 739, 746**

recherche (d'élégance) : **713**

réciproque : **262, 315, 772-773, 839, 841**

reclure : **821**

recouvrer : **110, 721**

recru, recrû : **814 NB**

redoublement : **518**

réfléchi, non réfléchi : **181, 262, 271**

règle « 1-3, 2-4 » : **707**

règles d'accord : **332**

regret : **395**

regretter : **337, 774 NB**

relatif (superlatif) : **245**

relatif :

    adjectif : **201 sq**

    pronom : **293 sq**

relatifs indéfinis : **664**

relative : **611 sq**

adjective : **612**

    substantive : **613**

    circonst. : **613**

relief (mise en) : **523, 581, 713**

René : **812 NB**

renforcement : **117, 270, 288, 465**

repaître (se) : **813 NB**

repartir : **785**

répartir : **780, 785**

répétition (d'action) : **327**

résolu, résous : **355, 809**

résoudre : **809**

ressemblance : **679**

ressembler (prononc.) : **740**

ressortir : **780**

restriction (de sens) : **117**

réticence : **715**

rêve : **395**

rêver à (de) : **483, 856**

rhétorique : **714**

rime : **127**

rire (sourire) : **818**

roide (raide) : **126**

roman(e) : **33**

rompre : **803 NB**

rupture (de construction) : **607 NB**

russe : **52**

rythme : **716**

saillir : **780, 783 NB, 829**

saint : **734**

sache (je ne..., que je...) : **408, 617, 796**

salade : **108**

sanglier (= singulier) : **57**

sans (prépos.) : **471, 549, 677, 856**

sans (aucun) doute : **463**

sans que : **653, 654, 664**

sauf : **97, 471**

saupoudrer : **108, 721, 745**

savoir : **796**

scandinave : **48**

scieur (sieur) : **746**

scrupule : **59**

seoir : **798, 829**

second : **214**

selon que : **671**

sémantique : **31, 113 sq**

semi-auxiliaire : **326, 411, 420, 425 NB, 712**

semi-voyelle (semi-consonne) : **5, 759, 760**

sens (des mots) : **113 sq**

sens (du verbe) : **315**

sens (de la phrase) : **748, 8. NB**

sens (différents) : **483, 555**

sens (dessus dessous) : **273 N 440, 721 NB, 877**

servir : **781, 784**

si : **450, 633, 674, 869**

sidéré : **109, 721**

sifflantes : **7**

sigles : **22, 90, 94, 124**

signes (ponctuation) : **20-22**

signes (abrév.) : **7**

signifiée (chose) : **117**

simultanéité : **411, 425, 64 645**

singulier (= sanglier) : **57**

singulier (ou pluriel) : **155**

ski (pron.) : **748**

slave : **52**

snobisme : **748 NB**

soi : **260**

soi-disant : **260, 721**

soit que : **109**

sommier : **109**

sonar : **125**

son(s) : **5 sq**

son(s)-consonnes : **5**

son(s)-voyelles : **5**

sonores : **7**

souhait : **395, 401, 407, 408**

souplesse : **510**

sourdes : **7**

sourdre : **57, 829**

souvenir (se) : **260, 308, 521, 722, 827 NB**

stupéfier : **722**

stupide (expression) : **108, 124, 273 NB, 467 NB**

style : **717, 724**

style familier : (voir familier)

style direct, indirect, semi-direct : **708-709**

subjonctif : **318, 402 sq**

subj. présent : **349-350**

subj. impft : **351-352**

subordination : **594**

subordonnant : **697**

subordonnés : **406, 595, 609 sq, 857-861**

    relatives : **611 sq**

    complétives : **618 sq**

    circonst. : **640 sq**

    participiales : **687 sq**

substantif : **129, 131 sq**

succéder (se) : **773, 841 NB**

suivre (et composés) : **815**
suivre (se) : **773, 841 NB**
suffire : **818**
suicider (se) : **773**
sujet : **309, 505, 515 sq**
 apparent, réel : **262, 519**
 commun, partiel : **514**
 inversé : **517, 616, 632, 735**
 redoublé : **518**
sujet de l'action : **554**
sujet d'infinitive : **627-629**
sujet de participiale : **690-691**
superlatif :
 d'adjectif : **244 sq**
 d'adverbe : **444, 448, 453, 457**
supposition : **395, 401, 407, 408**
surseoir : **798**
susdit : **355**
syllabe : **10-11**
syllabe -iss- : **312, 321, 778**
syllepse : **715**
synérèse : **11**
synonymes : **119, 121, 122, 725**
syntaxe : **14, 130, 503 sq, 594 sq, 722**
synthèses (gramm.) : **845-877**

teuphonique : **347, 362, 712, 735**
tableaux (conjug.) : **761-844**
tableau (abrév., signes) : **7**
taille : **548**
taire : **819**
tant : **446, 450**
tant (à... que) : **721**
tant pis : **721**
tante : **104**
tchèque : **52**
tel : **682, 876**
tel que : **682, 876 et NB**
tel quel : **682, 876**
temporelle : **640 sq**
temps (adv.) : **455 sq**
temps (circonst.) : **540-541**
temps (du verbe) : **319-320**
temps composés : **356-357**
temps surcomposés : **320, 321, 368 NB**
tendre : **802, 803**
tenir (et comp.) : **789**
terminaisons : **321**
tête : **55**
tiers, tierce : **214**

tiret : **21**
titres : **734, 873**
toilette : **117**
ton (juste) : **30**
tonique :
 adj. poss. : **160 sq**
 pron. pers. : **258 sq**
 négation : **465**
toponymie : **36, 40, 580, 726**
tournesol : **101**
tours (tournures, formes) : **358-365**
tout (et partie) : **117**
tout : **193, 450, 712, 873**
tout autre : **873**
tout-puissant : **237**
tout... que : **668**
traire : **819, 829**
trait d'union : **21, 454, 735-736**
transitif : **316**
 direct, indirect : **316**
travails, travaux : **154**
tréma : **8, 226**
trentain : **758 NB**
très : **245-246, 450, 722 NB**
tronqués (mots) : **70, 94, 124**
trop : **242, 444, 447, 686, 848**
trop... pour : **127, 656**
truand : **117**
tuer : **117**

u (son) : **36**
Ubu (ubuesque) : **127**
une fois (explétif) : **641, 691, 692 NB, 712**
unipersonnel : (voir imperson-nel)
un tel (untel) : **139, 876**
usure de la langue : **710-712**

vaincre : **336, 806**
vair : **110**
valoir : **795**
valu : **838**
vals, vaux : **154**
variables : **13, 83**
va-t'en : **347, 776**
vau (à... l'eau) : **440**
venir (et comp.) : **789**
verbe : **309 sq**
 généralités : **309 sq**
 modes et temps : **367 sq**
 tableaux : **761 sq**

verbe :
 de l'indép. : **602**
 de la pple : **605**
 de la relative : **617**
 de la complétive :
  par « que » : **622-623**
  interr. : **639**
 de la circonst. :
  de temps : **643-644**
  de cause : **649-650**
  de conséq. : **655**
  de but : **660-661**
  de concess. : **667**
  de condit. : **671 sq**
  de compar. : **685**
vers (un) : **59**
vêtir : **785**
viande : **117**
villes (noms de) : **145, 748, 749**
Villon (prononc.) : **749**
vingt : **36, 206**
vingtaine : **36**
virgule : **21, 588, 596, 755-756**
vivre : **816**
vocabulaire : **31-128, 721**
voici, voilà : **454, 472, 602, 605, 616, 620, 625, 628, 712**
voir (et comp.) : **799**
voire : **461**
voirie : **750**
voix (du verbe) : **313-314**
voix, modes, temps : **761**
volatil, volatile : **226 et NB**
vouloir bien, bien vouloir : **723 NB**
voyelles : **4, 759**

Wagner : **748**
wallon : **54**
Waterloo : **748**

-x (pluriels en) : **149, 230-232**
-x (verbes en) : **336, 795**

y : **260, 872**
yeux (œils) : **154**

zéro (de zéro) : **721**
zeugma : **715, 716**

TABLE DES MATIÈRES

PRÉLIMINAIRES

LA PHONÉTIQUE DU FRANÇAIS

9   **Du son au mot**

.... LETTRES ET SONS
9 .... Les lettres de l'alphabet
10 .... Les lettres et les sons
12 .... Imperfections, anomalies, curiosités

14 ...... SYLLABES ET MOTS
15 .... La syllabe   Le mot

Du mot à la langue

16 ...... LES MOTS ET LA GRAMMAIRE

16 ...... DU MOT À LA PHRASE

17 ...... LANGUE PARLÉE, LANGUE ÉCRITE

18 ...... LES SIGNES DE PONCTUATION

20 ...... LIAISONS, ÉLISIONS

PREMIÈRE PARTIE

LE VOCABULAIRE DU FRANÇAIS

27   **L'origine des mots : étymologie**

27 ...... LES EMPRUNTS
27 à 35 .... Le gaulois, le grec, l'hébreu, le germanique, l'oriental, l'exotisme, l'Europe, la France « l'hexagone », le latin

35 . . . . . . LES CRÉATIONS FRANÇAISES

36 . . . . DÉRIVATION ET COMPOSITION
36 . . . . Dérivation, suffixes
38 . . . . Composition, préfixes
41 . . . . Curiosités dans les créations
43 . . . . GROUPEMENT DE MOTS
43 . . . . CHANGEMENT DE CATÉGORIE GRAMMATICALE

46 . . . . . . REMARQUES SUR L'ÉTYMOLOGIE

51 . . . . . . Le sens des mots : sémantique

54 . . . . . . CONCLUSION SUR LE VOCABULAIRE

DEUXIÈME PARTIE
LA MORPHOLOGIE DU FRANÇAIS,

58 . . . . . . les neuf espèces de mots

59   Les mots variables

59 . . . . . . LE NOM, OU SUBSTANTIF
60 . . . . LE GENRE DES NOMS
60 . . . . Noms de personnes et d'animaux
62 . . . . Noms de choses
63 . . . . LE NOMBRE DES NOMS

68 . . . . . . L'ARTICLE
68 . . . . L'article défini
69 . . . . L'article partitif
70 . . . . L'article indéfini
71 . . . . Omission de l'article

72 . . . . . . L'ADJECTIF
72 . . . . LES ADJECTIFS PRONOMINAUX
72 . . . . L'adjectif possessif
75 . . . . L'adjectif démonstratif

76 . . . . L'adjectif indéfini
77 . . . . L'adjectif interrogatif
78 . . . . L'adjectif relatif

78 . . . . LES ADJECTIFS NUMÉRAUX
78 . . . . L'adjectif cardinal
81 . . . . L'adjectif ordinal

82 . . . . LES ADJECTIFS QUALIFICATIFS
83 . . . . Formation du féminin
84 . . . . Formation du pluriel
85 . . . . Accords de l'adjectif qualificatif
88 . . . . Degrés de signification

91 . . . . LE PRONOM
92 . . . . Le pronom personnel
96 . . . . Le pronom possessif
97 . . . . Le pronom démonstratif
99 . . . . Le pronom indéfini
101 . . . . Le pronom interrogatif
102 . . . . Le pronom relatif

107 . . . . LE VERBE

107 . . . . GÉNÉRALITÉS
107 . . . . Action, état
107 . . . . Les trois groupes
108 . . . . Les trois voix
109 . . . . Les divers sens
110 . . . . Les sept modes
110 . . . . Les temps
112 . . . . Les deux auxiliaires
113 . . . . Les semi-auxiliaires
114 . . . . Les locutions verbales
115 . . . . La personne et le nombre
115 . . . . Règles d'accord
116 . . . . Particularités orthographiques
122 . . . . Les tours (tournures, formes)

124 . . . . MODES ET TEMPS
124 . . . . L'indicatif
131 . . . . Le conditionnel
132 . . . . L'impératif
134 . . . . Le subjonctif
137 . . . . L'infinitif

140 . . . . Le participe
144 . . . . Le gérondif

146 . . . . . . **Les mots invariables**

146 . . . . . . **L'ADVERBE**
146 . . . . LES ADVERBES DE CIRCONSTANCE
146 . . . . L'adverbe de manière
149 . . . . L'adverbe de quantité
151 . . . . L'adverbe de lieu
152 . . . . L'adverbe de temps
153 . . . . LES ADVERBES D'OPINION
153 . . . . L'adverbe d'affirmation
153 . . . . L'adverbe de doute
154 . . . . L'adverbe de négation
156 . . . . L'adverbe d'interrogation

156 . . . . . . **LA PRÉPOSITION**

162 . . . . . . **LA CONJONCTION**
162 . . . . LA CONJONCTION DE COORDINATION
165 . . . . LA CONJONCTION DE SUBORDINATION

167 . . . . . . **L'INTERJECTION**

TROISIÈME PARTIE:
LA SYNTAXE DU FRANÇAIS

171 . . . . . . **Syntaxe de la proposition**

171 . . . . . . **LE NOM**
174 . . . . LES FONCTIONS DU NOM
174 . . . . Le sujet
176 . . . . Le complément d'objet
177 . . . . Le complément d'agent
178 . . . . Le complément d'attribution
179 . . . . L'attribut du sujet
180 . . . . L'attribut de l'objet
181 . . . . Le complément circonstanciel

185 . . . . LES AUTRES FONCTIONS DU NOM

185 . . . . Le complément du nom
187 . . . . Le complément du pronom
187 . . . . Le complément de l'adjectif numéral
188 . . . . Le complément de l'adverbe
188 . . . . Le complément de l'adjectif qualificatif
189 . . . . Le complément du comparatif
190 . . . . Le complément du superlatif
190 . . . . L'apostrophe
191 . . . . L'apposition

192 . . . . . . L'ADJECTIF QUALIFICATIF
193 . . . . L'adjectif épithète
194 . . . . L'adjectif attribut du sujet
195 . . . . L'adjectif attribut de l'objet
196 . . . . L'adjectif apposé

197 . . . . . . RAPPELS
197 . . . . Les autres adjectifs
197 . . . . Le pronom
197 . . . . Le verbe
197 . . . . Les mots invariables

198 . . . . . . Syntaxe de la phrase

199 . . . . . . LA PROPOSITION INDÉPENDANTE

201 . . . . . . LA PROPOSITION PRINCIPALE

202 . . . . . . LA PROPOSITION SUBORDONNÉE
203 . . . . LA SUBORDONNÉE RELATIVE
205 . . . . LES TROIS COMPLÉTIVES
205 . . . . La complétive par « que »
207 . . . . La complétive infinitive
209 . . . . La complétive interrogative
211 . . . . LES SEPT CIRCONSTANCIELLES
211 . . . . La circonstancielle de temps
213 . . . . La circonstancielle de cause
215 . . . . La circonstancielle de conséquence
217 . . . . La circonstancielle de but
219 . . . . La circonstancielle de concession
222 . . . . La circonstancielle de condition
225 . . . . La circonstancielle de comparaison

228 . . . . LA SUBORDONNÉE PARTICIPIALE

230 . . . . . . Conclusions sur la syntaxe

230 . . . . . . DE QUELQUES PROBLÈMES
232 . . . . . . DE LA CONCORDANCE DES TEMPS
232 . . . . VERBE SUBORDONNÉ À L'INDICATIF
233 . . . . VERBE SUBORDONNÉ AU SUBJONCTIF

235 . . . . . . DES TROIS STYLES : direct, indirect, semi-direct

236 . . . . . . Grammaire et langue

236 . . . . . . USURE DE LA LANGUE, GALLICISMES

238 . . . . . . RECHERCHE DE L'EXPRESSIVITÉ

240 . . . . . . EXPRIMONS-NOUS CORRECTEMENT

246 . . . . . . HISTOIRE DE LA LANGUE FRANÇAISE

250 . . . . . . ANTHOLOGIE GRAMMATICALE

APPENDICES
SYNTHÈSES ET TABLEAUX

256 . . . . . . Orthographe et prononciation

256 . . . . La majuscule
258 . . . . Le trait d'union
260 . . . . L'accentuation
262 . . . . Consonnes doubles
264 . . . . La prononciation
270 . . . . La virgule
271 . . . . Les numéraux et les chiffres
272 . . . . Alphabet phonétique

274 . . . . . . Tableaux de conjugaison

274 . . . . Voix, mode, temps (tableau et rappel)

276 . . . . . . AVOIR

277 . . . . . . ÊTRE

278 . . . . . . VOIX ACTIVE : aimer

279 . . . . . . VOIX PASSIVE : aimer

280 . . . . . . VOIX PRONOMINALE : se laver

282 . . . . Premier groupe : particularités

284 . . . . . . DEUXIÈME GROUPE : finir

285 . . . . Deuxième groupe : particularités

286 . . . . . . TROISIÈME GROUPE

287 . . . . Troisième groupe : particularités

287 . . . . Les verbes en -ir (servir, acquérir...)

291 . . . . Les verbes en -oir (recevoir, asseoir...)

295 . . . . Les verbes en -re (teindre, peindre, connaître, faire...)

306 . . . . . . IMPERSONNELS : neiger, pleuvoir

306 . . . . . . LES VERBES DÉFECTIFS

309 . . . . Accord du verbe avec son sujet

311 . . . . Accord du participe passé

316 . . . . . . Synthèses d'analyse

316 . . . . Le nom (ses principales fonctions)

317 . . . . Le groupe du nom

317 . . . . Le pronom

317 . . . . L'adjectif qualificatif

318 . . . . Emploi des principales prépositions : à, de, en, dans, par, pour, avec

320 . . . . Les propositions subordonnées

322 . . . . Confusions graves à éviter : qui, que, où, quand, comme, si, en, y, tout, même, quelque, tel

329 . . . . . . INDEX ALPHABÉTIQUE

Imprimé en France par BRODARD GRAPHIQUE - Coulommiers-Paris HA / 3607 / 2.
Dépôt légal n° 6149-2-1983. — Collection n° 04 — Édition n° 01.